D1643906

Ceram · Der erste Amerikaner

Oft begleitet von seiner Frau Anne Stine und seiner Tochter Benedicte tastete sich Ingstad langsam, zeitweise im eigenen Boot (entworfen vom Schiffbauer, der auch Nansens berühmtes Polschiff ‹Fram› erbaut hatte), nach Norden vor; über Cape Cod, Boston, bis nach Maine und Neuschottland. Nirgendwo fand er die Bedingungen, die den Beschreibungen der Sagas voll entsprochen hätten. Bis er nach Neufundland kam!

Ohne auf seine langjährigen Mühen hier im einzelnen eingehen zu können, sei nur kurz und abschließend zum Vinland-Problem gesagt: Auf der Nordspitze von Neufundland, bei dem winzigen Fischerdorf mit dem merkwürdigen Namen L'Anse aux Meadows fand er Ruinen, die zweifellos nicht von Indianern oder Eskimos, auch zweifelsfrei nicht von frühen Walfängern stammten. Der halb französische und halb englische Name des Dorfes bedeutet «Die Bucht bei den Wiesen» und entspricht damit, obwohl er erst seit dem vorigen

Die Züge der Wikinger um das Jahr 1000 nach Chr. Die Karte zeigt, daß sie, im Gegensatz zu Kolumbus, die Neue Welt sprunghaft, über die Inseln hinweg, entdeckten.

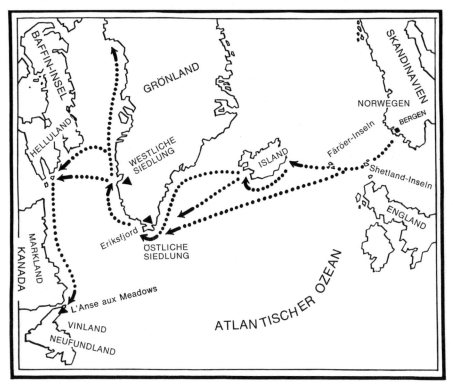

Jahrhundert kartographisch belegt ist, der Beschreibung des Landeplatzes, die die Sagas gaben.

Ingstad grub acht größere und kleinere Häuser aus, das heißt die Spuren ihrer Fundamente. Dazu eine Schmiede und einen Kohlenmeiler. Das sogenannte Langhaus hatte mehrere Räume und die beträchtliche Größe von 20 mal 16 Metern. Die gegenständlichen Funde waren äußerst gering, aber archäologisch höchst aufschlußreich. Es fand sich bearbeitetes Eisen (aus dem sogenannten Sumpfeisenerz gewonnen, das klumpenförmig in Seen, Bächen oder nassen Wiesen vorkommt und in einem Schmelzprozeß veredelt wird, der sowohl Indianern wie auch Eskimos unbekannt war, wohl aber den Skandinaviern vertraut); dazu Kupfer in einer Legierung – ebenfalls den Eingeborenen Amerikas nicht bekannt, die Kupfer nur hämmerten. Und es fand sich als Wichtigstes – es war ein Fund erst der letzten Expedition, und die Ausgräber fielen sich vor Freude überwältigt in die Arme – ein kleiner Spinnwirtel aus Speckstein, wie er von Grönland und Norwegen her bekannt war!

Nicht weniger als zwölf Radiocarbon-Datierungen (oder C^{14}-Datierungen, wie sie auch genannt werden, siehe 8. Kapitel), die an der gefundenen Holzkohle gewonnen werden konnten, nannten alle ungefähr dasselbe Datum: um das Jahr 1000 nach Chr. – also genau dasselbe Datum, das uns die Sagas von Leifs Erkundungsfahrt überliefern.

Es scheint kein Zweifel mehr zu bestehen, daß in dem «Langhaus» das Haus Leif Erikssons gefunden worden war. Von hier war er zu Fischfang und Jagd ausgezogen, an diesem Herdplatz (die Feuerstelle konnte genau lokalisiert werden) hatte er des Abends gesessen im Kreise seiner Männer. Hier wurde von den Taten erzählt, Berichte, die nun von Mund zu Mund weiterliefen über Grönland nach Island und Norwegen, wo sie schließlich zu den «Sagas» geschmolzen wurden. Dieses Haus hatte er seinen Verwandten überlassen, als er selber sich wieder zurückzog nach Grönland, um in der Heimat zu sterben. Und dann ging eines Tages, übermäßige Holzkohlenreste beweisen es, das große Haus in Flammen auf. War es schon verlassen? Brannten es Eingeborene ab? Das wissen wir nicht.

Helge Ingstad, der Nachfahr und glückliche Finder aus unseren Tagen, erklärt am Ende seines Berichtes mit der Vorsicht des Forschers, der Fragen offenläßt:

«Nach dem vorliegenden Gesamtmaterial zu urteilen, ist es wahrscheinlich, daß die Normannen, die sich vor etwa tausend Jahren in L'Anse aux Meadows aufhielten, identisch mit den Vinlandfahrern der isländischen Sagas sind. Es ist auch wahrscheinlich, daß es dort war, wo Leif Eriksson seine ‹großen Häuser› baute. Wir müssen annehmen, daß das Vinland der Saga das nördliche Neufundland war.»[5]

Wikinger im Kampf
mit grönländischen «Pygmäen». Eine
reine Phantasie des Olaus Magnus
aus dem 16. Jahrhundert.

Soweit der Forscher. Die Stadtväter von Boston nahmen das Urteil vorweg: Schon im Jahre 1887 hatten sie in Boston Leif Eriksson ein Denkmal errichtet.

Ein ungeduldiger Leser mag hier fragen, ob wir nicht endlich zur eigentlichen Archäologie in Amerika kommen, deren Geschichte unser Buch verspricht. Nun, erstens haben wir mit der Jefferson- und der L'Anse aux Meadows-Grabung bereits zwei Beispiele gegeben, zweitens aber brauchen wir diese Vorgeschichte, *weil* sich die amerikanische Archäologie (besser die Archäologie in Amerika) in einer ganz merkwürdigen Abhängigkeit befindet: Gänzlich anders als in Europa ist sie eine Unterabteilung der Anthropologie, also ganz allgemein der Wissenschaft vom Menschen, während die Archäologie in Europa als eine Wissenschaft von den Denkmälern und Schriftzeugnissen begann und sich allenfalls als eine Unterabteilung der umfassenden Geschichtswissenschaft betrachtet.

Die Eigenart der Archäologie in Amerika, die Tatsache, daß sie im Anthropologischen wurzelte, zwingt uns, bei den ersten *menschlichen* Begegnungen mit jenen Kulturen zu beginnen, die erst sehr viel später ein archäologisches Interesse anregten. Als wir Kolumbus kurz behandelten, zitierten wir den Ausspruch des über-enthusiastischen Wissenschaftlers, der Kolumbus den ersten amerikanischen Anthropologen nannte, weil er von den Sitten und Gebräuchen der Ureinwohner immerhin sofort Notiz genommen hatte. Gerade im Hinblick auf Kolumbus, gegen den die Wikinger heute so häufig ausgespielt werden, muß man fragen: Was haben nun diese verwegenen Seefahrer und ersten Siedler über die Eingeborenen von Vinland zu berichten?

Die Antwort lautet: außerordentlich wenig! Sie gaben ihnen einen unverständlichen Namen, und was sie berichten, ist unklar und wenig erfreulich.

Nach Leif kamen nach Amerika: Thorvald Eriksson, Thorfinn Karlsefni und ein offenbar megärenhaftes Weib namens Freydis, die Tochter Eriks des Roten. Eine von Thorstein Eriksson veranstaltete Expedition mißglückte.

Leifs Bruder Thorvald segelte mit Leifs Schiff nach Neufundland, überwinterte in Leifs Häusern und unternahm mehrere Erkundungsfahrten. Und da geschieht es eines Tages, daß sie am Strand auf drei umgekippte Boote stoßen, unter denen sich neun Männer verbergen. Die Wikinger zögern keinen Augenblick, sie zu überfallen und niederzumetzeln – nur einer entkommt. Diese unbegreifliche Tat kann nur aus ihrem Charakter erklärt werden, mit Vernunft hat sie nichts zu tun – und sie trug böse Früchte. «Eine Flotte von zahllosen Fellbooten» überfiel die Wikinger, und sie wurden mit einem Hagel von Pfeilen überschüttet. Einer der Pfeile fuhr unterm Arm hindurch in Thorvalds Brust. Er zog den Pfeil heraus, hielt noch eine kurze Ansprache an seine Gefährten, bewog sie zur Rückkehr und starb.

Das ist fast alles, was wir vom ersten Zusammentreffen der weißen Männer mit den Ureinwohnern wissen – dazu den merkwürdigen Namen, mit dem fortan die Eingeborenen benannt wurden: «Skrälinger».

Thorvald ist wahrscheinlich um 1007 nach Chr. getötet worden. Um 1020 machte sich ein aus Norwegen nach Grönland gekommener Wiking erneut auf Vinlandfahrt: Thorfinn Karlsefni. Er segelte mit 60 Männern, 5 Frauen und zahlreichem Vieh (es gibt verschiedene Zahlenangaben, jedenfalls scheint dies die größte Expedition gewesen zu sein; sie diente offenkundig weitgeplanter Besiedlung), verbringt den Winter in Leifs Haus und hat im nächsten Sommer ebenfalls eine Begegnung mit den Skrälingern. Als der erste Skrälinger aus dem Walde trat, begann das Vieh zu brüllen. Das entsetzte alle so, daß sie aus Panik nicht in den Wald zurück, sondern in die nahen Wikinger-Häuser zu flüchten versuchten. Aber die Häuser waren bewacht. Wie auch immer: Es kam zu einer freundlichen Begegnung und sogar zum Tauschhandel. Anfangs wollten die Skrälinger nur die wunderbaren Waffen, die sie bei den Wikingern sahen, dann begnügten sie sich mit Milch, auf die sie ganz versessen waren; sie selber gaben vor allem Pelze.

Doch Karlsefni war mißtrauisch und baute Palisaden um sein Haus. Zu dieser Zeit wurde ihm ein Sohn geboren, *der erste weiße Amerikaner*, von dem wir sogar den Namen wissen. Er hieß Snorri!

Wieder kamen die Skrälinger. Diesmal zahlreicher und aufdringlicher. Als einer versuchte, eine Waffe zu stehlen, erschlug ihn einer von Karlsefnis Kämpen. Die Wikinger trafen sofort Vorbereitungen zu weiterem Kampf, denn jetzt erwarteten sie Angriffe. In der Saga heißt es:

«Nun kamen die Skrälinger an die Stelle, die jener (Karlsefni) sich als Kampfplatz ersehen hatte. Es kam zum Kampf, und eine große Zahl Skrälinger ward erschlagen. Er war da ein großer und ansehnlicher Mann in der

Schar der Skrälinger, und Thorfinn dünkte es, das müsse ihr Anführer sein. Nun hatte einer von den Skrälingern eine Axt aufgehoben und sah eine Weile auf diese. Dann schwang er sie wider einen seiner Gefährten und hieb auf ihn. Der sank sofort tot nieder. Da nahm jener große Mann die Axt, betrachtete sie eine Weile und warf sie dann, so weit er konnte, in den See. Darauf aber flüchteten alle Skrälinger, so schnell sie laufen konnten, in den Wald. Und so endete ihr Kampf mit jenen.»[6]

Nach der ‹Grönland-Saga› war Karlsefni zwei Jahre, nach der ‹Saga von Erik dem Roten› drei Jahre in Vinland.

Die letzte Vinlandfahrt, von der uns die ‹Grönland-Saga› berichtet, ist zweifellos die dramatischste; wir erfahren von der geradezu unmenschlichen Bosheit des Weibes Freydis. Ihr Mann war offenbar ein schwacher Charakter, denn es war Freydis, die zwei Brüder aus Norwegen, welche kurz nach Karlsefnis Rückkehr in Grönland eingetroffen waren, zu gemeinsamen Abenteuern überredete: so segelten sie nach Neufundland, wo bald nach der Ankunft Freydis mit den Brüdern Streit vom Zaune brach: Sie wollte der Brüder größeres Schiff haben. Eines Nachts besuchte sie die Brüder, absichtlich nur halb angezogen, weckte sie aus dem Schlafe und unterhielt sich mit den Erstaunten friedlich über die Schiffe. Dann kehrte sie heim zu ihrem Mann.

«Jene stieg nun ins Bett mit kalten Füßen. Da erwachte Thorvald und frug: ‹Was bist du so kalt und naß?› Sie erwiderte äußerst aufgeregt: ‹Ich war eben bei den Brüdern, um über den Kauf ihres Schiffes zu verhandeln. Denn ich wollte gern ein größeres Schiff. Aber sie nahmen das so übel auf, daß sie mich schlugen und arg mißhandelten. Du Memme rächst ja weder meine noch deine Schmach. Ich merke wohl, daß ich fern von Grönland bin. Aber ich trenn mich von dir, schaffst du mir nicht Genugtuung.›

Da konnte Thorvald nicht länger ihre Vorwürfe ertragen. Er hieß seine Leute schleunigst aufstehen und die Waffen ergreifen. Das taten sie und gingen sofort zum Hause der beiden Brüder. Sie drangen dort ein, überfielen sie im Schlaf, ergriffen sie und banden sie. Dann führten sie einen nach dem anderen gebunden heraus. Aber Freydis ließ alle erschlagen, die herauskamen. Nun waren alle Männer dort tot. Nur die Frauen waren noch übrig, und die mochte keiner töten. Da sagte Freydis: ‹Reicht mir eine Axt.› Das geschah. Dann erschlug sie die fünf anwesenden Weiber und ging erst fort, als sie allesamt tot waren.»

Eine abgründige Geschichte. Die Überlebenden kehrten heim. Obwohl Freydis ihre Mannen bestach, konnte einer das Verbrechen nicht verschweigen. Leif erpreßte unter Foltern von den anderen die Wahrheit. Und Freydis wurde geächtet.

Diese Blutgeschichte wurde hier nur erzählt, weil sie anscheinend das Ende der Vinlandfahrten bildet, soweit sie in den Sagas berichtet werden. Über das für uns Wichtigste, die Eingeborenen, sagt die Freydis-Episode nichts.

Wer aber waren die vorher erwähnten Skrälinger?

Nimmt man alles zusammen, was in den letzten Jahrzehnten an scharfsinnigen Erklärungen dazu geäußert wurde, so ergibt das ein dickes Buch. Nimmt man nur das, was die Sagas *wirklich* berichten, so füllt es kaum eine Seite.

Tatsächlich ist das Problem nicht gelöst. Es handelt sich einfach um die Frage, die für Anthropologen und Ethnologen von größtem Interesse ist: Waren die Skrälinger Indianer oder Eskimos?

Die Sage von Erik dem Roten gibt diese Beschreibung von ihnen: «Es waren kleine Kerle. Sie sahen tückisch aus, und ihr Haupt trug borstiges Haar. Sie hatten große Augen und breite Backen.»

Während einer seiner Fahrten nach Norden hatte Karlsefni fünf schlafende Skrälinger gefunden und sie nach Wikingerart sogleich getötet. Bei ihnen fand er Holzbehälter, die mit einer Mischung aus Blut und Knochenmark gefüllt waren. Das ist an sich ein Eskimo-Leckerbissen, aber Ingstad berichtet, er habe diese Speise auch bei nordkanadischen Indianern gesehen. Die Pfeile, mit denen die Wikinger beschossen wurden, deuten auf Indianer.

Das Wort selbst erklärt nichts, obwohl im Norwegischen und Isländischen ähnliche Wörter vorkommen: *scraela* – Gekreisch, oder *scraelna* – schrumpfen. So könnte man den Namen vielleicht spaßhaft mit «kreischende Schrumpfköpfe» übersetzen, aber auch damit hätte man keinen Hinweis auf die Volkszugehörigkeit. Die einfachste Erklärung ist wohl, daß die Wikinger überhaupt keinen Unterschied zwischen Indianern und Eskimos machten und grundsätzlich jeden Eingeborenen, den sie trafen, Skrälinger nannten.

Die Frage bleibt offen.

Offen bleibt vorläufig auch die andere Frage, wie viele Wikinger (oder ob überhaupt welche) in den nächsten Jahrhunderten noch bis nach Amerika gelangt sind – immerhin siedelten sie auf Grönland rund 500 Jahre, ehe sie aus rätselhaftem Grunde verschwanden. Doch in der Entdeckungsgeschichte gibt es merkwürdige Erfolgswellen. Es ist in höchstem Grade wahrscheinlich, daß die Bemühungen um das Problem «Wikinger in Amerika», die vor einem Jahrzehnt plötzlich solchen Auftrieb bekamen, in Kürze weitere, vielleicht überraschende Ergebnisse bringen werden.

Heute können wir nur sagen: Die Landungen der Wikinger in Amerika sind unter vielerlei Gesichtspunkten interessant. *Aber sie haben nicht das Weltbild und die ökonomischen Lebensbedingungen des westlichen Menschen verändert.* Das tat Kolumbus, das taten erst die Spanier, die vom Süden her den nordamerikanischen Kontinent erobern sollten und von denen wir im folgenden Kapitel sprechen werden.

Vielleicht also war Leifs Bruder Thorvald, als er den Pfeil aus seiner tödlichen Wunde zog und seine letzten Worte sprach, ein Seher. Er sagte [7]: «Ich merke, es hat sich Fett an meine Taille angesetzt. Wir haben ein fruchtbares Land gefunden, aber wir werden wenig Freude davon haben!»

2. Die Sieben Städte von Cibola

Nur ein Mann stand auf in Amerika und klagte die Eroberer der ungeheuren Verbrechen an, die sie am Roten Mann begangen hatten: Der Bischof Bartolomé de Las Casas, als er 1552 seinen ‹Kurzgefaßten Bericht von der Verwüstung der Westindischen Länder› schrieb.

Nur dieser Mann anerkannte im Indianer den gleichberechtigten Menschen, anerkannte seine Tugenden, achtete seine Traditionen und bemerkte seine selbständige Kultur, die, zumindest im mexikanischen Azteken-Reich und im peruanischen Inka-Reich, in vielem höher und feiner war als die der zeitgenössischen Eroberer, die üble Repräsentanten ihres Landes und ihrer Kirche waren.

Auf Kolumbus, den Entdecker, waren die Eroberer gefolgt. Hernando Cortés hatte von 1519 an mit einer Handvoll schwerbewaffneter Reiter in zwei Jahren das blühende Reich des Azteken-Kaisers Montezuma zerstört (Spengler: «Wie eine Sonnenblume, der ein Vorübergehender den Kopf abschlägt») und hatte sagenhafte Schätze geraubt. Nicht weniger Gold erbeutete Francisco Pizarro, als er das Inka-Reich des Atahualpa 1533 zerstörte. Unterm Zeichen des Kreuzes mordeten und raubten die von der spanischen Krone eingesetzten Statthalter in unvorstellbarer Weise.

Las Casas (1474–1566), der vierzig Jahre lang Augenzeuge dieser Greuel war, sagt über die Indianer: «Es sind Leute mit schwächlicher, zarter Leibesbeschaffenheit, sie können nicht viel Beschwerde ertragen, und sterben leicht an der geringsten Unpäßlichkeit.»

Was tun die Spanier mit ihnen? Sie taufen sie zuerst, dann versklaven sie sie und schicken sie in Ketten, Männer, Frauen und Kinder, auf die Felder und in die Bergwerke. «Seit vierzig Jahren haben sie unter ihnen nichts anderes getan, und noch bis auf den heutigen Tag tun sie nichts anderes, als daß sie dieselben zerfleischen, erwürgen, peinigen, martern, foltern und sie durch tausenderlei ebenso neue als seltsame Qualen, wovon man vorher nie etwas Ähnliches sah, hörte oder las, auf die grausamste Art aus der Welt vertilgen. Hierdurch brachten sie es dahin, daß gegenwärtig von mehr als drei Millionen Menschen, die ich ehedem auf der Insel Hispaniola mit eigenen Augen sah,

*Illustration zu einem Gesuch
um bessere Behandlung,
das mexikanische Indianer 1570
an den spanischen Statthalter
richteten — nachdem die Spanier
schon Millionen von Indianern
umgebracht hatten.*

nur noch zweihundert Eingeborene vorhanden sind... Wir können hier als gewisse und wahrhafte Tatsache anführen, daß in obgedachten vierzig Jahren durch das erwähnte tyrannische und teuflische Verfahren der Christen, mehr als zwölf Millionen Männer, Weiber und Kinder auf die ruchloseste und grausamste Art zur Schlachtbank geführt wurden... Sie wetteten miteinander, wer unter ihnen einen Menschen auf einen Schwertstreich mitten voneinander hauen, ihm mit einer Pike den Kopf spalten oder das Eingeweide aus dem Leibe reißen könne. Neugeborene Geschöpfchen rissen sie bei den Füßen von den Brüsten ihrer Mütter und schleuderten sie mit den Köpfen wider die Felsen...

Sie machten auch breite Galgen... hingen zu Ehren und zur Verherrlichung des Erlösers und der Zwölf Apostel je dreizehn und dreizehn Indianer an jeden derselben, legten dann Holz und Feuer darunter, und verbrannten sie alle lebendig... Es begab sich, daß verschiedene Christen, entweder aus Mitleid oder bloß aus Trieb, den Beschützer zu spielen, einige Kinder nicht töteten, sondern sie hinter sich auf die Pferde setzten. Da kamen andere Spanier von hinten zu und durchbohrten sie mit ihren Lanzen, oder rissen sie auf die Erde, und hieben ihnen die Beine mit Schwertern ab... Einst kamen uns die Indianer zum Empfang entgegen, und brachten uns Lebensmittel und andere Geschenke... Aber plötzlich fuhr der Teufel in die Christen, so daß sie in meinem Beisein, ohne die mindeste Veranlassung oder Ursache, mehr als 3000 Menschen, Männer, Weiber und Kinder darnieder hieben, die rings um uns her auf der Erde saßen... Unter anderen knüpften sie mehr als 200 In-

dianer auf, um nur den Grausamkeiten eines einzigen – mir wohlbekannten –
Spaniers zu entgehen, welcher der Ärgste unter allen übrigen Barbaren war.»
(Die fleißige Forschung hat den Namen dieses Barbaren, den Las Casas nicht
nennt, festgestellt: Roderigue Albuquerque.)

Eine makabre Symbolik zelebrierte ein verfolgter Kazike (Häuptling) namens Hatuey. Als er wußte, daß er kaum noch entkommen konnte, versammelte er den Rest seiner Leute um sich und fragte sie, warum wohl die Spanier so grausam seien. Sie seien es, sagte er, nicht nur, weil sie von Natur bos-
haft und grausam sind, «sondern sie haben einen Gott, welchen sie anbeten,
und den auch wir mit aller Gewalt anbeten sollen... Seht, sagte er – indem
er auf ein Körbchen voll Gold und Edelgesteine wies, das neben ihm stand –
dies ist der Christen Gott! Dünkt's euch gut, so wollen wir ihm zu Ehren Ar-
eytos [eine Art von Balletten oder Tänzen] anstellen. Vielleicht ist er uns gnädig und befiehlt den Christen, daß sie uns nichts zuleide tun. Freudig schrien
sie alle: Recht gut! Recht gut! und sogleich tanzten sie vor ihm, bis sie sämt-
lich müde waren. Nun sagte Hatuey: Seht, wenn wir ihn bei uns behalten, so
nehmen sie ihn uns doch, wir mögen es machen wie wir wollen, und schlagen
uns nachher tot. Werfen wir ihn lieber in jenen Fluß!»

Und so begruben sie den christlichen Gott, das Gold, im Strome! Unnötig
zu sagen, daß Hatuey ermordet wurde.[1]

Vor allem die spanischen Historiker bemühten sich, Las Casas nachträglich als Lügner hinzustellen. Sie nannten ihn geisteskrank, einen gemeinge-
fährlichen Demagogen, wahnhaft, noch 1963 bezeichnete ihn der angesehene
Historiker R. Menendez Pidal als einen «größenwahnsinnigen Paranoiker».
Zu seinen Lebzeiten wurde er verfolgt, errang einige Scheinsiege für seine Indianer bei Ferdinand V. und Karl V., wurde abermals verfolgt. Er war der
großartigste aller Don Quixotes und ein Michael Kohlhaas dazu. Manche seiner Zahlen mögen nicht standhalten! Aber neue *nicht*spanische Forschung
hat sogar angenommen, daß in der Zeit der Conquista zwischen 15 und 19
Millionen Indianer ausgerottet wurden. Mögen *beide* Angaben nicht haargenau stimmen: Millionen bleiben es.

Und nur ein einziger Trieb stand hinter diesem größten Massenmord der
menschlichen Geschichte: die Gier nach Gold. Sie wurde von Spanien aus ge-
lenkt und gefördert, denn die Krone war hoffnungslos verschuldet. Sie verwandelte die ehrlichsten, aufrichtigsten, vielleicht von den besten Absichten
friedlicher Kolonisation getriebenen Menschen in Monstren, sobald sie den
Boden der Neuen Welt betreten hatten. Wie hatte Cortés hochmütig erklärt,
als ihm nach seiner Ankunft der Statthalter Land zur Kolonisation zuweisen
wollte? «Ich bin gekommen, um mir Gold zu schaffen, nicht um wie ein Bauer den Acker zu pflügen!»

All dies, was Las Casas schildert, geschah in Mittelamerika. Die Suche nach dem Gold wurde mythisiert: «El Dorado» war solche Mythisierung und gleichzeitig Mystifikation, die nach Süden lockten. Doch für die Abenteurer, die immer aufs neue aus den Schiffen quollen, war es greifbare Realität. Als Pizarro im Inka-Land so viel Gold fand, daß er damit ein Zimmer füllen konnte, schien selbst dort noch nicht das einzige, das echte Dorado zu sein – man suchte es immer wieder, man suchte es bis ins 18. Jahrhundert hinein.

Ist es ein Wunder, daß sich bald nach des Cortés Eroberung der prunkvollen Aztekenstädte mit ihren Tempeln und Palästen die erwartungsvollen Blicke auch nach Norden richteten? Niemand hatte eine Ahnung (wie sich herausstellte, nicht einmal die Indianer Mexikos), was nördlich von Mexiko liegen mochte: Wüste, Gebirge, fruchtbares Land, ein Kontinent oder endloses Meer? Warum nicht weitere Paläste und Tempel? Und wieder entsprang ein Wunschtraum der tropisch erhitzten Phantasie: Dort, im unerforschten Norden, sollten die *«Sieben Städte von Cibola»* liegen, in denen die Straßen mit Gold gepflastert und die Türen der vielstöckigen Häuser mit Edelsteinen benagelt sein sollten.

Der Name Cibola erscheint auch als Ceuola oder Cevola. Seltsamerweise brachten die Spanier diesen Mythos von den Sieben Städten aus Europa mit. Ein Bischof sei im 8. Jahrhundert, heißt es, aus Angst vor den Arabern, von Lissabon aus westwärts übers Meer geflohen, wo er sieben blühende Städte gegründet habe. Das traf sich mit einer vielleicht ebenso alten Indianer-Mythe aus Mexiko und Zentralamerika, mit einem Bericht von «Sieben Höhlen», aus denen einige Stämme ihre Herkunft herleiteten. In einer der zahlreichen frühen «Historien» erscheint das Wort «Chicomuxtoque», und das ist nach dem Nahuatl-Wort «Chicom-oztoc» gebildet, was etwa «Sieben Höhlen» heißt. Die beiden Mythen wurden zur Legende, zur detaillierten Erzählung, schließlich zu scheinbar authentischem Bericht zusammengeschmolzen – irgendwo im Norden mußten diese goldenen Städte zu finden sein – kannte nicht der und der eine Kameraden, der einen anderen kannte, der schon dort gewesen war? Die «Sieben Städte von Cibola» – das Wort Cibola sprang von Mund zu Mund, von Taverne zu Taverne, es wurde der Inbegriff für Gold, Reichtum und Macht schlechthin.

Später gibt ein Soldat, der es schon hätte besser wissen sollen, ein Pedro de Castañeda im Dienste des Eroberers Coronado, noch folgende Beschreibung: «Im Jahre 1530 besaß Nuño de Guzman, Präsident von Neu-Spanien, einen Indianer, einen jener Eingeborenen aus dem Tal oder den Tälern von Oxitipar... Dieser Indianer erzählte ihm, er wäre der Sohn eines lange verstorbenen Händlers, der, als er [der Indianer] noch ein Kind war, im Inneren

‹*Die siebte Stadt von Cibola*›

von Harry Noyes Pratt (1879–1944)

Wo Dächer einem harten Himmel wichen,
Wo Wälle tief im Wüstensand vergraben,
Wo Winde unaufhaltsam drüber strichen,
Da stand die Stadt einst golden und erhaben.

Wo jetzt im Schatten ruht die Klapperschlange,
Im Mittagsglast ein schmaler Streifen Tod,
Da suchte einst ein Volk die Tore bange
Wenn dumpfer Trommelruf es ihm gebot.

Olla und Urne schuf hier Töpfers Hand,
Schnell drehte sich die Schale, und es webten
Dort im Pueblo Weber das Gewand,
Und Würfel rollten, Spielerherzen bebten.

Die Wälle sind nun längst im Sand verfallen,
Die Geier ziehen über tote Pracht,
Und still ist's hier, nur weithin hört man hallen
Den Schrei des Wüstenhundes durch die Nacht.

«Einen der bekannteren Poeten des Westens» nennt eine Anthologie den Autor. Er war Zeitschriften-Herausgeber und Museumsbeamter. Es gibt zahlreiche Muster für diese in Europa ausgestorbene Aussage-Lyrik – sie fristet ihr Leben hauptsächlich in Anthologien. Dies Gedicht steht hier als Beispiel für die Imagination, die die neuentdeckte amerikanische Vergangenheit provozierte.» (‹*The Music Makers*›, Compiled by Stanton A. Coblentz.)

des Landes umherreiste, um die schönen Federn zu verkaufen, die die Indianer für ihren Kopfschmuck benutzten. Im Austausch dagegen brachte er große Mengen an Gold und Silber heim; beide Metalle kämen in dieser Gegend sehr häufig vor. Er fügte hinzu, er selbst hätte seinen Vater ein oder zwei Male begleitet und er habe Städte von einer solchen Größe gesehen, daß er sie mit Mexiko und seinen Vorstädten vergleichen könne. Es gäbe sieben solcher Städte und in ihnen wären ganze Straßenzüge von Gold- und Silberschmieden bewohnt. Außerdem sagte er, um diese sieben Städte zu erreichen, müsse man vierzig Tage lang durch eine Wüste ziehen, in der es keine Vegetation außer fünf Zoll hohem Kurzgras gäbe, und zwar in nördlicher Richtung zwischen beiden Ozeanen.»[2]

Der Erwähnungen Cibolas in den zeitgenössischen Berichten sind unzählige. Der erste, der sie 350 Jahre später sorgfältig wissenschaftlich analysierte, der auch als erster Cibola tatsächlich lokalisierte (es waren keine Städte protzend mit Gold und Silber, aber in anderer Hinsicht sehr sonderbare und bemerkenswerte), war der später berühmte Adolph F. Bandelier, der große

Pionier der Anthropologie und Archäologie im Südwesten Nordamerikas, der aber damals für seinen ausführlichen Bericht keinen amerikanischen Verleger fand; so begab sich die Kuriosität, daß der erste wissenschaftliche Cibola-Bericht zwar in Nordamerika, aber in *deutscher* Sprache erschien – in der *New Yorker Staatszeitung*, die ihn 1885–86 publizierte.[3]

Doch von Bandelier später – seine Quellen waren vor allem spanische Reiseberichte, darunter zwei von außerordentlichen Abenteuern, die selbst in der außerordentlichen Zeit der Conquista Aufsehen und Unruhe erregten, und zum erstenmal den westlichen Menschen nicht nur mit den Ureinwohnern *Nord*amerikas selbst, sondern mit Zeugnissen ihrer Geschichte in Verbindung bringen sollten. De Vaca *ahnte*, Marcos *sah*, und der spätere Coronado *eroberte* die ersten uralten Wüstenstädte der nordamerikanischen Indianer – die geheimnisvollen *Pueblos*.

Der erste weiße Mann, der Nordamerika von Ost nach West durchquerte – wenn auch nicht an der breitesten Stelle, so doch von Ozean zu Ozean – war *kein* blutiger Eroberer, der die Indianer zu Paaren trieb, sondern *er* war der Getriebene, der Verfolgte, zeitweise Versklavte: seine Reise war, wie einer seiner letzten Biographen sie nennt, eine «Reise in die Dunkelheit»[4], in die jedoch seine Tagebücher später das erste helle Licht warfen.

Der Mann mit dem sonderbaren Namen Cabeza de Vaca (das heißt «Kopf einer Kuh») brachte der westlichen Welt die ersten Nachrichten von einem so gewaltigen Tier wie dem Bison und dem Gilamonster, dieser widerwärtigen Krustenechse; die erste sichere Nachricht vor allem darüber, daß sich Amerika nach Norden zu gewaltig verbreitete, also offensichtlich ein Kontinent war. Was konnte dort alles liegen? Natürlich die «Sieben Städte von Cibola»!

Des «Kuhkopfs» Reise ist eine der abenteuerlichsten in der Geschichte aller Entdeckungen. Sie währte acht Jahre, und dabei war ihr Anlaß nichts als ein unglücklicher Zufall; das heißt, hinter dieser Irrfahrt stand weder Auftrag noch Absicht (abgesehen vom schnell gescheiterten ersten Beginn) – höchstens der Wunsch während all der acht Jahre, um jeden Preis zu überleben.

Den sonderbaren Namen erhielt ein Urahn, der nichts war als Hirte zu der Zeit, da nach 1200 der König von Navarra gegen die Mauren focht. Dieser Hirte entdeckte den Truppen des Königs einen geheimen Gebirgspfad in den Rücken des Feindes, und um ihn für die Nachrückenden zu kennzeichnen, errichtete er vor diesem Paß auf einer Stange den Kopf einer Kuh. Der König siegte, der Hirte wurde belohnt – und das Geschlecht durfte den Namen Cabeza de Vaca führen: Kuhkopf.

Álvar Núñez Cabeza de Vaca, unser Held (einer der viel zuwenig bekannten Helden der nordamerikanischen Entdeckungsgeschichte, ganz zu Unrecht verdrängt von Namen wie Coronado und de Soto), ist Schatzmeister einer Expedition unter Leitung des Pánfilo de Narváez, der auszieht, wie so viele andere, einen Teil der unbekannten Welt im Norden zu erobern. Im April 1528 erreicht seine Flotte die Küste Floridas nahe der heutigen Tampa-Bai. Aber Narváez ist keiner der großen Führer, die in der Geschichte der Conquista Geschichte machen sollten: Er ist selbstherrlich ohne Überlegenheit, grausam ohne Mut, draufgängerisch ohne Umsicht. Auf die vage Nachricht, irgendwo im Norden herrsche ein Volk reich an Gold, verläßt er seine Schiffe und begibt sich mit seiner Truppe auf den Marsch, ohne zu wissen, was er damit tut. Hier ist nicht der Platz, das Scheitern dieser sinnlosen Expedition zu schildern. Die 260 Infanteristen und 40 Reiter verrecken Mann für Mann unter den entsetzlichen Strapazen im Dschungel – noch heute kann man den Highway 41 kaum verlassen, ohne in die tödlichste Wildnis zu geraten. So wie der Zufall uns den Namen des Wikinger-Kindes *Snorri* bewahrte, der der erste in Nordamerika geborene Weiße war, so bewahrte uns der Zufall auch den Namen des ersten Spaniers, der auf dem Zuge zu den imaginären nördlichen Goldländern sein Leben ließ: bei einer Flußüberquerung ertrank erbärmlich *Juan Velásquez.*

Die Schiffe folgten dem Landzuge nicht. Als Narváez' zusammengeschmolzene Schar endlich wieder das Meer erreichte, ließ er neue Schiffe bauen (eine unglaubliche Tat, denn nur ein einziger seiner Männer hatte Erfahrung als Zimmermann, und jeden Nagel mußten sie selber schmieden). Im September lief diese «Flotte» aus, landete in Buchten, vor Inseln, traf bösartige und freundliche Indianer. Die Strapazen sind kaum beschreibbar. Stürme trieben die Schiffe auseinander, aber vierzehn Jahre vor de Soto kreuzten sie die Mississippi-Mündung. Ende Oktober lautete die Devise «Rette sich, wer kann». Alle Schiffe wurden zerstreut – niemand weiß, wie elendiglich Narváez und seine Genossen umkamen.

Unter den Überlebenden war Cabeza de Vaca. Und jetzt begann die Odyssee, die seinen Namen unvergessen machen sollte. Sie schienen auf dem Marsch durch Florida und auf der wilden Schiffsreise alle Höllen durchgemacht zu haben, die Menschen ertragen können, aber was kam, war furchtbarer.

De Vaca war nicht allein. Zerlumpt und verhungert, wie Robinson an Land geworfen, standen hier an der texanischen Küste, wahrscheinlich auf der Velasco-Halbinsel, südwestlich vom heutigen Galveston, mit ihm drei andere Überlebende: Andrés Dorantes, Alonso del Castillo Maldonado und als wohl merkwürdigste Erscheinung der Schwarze Estevanico, ein Mohr aus Azamor, der, anscheinend Sklave von Dorantes, später eine denkwürdige, bedeutende Rolle spielen sollte.

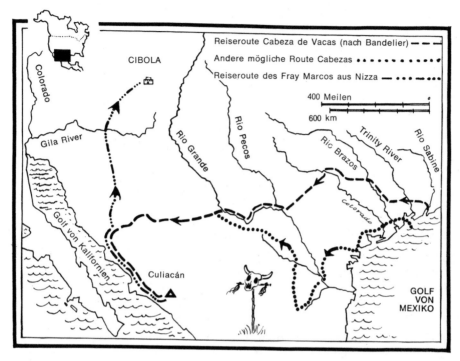

Cabeza de Vaca, was «Kopf einer Kuh» heißt, Soldat, Abenteurer, zeitweise Sklave und Medizinmann, war der erste, der nach einem Schiffbruch das südliche Nordamerika in acht schrecklichen Jahren, 1528–1536, von Ost nach West durchquerte. Über die genaue Route herrschen verschiedene Ansichten. Mit Cabeza de Vacas Leidensgefährten, dem Mohr Estevanico, kam später der Priester Marcos von Nizza in Sichtweite der sagenhaften «Sieben Städte von Cibola».

Sie waren verzweifelt, aber sie nahmen den Kampf auf. Von Beginn an stellte sich heraus, daß de Vaca der geborene Führer war – aber Führer wohin? Sie hätten sich den Tod geben, sich, ausgehungert und bar aller Hilfsmittel, in der Wildnis einfach niederlegen können, um zu sterben – wenn sie geahnt hätten, daß ihre Odyssee acht Jahre dauern sollte. Hätte es in ihrem Fühlen etwas geändert, daß ihnen nach diesen acht Jahren der Ruhm zuteil werden sollte, als erste Europäer den nordamerikanischen *Kontinent* von Florida bis Kalifornien durchquert zu haben?

Die Stationen ihres Weges können hier nur stichwortartig wiedergegeben werden. Es sind zahlreiche Versuche gemacht worden, die Reise kartographisch nachzuzeichnen (wir geben zwei Beispiele), aber einwandfrei wird es wohl nie möglich sein, da de Vacas Angaben Landschaftsbeschreibungen

sind, die auf viele Orte zutreffen können, und seine Distanzen fast nur nach
dem äußerst variablen Maß von Tagesreisen erfaßt sind. Bandelier, der als
Anthropologe auf de Vacas Spuren in den achtziger Jahren des letzten Jahrhunderts diese Landschaften bereiste, erklärt jedenfalls kategorisch: «Ich
werde beweisen, daß Cabeza de Vaca und seine Gefährten nie die Erde von
New Mexico betraten und daß sie keine konkreten Nachrichten über die Pueblo-Indianer dieses Territoriums mit nach Neu-Spanien brachten...»[5]

Sie kamen sofort in Berührung mit Indianerstämmen, die teils freundlich,
teils feindlich waren; mit den verschiedensten Stämmen verschiedenster Sitten
und Sprachen – statt Gold fanden sie nichts als bittere Armut vor. Die vier
Gefährten wurden als Sklaven gehalten, mit Stöcken wurden sie zu den nied-
rigsten und schwersten Arbeiten geprügelt, und einige Indianer machten sich
den Spaß, ihnen die Barthaare auszurupfen. Die einzige Verständigungsmög-
lichkeit war die Zeichensprache (sie blieben selten lange beim selben Stamm),
die besonders der Mohr Estevanico bald so beherrschte, daß Austausch von
Mitteilungen möglich wurde. Ihr Schicksal wechselte beständig. Geprügelte
Sklaven bei dem einen Stamm (einst gehörten sie einer Familie, deren sämtli-
che Mitglieder einäugig waren), dann Freunde der nächsten. Zwei Dinge be-
herrschten ihr Leben: der Hunger und der Gedanke an Flucht, an Flucht zurück in die spanische Zivilisation. Das Wild war spärlich – sie selber waren
weder erfahrene Jäger noch Fischer, immer waren sie abhängig von ihren
Sklavenhaltern oder Freunden. Monatelang nährten sie sich von Wurzeln,
Erdwürmern, Spinnen, Eidechsen, wurden mehrere Male todkrank, waren
bedeckt von Geschwüren, auf denen die Fliegen schmarotzten, schauerten unterm Fieber, das Myriaden von Moskitos brachte. Aber das schlimmste war
wohl, daß sie des öfteren getrennt wurden; einer verlief sich auf Nahrungssu-
che, ein anderer wurde als Sklave einem anderen Stamm geschenkt, und das
Wunder war wohl, daß sie sich stets wiedertrafen. Dorantes war einmal zehn
Monate lang verschollen; Castillo und der Mohr gingen verloren, dann erst
trafen sich die drei wieder, und schließlich fand sich auch de Vaca zu ihnen
– das war schon irgendwo weit im Westen von Texas, im Jahre 1534. Es über-
steigt wohl jede Möglichkeit eines einfachen Berichtes, die Wiedersehensfreu-
de dieser vegetierenden Gestalten zu beschreiben, vor allem erscheint es geradezu unglaublich, daß in ihnen niemals der Funke Hoffnung erlosch, der sie
weitertrieb, immer weiter durch Dschungel und Wüste – irgendwann, nie verloren sie dieses Ziel aus dem Auge, mußten sie wieder auf Spanier treffen.

Die Indianer lebten von der Hand in den Mund. Wenn der Hunger am
größten war, beseelte sie nur (und mit ihnen die vier Gefährten) die eine
Hoffnung: Die Reife der Kaktus-Birne, der saftigen Frucht des Opuntia-
Kaktus. Dann kam die «Zeit der vollen Bäuche»; die Frucht war nahrhaft,

konnte getrocknet und längere Zeit aufbewahrt werden. Den vieren war klar: Nur nach der Birnen-Reife, wenn sich ihre Körper erholt hatten, konnten sie an sorgsam vorbereitete Flucht nach Westen denken.

Da geschahen zwei Ereignisse, von denen das eine ihr Leben wenigstens zeitweise erleichterte, das andere ihnen aber tatsächlich die Rückkehr in die Zivilisation garantierte.

Das erste Ereignis war, daß es de Vaca gelang, einen freundlichen Stamm von der Wichtigkeit des Handels, eines primitiven Tauschwaren-Handels mit anderen Stämmen zu überzeugen. Er hatte Erfolg, wurde geachtet und konnte sich zum erstenmal frei bewegen. Hier seine eigenen Worte:

«Meine Vorräte bestanden hauptsächlich aus Meeresmuscheln und Herzmuscheln und (solchen) Muschelschalen, mit denen sie eine bohnenartige Frucht abschneiden, die sie als Heilmittel und als Schmuck bei ihren Tänzen und Festen benutzen. Diese haben bei ihnen hohen Wert, neben Muschelperlen und anderen Dingen. Diese Dinge trug ich in das Binnenland und brachte im Austausch dafür Häute zurück und roten Ocker, mit dem sie sich ihre Gesichter einreiben und ihr Haar färben; Feuerstein für Pfeilspitzen, Klebstoff und hartes Rohr, um diese zu fertigen, und Troddeln aus Hirschhaaren, die sie rot färben. Dieser Wandel gefiel mir gut ... Ich war nicht gezwungen, *irgend etwas zu tun,* und ich war *kein Sklave mehr.*»[6]

Auf einer dieser Händler-Fahrten fand er Dorantes wieder – als Sklaven. Zur Zeit der reifen Kaktus-Birnen, nun beim Stamm der Mariames, entwarfen sie wieder einen Fluchtplan – sechs Jahre waren sie schon unterwegs. In dunkler Nacht verabredeten sie sich außerhalb des Lagers. Aber Castillo kam nicht – er war in letzter Minute zum Stamm der Lampados verschleppt worden. Die drei lauerten dem treckenden Stamm auf, es gelang ihnen, Castillo zu benachrichtigen, und in der nächsten Nacht stieß er zu ihnen.

Und nun beginnt das Wunder dieser achtjährigen Tortur.

Schon in den vergangenen Jahren war es da und dort geschehen, daß die Indianer, wenn die Gefährten ihnen vom großen weißen Gott und seiner Allmacht erzählten, schlicht verlangten, sie sollten seine Allmacht beweisen, indem sie ihn ihre Kranken heilen ließen. Eine vertrackte Situation, denn keiner der vier hatte die geringsten Kenntnisse in der Heilkunde, ja, sie hatten weniger Kenntnisse als die eingeborenen Medizinmänner, die um zahlreiche Kräuterheilkräfte wußten. In ihrer Not konnten sie nichts anderes tun, als beten – sie schlugen das Kreuz über den Kranken und hauchten ihnen Atem ein. Und Gott half, wie de Vaca vermerkt, half wieder und wieder.

Sie kamen zu den Chavávares-Indianern, die davon gehört hatten, daß drei Weiße und ein Schwarzer große Medizinmänner seien. Besonders viele der Chavavares litten sonderbarerweise unter entsetzlichen Kopfschmerzen.

De Vaca schlug das Kreuz über ihnen, und «die Indianer fühlten sich sofort geheilt». Nun weiß nicht nur die katholische Kirche in jahrhundertelanger Tradition, sondern auch die moderne Psychiatrie, daß «Wunder» – oder «Glaubensheilungen» möglich sind – die Kirche führt sie auf Gott, die Jungfrau oder die Heiligen zurück, die moderne Wissenschaft sucht sie im Wunderglauben der Patienten.

Wie dem auch sei, de Vaca spricht immer wieder von seinem Gottvertrauen, immer wieder dankt er dem Allmächtigen – aber er muß sich selbst unheimlich geworden sein (er rang darum, demütig zu bleiben), als er voller Verzweiflung für einen Mann, der seit Tagen im Sterben lag, nichts anderes tun konnte, als wiederum das Kreuz zu schlagen (sie hatten inzwischen gelernt, daß es die Indianer beeindruckte, wenn sie es unter längeren, feierlichen Zeremonien absolvierten) – und der Todgeweihte sich des anderen Tages gesund erhob.

Nun sah man in ihnen Übermenschen. Vor neuer verzweifelter Situation stand de Vaca, als ihm ein Verwundeter gebracht wurde, dem eine Pfeilspitze tief in die Brust gedrungen war. Und de Vaca wagte seine erste Operation – mit einem Steinmesser öffnete er die Wunde, entfernte die Pfeilspitze und vernähte die Brust mit Hirschsehnen.

Es war klar, daß ihr Schicksal auf des Messers Schneide stand; nicht immer konnte eine Heilung gelingen, und im Hintergrund warteten die vor Neid und Mißgunst sich verzehrenden Medizinmänner. Doch der Ruhm der spanischen Wundertäter stieg unaufhaltsam; von Stamm zu Stamm wurden sie unter Ehren weitergeleitet. Sie kamen in reichere Gegenden, wo sogar Mais kultiviert wurde. Sie erhielten plötzlich Wildbret die Fülle. Als sie die Mengen, die ihnen überbracht wurden, nicht selbst bewältigen konnten und zurückweisen wollten, erregten sie Unwillen und Besorgnis – das dargebrachte Wildbret war keine Bezahlung, sondern ein Opfer, das nicht zurückgewiesen werden durfte. Nur zeitweise verfielen sie noch in Armut und Hunger. Als sie die große Sierra Madre erreichten, trafen sie auf ein Volk, «welches vier Monate im Jahr nichts als pulverisiertes Stroh aß, und da wir gerade in dieser Jahreszeit bei ihnen vorbeikamen, mußten auch wir es essen»[7].

Doch ihr Ruhm gewann mythische Gewalt, je weiter sie nach Westen kamen. «Kinder des Himmels» nannte man sie schon; noch siebzig Jahre später berichteten Chronisten, daß sie bei Stämmen, die unsere vier passiert hatten, christliche Vorstellungen von einem allmächtigen weißen Gott vorfanden.

Und dann, im achten Jahr ihrer Odyssee, trafen sie auf einen Fluß, an dem ein Stamm ihnen von anderen weißen Männern berichtete – nichts Gutes. Sie glaubten es erst nicht, dachten an ein Mißverständnis, zu sehr schien sie ihr Weg in eine Ewigkeit ohne Rückkehr geführt zu haben – da fanden sie zwei

Stücke bearbeitetes Eisen, *spanisches* Eisen. Und dann hörten sie, daß nicht weit von ihnen berittene Spanier lagerten. Es war Mitte März 1536, am Rio de Potatlan in Sinaloa.

Der Kapitän Diego de Alcaraz und seine Männer starrten mit Verwunderung und äußerstem Mißtrauen auf die vier sonderbaren, in Hirschfelle gekleideten Gestalten, mit ihren wild wuchernden Bärten. «Sie standen da und starrten mich einige Zeit hindurch an, so verwirrt, daß keiner mich anrief noch näher kam, um uns Fragen zu stellen.»[8]

Alcaraz, ein bösartiger, grausamer Troupier, war auf Sklavenfang. Als er die elf Indianer in Begleitung de Vacas sah, wollte er sie sofort einfangen; er wußte nicht, daß de Vacas eigentliche Eskorte, vorläufig zurückgelassen, aus 600 Kriegern bestand. De Vaca widersetzte sich heftig, schickte seine Indianer sofort außer Reichweite – Alcaraz überlegte ernsthaft, ob er die vier, die in ihrem Überschwang ein achtjähriges Abenteuer, von Narváez' Scheitern angefangen, in einer Stunde erzählen wollten, nicht in Ketten legen sollte: waren sie nicht höchstwahrscheinlich elende Deserteure, die Lügengeschichten auftischten?

Der nächste erreichbare Gouverneur dachte anders. Zur Residenzstadt wurden sie bereits mit großem Ehrengeleit gebracht. Und ihr Weg nach Mexico City war ein Triumphzug – ihr Kummer war, daß sie zu ihrer neuen Ausstattung die schweren spanischen Stiefel nicht tragen konnten, ihre ausgetretenen Füße vertrugen nur die indianischen Mokassins. Ende Juni begrüßte sie der Vizekönig. De Vaca mußte berichten, immer wieder berichten, von allem bestandenen Elend, von der Not aller nördlichen Indianer, von der Trostlosigkeit der Wildnis, von der unendlichen Weite des Kontinents. Man glaubte ihnen nur die Hälfte! Denn was man hören *wollte*, Geschichten vom Goldland, davon berichtete de Vaca nichts. –

1542 erschien in Zamora die erste Fassung seines Reiseberichtes, kurz ‹Relación› genannt. Der Bericht über die 5000 Meilen lange Wanderung trägt den Stempel der Wahrheit wie kaum ein anderes spanisches Dokument aus jener Zeit. Doch war eben dieses Bild, das er entwarf, äußerst verwirrend für jene, die noch immer an ein mächtiges Königreich im Norden glaubten, eben an die «Sieben Städte von Cibola», für die vor allem, die sich von den Indianern ein primitiv-einheitliches Bild gemacht hatten – das der miserablen, nahezu untermenschlichen Kreatur.

Das Bild de Vacas aber ist unendlich differenziert. Sein phänomenales Gedächtnis hatte die kleinsten Einzelheiten registriert, ihn hatte *alles* interessiert, er war der geborene Forschungsreisende und Völkerkundler, und immer wieder berichtet er von ihren Sitten, ihrer Religion samt Ritualen, ihrer sozia-

*Die erste Beschreibung des nordamerikanischen Bisons stammt von
Cabeza de Vaca. Dies ist wahrscheinlich die erste bildliche Darstellung;
von F. Hernandez 1651 in Rom publiziert.*

len Ordnung, ihrem Aussehen, ihrer Kleidung, und von ihren Speisen gibt
er sogar Rezepte. Von ihm stammt die erste europäische Beschreibung des
nordamerikanischen Bisons, des für die Indianer ebenso wie für die ersten
Weißen wichtigsten Tieres der nördlichen Prärien, von denen de Vaca allerdings nur drei in den Süden versprengte Exemplare sah.

«Im ganzen Lande gibt es sehr viele Hirsche, Jagdvögel und andere Tiere,
die ich zuvor aufgezählt habe. Hier trifft man auch auf Kühe; ich habe sie
dreimal gesehen und habe ihr Fleisch gegessen. Sie scheinen mir so groß wie
die in Spanien zu sein. Ihre Hörner sind klein, wie die der maurischen Rinder;
ihr Haar ist sehr lang, wie feine Wolle ... Einige sind braun, andere schwarz,
und nach meiner Meinung haben sie besseres und mehr Fleisch als die hiesi-
gen. Von den kleinen Häuten machen die Indianer Decken, und aus den großen Schuhe und Schilde. Diese Kühe kommen aus dem Norden, durch das
weiter entfernte Land, bis an die Küste von Florida, und man kann sie im
ganzen Lande über eine Entfernung von 400 Leguas (ca. 2000 km) finden.
Entlang dieser Strecke, entlang den Tälern, durch welche sie kommen, leben
die Menschen von ihrem Fleisch.»[9]

Die ersten Indianer, die er noch auf dem Florida-Zug getroffen hatte, waren gefährliche Krieger, hochgewachsen, stark, gewandt, mit enormen Bogen
bewaffnet; er berichtet, daß ein Pfeil 23 Zentimeter tief neben ihm in einen
Baumstumpf fuhr. Dann aber traf er Stämme von kleinem Wuchs, mit nur
primitiven Waffen, regelrechte Steinzeitmenschen. Das Verblüffendste war

die Vielfalt ihrer Sprachen – Stämme, die dicht beieinander wohnten, konnten sich nur durch Zeichensprache verständigen. Aber ernst bemerkt er in seiner wahrhaftigen Art selbst über die miserablen Gestalten: «Und wenn sie auch nicht groß waren, unsere Furcht machte Riesen aus ihnen!»

Er nannte Stammesnamen: Chorrucos, Doguenes, Mendicas, Guevenas, Guaycones, Quitoks, Camoles, Mariames, Yguaces, Atayos, Acubadoes, Chavavares und so weiter. Er gibt sie phonetisch wieder – aber waren es die Namen, die sich die Völker selber gaben oder bei denen sie von anderen genannt wurden? Wie weit verballhornte sein Ohr? Von den meisten dieser Stämme ist dem modernen Anthropologen nicht eine Spur geblieben. Um so bedeutender, was de Vaca hinterlassen hat. Er berichtet über laxe Ehesitten – Weiber wurden getauscht oder gekauft oder geraubt, waren sie unfruchtbar, wurden sie abgestoßen (ein Bogen war der nicht eben hohe Preis für ein Weib). Bei den Mariames war Heirat innerhalb des Stammes undenkbar. Sie berauschten sich an einem Mescal-Schnaps (entgegen späteren Berichten, die die völlige Abstinenz der Indianer rühmten) und kannten Tee-Orgien. Eigentum war Beute – Diebstahl selbst am Freunde gang und gäbe. Kranke auf dem Treck wurden einfach liegengelassen, aber Kinder wurden oft gestillt, bis sie die Pubertät erreicht hatten. Es gab offene Homosexualität und echten Transvestitismus (zu Unrecht von den Anthropologen und Medizinern des vorigen Jahrhunderts als Dekadenzerscheinung hoher Kulturen gewertet) – der «weibliche» Partner kleidete sich als Weib und verrichtete nur weibliche Arbeiten. Wohlgemerkt, all dies waren Teilbeobachtungen, die sich keineswegs generalisieren lassen.

Und sie trafen weitere Stämme: Tarahumare, Tepecano, Tepehuane, Nio, Zoe und andere – und die Opates, die mit Giftpfeilen schossen, an denen später noch viele Spanier sterben sollten. Aber niemals trafen sie, nicht ein einziges Mal, auf das, wonach die spanischen Eroberer dürsteten: Reichtum. Einige Smaragde (vielleicht auch nur Malachite) und wenige Türkise bekamen sie zu sehen – nicht der Rede wert. Ja, als sie den Rio Pecos kreuzten, sahen sie ein paar kümmerliche Pueblos. Was sie allerdings *hörten*, war, daß es im Norden tatsächlich «Städte» geben sollte, Riesen-Pueblos mit unzähligen Menschen und voll Gold und Silber. Immer wieder stießen sie auf derart ungenaue Nachrichten, und daß de Vaca hier ausdrücklich in seiner ‹*Relación*› und vorher schon in seinen Aussagen vor dem Vizekönig in Mexico City vom *Hörensagen* spricht, niemals vom Augenschein, hindert die verblendeten Spanier nicht, an das Gewünschte zu glauben – ja, es fehlte nicht an Verdächtigungen, er hielte sein wahres Wissen geheim, er hätte gewaltige Schätze irgendwo gehortet.

Álvar Núñez Cabeza de Vaca machte dem allen ein Ende, indem er nach

Spanien zurückkehrte in seine Heimatstadt Jerez de la Frontera und nach Sevilla. Selbst dort noch betrachtet man ihn scheu als den Herrn ungeheurer Reichtümer. Noch einmal erinnert sich der König seiner, als er einen ehrlichen Gouverneur für die Rio de la Plata-Region in Südamerika sucht. De Vaca nimmt an: es wird eine glücklose Expedition, er wird in Intrigen verwickelt, kommt sogar vor Gericht, wird aber freigesprochen. 1557 stirbt er in Spanien. Dorantes und Castillo waren in Mexiko geblieben, hatten beide reiche Witwen geheiratet und starben zu unbekannter Zeit.

Bleibt von den vieren noch einer übrig: Estevanico, der Mohr. Und für ihn hielt das Schicksal nochmals ein großes Abenteuer bereit, das ihm kurzen Triumph gab und dann jähen Tod. Der Mohr sollte der erste sein, der wirklich die «Sieben Städte von Cibola» sah.

Der Vizekönig in Mexiko, Don Antonio de Mendoza, gab den Forschungsauftrag. Es ist wahrscheinlich, daß Coronado der Führer werden sollte, doch nach den Nachrichten de Vacas entschloß sich Mendoza, erst eine sorgfältige Rekognoszierung vornehmen zu lassen, ehe er eine kostspielige Expedition ausrüstete. Er wählte dazu Fray Marcos aus Nizza, einen Franziskaner-Mönch höheren Ranges, der schon Pizarros Inka-Eroberung mitgemacht hatte; er hatte damit alles gesehen, was spanische Soldateska verüben konnte, er hatte der Ermordung des Inka-Königs Atahualpa beigewohnt und dabei zweifellos das christliche Kreuz in den Händen gehalten.

Daß ein Priester gewählt wurde statt eines Ritters, hatte drei besondere Gründe, die der erste gründliche Historiker besonders dieser Zeit, Adolph F. Bandelier, ausdrücklich hervorhebt:

1. sie kamen den Vizekönig sehr viel billiger als jeder Ritter;

2. sie schienen als Priester mehr zur Wahrheit verpflichtet als ein nur beutehungriger Soldat;

3. ihr Kreuz war oft, besonders in den noch nie von spanischen Soldaten betretenen Gebieten überzeugender und eindrucksvoller als das Schwert.

Welchen besseren, erfahreneren Führer hätte sich Marcos wählen können, als den Mohren Estevanico, der das unwirtliche Land und die wilden wie die sanften Stämme kannte, der vor allem die Zeichensprache in hohem Grade beherrschte? Hier eine Bemerkung zu dieser viel gerühmten Zeichensprache, die in so vielen späteren Indianer-Romanen eine Rolle spielt: Natürlich wissen wir wenig davon, welchen Verständigungsgrad sie zur Zeit der Spanier erreicht hatte, und gar nichts darüber, wieviel in den vielen Jahrhunderten davor; aber wir wissen, welchen außerordentlichen Mitteilungswert sie *später* erreicht haben mußte, um die sich immer weiter ausbreitenden Handelsbeziehungen der nun schon *reitenden* Indianer zu ermöglichen. So berichtet der

Völkerpsychologe Wilhelm Wundt, daß die Indianer fähig waren, folgenden komplizierten Satz auszudrücken: «Weiße Soldaten, die von einem Offizier von hohem Range, aber geringer Intelligenz geführt wurden, nahmen die Mescalero-Indianer gefangen.»[10]

Der Mohr war wahrscheinlich Dorantes' Sklave gewesen. Aber während der Odyssee der Vier hatte allein der Rang der Tüchtigkeit gegolten; er war nicht nur gleichberechtigt, er war Freund geworden. Nun aber war er plötzlich mehr: der *Führer* einer Gruppe, die in hohem Grade von ihm abhängig war. Das stieg ihm zweifellos zu Kopf. Einen natürlichen Hang zu bunter Theatralik übersteigerte er nun: Er wünschte sich auch äußerlich hervorzutun, er schmückte sich farbenprächtig mit Bändern und Schärpen, steckte sich bunte Federn ins Haar und behängte sich besonders mit allerlei Lärminstrumenten, mit Rasseln und Schellen – und so tanzte er vor der kleinen Expedition einher. Kein Zweifel – bei einigen Stämmen lebte sein Ruf wieder auf als einer der großen Medizinmänner, die Jahre zuvor hier Wunder vollbracht hatten, auf andere machte der nie zuvor gesehene schwarze Mann in seinem phantastischen Aufzug entsprechenden Eindruck, und es wäre höchst interessant, zu wissen, was diese Indianer wohl gedacht haben mögen. Etwas Fatales ist verbürgt (fatal für die letzten Tage der Expedition): Er machte tiefsten Eindruck auf die eingeborene Damenwelt, die sich ihm freiwillig zugesellte. Er hatte schon kurze Zeit, nachdem die Expedition begonnen hatte, sozusagen einen Harem. Während aber nun einige Stämme dies gleichgültig billigten, meldeten andere Besitzerrechte an. Das gab von Beginn an einige Mißhelligkeiten; und keine Frage, daß Fray Marcos, auf dessen Banner auch die Wahrung der Sittlichkeit stand, dieses Gebaren seines «Führers» aufs äußerste mißbilligte.

Doch waren sie selten beisammen. Estevanico bildete die Vorhut, beglückte die Indianer mit der Nachricht von der Ankunft eines großen weißen Mannes, der von einem allmächtigen weißen König und einem noch allmächtigeren weißen Gott gesandt sei, ihnen nie geahnte Liebe brächte und dem sie sich zu unterwerfen hätten. Er rasselte mit seinen Schellen, verteilte Geschenke und hatte Erfolg: Die Indios halfen ihm, überall auf dem Wege Rasthütten mit Verpflegung bereitzustellen, wo der langsamer nachfolgende Priester mit Ehren empfangen werden konnte.

Über diesen Zug nun, im Jahre 1539, über Fray Marcos selbst, schwankte lange das Urteil der Geschichte. Er kam zweifellos, getreu dem Auftrag des Vizekönigs, nicht als Eroberer mit dem Schwert, sondern als Forscher, allerdings mit dem nicht weniger eroberungssüchtigen Kreuz.

Aber sein Bericht über die ganze Reise, das sogenannte ‹Descubrimiento› («Entdeckung»), ist widerspruchsvoll, besonders im entscheidenden Punkt.

Vor allem der Chronist des späteren Coronado, Don Pedro de Castañeda, behauptete, Fray Marcos wäre ein verlogener Feigling gewesen, der in Wirklichkeit nie näher als 162 Meilen an Cibola herangekommen sei. Es ist eigenartig, daß der so gründliche Bandelier, der im vorigen Jahrhundert gewiß die intensivste Quellenforschung getrieben hat, sich so vollkommen hinter Marcos stellt:

«Mehr als drei Jahrhunderte hindurch ist der Charakter des Mannes seltsam falsch dargestellt, sind seine Handlungen falsch erzählt und seine Worte mißdeutet worden. Das Resultat war, daß nahezu alles, was mit der frühen Entdeckungsgeschichte des nordamerikanischen Südwestens zusammenhing, ebenfalls mißverstanden wurde. Es ist meine Absicht, dem Pfade zu folgen, den Mr. F. H. Cushing 1881 zum erstenmal öffnete, als er unter den Zuñi-Indianern die Wahrheit über Fray Marcos' bemerkenswerte Reise suchte und fand – ein Pfad, den ich auf Grund von Urkundenforschungen später in den Jahren 1885 und 1886 beschritten habe – und die Geschichte der ersten Reise nach Cibola so genau wie möglich wiederzugeben, mit Hilfe von geschriebenen und mündlichen Beweisen, von gedruckten Büchern und Handschriften wie auch von geographischen und völkerkundlichen Tatsachen.»[11]

Wie schon gesagt, Estevanico gehörte einer Voraustruppe an, der indessen immer mehr Indios sich anschlossen (sehr viele Frauen), so daß sie vielleicht dem Gefolge des Marcos bald an Zahl überlegen war. Wie dem auch gewesen sei, bei beiden trafen immer mehr Indianer ein, die von großen Städten, reichen Stämmen im Norden zu berichten wußten, so daß Marcos mit Estevanico folgende Vereinbarung traf:

«Fünfzig bis sechzig Leguas [250–300 Kilometer] nach Norden zu gehen, zu sehen, ob man in dieser Richtung etwas Bedeutendes beobachten oder ein reiches und wohl besiedeltes Land finden könnte; und wenn er etwas in dieser Art fände oder davon höre, solle er anhalten und mir durch einige Indianer eine Nachricht senden. Diese Nachricht sollte aus einem weißen Holzkreuz bestehen. Wenn die Entdeckung von *mittlerer* Bedeutung sei, solle er ein Kreuz von einer Spanne Länge senden; wenn sie *sehr bedeutend* sei, solle das Kreuz zwei Spannen lang sein; wenn sie *bedeutender* sei *als Neu-Spanien*, so solle er mir ein großes Kreuz schicken.»[12]

Der Mohr erfüllte seine wichtigste Pflicht: Er sorgte für nicht abreißende Kommunikation zwischen sich und Marcos. Doch fortwährend steigerte sich die Entfernung zwischen den beiden Gruppen. Der vorwärtsstürmende Enthusiasmus der ersten Gruppe beflügelte die zweite, die phantastischsten Nachrichten häuften sich, und es muß auf Marcos' Gruppe wie ein Donnerschlag gewirkt haben, als plötzlich der Indianer vor ihnen stand, der triumphierend ein riesiges Kreuz schwang! Wie hatte die Verabredung gelautet?

Was sollte das größte Kreuz bedeuten? Sollte es nicht heißen *«bedeutender als Neu-Spanien»*, bedeutender also als die Stadt Mexico?

Und der Indianer, seine Begleiter, die bald auftauchten, berichteten diesmal solche Wunderdinge, daß Marcos schrieb:

«... daß ich mich weigerte, es zu glauben, bis ich es selber gesehen oder weitere Beweise bekommen hätte.» Aber warum sollte er noch zweifeln? «Cibola war hier so gut bekannt wie Mexico in Neu-Spanien oder Cuzco in Peru; und sie beschrieben die Form der Häuser, den Grundplan der Dörfer, der Straßen und Plätze genau, so wie es Leute machen, die oft dort gewesen sind und die dort für ihre Dienste die Luxusartikel und Gebrauchsgegenstände erhalten hatten, die sie besaßen.»[13]

Auch die neueste Nachricht, daß Marcos noch eine Wüstendurchquerung von fünfzehn Tagesreisen bevorstünde, schreckte nicht mehr. Doch der Mohr hatte offenbar den Verstand verloren. Statt nun, sozusagen im Anblick des Gelobten Landes, auf Marcos zu warten, der sich, wenn man seinem Bericht glauben will, vorsichtig und würdevoll nahte, trieb den Schwarzen jetzt offenbar nur der eine Wunsch: selber, er ganz allein, der Entdecker der «Sieben Städte» zu sein! Doch plötzlich, vor einem neuen Volk, schien sein Klappergerassel, seine Scharlatanerie, seine so alberne Vortänzerei nicht mehr zu wirken – im Gegenteil! Die Bewohner des ersten großen Pueblos, das nicht ein Weißer, sondern ein Schwarzer zuerst sah, griffen zu den Waffen!

Ein erschöpfter, blutender Indianer brachte die Kunde weit zurück zu Marcos.

Es ist ein alter Trick der Schriftsteller, der bis auf Sophokles zurückgeht, daß ein grauenhaftes Geschehnis am besten durch einen Boten berichtet wird – in dürren Worten, in denen die überschwengliche Phrase geläutert ist durch das nackte Erlebnis, dem nur noch das Stammeln gemäß ist – denn nach den Regeln der Kunst hat nicht der Erzähler aufgeregt zu sein, sondern das, *was* er erzählt, soll die Zuhörer schockieren.

So überzeugt wohl nichts mehr von der Qual, der Verzweiflung, der Todesfurcht vielleicht, die die Männer um Marcos packte, als der karge Bericht, den der blutende Indio gab, der Augenzeuge des ersten Triumphes und der letzten Stunde des unvergeßlichen Estevanico war. Marcos gibt diese Worte wieder:

«Er erzählte mir, daß Estevan, einen Tag bevor sie Cibola erreichten, seine Kürbisflasche dorthin gesandt hatte, so wie er es immer machte, um ihnen zu zeigen, in welcher Eigenschaft er kam. Die Kürbisflasche war mit einigen Rasselschnüren und zwei Federn, die eine weiß, die andere rot, verziert. Als sie Cibola erreichten und die Kürbisflasche dem Manne übergaben, den der Herrscher mit Befehlsgewalt ausgestattet hatte, nahm dieser sie in die Hand;

als er aber die Rasseln sah, schmetterte er die Kürbisflasche zornig auf den
Boden und sagte zu den Boten, sie sollten sofort die Stadt verlassen, denn er
wisse, was für Leute diese [die Fremden] seien. Sie sollten ihnen sagen, sie dürften die Stadt nicht betreten, sonst würden sie alle getötet werden. Die Boten
kehrten zurück und berichteten Estevan, was sich zugetragen hatte. Er aber
sagte, es wäre ohne Bedeutung, denn diejenigen, die anfangs Zorn gezeigt
hätten, hätten ihn später immer auf das freundlichste empfangen. So setzte er
seine Reise fort, bis er die Stadt Cibola erreichte, wo er auf Leute traf, die ihm
den Zutritt verweigerten und ihn in einem großen Haus außerhalb [der
Stadt] gefangensetzten. Sie nahmen ihm alle Dinge weg, die er zum Tausch
mit sich führte, Türkise und andere Gegenstände, die er von den Indianern
auf der Reise bekommen hatte. Dort verbrachte er die ganze Nacht, und weder ihm noch seinen Begleitern wurde etwas zu essen oder zu trinken gegeben.
Am folgenden Morgen war der Indianer [der diesen Bericht erzählte] durstig,
und er ging aus dem Hause, um aus dem nahen Fluß einen Schluck Wasser zu
trinken. Kurz danach sah er, wie Estevan versuchte zu entkommen, verfolgt
von den Bewohnern der Stadt, die einige seiner Begleiter töteten. Als der Indianer dieses sah, versteckte er sich und kroch heimlich den genannten Fluß hinauf. Endlich durchquerte er ihn, um den Weg durch die Wüste zu gewinnen.»[14]

Weitere Augenzeugenberichte ergaben: Ein Massaker hatte stattgefunden.
Der unerschrockene Mohr war getötet worden, nur ein paar Verletzte hatten
sich zurückschleppen können zu Marcos – das Volk von Cibola hatte an die
dreihundert Gefolgsleute des Estevanico umgebracht und seine Grenzen her-
metisch geschlossen, selbst gegen jeden indianischen Handelsverkehr.

Dieser Bericht ist vollkommen wahr, denn die Einzelheiten erfuhr ein Jahr
später genauso ein Offizier Coronados, als er die Eingeborenen befragte, und
eine «Sage» von diesem Vorfall erhielt sich bei den Zuñi-Indianern bis ins 19.
Jahrhundert, wie Frank H. Cushing feststellte. Nach einem Bericht soll der
Körper des Mohren in viele Teile zerstückelt worden sein, die in andere Pueblos geschickt wurden, um den Häuptlingen den Beweis seiner Verletzlichkeit
und seines Todes zu liefern.

Die Indianer, die Marcos begleiteten, wollten davonlaufen. Marcos verteilte alle seine Habe, hielt einige Begleiter zurück und wagte sich weiter vor, immer weiter, bis ihn seine beiden getreuesten Indianer an einen Platz führten,
von wo aus er Cibola sehen konnte!

Hier lag sie nun vor ihm, die Stadt der Träume so vieler Spanier; er blickte
lange hinüber, dann errichtete er ein Steinkreuz und hatte die Stirn, das ganze vor ihm liegende Land, nämlich die Pueblos Cibola, Totenteac, Acus und
Marata (hinter denen noch *größere* liegen sollten) für die Spanische Krone
unter dem Namen «Das Neue Königreich des Heiligen Franz» «in Besitz» zu

nehmen. Dann entschloß er sich, umzukehren; ein vernünftiger Entschluß: «Manchmal kam ich in Versuchung, dorthin zu gehen, wissend, daß ich nicht mehr als mein Leben wagte und daß ich dieses Leben bereits an dem Tage, an dem ich die Reise begann, Gott geweiht hatte. Aber in Anbetracht der Gefahr überkam mich schließlich Furcht, und auch weil, wenn ich stürbe, es keine Kenntnisse von diesem Lande geben würde.»[15]

Aber was, um Himmels willen, brachte er als «Kenntnisse» heim? Der Mann, dessen Wahrheitstreue Bandelier, wie anfangs zitiert, so rühmte, kann nicht bei vollem Verstand gewesen sein, als er den ersten Blick auf Cibola warf (auf das «Land der Zuñis», wie wir heute wissen, am oberen Zuñi-Fluß in New Mexico, eine Gruppe von Pueblos, die ohne Zweifel die «Sieben Städte von Cibola» waren, doch von Gerücht und Phantasie und Wunschtraum maßlos überhöht). Selbst wenn wir seine tiefe Erregung berücksichtigen, selbst wenn wir wissen, wie sogar der heutige Tourist, wenn er unter gleißender Sonne plötzlich in der Ferne eine der geisterhaft anmutenden grauen Wabenbauten erblickt, die, mehrere Stockwerke hoch, ein Pueblo bilden – wie also auch wir kaum in der Lage sind, zu schätzen, wie viele Bewohner solch Stadtberg wohl bergen mag – selbst dann ist es unbegreiflich, daß Bruder Marcos dem Vizekönig folgenden Bericht zu geben wagte:

«Mit meinen Indianern und Dolmetschern folgte ich meinem Weg, bis wir in Sichtweite von Cibola kamen, das in einer Ebene am Hang eines runden Hügels liegt. Als Siedlung macht sie einen guten Eindruck – es ist die stattlichste Siedlung, die ich in diesen Gegenden gesehen habe. Wie die Indianer mir erzählt haben, sind alle Häuser aus Stein, mit Stockwerken und flachen Dächern. Soviel ich von einer Höhe aus, auf die ich mich zur Beobachtung begab, sehen konnte, ist die *Siedlung größer als die Stadt Mexico.*» Und er betont das noch: «*...nach meinem Dafürhalten ist es die größte und beste, die bisher entdeckt wurde»*[16], eine völlig wahnhafte Darstellung der Zuñi-Pueblos für einen Mann, der aus der Stadt Mexico kam, die damals, um 1540, vielleicht nicht mehr als tausend spanische Einwohner hatte, aber noch unzählige Eingeborene und vor allem die Reste der ungeheuren aztekischen Palast- und Tempelbauten, die, wie wir dem gespannten Leser hier leider gleich verraten müssen, *in ganz Nordamerika nicht ihresgleichen haben.*

Doch dieser so völlig falsche Bericht führte direkt zur Eroberung des heutigen «Südwestens» der Vereinigten Staaten. Coronado, der hier der berühmteste aller Eroberer werden sollte, rüstete sich, und nach ihm unzählige andere – und in ihrem Gefolge waren viele wohlmeinende Priester, aber auch die Schreiber, Notare, Richter und Henker. Erst 140 Jahre später stand das Zuñi-Volk noch einmal auf, um sich gegen die spanische Unterdrückung zu wehren.

Die Eroberer reichten sich die Hände. Kampfgefährten von heute, waren sie Führer von morgen.

Cortés – Narváez
Narváez – de Vaca
de Vaca – Estevanico
Estevanico – Fray Marcos
Marcos – Coronado

Denn welch besseren Führer als Marcos hätte sich Francisco Vasquez de Coronado wählen können, als er im Februar 1540 vom Vizekönig mit 250 Reitern, 70 Infanteristen, mehreren hundert Indianern und Herden von Vieh auf neue, nun wirkliche Eroberung des sagenhaften Cibola ausgeschickt wurde?

In der Eroberungsgeschichte dürfte natürlich Hernando de Soto nicht fehlen und die vielen, die nach ihm kamen und das Land immer mehr erforschten und immer härter unter die spanische Herrschaft von Schwert und Kreuz brachten. Doch wir wollen unserem roten Faden folgen, den Spuren der ersten Indianer Nordamerikas. Und so erwähnen wir als letzten Eroberer Coronado, der mit dem Schwert die Schleier der Geheimnisse zerfetzte, die so lange die Wahrheit über die «Sieben Städte von Cibola» verborgen hatten.

Noch heute finden sich im Südwesten der USA seine Spuren. Er oder seine Unterführer durchquerten Arizona und New Mexico, stießen vor bis nach Kansas und erblickten zum erstenmal das Wunder des Grand Canyon, dieses tiefsten Wundrisses der Erde, in dem sie allerdings nur ein lästiges Hindernis auf ihrem Zug nach Norden sahen.

Doch zu Cibola: Der Marsch war enttäuschend von Beginn an. «Alle marschierten freudig», aber einen üblen Weg, «der den Soldaten nicht wenig zu schaffen machte, denn sie sahen, daß alles, was der Pater (Marcos) berichtet hatte, sich als das genaue Gegenteil erwies.»[17] Pferde starben an Erschöpfung, die ersten Indianer und Neger desertierten. Als sie in das letzte Wüstenstück vor Cibola kamen, Mitte Juni 1540, waren sie so hungrig, daß ein Spanier, zwei Neger und sogar einige Indianer Pflanzen aßen, die sich als giftig erwiesen – sie starben.

Doch dann hatten sie die schrecklichste Wegstrecke überwunden, und die ersten Boten von Cibola erreichten sie. Freundschaftsbeweise wurden ausgetauscht, doch Coronado traute der Sache nicht. Er schickte einen Rekognoszierungstrupp voraus, der erkunden sollte, ob irgendwo eine Falle vorbereitet sei. Der Führer des Trupps fand in der Tat «eine sehr üble Stelle auf unserem Weg, wo wir viel Schaden hätten erleiden können. Er setzte sich jedoch sofort mit der von ihm geführten Truppe dort fest»[18]. Seine Ahnung trog ihn nicht. In der Nacht tauchten die Indianer wie Schatten auf, um die Falle zu schließen. Als sie sahen, daß sie zu spät kamen, attackierten sie die Spanier dennoch «wie beherzte Männer». Aber die Spanier schlugen sie zurück, ohne einen Mann zu verlieren. Coronado, benachrichtigt, beschloß, unverzüglich Cibola anzugreifen, denn ob Gold oder nicht Gold – was sie sofort brauchten, war Nahrung.

Am nächsten Morgen standen sie auf einer Anhöhe und blickten auf Cibola!

Sie sahen den wabenartigen, grauen Häuserkomplex, auf dessen Stockwerken sich die Indianer tummelten, auf Leitern auf- und abhastend. Parlamentäre mit Dolmetschern, die den Indianern laut die königliche Besitznahme der Stadt verkündeten, wurden mit Pfeilen überschüttet. Coronado griff frontal an.

Eine Übermacht von Indianern warf sich ihnen noch im Felde entgegen. Doch das immer wieder beobachtete Phänomen der Konquistadoren-Zeit, daß eine Handvoll Männer, aus rätselhaftem Grund von der Gerechtigkeit ihrer Sache und aus kaum weniger rätselhaftem von ihrer eigenen Unbesiegbarkeit überzeugt und deshalb kämpfend wie die Teufel, buchstäblich Tausende von Indianern vor sich hertrieben, Hunderte von Toten zurücklassend, selber nicht mal ein halbes Dutzend Fechter verlierend, zeigte sich auch hier: Die Indianer flüchteten sich in ihre Stadt. Aber sie gaben nicht auf, erkletterten auf den Leitern ihre Terrassen und überschütteten die Angreifer mit Pfeilen und Steinen. Coronado befahl Sturm und setzte sich selber an die Spitze – bevorzugtes Ziel in seiner goldschimmernden Rüstung. Zweimal wurde er von Steinen zu Boden geschleudert, mehrfach gestreift, und ein Pfeil fuhr ihm in den Fuß. Aber Cibola, das sagenhafte, wurde erobert! Ergebnis der ersten Umschau der zu Tode ermatteten und halbverhungerten Spanier: «Dort fanden wir etwas, was wir mehr schätzten als Gold und Silber, nämlich viel Mais, Bohnen und Hühner, größer als die hier in Neu-Spanien, und Salz, das besser und weißer war, als ich es je in meinem Leben gesehen habe.»[19]

Hier lag nun die Wahrheit über Cibola vor ihren Augen. Kein mächtiger König herrschte hier, weder Gold noch Edelsteine säumten die Türen, und die Indianer aßen von der Erde und nicht von goldenem Geschirr. Mit bitteren Worten berichtet es Coronado dem Vizekönig, nicht ohne verächtlichen Hinweis auf die falschen Informationen von Bruder Marcos. Cibola, das wurde klar, war der Sammelname für eine Gruppe von Städten der Zuñi-Indianer. Aber hatte es Sinn weiterzuziehen? Coronado wäre kein Konquistador gewesen, wenn er gezögert hätte.

Unter den zahlreichen Pueblos, die Coronado oder seine Unterführer erober-

*Altes Tongefäß,
phantasievoll dekoriert,
aus dem Pueblo Acoma,
New Mexico.*

ten, ist eines besonders wichtig für uns, da sich an ihm, sehr viel später allerdings, zum erstenmal die junge amerikanische Archäologie erprobte.

In dieses bedeutende Pueblo, später allgemein Pecos genannt, wurden sie von einem freundlichen Häuptling eingeladen, der ungewöhnlicherweise einen schönen Schnurrbart trug, weshalb sie ihn sofort «Capitán Bigotes», das heißt «Hauptmann Schnurrbart» nannten.

Capitán Hernando de Alvarado brach zur Erkundung auf mit zwanzig Soldaten. Schon nach wenigen Tagen machten sie eine außerordentliche Entdeckung: Sie stießen auf *Ruinen*, «sehr ausgedehnt, völlig zerstört, obwohl ein großer Teil der Mauer noch stand. Sie war so hoch wie sechs Männer, eine Mauer aus gut behauenen Steinen, mit Toren und Rinnen wie bei einer Stadt in Kastilien.»[20]

Nur wenig weiter stießen sie auf andere Ruinen, mit Fundamenten aus Granitblöcken, dann auf die Stadt Acoma, uneinnehmbar auf einem Felsen erbaut, der nur einen einzigen Zugang hatte. Aber die Spanier wurden durch die Vermittlung des schnurrbärtigen Häuptlings freundlich empfangen und zur Besichtigung eingeladen. Drei Tage später erreichten sie den legendären Rio Grande, mit zahlreichen Niederlassungen an beiden Seiten des Flusses.

Alvarado sandte schleunigst Friedenskreuze, um seine Freundschaft zu bezeigen – denn erste Erkundung brachte die Nachricht, daß er sich etwa siebzig Siedlungen im Rio Grande-Tal gegenübersah. Der Capitán gab sofort die Nachricht an Coronado: Das Land sei fruchtbar, reich an Mais, Bohnen und Melonen und weit besser zur Überwinterung der Armee geeignet als Cibola. «Hauptmann Schnurrbart» indes drängte weiter; sie passierten die später so genannten San Francisco Peaks (die höchsten Berge in New Mexico, nur kurze Zeit im Sommer schneefrei). Im Herzen der Berge erreichten sie schließlich Cicuyé, wie Pecos damals genannt wurde.

Und dies war nun eine weit mehr beeindruckende Stadt, als sie sie bisher gesehen hatten. Dies die erste Beschreibung, die der Chronist der Coronado-Expedition, Castañeda, gab:

«Cicuyé ist ein Ort mit etwa 500 Kriegern, die im ganzen Lande gefürchtet sind. Es ist viereckig auf einem Felsen gelegen mit einem großen Innenhof oder Platz in der Mitte, der die ‹Öfen› enthält [Öfen = estufas war die spanische Bezeichnung für die ‹kiva›, siehe weiter unten]. Die Häuser sind alle gleich und vier Stockwerke hoch. Man kann über die Dächer der ganzen Ortschaft laufen, ohne von einer Straße behindert zu werden. Es gibt Korridore, die die ersten beiden Stockwerke umlaufen und durch die man ebenfalls um den ganzen Ort gehen kann. Sie sind wie vorspringende Ränge, und sie können unter ihnen Schutz finden. Die Häuser haben unten keine Türen; vielmehr werden Leitern benutzt, die man hochziehen kann; auf diese Weise steigen sie zu den Korridoren hinauf, die an der Innenseite der Ortschaft liegen. Da die Türen der Häuser sich gegen den Korridor des jeweiligen Stockwerkes öffnen, dient dieser Korridor, wie gesagt, als Straße. Die Häuser, deren Öffnung gegen die Ebene gerichtet sind, liegen genau hinter denen, die sich gegen den Innenhof öffnen, und in Kriegszeiten gehen sie durch diese inneren Türen. Der Ort ist von einer niedrigen Steinmauer umschlossen. Es gibt eine Wasserquelle im Inneren, die sie ableiten können. Die Bewohner des Ortes brüsten sich, daß ihn niemand erobern konnte, sie aber jedes Dorf nach ihrem Willen unterwerfen könnten.»[21]

Statt nun den weiteren Expeditionen zu folgen – eine besonders sinnlose war die auf der Suche nach einem neuen mysteriösen Goldland, genannt Quivira –, wollen wir uns um die ersten wahrhaftigen Nachrichten kümmern, die über diese «ersten Amerikaner» (wie die Spanier ohne weiteres annahmen, ohne zu ahnen, welch lange Historie schon hinter den Pueblo-Indianern lag) gesammelt wurden. Aber wir wollen gleich betonen: es war nur eine ganz bestimmte Kulturstufe in einem ganz bestimmten Raum Nordamerikas, eben jene zur Zeit der Ankunft der Spanier, die hier beschrieben wird – wie weit zurück sie reicht, werden wir später sehen.

Das Wort *pueblo* ist spanisch und heißt *Volk, Ortschaft, Stadt, Dorf.* Im nordamerikanischen Südwesten, besonders in Arizona und New Mexico, wurde das Wort von den Spaniern speziell angewandt auf die mehrstöckigen, meist in der Adobe-Bauweise (Adobe – an der Sonne getrockneter Ziegel aus Lehm oder Schlamm, mit Stroh oder Gräsern vermischt) errichteten Indianer-Siedlungen, unterschiedslos, ob sie sich als befestigte «Burg» auf einer der zahlreichen *mesas* (Tafelberge) befanden oder sich frei und ungeschützt als Dörfer auf weiter Ebene erhoben. Ob man diese Siedlungen heute rückwirkend als «Stadt» oder als «Dorf» bezeichnen soll, ist eine Frage der Soziologen, denn der Unterschied besteht in der Höhe der Organisation dieser Gemeinwesen. Danach kann man, nein, muß man einige Pueblos mit dem Titel «Stadt» auszeichnen, sehr viele andere bloß unbedeutende Dörfer nennen.

Von der spanischen Conquista an bis ins neunzehnte Jahrhundert hinein wurde allgemein von «Pueblo-Indianern» gesprochen, als sei das ein einheitlicher Stamm oder ein bestimmtes Volk. In Wirklichkeit waren die Pueblo-Bewohner, wie wir heute wissen, Angehörige höchst verschiedener Stämme, sprachen die verschiedensten Sprachen und hatten verschiedenen historischen Hintergrund. Dennoch war ihnen einiges gemeinsam: Sie waren alle Ackerbauer, hatten also die prähistorische Stufe der reinen Jäger und Sammler überwunden. Und auch die oft völlig verschieden angelegten Pueblos hatten eines gemeinsam: Eine bedeutende Rolle spielten in ihrer Architektur die halb unterirdisch angelegten «Kivas». Das ist ein Wort der Hopi-Indianer für einen meist kreisrunden Raum mit balkengestützter Decke und einem Eingang vom Dach her. Diese Rundhalle diente den verschiedensten Zwecken, ihr Betreten war aber jeder Frau aufs strengste verboten. Der Kiva war Versammlungsraum, Beratungsraum, Gebetsraum, Zeremonienraum, Schulraum für Jünglinge und hatte die Faszinationskraft aller Geheimnisse, die nur Männern vorbehalten sind.

«Sie haben keine Herrscher wie in Neu-Spanien, sondern werden von einem Ältestenrat regiert», schrieb Castañeda. «Sie haben Priester, die ihnen predigen und die sie *papas* nennen. Diese sind ihre Respektspersonen. Sie besteigen das höchste Dach des Ortes und predigen von dort am Morgen, wenn die Sonne aufsteigt, zu dem Dorf, wie öffentliche Ausrufer; und der ganze Ort ist still, und alle setzen sich auf die Ränge, um zuzuhören. Sie sagen ihnen, wie sie leben sollen, und ich glaube, daß sie ihnen bestimmte Gebote erteilen, die sie halten müssen, denn es gibt unter ihnen keine Trunkenheit noch Sodomie, noch Blutopfer, weder essen sie Menschenfleisch noch stehlen sie, sondern sie sind sehr arbeitsam!»[22]

Es ist wichtig, daß jedes Pueblo sozusagen eine selbständige «Republik» war. Handel zwischen den verschiedenen Stämmen gab es wenig – aber es gab auch kaum Objekte des Handels, ausgenommen vielleicht den nahezu als heilig erachteten Türkis, der in einigen Gegenden reichlicher vorhanden war als in anderen.

Die Frau spielte in vielem eine dominierende Rolle, die Verwandtschaft in weiblicher Linie war von außerordentlicher Bedeutung; auch gab es gefürchtete «Hexen», von denen, ebenso wie von mächtigen Medizinmännern, geglaubt wurde, daß sie Macht über die Elemente hätten.

Ihre Naturreligion, in der besonders die Sonne eine Rolle spielte, drückte sich am attraktivsten in ihren Tänzen aus (von denen selbst noch der heutige Tourist einige in wahrscheinlich kaum abgewandelter Form zu sehen bekommen kann; es gibt allerdings auch heute noch einige Pueblos, in denen die rituellen Tänze im geheimen stattfinden, und Zudringlichen kann es passieren, daß ihnen die Kameras zerschlagen werden). Es sind Sonnentänze, der Tanz des sprießenden Maises, der Regentanz, begleitet mit Flöten und Trommeln, dargebracht in einer Vielzahl von pittoresken, bunten Masken symbolischen Gehaltes, die ebenfalls der Tourist noch heute als «Kachina-Puppen» in Nachbildungen erblicken und in oft schon industriell hergestellten Repliken sogar kaufen kann.

Einige Stämme pflegten die Kunst der Sand-Malerei unter Anleitung der Priester (eine in dieser Vollendung auf der Welt einmalige Art der Kunstausübung), kunstvolle Figuren auf dem Erdboden, in allen Farben, die verschiedene Sandarten und gefärbtes Mehl hergaben.

Ihre Korbflechtarbeiten und ihre Tontöpferei hatten einen künstlerisch außerordentlich hohen Grad erreicht. Viele der damaligen Muster, die die Spanier sahen, sind verschwunden, viele haben sich bis heute erhalten, viele haben sich mit Anregungen vermischt, die vor allem die Missionare einbrachten.

Sie waren nicht *nur* Ackerbauer, selbstverständlich jagten sie auch – den Hirsch, Bären, Bison, Berglöwen und kleines Getier; der Fisch jedoch war den meisten heilig und wurde nicht gegessen.

Merkwürdigerweise hatten sie eine nicht so hoch entwickelte Bewässerungskultur wie einige Völker vor ihnen, obwohl jeder Tropfen Wasser eine Kostbarkeit war und eine Dürre sehr leicht zur Katastrophe führen konnte. Wenn man sich heute zum Beispiel in den von der Sonne nahezu zum Glühen gebrachten riesigen Ruinen von Pueblo Bonito umsieht, ist es kaum zu erklären, wie ein Volk dort zu überleben vermochte; wenn nicht, einfachste Erklärung, zur Zeit der Bewohnung andere geologisch-klimatische Verhältnisse geherrscht haben.

Dabei waren ihre Äcker oft meilenweit vom Pueblo entfernt, eine den Spaniern damals kaum verständliche Anlage, inzwischen erklärt dadurch, daß ihnen die *Sicherheit* ihrer Heimstätte am wichtigsten war, sie also ihre Pueblos am *strategisch günstigsten* Punkt anlegten.

Die Kleidung dieser Indianer fanden die Spanier zweckvoll. Männer und Frauen trugen Gamaschen und Mokassins aus gegerbtem Hirschleder. Die Männer trugen eine Tunika und Hosen, die Frauen eine gewebte Decke über die rechte Schulter geworfen und unter der linken Achsel durchgezogen, von breiter Schärpe gehalten. Im Winter halfen Felle, zu einer Art Mantel geknüpft, aber auch Kleidungsstücke aus Baumwolle, gewebt von Frauen wie von Männern (was die Spanier überraschte).

Die Männer stutzten vorn ihre Haare und hielten sie höher hinauf mit einem Kopfband zusammen. Die Frauen trugen es meist in der Mitte gescheitelt. Beide Geschlechter liebten den Schmuck. Ihre kostbarsten Kleinodien waren die Türkise, von oft beachtlicher Größe, doch selten rein. Oder durchbohrte Muscheln, die ihnen in Ketten von den Ohren oder um den Hals hingen.

All diese Nachrichten vermehrten sich, besonders durch Missionare, im Lauf der Zeit beträchtlich, und die Spanier glaubten ihre «Pueblo-Indianer» zu kennen. Doch da, als die Spanier nach 140 Jahren längst überzeugt waren, nichts könne ihre Macht und ihre Ausbeutung mit Hilfe des raffinierten *«encomienda»*-Systems (eines der übelsten feudalistischen Ausbeutungssysteme) erschüttern, erhoben sich plötzlich die bis dahin nur duldenden Pueblo-Stämme in einem derart mitreißenden und grausamen Aufstand, wie ihn die ganze nordamerikanische Indianer-Geschichte kaum kennt. Es geschah im Jahre 1680. Unter Führung eines offenbar außerordentlichen Medizinmannes, genannt Popé, griffen sie zu den Waffen, verbündeten sich, metzelten erst die Außenposten der Spanier nieder, überrannten dann ihre Befestigungen, töteten 400 der verhaßten Eroberer, jagten mehr als 2500 vor sich her bis nach Mexiko!

Die Vergeltung der Spanier war furchtbar. Aber sie brauchten mehr als ein Jahrzehnt, um die alte Ordnung unter den Pueblos wiederherzustellen.

Zur ersten Periode der spanischen Herrschaft bemerkt der moderne Historiker A. Grove Day in seinem Buche ‹Coronado's Quest›: «Einem solchen selbstgenügsamen Volk konnten die spanischen Eroberer wenig an ‹zivilisierenden› Gerätschaften oder Einflüssen anbieten. Es ist wahr, daß sie eine Vielzahl an Haustieren in das Land brachten, besonders das Pferd und das Schaf (die Indianer kannten nur den Hund und den Truthahn). Aber der Austausch zwischen dem roten und dem weißen Manne war nie einseitig. Auf jeden Fall hat der Pueblo-Indianer mehr gegeben, als er empfangen hat. Sein überliefertes Wissen, sein handwerkliches Können und seine auf harte Weise erworbene Kenntnis zu überleben, sind Bestandteile des amerikanischen Erbgutes geworden. Seine Art, ein Haus zu bauen, hat z. B. einen Stil geschaffen, der immer noch der Architektur der westlichen Staaten Amerikas Anregung gibt. Die indianische Kultur wie auch die Wohnweise blieben fest in jener Erde verwurzelt, über die Coronados Armee schritt. Noch heute kann jeder Besucher des amerikanischen Südwestens diese fortbestehende Rasse fast so leben sehen, wie sie vor vier Jahrhunderten, als Coronado kam, gelebt hat, damals, als weiße Männer zum erstenmal den Zaubernamen Cibola wisperten...»

Es währte bis zum 19. Jahrhundert, ehe erstmals *Wissenschaftler* sich der Pueblos annahmen, Anthropologen und Archäologen, und entdeckten, daß die Bewohner dieser Lehm-Hochhäuser keineswegs die *ersten* Amerikaner waren, sondern daß ganze Völker vor ihnen hier gelebt hatten und dahingegangen waren.

3. Hymnus auf den Südwesten – von Bandelier bis Kidder

«An einem Tag im August 1888, inmitten eines typischen New Mexico-Sand-sturmes, der einem bohnengroße Kiesel direkt ins Gesicht schleuderte, wan-derte ein rüstiger, braungebrannter Mann mittleren Alters in mein einsames Lager bei Los Alamitos. Durch seinen 60 Meilen langen Fußmarsch von Zuñi war er mit Staub bedeckt, aber keinesfalls erschöpft. Im Laufe des Nachmit-tags wurde mir klar, daß ich hier das außerordentlichste Gedächtnis vor mir hatte, dem ich je begegnet war ... Zuerst war ich argwöhnisch gegen das ‹Schubladen-Gedächtnis›, das mir nicht nur einige Queres-Worte nennen konnte, nach denen ich suchte, sondern auch hinzufügte: ‹Policárpio hat mir das am 23. November 1881 in Chochiti erklärt.›»[1]

Charles F. Lummis erzählt dies von Adolph F. Bandelier, der sein lebens-langer Freund wurde. Tausende von Meilen reisten sie zusammen durch den amerikanischen «Southwest».

«Wir schleppten uns Seite an Seite dahin – lagerten, hungerten, froren, lernten und waren glücklich zusammen ... Es gab keine anständige Straße. Wir hatten keine finanzielle Unterstützung, kein Fahrzeug. Bandelier wurde einmal ein Pferd geliehen; nachdem er es zwei Meilen geritten hatte, führte er es die restlichen dreißig Meilen am Zügel. So marschierten wir ständig zu Fuß – ich mit meinem großen Fotoapparat und den fotografischen Glasplatten in meinem Rucksack, das schwere Stativ unter dem Arm; sein Anaeroidbarome-ter, seine Vermessungsinstrumente und eine Schultasche voller fast mikrosko-pischer Notizen, die er jede Nacht am Lagerfeuer sorgfältig und genau nie-derschrieb (selbst wenn ich über ihm und seinen kostbaren Papieren mit mei-nem wasserdichten Fototuch hocken mußte), hingen an ihm herum. Klippen ohne Pfade hinauf und hinab, durch verschlungene Schluchten [Cañons], eiskalte Flüsse durchwatend und knöcheltiefen Sand, wanderten wir; ohne Decken, Mäntel oder anderen Schutz; ein paar Tafeln süßer Schokolade und ein Säckchen gerösteter Mais waren unsere einzige Verpflegung. Unser ‹Ruhela-ger war der kalte Boden›. Wenn wir eine Höhle finden konnten, einen Baum oder sonst irgend etwas, das Wind und Regen abhielt, in Ordnung. Wenn nicht, das offene Feld ... Er war kein Athlet – nicht einmal muskulös ... Mit *jedermann* kam er gut aus. Ich habe ihn mit Präsidenten, Diplomaten, irischen Vorarbeitern, mexikanischen Landarbeitern, Indianern, Schriftstellern, Wissenschaftlern und Angehörigen der ‹Gesellschaft› gesehen. Mühelos war er innerhalb einer Stunde *der* Mittelpunkt.»

Er sprach Englisch, Französisch, Spanisch und Deutsch mit gleicher Leichtigkeit. Diese Fähigkeit erstreckte sich auch auf Dialekte und Indianersprachen. Als er in Isleta, New Mexico, ankam, sprach er drei Wörter Tigua; in zehn Tagen verstand er die Sprache und konnte sich in jeder Hinsicht verständlich machen. Das Material, das er als Beobachter und Freund vieler Indianer heimbrachte, war immens. Obwohl er Schwierigkeiten hatte, es zu publizieren, obwohl ich in seinem Werk ‹Contributions . . .› (das ich von der New York State Library noch unaufgeschnitten erhielt – ich war also nach fünfundsiebzig Jahren der erste und einzige Leser) einen beigelegten, gedruckten Zettel fand, auf dem der Präsident des Archaeological Institute of America um Spenden bat, die allein Bandelier die Weiterarbeit ermöglichen könnten («Der Vorstand ist zum gegenwärtigen Zeitpunkt nicht in der Lage, aus seinen eigenen Mitteln weitere Unterstützung zu gewähren . . . Rund tausend Dollar werden benötigt»), obwohl er im Osten kaum bekannt wurde, dankte ihm doch «sein» Südwesten.

Wenn der Wert eines Denkmals nach der Größe bemessen werden könnte, so erhielt er eins der allergrößten: 109 Quadratkilometer Land in New Mexico wurden nach ihm benannt; Millionen Touristen kreuzen seine Pueblo-Welt heute, kreuzen das «Bandelier National Monument».

Der «Southwest», der Südwesten Nordamerikas – das ist nicht die Bezeichnung für eine Himmelsrichtung, sondern für eine Landschaft, die für viele nicht nur die schönste Nordamerikas, sondern der ganzen Welt ist.

Southwest – das ist ganz Arizona und ganz New Mexico, halb Utah und halb Colorado, ein Stück von Nevada und Kalifornien im Westen, und Stükke von Kansas und Texas im Osten. Es sind aber hauptsächlich die vier Staaten, die sich um die «Four Corners» gruppieren, um den einzigen geographischen Punkt Nordamerikas, an dem sich vier Staaten berühren. Dieses Areal ist größer als Frankreich, Westdeutschland und Österreich zusammengenommen; ja, man muß noch Dänemark, Holland, Belgien und Luxemburg hinzufügen, um es zu füllen.

Um es landschaftlich zu beschreiben, muß man die größten geographischen Merkwürdigkeiten heranziehen, sich der ausgefallensten Epitheta bedienen, und man wird merken, daß nur Superlative angemessen sind. Dort ist die *trockenste* Wüste in ihrer beklemmendsten Eintönigkeit, der *tiefste* Erdriß der Welt, der bis zu 1800 Meter tiefe Grand Canyon, an dessen Steinwänden sich die Erdgeschichte ablesen läßt. Dort sind die Berge, deren Schneehäupter selbst den entferntesten Wüstenwanderer noch leiten können (allein Colorado hat Dutzende von Viertausendern). Dort liegt das «Death Valley», das Todestal, das noch heute jährlich seine Opfer fordert und in dem sich der *tiefste* Punkt der westlichen Hemisphäre befindet, 87 Meter *unter* dem Meeresspiegel. Dort türmt sich der «Petrified Forest», der versteinerte Wald, diese unheimliche Versammlung Millionen Jahre alter Stümpfe, in denen die Ewigkeit eingefroren zu sein scheint. Dort sind die rauschendsten Flüsse, deren Namen, Gila River, Colorado, Rio Grande, Pecos, die Romantik des Indianer- und Pionier-Westens beschwört (am Pecos soll Karl Mays Winnetou, dieser edelste aller Indianer, in seinem Mescalero-Apachen-Pueblo geboren worden sein; wie oft zog er von dort mit «Old Shatterhand» durch den Llano Estacado, der gleichfalls zum Südwesten gehört und der tödlich war für den, der den Pfad verließ, den ihm allein die eingerammten Pfähle wiesen).

Und der Southwest hat die *ältesten* «Städte» Nordamerikas, und zwar in zweierlei Hinsicht: die ältesten *weißen* Siedlungen, die der Spanier, und die ältesten der *roten* Ureinwohner, wobei «rot» eine fragwürdige Bezeichnung ist; «gente colorada» nannten die Spanier sie, was einfach «farbige Leute» im Gegensatz zu den weißen Europäern bedeutet (die genau wie die Indianer im Norden heller als im Süden sind); da aber «colorado» auch «rot» bedeutet, wurde «Rothaut» daraus, was allerdings nicht falscher als «Indianer» ist, die ja alles andere als Inder sind, wie allein Kolumbus und seine Zeitgenossen annahmen.

Und dieser Südwesten, der kein Dorado der goldsuchenden Spanier wurde, wurde doch das Dorado der Archäologen, denn hier fanden sich die Spuren der *ältesten Amerikaner*, um deren Höhlen noch das Mammut, das Kamel, das Riesenfaultier, die heute ausgestorbenen Büffel und Pferde der letzten Eiszeit strichen. (Zehntausend Jahre lang gab es dann in Amerika keine Pferde und Kamele mehr. Die Mustangs, auf denen die Sioux und Apachen über die Prärien jagten, waren Nachkommen einiger Pferde, die den Spaniern entlaufen waren und sich unbegreiflich schnell vermehrten; Kamele wurden während des Bürgerkriegs versuchsweise eingeführt, der Versuch mißglückte.)

Es ist merkwürdig, daß dieses wildeste, schönste, erhabenste Land keinen großen Sänger gefunden hat (Novellen der Willa Cather vermitteln einen gewissen Glanz der spanischen Zeit, geben aber nur Ausschnitte); viele kleine, ja; viele auch, die es verkitschten, von Zane Grey bis zur Hollywood-Industrie. Jedoch: Vor diesen trostlosen Wüsten im Süden, diesen irr-glühenden Felsformationen, diesen Mesas, jenen oft bewaldeten Tafelbergen, die wie Inseln oder riesige Schiffe im Meer des flimmernden Sandes liegen, ausgespuckt von der Riesenschlange der Rocky Mountains, die bis in den Süden züngelt, vor der gähnenden Tiefe der Cañons, die unsern Blick in den Urschlamm der Erde zu saugen scheinen – davor können Worte versagen.

Kein Mißverständnis: «Die Wüste lebt», zeigte uns Walt Disney in seinem besten Film; doch der frühe Mensch, der hier streifte, wußte es noch besser, er *lebte von ihr.* Wer denkt, daß die Wüste schweigt, der hat sie nie durchquert: Sie singt, sie rauscht, sie flüstert. Selbst die zierlichste Eidechse (zu schweigen vom giftigen Gila-Monster), die um eine Felskante huscht, bringt das Sandkorn zum Rollen, der Wind streicht durch die bizarren Felsbrücken wie durch Harfen, der Berglöwe brüllt sein Signal, und der Coyote heult in die dunkelblauen Nächte.

Das Leuchten der winzigen Wüstenblumen vergeht schnell, doch die hundert Grüns der Mesas und der Bergregionen bleiben; zweihundert Kaktusarten, die dürrsten und die saftigsten, zeigen zweihundert Farben. Doch das vegetative Leben wird überstrahlt vom *Mineralischen*, es ist nichts als der schöpferische Hauch über der steinernen Urwelt. «Painted Desert», bemalte Wüste, heißt eine Region – die Palette eines Malergottes; diese Felsen rekeln sich wie Chamäleons unter der Sonne und in den Schatten, die ihre Farben vom Morgen zum Abend zwölfmal wechseln. Hier verträgt sich das samtene Nachtblau eines schattigen Tales mit dem mandaringrellen Gelb und dem schmerzlich flammenden Rot der versengten Felsen. –

Durch diese Welt zog vor zwölftausend Jahren der frühe Jäger mit seinem Atlatl, diesem genial erdachten Schleuderspeer, auf den Spuren der damals noch lebendigen Riesentiere. Vor diesen gleichen Farben, dieser gleichen Sonne zog sich der Früchtesammler und frühe Ackerbauer und erste Basket Maker (Korbflechter) in seine Cliff Dwellings (Höhlenhäuser) zurück, grub seine Pithouses (Erdgrubenhäuser) oder erbaute sich seine ersten Pueblos. Hier suchten die Spanier nach den Schätzen, die sie nicht fanden, die ersten Pioniere faßten hier mühsam Fuß (noch heute hat der Südwesten kaum mehr als drei Millionen Einwohner; wieviel Menschen hier vor 10 000 Jahren lebten, wissen wir nicht, nur: sehr viel weniger), und hier liegen heute die größten letzten Reservationen des Roten Mannes: vor allem die der Navajos und Hopis.

Und hier begann mit Bandelier die archäologische Erforschung des westlichen Amerika.

Bandelier war nicht der erste und einzige, der sich ans Werk machte. Den ersten Spaniern waren ständig andere gefolgt. Die Missionare brachten viel folkloristisches Material zusammen, das zum Teil noch heute unausgewertet in den Archiven von Sevilla schlummert. Und im 19. Jahrhundert durchquerten mehrere militärische Erkundungsexpeditionen den Südwesten in Richtung

Ost–West, zu schweigen von den vielen kühnen Einzelgängern und Jägern, von denen einige so schreibfreudig waren wie die Amerikaner Francis Parkman und Clarence King, oder die deutsch schreibenden Reisenden Friedrich Gerstäcker und der davongelaufene Schweizer Priester Karl Postl, der unter dem Namen Charles Sealsfield seine Erzählungen über den wilden Westen schrieb – diese beiden wichtiger für Europa als für Amerika, obwohl Postl im Jahre 1969 von einem amerikanischen Biographen wiederentdeckt und gepriesen wurde. In den fünfziger Jahren schon kamen die ersten Eisenbahn-Vermessungsingenieure. Ab 1863 «befriedete» der legendäre Scout Kit Carson, nach dem ein Dutzend Stätten benannt wurden, die weite Navajo-Region. 1869 startete der einarmige Veteran, Ethnologe und Geologe, Major John Wesley Powell mit neun Männern und vier Booten zu seiner abenteuerlichen Erkundung des Colorado-Flusses mit dem Grand Canyon – drei Männer und zwei Boote gingen verloren; aber die wissenschaftliche Ausbeute, darunter erste archäologische Proben, war außerordentlich.[2]

1876 und 1877 beschrieb ein E. A. Barber wohl zum erstenmal eingehender (mit Bildern) alte indianische Keramik.

Der näher interessierte Leser muß sich hier für die Periode bis kurz nach der Jahrhundertwende an folgende Namen halten: noch einmal J. W. Powell (der große Indianerfreund, der der erste Direktor des Bureau of Ethnology in Washington wurde, das seit 1879 seine berühmten, umfangreichen *Annual Reports* herausgab), William H. Holmes, Washington Matthews, Victor und Cosmos Mindeleff, J. Walter Fewkes – um nur die wichtigsten zu nennen; eine Sonderstellung nimmt Richard Wetherill mit seinen Brüdern ein, einfache Rinderfarmer, deren abenteuerliche Mesa Verde-Entdeckung wir gesondert beschreiben wollen.

Ein sonderbarer Mann war auch Frank Hamilton Cushing. Von früher Jugend an gesundheitlich benachteiligt (er soll 1857 im Staat New York mit anderthalb Pfund Gewicht geboren worden sein!), wurde er doch ein Frühreifer: Schon mit Siebzehn veröffentlichte er seinen ersten Artikel über indianische Folklore, mit zweiundzwanzig Jahren zog er unter «Colonel» James Stevenson nach Zuñi, wo die Spanier das sagenhafte Cibola vermutet hatten – und blieb dort, während die Expedition weiterzog, viereinhalb Jahre! Er wurde Mitglied des Stammes, trug die Kleidung der Indianer, aß ausschließlich ihre Nahrung, teilte Arbeit und Zeitvertreib mit ihnen. Nach einem Jahr schon sprach er ihre Sprache und erhielt den Namen Té-na-tsa-li, was «Medizinblume» bedeutet, mit dem Hintersinn: «wachsend auf fernen Bergen mit geheimen Kräften». Sein Ziel aber war, Mitglied ihres geheimsten Rates zu werden (es gab mehrere minder geheime Zirkel), des «Ordens der Priester mit dem Bogen», der zwölf Grade besaß.

Wir berichteten, wie Bandelier zu Fuß und bewaffnet nur mit einem Ta-
schenmesser durch das Land der damals durchaus noch gefährlichen Apachen
zog (Apache ist der vom Gegner mit Stolz *angenommene* Name, er bedeutet
«Feind») – nun, Cushing, hartnäckig bemüht, immer tiefer in die Geheimnisse der Stammes-Hierarchie einzudringen, zeigt, was hätte passieren *können*.

Als er gegen striktes Verbot versuchte, an dem geheimen und heiligen Tanz
Keá-k'ok-shi teilzunehmen, wandte man Gewalt gegen ihn an. Da zog der
schwächliche, doch unerschrockene Cushing sein Messer, stieß es in die Wand
und schwur, daß er jeden Arm, der sich noch einmal gegen ihn erhöbe, abschneiden würde, und daß er jeden, der noch einmal versuchen wollte, seine
Bücher zu zerreißen, selber zerreißen und in Stücke schneiden würde.

Die Männer von Zuñi waren betroffen.

Doch nachdem sie sich erholt hatten (eine Weile durfte er an den Tänzen
teilnehmen), trat der Große Rat zusammen und sie eröffneten ihm, daß sie
jetzt leider ernsthaft erwägen müßten, ihn über den Rand der Mesa, des Ta-
felbergs, hinabzuwerfen. Sie hatten auch noch andere derartige Vorschläge –
und Cushing kam allein dadurch davon, daß er in ihnen eine immense Furcht
vor der Rache des Großen Vaters in Washington wachhalten konnte – bis sie
ihn schließlich als Kí-he, als Freund, akzeptierten.

Er mußte mehrfach nach dem Osten gehen, um seine Krankheiten zu ku-
rieren. Doch er leitete die Expedition, die die steinreiche Philanthropin Mary
Hemenway aus Massachusetts finanzierte, die deshalb «The Hemenway
Southwestern Archaeological Expedition» hieß, an der auch Bandelier teil-
nahm. Doch Cushing wurde wieder krank, so war der Expedition kein großer
Erfolg beschieden – auch war er im Grunde eben Ethnologe und kein Archäologe, und vor allem «er war kein Organisator» wie DeGolyer, der spätere Herausgeber seines Zuñi-Buches, bemerkt.[3]

Aber DeGolyer rühmt andere Qualitäten:

«Er war ein Seher, ein Dichter, ein Genie mit einem Sinn für Dramatik
und einem Flair für Publicity ...»

Wir hatten gesagt, daß dem Südwesten kein großer Sänger geboren wurde
– nun, Cushing, dem sonst so deskriptiven Ethnologen, gelangen Formulierungen, die nicht ohne Poesie sind, und wie sie in unserer Zeit vielleicht nur
noch dem literarischen Publizisten, der sich aufs Gebiet der Naturwissenschaft begab, Joseph Wood Krutch, gelangen.[4]

Cushing über Zuñi-Land:

«Tief hinter dem Hügel versank die Sonne. Sie verwandelte ihn in die Silhouette einer gezackten Pyramide, gekrönt von einem strahlenden Heiligen-
schein. Eine scheinbare mitternächtliche Aurora brach zwischen zerrissenen
Wolken hervor und färbte die Ränder der nebelblauen Inseln karmin und gol-

den, flammte aufwärts in immer breiter werdenden Lichtbändern, als ob im hohen Himmel ihr früher Glanz wiederholt werden sollte.»

Oder er beschreibt den Blick auf ein Pueblo, wie er heute, fast ein Jahrhundert später, noch möglich ist, sofern man nicht den Ehrgeiz hat, mit dem Auto vorzufahren:

´ «Eine Rauchfahne, wie von tausend Kraterfeuern genährt, schwankte über diesem scheinbaren Vulkane, trieb in vielen Kreisen und Wogen in der Abendbrise hinweg. Aber ich erkannte nicht, daß dieser Hügel, so fremdartig und malerisch, in Wirklichkeit eine Stätte menschlicher Behausungen war, bis ich gegen den Himmel auf der obersten Terrasse kleine schwarze und rote Flecken sich bewegen sah. Selbst dann noch schien es eine kleine Insel aus Tafelbergen [*mesas*] zu sein, einer über dem anderen, kleiner und kleiner werdend, die sich aus einem Meer von Sand erhoben, in einer scheinbaren Rivalität mit den umgebenden größeren Tafelbergen, welche von der Natur selbst geschaffen worden waren.»

Im Gegensatz zu Cushing zielten Bandeliers Untersuchungen weit mehr auf kulturelle Zusammenhänge, das hieß zu dieser Zeit: mit der Aufdeckung geschichtlicher Entwicklungen zu beginnen. Bandelier sah «Schichten». In Pecos zog er Vergleiche mit der mexikanischen Architektur von Uxmal, obwohl J. W. Powell ihm den Ratschlag mitgegeben hatte, «keinen Versuch zu machen, Beziehungen aufzuspüren» — ein sehr merkwürdiger Ratschlag, warum sollte er nicht? Er vermaß die Ruinen von Pecos mit damals unbekannter Genauigkeit, die später kaum übertroffen werden konnte, und er — der Vielsprachige — übersetzte und kommentierte die alten spanischen Quellen zum erstenmal so genau und kritisch, daß sie wissenschaftlich brauchbar wurden.

Er war in vielem ein merkwürdiger Mann. 1840 wurde er in Bern in der Schweiz als Sohn eines Offiziers geboren. Über seine Mutter behauptet sein Freund Lummis in seinem Nachruf: «Es ist ein Staatsgeheimnis, daß er von seiner mütterlichen Seite königliches Blut in seinen Adern hatte»[5] — auf alle Fälle war sie eine russische Aristokratin. Die Familie wanderte nach einigen Irrfahrten nach Amerika aus und ließ sich in Highland in Illinois nieder, wo Bandelier seine erste Schulausbildung genoß, ehe er in der Schweiz kurz studierte (es ist nicht sicher, was eigentlich — es scheint merkwürdigerweise Geologie oder Jura gewesen zu sein), nach Highland zurückkehrte und jahrelang als Büroangestellter fronte. In dieser Zeit begann er seine privaten Studien — so umfangreich, wie sich später herausstellte, daß es heute unbegreiflich ist, wie er zu dieser Zeit und in diesem Provinznest sich die Literatur zu verschaffen wußte. Hier begann auch sein folgenreicher Briefwechsel mit dem prominentesten Anthropologen, Ethnologen und Soziologen seiner Zeit, mit Lewis Henry Morgan, dessen Hauptwerk, 1877, mit dem programmatischen Titel ‹*Ancient Society, or Researches in the Lines of Human Progress from Savagery, through Barbarism, to Civilization*› ihm Weltruhm gewann und unter anderem tiefen Einfluß auf die materialistische Philosophie des Marxismus ausübte, speziell auf Friedrich Engels' ‹*Der Ursprung der Familie, des Privateigentums und des Staats*›.

Bandelier, in seiner Isolation, sah in dem Älteren einen geistigen Vater und verfiel anfangs gänzlich seinen Theorien über die gesellschaftliche Struktur der Indianervölker, obwohl seine eigenen Studien dem oft widersprachen (Morgan hatte Autorität nicht nur als Theoretiker; er hatte unter Indianern gelebt und war 1847 von den Seneca unter dem Namen Ta-ya-da-o-wub-Rub adoptiert worden). Bandelier konnte sich nie ganz von Morgan lösen, ihr Briefwechsel, der erst 1940 veröffentlicht wurde, ist dazu hochinteressant.[6]

Doch er ging *seinen* Weg, als es sich darum handelte, die *eigenen* Erfahrungen und Beobachtungen zu interpretieren, die ihm auf seinen Reisen zufielen. 1879 wurde das Archaeological Institute of America gegründet, und Morgan, ein Jahr später schon Präsident der American Association for the Advancement of Science, schrieb am 25. Oktober 1879 an den ersten Präsidenten, an Charles Eliot Norton, die Worte, die dieses hervorragende Institut nicht immer beherzigt hat: «Die Europäer wären uns für *hier* durchgeführte Arbeiten dankbarer als für solche in Syrien oder Griechenland!»

Jedenfalls machte Bandelier auf Morgans Empfehlung seine erste Reise in den Südwesten nach New Mexico (er ging später auch nach Mexiko und Südamerika, was uns hier nicht interessiert) im Auftrag dieses Instituts, verbrachte Jahre in Wüsten, Bergen und dann Museen (in Santa Fé und Mexico City, in New York und Washington) und trug reiche Beute zusammen. Obwohl abfällige Äußerungen über Religion von ihm überliefert sind, konvertierte er zum Katholizismus, aus Zweckmäßigkeit, sagt man; in New Mexico soll er sich vorher schon als Priester verkleidet haben, um leichter die Hilfe der vor allem jesuitischen Missionare zu gewinnen – aber das ist nicht gewiß. Immerhin – auch der «Vater der Archäologie» in Europa, Johann Joachim Winckelmann, hatte diesen Schritt getan, um Kardinalsgunst zu gewinnen.

Als Bandelier auf einer Reise in Sevilla in Spanien 1914 starb, schrieb die Zeitschrift *El Palacio* in Santa Fé, wo er solange gearbeitet hatte: «Tod Bandeliers, ein unersetzlicher Verlust!»[7]

Immer noch sind seine wissenschaftlichen Berichte, seine Aufzeichnungen, selbst seine Tagebücher (von denen erst 1966 der erste Band publiziert wurde), die er mit größter Akkuratesse jeden Abend, jede Nacht mit seinen winzigen Schriftzeichen gefüllt hatte, von größtem Wert für den Studenten, für jeden, der zum erstenmal in diese wilde Landschaft des Südwestens zieht, um die ersten Amerikaner zu studieren. Aber von *allgemeinem* Interesse ist ein ganz anderes Buch von ihm, ein *Roman*, ein Werk, das in kaum einem der umfangreichen Literaturverzeichnisse, die den wenigen grundlegenden Werken über die Archäologie des Südwestens beigegeben sind, auch nur erwähnt wird, ein Buch, das völlig, und mit größtem Unrecht, vergessen ist.

Es ist ein ganz einmaliges Buch. Ein *Roman* über den *vorgeschichtlichen* Menschen, in *vorgeschichtlicher* Zeit spielend. Soweit ich feststellen konnte, gibt es kaum Beispiele in der ernsthaften Literatur (von der billigen Science-fiction, die Prähistorie mit Astronautentum mischt, sehe ich hier ab). Der Romancier der großen Abenteuer, Jack London, veröffentlichte 1907 ‹Before Adam›, einen Roman, der tatsächlich zur Gänze in der Vorgeschichte spielt, aber hauptsächlich dazu dient, Londons felsenfeste Überzeugung von der Richtigkeit der Evolutionstheorie zu beweisen. Er erfindet dazu ein Volk «ohne Waffen, ohne Feuer, noch in den rohen Anfängen einer Sprachentwicklung», also praktisch noch halbe Affen «im Prozeß der Menschwerdung». Ein solches Volk nun hat es in Nordamerika gewiß nicht gegeben – der Prozeß der Menschwerdung vollzog sich auf anderen Kontinenten. 1915 greift er das Thema noch einmal auf. Im XXI. Kapitel seines anklägerischen Romans ‹The Star Rover› läßt er einen Gefangenen in der Zwangsjacke halluzinatorisch einen kurzen «Trip» in die Prähistorie tun. Das alles ist mit Bandeliers historisch fundiertem Werk nicht zu vergleichen, ebensowenig wie etwa die Werke des Österreichers A. Th. Sonnleitner und des Dänen Johannes V. Jensen. Der eine schrieb hauptsächlich für die Jugend, und der andere ist derart mit nordischem Mythos getränkt, daß das Wort historisch unangebracht erscheint.

Daß ein Wissenschaftler einen Roman schreibt, ist nicht ungewöhnlich. Ungewöhnlich ist nur, daß der Wissenschaftler seine eigene Wissenschaft als Grundlage, als «background», als Quelle der Handlungserfindung und der dramatischen Verknüpfungen nimmt. Des englischen Physikers C. P. Snows Romane haben zum Beispiel *nichts* mit seiner Wissenschaft zu tun, die revolutionär ist, während seine Kunst konservativ bleibt. Er und viele andere leben und lebten schizophren: hie Wissenschaftler, hie Künstler, in den «Zwei Kulturen» zu Hause, die gerade Snow theoretisch so beklagt hat, aber selber säuberlich trennt.

Nicht so Bandelier. Er schreibt seinen *Roman* im Bereich seiner *Wissenschaft*. Hier seine Absicht und seine Methode, wie er sie in seinem Vorwort erklärt:

«Indem ich die nüchternen Tatsachen in das Gewand einer Liebesgeschichte kleidete, hoffte ich, die ‹Wahrheit über die Pueblo-Indianer› dem allgemeinen Publikum zugänglicher und vielleicht annehmbarer machen zu können. Die nüchternen Tatsachen, die ich mitteilen möchte, können in drei Gruppen unterteilt werden – geographische, völkerkundliche und archäologische. Die Beschreibungen des Landes und seiner Natur *entsprechen der Wirklichkeit.* Die Beschreibungen der Sitten und Bräuche, des Glaubens und der Riten beruhen auf *tatsächlichen Beobachtungen*, die ich und andere Völkerkundler gemacht haben, auf den Erklärungen glaubwürdiger Indianer und auf einer großen Zahl spanischer Quellen aus alter Zeit, in denen das Leben der Pueblo-Indianer so dargestellt ist, wie es war, bevor der Kontakt mit der europäischen Zivilisation es änderte. Die Beschreibung der Architektur basiert auf Untersuchungen von Ruinen, die noch an jenen Orten vorhanden sind, an denen sie im Roman stehen.

Die Handlung ist meine eigene Erfindung. Aber die meisten darin beschriebenen Szenen habe ich selbst mit meinen eigenen Augen gesehen.»

Das heißt: In diesen Roman sind eingearbeitet seine anthropologischen, ethnologischen, soziologischen, botanischen, zoologischen, geographischen und historischen Forschungen und Beobachtungen, die er während seines jahrelangen Lebens in den Pueblo-Regionen machte.

Und das ist das einmalige an diesem historischen Roman: Die persönliche *Erfahrung*, die er, mit gutem Grund, wie er glaubte, in die Vergangenheit projizieren konnte, weil er eben überzeugt war, daß der größte Teil der Sitten und Gebräuche, die er noch erlebte, auch vor Hunderten von Jahren, lange vor der Zeit des Kolumbus, nicht anders waren. *Er hütet sich allerdings, das Jahrhundert genau zu bezeichnen.* Daß zum Beispiel die Tagung der machtvollen Geheimgesellschaft, des «Geheimen Ordens der Koshare», die er in Kapitel XI beschreibt, damals nicht anders war als in seinen achtziger Jahren, weil die Riten der strengsten Tradition unterlagen. Und wenn er damit die Höhe der sozialen Struktur rühmt, so darf man annehmen, daß sie in alten Zeiten sogar noch höher, noch differenzierter war, weil nicht aufgeweicht durch christlich-missionarische Einflüsse, die gewiß gegeben waren, allerdings längst nicht in dem Maße, wie die Missionare es sich erhofft hatten.

Das Material, das Bandelier hier auf 490 Seiten ausbreitet, jedes wissenschaftliche Detail eingebettet in eine wohlkonstruierte Story, ist ungeheuer und dem modernen Leser in keinem einzigen anderen Werk derartig lesbar angeboten.

Der Titel des Buches ist ‹*The Delight Makers*›. Das ist schwer zu übersetzen. Es sind die Mitglieder des Geheimen Rates gemeint, die sich im großen Kiva versammelten. «Delight» heißt Vergnügen, Freude, wird hier aber im tiefsten Sinn dieser Wörter gebraucht, reicht hinab, wo Glückseligkeit, innere Freude zu Hause sind, Harmonie. Und zweifellos hat Bandelier die archaische Bedeutung des Wortes einbezogen; früher konnte «delight» auch eine aktive Bedeutung haben: «die Fähigkeit, angenehme Gemütsbewegungen oder Glück zu erzeugen».

Ein Wort zur literarischen Bedeutung dieses Buches. Als erster Entwurf eines Autors ist es beachtenswert. Es hat die Vorteile und Nachteile der Romane des neunzehnten Jahrhunderts. Die Handlung und ihre intrigenhafte Verknüpfung könnten von Walter Scott kommen, die Liebe zum schmückenden Detail könnte Charles Dickens abgesehen sein.

Doch jeder Vergleich ist letztlich unnütz. Das Buch ist ein Kuriosum und steht außerhalb literaturgeschichtlicher Kategorien, deren Vertreter denn auch bis heute keine Notiz von ihm genommen haben.

Wenn dieses Buch für den modernen Leser einen romantischen Schimmer hat, so lag doch Bandelier jede Romantik fern. Zwar sagte der größte und tiefste deutsche Romantiker, Novalis: «Alles wird romantisch, wenn man es in die Ferne rückt!» Doch Bandelier hielt am 3. Februar 1885 (sein Buch erschien zuerst 1890, dann noch zweimal, 1916 und 1918, bis es vergessen wurde) einen Vortrag vor der New York Historical Society über die «Romantische Schule in der Amerikanischen Archäologie», womit er die Archäologen seiner Zeit klassifizierte und gleichzeitig aufs heftigste verurteilte. Etwas kurios mutet dazu der letzte Satz dieses Vortrages an, den er sprach, als er an seinem Roman, also immerhin einer historischen Fiktion, bereits zu arbeiten begonnen hatte: «Die Tage des historischen Romans sind gezählt; der Fortschritt innerhalb der Hilfswissenschaften ist allein groß genug, die amerikanische Geschichtswissenschaft zu solchen Höhen zu tragen, in denen sie ein kritischer und, daher, *genaugenommen nützlicher* Zweig menschlichen Wissens werden wird.»

Doch nun war die nächste Generation am Zuge. 1928 steht im ‹Dictionary of American Biographie›: «Kein amerikanischer Archäologe hat sich so auf historische Quellen verlassen wie Bandelier; und kein amerikanischer Historiker hat seine Untersuchungen so vollständig durch Untersuchung archäologischen Materials kontrolliert.»

Dieser Artikel ist gezeichnet mit A. V. K. Das steht für Alfred Vincent Kidder, der, als Bandelier 1914 starb, neunundzwanzig Jahre alt war und nicht nur sein Werk fortführen sollte, sondern für die Archäologie des Süd-

D. H. Lawrence:

‹Indianer und Unterhaltung›

«Weiße schreiben über Indianer immer – oder fast immer – sentimental. Sogar ein Mann wie Adolph Bandelier. Er war kein sentimentaler Mensch. Im Gegenteil. Und doch schleicht sich Sentimentalität ein, sobald er über das schreibt, was er am besten kennt: den Indianer.»

(D. H. Lawrence: ‹Mexikanischer Morgen und Italienische Dämmerung›)

westens die wissenschaftlichen Grundlagen schuf, die ihn heute bereits als
«Klassiker» erscheinen lassen und die noch heute in den wichtigsten Zügen
akzeptiert werden müssen.

Im Jahre 1907 hing am Schwarzen Brett der Harvard University ein Zettel,
auf dem Dr. E. L. Hewett vom Archaeological Institute of America drei Anthropologie studierende Freiwillige für eine Expedition in den indianischen
Südwesten suchte. Es meldeten sich drei, die gerade erst die Nase in diese Wis-
senschaft gesteckt hatten: Sylvanus Morley, John Gould Fletcher und Kidder.
Der Zufall wollte es, daß alle drei zu Ruhm gelangten: Morley wurde der inter-
national berühmte Maya-Experte, Fletcher machte sich einen Namen als
Lyriker, und Kidder wurde, was wir schon andeuteten. Alle drei wurden von
Hewett, der wahrscheinlich keine Älteren und Erfahreneren fand, akzeptiert.
Und über diesen seinen ersten Auftrag im Südwesten berichtet Kidder vierzig
Jahre später:

«Nach einer Fahrt von sechzig Meilen im Lastwagen von Mancos, Colorado,
aus trafen wir Dr. Hewett auf ‹Moke Jim› Holly's Ranch im McElmo-Canyon
nahe der Grenze gegen Utah. Es war ein Adobe-Haus mit drei Räumen
inmitten eines kleinen Flecken Alfalfa-Grases, der allerletzte Vorposten an
der langen Wüstenstraße zur kleinen Mormonenstadt Bluff City am San
Juan. Wir schliefen im Windschatten von Hollys Heuhaufen. Am nächsten
Morgen wanderte Dr. Hewett – und was für ein Marschierer war er in jenen
Tagen! – meilenweit den glühendheißen Cañon hinab. Hinter ihm keuchten
wir den Tafelberg an der Vereinigung des McElmo mit dem Yellow Jacket
hinauf. Von diesem hochaufragenden Berge konnten wir Mesa Verde und Ute
Peak in Colorado sehen; die Abajos und die fernen Henry Mountains in
Utah; die hohen roten Tafelberge des Monument Valley und die blaue Linie
der Lukachukais in Arizona. Keiner von uns hatte jemals soviel von der Welt
in einem einzigen Augenblick gesehen, noch ein so wildes, so ödes, so zerrisse-
nes Land wie jenes, das vor uns lag.

Dr. Hewett schwang seinen Arm. ‹Ich möchte›, sagte er, ‹daß ihr Jun-
gens eine archäologische Erkundung dieser Gegend macht. Ich werde in
sechs Wochen zurück sein. Ihr werdet gut tun, euch ein paar Rösser anzu-
schaffen...»

Diese Aufforderung, an drei junge unerfahrene Studenten, war natürlich
wahnwitzig. Aber dahinter lag Methode. Kidder berichtet weiter:

«In einem seiner Bücher hat Dr. Hewett gesagt, er hätte uns diese unglaubliche Aufgabe gestellt, *um uns zu prüfen.* Und es *war* eine Prüfung... Die
Geschichte ist wert, erzählt zu werden: Unsere Kämpfe, das Pferdegespann,
das wir gemietet hatten, anzuschirren und den alten Karren am Auseinander-

fallen zu hindern; unsere Aufgabe dieses Fahrzeuges und unser Kauf dreier Stuten, jede mit einem Fohlen, das noch nicht sicher auf den Beinen war; unsere anfängerhaften Anstrengungen, dies Labyrinth von Schluchten mit einem kleinen Taschenkompaß zu vermessen, und die vielen Ruinen, die wir fanden, zu kartieren und zu beschreiben.»[8]

Dabei war Kidder, ein lebenslustiger Student, eigener Aussage nach nur durch Zufall zur Anthropologie und Archäologie gekommen: Die Vorlesungen lagen günstiger als die medizinischen, die er eigentlich hören wollte – sie erlaubten ihm ein freies Wochenende.

Kidders akademische Karriere wurde reich an Ehrungen. Für uns ist hier wichtig, daß er frühzeitig eine Reise nach Griechenland und Ägypten machen konnte und dort den hohen Standard europäischer Ausgräber kennenlernte; speziell die Arbeit des bedeutenden Ägyptologen George A. Reisner, dessen Kursus Kidder bei der Rückkehr nach Harvard sofort belegte. Einen «Dandy» nennt ausgerechnet Kidder ihn und nahm ihn dessenungeachtet wohl persönlich zum Vorbild, denn alle Zeigenossen sind sich einig über Kidders Habitus und seine Umgangsformen: stets ein perfekter Gentleman.

Er grub an vielen Stellen in Nordamerika, jedoch hauptsächlich im Südwesten, in Utah, Arizona und New Mexico. Seine lange Ausgrabungszeit in Mittelamerika, im Lande der Mayas, soll hier nur der Vollständigkeit halber erwähnt werden, ist aber insofern wichtig, als er dort als erster ein Teamwork der verschiedensten wissenschaftlichen Disziplinen als notwendig erachtete; er versammelte für *eine* Ausgrabung Archäologen, Ethnologen, Physical Anthropologists (der amerikanische Ausdruck für jene Anthropologen, die sich speziell mit dem menschlichen Körperbau befassen), Sprachwissenschaftler, Mediziner und Geographen unter dasselbe Zelt.

Zweifellos brachte er vom Besuch der griechischen Museen mit ihrem Vasen-Reichtum die Erkenntnis heim, von welcher außerordentlichen Wichtigkeit für die Charakterisierung einer kulturellen Periode die Keramik sein konnte – sei sie auch nur erhalten in kleinsten *potsherds*, Topfscherben, Scherben allgemein.

Aber zur gleichen Zeit erkannte er, daß nichts wichtiger war für den Archäologen, als die Verbindung von Scherbe, Einzelfund, Skelett und Bauwerk zur Chronologie zu schaffen, damit zur *Geschichte*, zur *Entwicklung* der Kulturen: also niemals zu vergessen die «eigentliche Aufgabe, die die Erforschung des langen, langsamen Wachstums der menschlichen Kultur ist und die Formulierung der Probleme der Entwicklung der menschlichen Gesellschaft.»[9]

Damit war er seiner Zeit, wenigstens in Nordamerika, weit voraus, wo noch 1938, nur die reinen Fakten gelten lassend, ein Anthropologe sagen durfte: «Theorie ist in der Anthropologie ein unanständiges Wort!» Tatsächlich sind Kidders wissenschaftliche Methoden und Theorien keineswegs sofort überall auf fruchtbaren Boden gefallen. Erst in den dreißiger Jahren wurden sie für die Forschungen im Mississippi-Tal übernommen. «Erst in den vierziger Jahren wurden die gleichen Methoden an der Atlantik-Küste angewandt», sagte John Witthoft von der University of Pennsylvania in einem kritischen Überblick über die Entwicklung der nordamerikanischen Archäologie. [10]

Um so mehr wuchs sein Einfluß durch die zahlreichen Schüler, die durch seine Lehre gingen. «Natürlich hatten wir Studenten», sagte einer von ihnen, «mehr Fragen als Antworten, er aber war immer geduldig mit uns und half uns, indem er uns *Perspektiven* eröffnete, was wir neben unserem formalen Unterricht hochschätzten.» [11] Auch war er Vorbild, was den persönlichen Einsatz im Feld betraf. Er scheint der erste Archäologe gewesen zu sein, der zu Charles Lindbergh, dem Ozeanflieger, ins Flugzeug stieg, um archäologische Luftaufnahmen von Ruinenfeldern zu machen. Charles Lindbergh schrieb meinem Verleger und mir 1970:

«Bei unserem Vermessungsvorhaben im Pecos-Gebiet kreuzten meine Frau und ich (in einem einmotorigen ‹Falcon›-Doppeldecker mit offenem zweisitzigem Cockpit) über dem Gebiet von New Mexico und Arizona auf der Jagd nach Spuren früherer Kulturen. Wenn wir die sich kreuzenden Linien von Stadtmauern sahen, fotografierten wir sie und markierten die Lokalisierung auf unserer Karte. Wir fanden dabei heraus, daß die Ruinen alter Ortschaften am Pecos sich erheblich leichter vom Flugzeug aus lokalisieren ließen als bei der Bodenforschung. Von oben konnten wir zwar nur undeutlich, aber doch eindeutig die quadratischen oder rechtwinkligen Linien am Boden ausmachen, die anzeigten, wo Mauern gestanden hatten... Ich erinnere mich gut an Dr. Kidder, und das in großer Freundschaft und Bewunderung.» [12]

Seine bedeutendste Grabung, bei der er den Grund legte für die Methoden der nordamerikanischen Archäologie, zusammengefaßt in dem heute klassischen Werk ‹An Introduction to the Study of Southwestern Archaeology› im Jahre 1924, fand statt in den Ruinen von Pecos und dauerte, ausgenommen eine dreijährige Unterbrechung durch den Ersten Weltkrieg, von 1915 bis 1929. Er starb achtundsiebzigjährig im Jahre 1963. Sein Andenken wird wachgehalten durch die jährlich stattfindende Pecos-Konferenz, die er 1927 zum erstenmal einberufen hatte. Und durch einen Preis, den «Kidder Award for Achievement in American Archaeology»; 100 Bronze-Medaillen sind im Peabody-Museum deponiert, von denen alle drei Jahre von der American Anthropological Association eine verliehen wird, was – welche Vorausplanung! – dreihundert Jahre lang geschehen soll.

Das Pecos-Pueblo liegt südöstlich von Santa Fé in New Mexico auf felsigem Hügelrücken inmitten eines weiten Tales, begrenzt von Hügeln und Bergen, im Norden von einem hohen, meist schneegekrönten Massiv. Die Ruinen sind heute wenig eindrucksvoll; der erste Blick von der Straße her ist verstellt durch die gelben klobig-lehmigen Mauerreste der spanischen Missionskirche, die trist in den Himmel ragen. Zwischen den kaum noch mannshohen Pueblo-Ruinen glüht im Frühling orangenfarbig der Chamisa-Busch, da und dort ragt ein futuristisch aussehender Cholla-Kaktus mit seinen nadelspitzen Stacheln aus dem Feld.

Man muß all seine Phantasie aufbieten, um sich hier das pulsierende Leben von vielen hundert Familien vorzustellen, die jahrhundertelang diese Wabenstadt bevölkerten, als die Mauern noch hochragten, Stockwerk auf Stockwerk sich türmte.

Dabei ist die Geschichte von Pecos uns durchaus nah. Bandelier hat noch die direkten Nachkommen der Letzten getroffen, die Pecos verließen.

Der älteste spanische Bericht, der uns etwas vom Charakter der Pecos-Leute erzählt, stammt von der Expedition des Castaño de Sosa. Einer seiner Unterführer hatte sich Ende Dezember 1590 mit nur wenigen Leuten vertrauensvoll ins Pueblo Cicuyé begeben (wie Pecos damals hieß) und um Unterkunft und Nahrung ersucht; da sie von Kälte und Hunger erschöpft waren, mußten sie sich friedlich geben. Als sie, ihre Waffen zurücklassend, am nächsten Morgen spazierengehenderweise mit den Indianern die Freundschaft zu besiegeln suchten, fielen die plötzlich über sie her. Die Spanier retteten mit knapper Not ihr Leben. Unter Verlust der meisten Waffen retirierten sie zu Sosa, der sogleich aufbrach, um die Waffen zurückzuholen, eiserne Waffen, der Spanier unersetzlichstes Gut. Auch Sosa gab sich friedlich. Die Indianer jedoch zogen ihre Leitern hoch und überschütteten ihn mit Pfeilen. Nun hatte Sosa nicht mehr als neunzehn Soldaten und siebzehn eingeborene Diener, allerdings zwei kleine Messing-Kanonen, die er aber gar nicht wirkungsvoll einsetzte. Es muß gesagt werden, daß sich die Pueblo-Männer kläglich verhielten. Als Sosa geschlagene fünf Stunden lang vor den Mauern auf und ab marschierte und durch Zuruf immer wieder versicherte, daß er nichts verlange als die Rückgabe seiner Waffen, da waren sie noch mutig – da warfen sie mit Steinen und schossen Pfeile. Als aber Sosa schließlich zum Sturm ansetzte, da streckten sie die Waffen und riefen «*Amigo!*», Freund! Freund! Und in den nächsten Tagen verschwanden sie, einzeln, truppweise, überließen Sosa die Stadt, und der Spanier stellte jetzt erst fest, daß er es wahrscheinlich mit *zweitausend* Menschen zu tun gehabt hatte; er entdeckte die weiten Flächen kultivierten Landes, die geschickten Bewässerungsanlagen, die enormen Vorräte an Nahrungsmitteln (er schätzte sie auf 30 000 Fanegas; ein Fanega hat

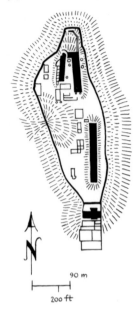

*Bandeliers erster Entwurf
der Ruinenstadt Pecos.
Die schwarzen Komplexe
im oberen Teil
stellen die Pueblo-Bauten dar;
der kreuzförmige Bau
ist der Grundriß
der sehr viel jüngeren
spanischen Missionskirche.
Nach Bandelier grub Kidder
hier. Das untere Bild zeigt
die Dekoration einer Schale,
die er ausgrub.*

55 Liter); er fand Mengen von Winterkleidung, Umhänge aus Büffelleder und Baumwolle, Mantillas «lustig eingefärbt», dekoriert mit Pelz und Federn.

Der nächste, der das Land unterwarf, war Oñate; am 24. Juli 1598 besuchte er Pecos. Dann versiegen die Nachrichten lange Zeit. Als unter Führung des Medizinmannes Popé im Jahre 1680 die große Pueblo-Revolte ausbrach, von der wir schon berichteten, als die Spanier tatsächlich für zehn Jahre vernichtend geschlagen wurden – da war Pecos kaum beteiligt, es lag abseits; immerhin ermordeten die jungen Männer wenigstens den verhaßten Priester.

Dann siechte Pecos dahin. Der Hauptgrund waren die Überfälle der wilden, räuberischen Komantschen, die die Pecos-Bevölkerung systematisch dezimierten; einen verzweifelten Ausfall der gesamten waffentragenden Bewohner schlugen sie so blutig nieder, daß nur ein einziger entkam. 1788 kam eine Pocken-Epidemie hinzu, die nur 180 Menschen überlebten. In den vielen hundert Räumen der Riesengebäude geisterten jetzt nur noch wenige Menschen. 1805 waren es noch einhundertvier. 1845 berichtet ein Beobachter namens Gregg:

«Selbst vor zehn Jahren (um 1830) als er [der Ort Pecos] noch eine Bevölkerung von 50 bis 100 Seelen hatte, konnte der Reisende oft nur einen einsamen Indianer wahrnehmen, eine Frau oder ein Kind, die hier oder dort wie Statuen auf den Dächern ihrer Häuser standen, die Augen starr auf den östlichen Horizont gerichtet, gegen eine Mauer oder einen Zaun gelehnt, gleichgültig den vorübergehenden Fremdling anstarrend. Andere Male dagegen war nirgends eine Seele zu sehen, und die Grabesruhe des Ortes wurde nur durch das gelegentliche Bellen eines Hundes oder das Gackern eines Huhnes gestört.»[13]

1837 lebten nur noch achtzehn Erwachsene in der Geisterstadt. Die Leute von Jemez-Pueblo, die einzigen der Nachbarschaft, die die gleiche Sprache sprachen, luden die achtzehn ein, zu ihnen überzusiedeln. Noch lehnten die Pecos-Leute stolz ab. Da brach 1839 ein

«Berg-Fieber» unter ihnen aus. Nur fünf überstanden es. Sie gingen nach Jemez. Sie waren «Die Letzten von Pecos»; man weiß nur noch ihre christlichen Namen, sie hießen Antonio, Gregorio, Goya, Juan Domingo und Francisco.

Was an Pecos als ungewöhnlich auffällt, ist eine Festungsmauer, fast tausend Meter im Oval, die noch heute erkennbar ist. Auch die Reste von Ecktürmen sind noch zu lokalisieren. Normalerweise hatten die Pueblos keine Umwallung; waren die Leitern hochgezogen auf die oberen Stockwerke, so war das Wabenhaus selber die Festung.

Und Pecos hatte eine Quelle! «Eine nie versiegende Quelle reinen kalten Wassers. Solch ideales Zusammentreffen eines leicht zu verteidigenden Baulandes und eines reichlichen Wasservorrates mußte unfehlbar die alten Indianer anlocken, und der kleine Pecos-Tafelberg wurde in *sehr frühen Zeiten* besiedelt.»

Entscheidend für Kidders Entschluß, Pecos eine längere Ausgrabung zu widmen, war vor allem die ungeheure Fülle von Tonscherben, die, wegen ihres differierenden Charakters, verschiedene Epochen erkennen lassen mußten, und daß «seine großen Friedhöfe niemals geplündert worden waren und seine Gräber eine reiche Ausbeute an Skeletten und Grabbeigaben versprachen». Die Ausbeutung war eine Frage guter Organisation.

«Wir waren begierig, Gräber zu finden; daher wurden den Arbeitern 25 Cent für jedes entdeckte Grab versprochen. Am nächsten Tage wurde eins gefunden, am darauffolgenden sechs; die Prämie wurde auf 10 Cent gekürzt; das brachte fünfzehn mehr zutage, und am Ende etwa einer Woche mußten wir entweder die Belohnung abschaffen oder pleite gehen.»

Tatsächlich legte Kidder schon bis zur vierten Grabungssaison nicht weniger als siebenhundert Skelette frei, am Schluß der Ausgrabung waren es schließlich 1200. Und er sammelte Hunderttausende, wirklich Hunderttausende von Scherben, deren Säuberung und erste Ordnung seine Frau besorgte, die außerdem noch ihre fünf Kinder beaufsichtigte.

Es war klar, worauf Kidder ausging. Pecos «gab zu der Hoffnung Anlaß, die Hinterlassenschaften würden so geschichtet gefunden werden, daß sie die *Entwicklung* der verschiedenen Kunsthandwerke der Pueblo-Indianer erkennen ließen, und uns damit in die Lage versetzten, die vielen anderen Ruinen des Südwestens in *ihre richtige chronologische Reihenfolge* zu bringen …»

Und das bestätigte sich bei der Ausgrabung der Gebäude selbst. «Wir hatten erwartet, auf der Spitze des Tafelberges ein einziges großes Pueblo zu finden, das – vielleicht – Zeichen von Reparaturen und Neubauten aufwies, das aber auf dem Felsgestein errichtet war und dadurch eine leichte Untersuchung seiner Mauern vom Grund bis zur Spitze ermöglichte. Statt dessen zeigte es

sich, daß die *historische Stadt auf den geborstenen und gefallenen Mauern früherer Häuser erbaut worden war* und daß diese wiederum über *wenigstens
zwei noch älteren Schichten errichtet worden waren.*»[14]

Nicht nur das. Er konnte bestätigen (nun schon eigene und fremde For-
schungsergebnisse aus dem ganzen Südwesten heranziehend, vor allem aus
dem Gebiet um die «Four Corners» längs des San Juan-Flusses), was als erster schon Jahrzehnte vorher der neugierige Farmer Wetherill in Grand
Gulch und Mesa Verde entdeckt hatte: daß *vor* den häuserbauenden Pueblo-
Völkern noch primitiv wohnende Ackerbauer gelebt haben mußten, die noch
keinerlei Keramik kannten, dafür aber vortreffliche Korbflechter gewesen
waren – die *Basket Makers*, die Korbflechter-Völker.

In welche Tiefe der Vergangenheit war Kidder vorgestoßen?

Vorerst konnte er nichts anderes tun, als die *Reihenfolge* der Schichten zu
bestimmen und sie zu benennen.

Er legte eine Chronologie von acht großen Kulturabschnitten an, beginnend
mit den Korbflechtern und endend bei den Pueblos, die überlebten. Aber die Auf-
teilung befriedigte ihn nicht. So lud er 1927 die damals an denselben Proble-
men arbeitenden Kollegen zur ersten «Pecos-Konferenz» ein, um eine neue
Terminologie auszuarbeiten. Sie wurde bekannt als «Pecos-Klassifikation».
Durch Jahrzehnte blieb sie gültig. Da heute aber immer öfter eine Modifikation von Frank H. H. Roberts jr. gebraucht wird, stellen wir beide nebeneinander, wobei I die jeweils älteste Periode ist, weit zurückreichend vor des Kolumbus Zeit.

Pecos-Klassifikation	Roberts' Modifikation
Basket Maker I	— — —
Basket Maker II	Basket Maker
Basket Maker III	Modified Basket Maker
Pueblo I	Developmental Pueblo
Pueblo II	
Pueblo III	Great Pueblo
Pueblo IV	Regressive Pueblo
Pueblo V	Historic Pueblo

Roberts' Modifikation ist nicht nur, wie das Wort sagt, eine Abänderung,
sondern eine, wenn auch geringe, Verbesserung, weil sie eine gewisse Charakterisierung der Epochen bietet. (Wer es genauer wissen will, möge die Anmer-
kung lesen.[15])

Nun ist die Festlegung einer solchen historischen Reihenfolge gut und

Religiöse Zeremonie im «Großen Kiva»   *Cliff Palace (Felsenklippen-Palast)*
von Aztec – moderne Nachempfindung   *in Mesa Verde, Colorado*
einer Szene, wie sie
vor 800 Jahren stattgefunden haben mag.

schön, aber sie sagt nicht das geringste darüber aus, *wie lange* etwa Basket Maker III oder Pueblo II gedauert haben, oder *in welchem Jahrhundert christlicher Zeitrechnung* sich die Basket Makers zu Pueblo-Erbauern entwikkelten. War das vor 500 Jahren, vor 800 oder vor 1000 Jahren?

Nicht eine *relative* Chronologie, sondern nur eine *absolute*, datierbar in einer wie auch immer gearteten Zeitrechnung, ergibt wirklich Geschichte.

Nun, als die erste Pecos-Konferenz stattfand, da saß in dem Kreise der Archäologen auch ein Außenseiter, der Physiker und Astronom Dr. Douglass, der zu diesem Problem einiges zu äußern hatte. Im achten Kapitel werden wir zeigen, daß er das Problem *löste* und mit gänzlich unarchäologischen Mitteln der nordamerikanischen Archäologie, besonders der des Südwestens, das Rückgrat einer absoluten Chronologie gab.

Doch zuvor wollen wir uns der *Ausgrabung* eines Pueblos zuwenden. Wir wählen dazu die Aztec-Ruinen, weil sich dort in gedrängter Zeitspanne Aufstieg und Untergang eines Pueblos zeigen läßt und weil sich dort Typisches mit durchaus Einmaligem und Rätselhaftem mischt. Aber auch deshalb, weil es ungerecht wäre, dem Leser nur Kidders Verdienste um die frühe Erforschung der Südwest-Ruinen vorzuführen: Er hat Zeitgenossen gehabt, die sehr wesentliche Steine zu dem Mosaik beitrugen, das dann Kidder in seiner ‹Einführung› fast vollendete. Und letztlich deshalb, weil in Aztec die Ausgräber sehr früh dem prähistorischen Pueblo-*Menschen* begegneten; es ist seltsam, aber eine Tatsache, daß zwar jedermann weiß, was eine ägyptische Mumie ist, aber daß sehr viele noch nie davon gehört haben, daß man in *Nord*amerika *Hunderte von Mumien gefunden hat.*

Montezuma Castle (Festung des Montezuma) – ein irreführender Name, denn diese Felsenwohnungen haben nichts mit dem Azteken-Kaiser, den Cortés besiegte, zu tun, sie sind mindestens *dreihundert Jahre vor Montezuma erbaut worden.*

4. Aufstieg und Fall des Pueblo Aztec

Obwohl die Ausgrabung von Aztec vor allem mit dem Namen Earl H. Morris verbunden ist, war es doch ein Amateur, der uns den Bericht von einer ersten Ausgrabung in den achtziger Jahren lieferte. Der Amateur war damals ein Schuljunge von noch nicht einmal zehn Jahren; seinen Bericht gab er rund fünfzig Jahre später mit erstaunlicher Kraft der Erinnerung.

Er hieß Sherman S. Howe und war einer der ersten Schüler der gerade gegründeten Zwergschule von Aztec, das damit auch seinen ersten Schullehrer bekam, von dem wir nichts weiter wissen, als daß er Johnson hieß. Aber er muß ein Mann gewesen sein, der mehr als ein Pauker war. Er weckte das Interesse seiner Schüler an sichtbarer Vergangenheit und pflanzte Neugier in ihr Gemüt. Mit Hacke und Spaten, entschlossen zu Entdeckungen, zog er mit ihnen am freien Sonnabend hinaus zu den Ruinen. Und so erinnert sich der alte Howe an den kleinen Sherman:

«Es schneite ein bißchen und war recht kalt. Wir gingen in einen Raum im zweiten Stockwerk, der mehr als zur Hälfte mit Schutt und Erde gefüllt war, und begannen in einer Ecke des Raumes nach unten zu graben. Wir erreichten den Boden des zweiten Stockwerkes in etwa 1,60 Meter Tiefe und brachen durch ihn ein Loch von etwa 85 Zentimeter Durchmesser, konnten aber unten nichts als eine dunkle Höhle sehen. Es gab eine längere Debatte über ihre Tiefe, darüber, was wohl auf ihrem Grund sein mochte, und wie jemand, der hinabstieg, je zurückkommen könnte. Einige waren überzeugt, sie würde von Ratten, Stinktieren, Fledermäusen und Klapperschlangen wimmeln. Wir malten uns hunderterlei Dinge aus. Ich glaube, die Furcht vor Geistern war das schlimmste.»[1] Wer sollte zuerst hinabsteigen? Was würde sich finden? Der kleine Sherman drängte sich vor...

Die Aztec-Ruinen, heute ein Nationaldenkmal und erreichbar auf vorzüglichen Straßen, liegen am Animas, einem Fluß, der aus Colorado kommt und sich nach Süden, in die Nordwestecke New Mexicos hinein, in den San Juan-Fluß ergießt. Das Flußtal ist mehr als dreitausend Meter breit und überaus fruchtbar; in den schattigen Ecken wuchern die wilden Rosen. Obwohl

1700 Meter über dem Meeresspiegel, fällt doch stets genug Regen.

Natürlich tragen die Ruinen und der heutige Ort einen irreführenden Namen. In Aztec haben nie Azteken gewohnt. Doch im vorigen Jahrhundert war die hinreißend geschriebene ‹Eroberung von Mexico› des blinden Historikers William Prescott erschienen, ein Buch, das schon damals auch in der kleinsten amerikanischen Bibliothek stand. Daher kannte man den Glanz, die Macht des Aztekenreiches in Mexiko, hatte sich ein Bild gemacht von seinen herrlichen Tempeln und Palästen, die Hernando Cortés dann zerstört hatte. Und traf man nun auf Ruinen, waren sie nur einigermaßen stattlich, schrieb man sie den Azteken zu – wem sonst? – Doch die Ruinen in unserem «Aztec» am Animas in *New* Mexico waren älter als die, deren Namen sie trugen. Ja, das Volk der Azteken hatte seinen Weg zur Macht im heutigen Mexico City noch gar nicht angetreten – da sah das Pueblo-Volk am Animas schon seinem Untergang entgegen.

Die älteste schriftliche Erwähnung findet sich auf einer Landkarte des Spaniers Miera y Pacheco um 1777. Zwischen dem Animas- und Florida-Fluß sind da «Ruinen von sehr alten Städten» erwähnt. Dann haben wir erst wieder Erwähnungen im 19. Jahrhundert, von einigen Reisenden. Als der westliche Eisenbahnstrang erst bis nach Canyon City in Colorado reichte, treckte Lewis H. Morgan mit dem Planwagen weiter. Er, der große Anthropologe und Lehrer von Bandelier, brachte die ersten wissenschaftlichen Aufzeichnungen über die Aztec-Ruinen heim. Er fand noch völlig intakte Räume mit heilem Dach, sogar im zweiten Stockwerk; aber er mußte von einem der Siedler hören, daß ein Viertel der Steinwälle keineswegs von der Natur zerstört worden war, sondern von den Siedlern der umliegenden Farmen, die die wohlgeformten Sandsteine zum Bau ihrer eigenen Häuser verwendet hatten. (So hatten im mittelalterlichen Rom nicht unwissende Bauern, sondern hochgebildete Päpste und Fürsten im antiken Kolosseum geplündert, um ihre Prunkpaläste zu verschönern.)

Immer wieder einmal wurden die Ruinen dann besichtigt, verfielen weiter, bis 1916 Earl H. Morris seine systematische Ausgrabung anfing, das Bauwerk vor weiterem Vandalismus bewahrte und mit Rekonstruktionen begann. Zu dieser Zeit hatte man noch keine Ahnung, wie groß wirklich die ursprüngliche Anlage war, aus welcher Zeit sie stammte, welches Volk dort gelebt hatte und was sich unter den Trümmern noch verbergen mochte. Man war kaum reicher an Kenntnissen als der Schuljunge Sherman Howe dreißig Jahre zuvor.

Der Lehrer Johnson erlaubte dem Kleinsten nicht, als erster in die Unterwelt

zu steigen. Einer der Älteren wurde an einem Seil hinabgelassen. Dumpfer
Modergeruch wolkte empor. Zögernd folgten die anderen in die Tiefe. Die
Überraschung, die sie erwartete, war enttäuschend. Das flackernde Licht ihrer Kerze strich über glatte Wände, eine glatte Decke, einen vollkommen
glatten Fußboden. Der große Raum war vollkommen leer, nicht das kleinste
Stück Abfall, keine Spur von Asche, kein zerbrochenes Gefäß. Da erkannten
sie in der einen Wand eine Türöffnung. Sie drängten hindurch. Dasselbe Bild,
ein ähnlicher Raum, im gleichen Zustand. Es schien, als hätten die Menschen,
die hier offenbar vor Jahrhunderten gelebt hatten, ihr Haus vor dem Verlassen sorgfältig geputzt, so wie heute jemand sein Haus säubert, wenn er es
günstig zu vermieten wünscht.

«Mr. Johnson schien enttäuscht und verwirrt», erinnert sich Howe. Doch
dann rafften sie sich zu Taten auf. Eine der Wände zeigte merkwürdige Ar-
beitsspuren; kurzerhand brachen sie ein Loch hinein.

Die erste Kerze, die sie in das gähnende Dunkel hielten, erlosch in dem
Moderatem. Sie wedelten mit den Händen, bis genug Frischluft von oben her-
einströmte; dann entzündeten sie die Kerze zum zweitenmal, und als jetzt die
ersten Lichtreflexe über Wand und Flur dieses neues Raumes geisterten, da
sahen die Jungen, was das Herz jedes Tom Sawyer höher schlagen läßt:

An der Wand lehnte ein Skelett!

Die Jungen standen wie erstarrt. «Wir waren sprachlos vor Entsetzen und
wußten nicht, ob wir bleiben oder die Flucht ergreifen sollten.»

Mr. Johnson wußte gewiß nicht, daß in den USA schon viele andere Skelette gefunden worden waren. Aber hier ahnte er sicherlich: Dies war die Begegnung mit einem der Menschen, die lange vor des Kolumbus Ankunft in
Amerika diesen Kontinent besiedelt hatten, die sich große Häuser gebaut hatten, und von denen einer hier bestattet worden war – nicht sehr pietätvoll offenbar, denn man hatte ihn einfach halbnackt gegen die Wand gelehnt und
dann den Raum versiegelt.

Als sie sich aus ihrer Erstarrung erholt hatten – mit scheuem Blick nahmen
sie wahr, daß der Kopf abgebrochen war und in ganz unnatürlicher Haltung
an den Steinen ruhte, daß getrocknete Hautfetzen am Boden lagen, die wie
Leder aussahen, daß schwarze Haarsträhnen sich dazwischen ringelten – da
trieb es sie zu weiterer Erkundung. Doch Stunden waren vergangen. Johnson
brach die Expedition ab, wenn auch mit dem Versprechen, am nächsten
Sonnabend weiterzuforschen.

Aber am nächsten Sonnabend sah die Szene gänzlich anders aus. Die Jungen hatten in größter Aufregung ihren Eltern von der spukhaften Entdek-
kung berichtet. Jetzt schlug auch das Herz der biederen Farmer vor Forscher-
drang. Eine ganze Reihe von Männern stieg nun in das zuerst geschlagene

Loch und machte sich unverzüglich daran, mit Picken Löcher in alle Wände zu schlagen, um weitere Räume zu erkunden. Die Jungen krabbelten ihnen voran. Und nun kamen tatsächlich Überraschungen. Wieder erinnert sich Howe:

«Ich drang in jenen Raum ein und verharrte, versuchte mein Bestes, alles in mich aufzunehmen und alles zu sehen, soweit es mir möglich war, während die aufgeregte Menge den Raum durchstöberte, alles herumstreute und in Unordnung brachte. Es waren *dreizehn* Skelette vorhanden, darunter die von zwei Kindern – ihre Schädel waren noch nicht zusammengewachsen. Das eine hatte nur zwei Zähne. Aber alle Skelette waren in Matten gewickelt, die denen ähnelten, die um die chinesischen Teekisten gewickelt sind und mit Schnüren aus Yuccafasern zusammengebunden. Auch einige Stücke baumwollener Kleidung waren zu erkennen, große Baumwolltücher. Sie waren gut erhalten, nur das Alter hatte sie etwas verfärbt. Einige Tücher hatten ein farbiges, vielleicht einstmals rotes Streifenmuster. Es waren auch einige federbesetzte Stoffe vorhanden und einige Matten verschiedener Art. Dann lagen da einige Körbe, die besten, die ich je gesehen habe, alle gut erhalten, und auch eine Menge Sandalen lagen herum, einige sehr gut, andere mit den Anzeichen langen Gebrauches. Es gab eine große Anzahl von Tongefäßen ... einige waren sehr hübsch und sahen wie neu aus.»

Sie standen fasziniert, es war zuviel, um alles mit einem Blick zu umfassen. Die Beleuchtung war trüb, zu viele Menschen trampelten jetzt herum, und erst langsam wurden sie der kleineren Gegenstände gewahr:

«Es gab sehr viele Perlen und Zierat. Von diesen Dingen kann ich keine Beschreibung geben, da ich keine Gelegenheit hatte, sie näher zu betrachten. Ich erinnere mich aber, eine ganze Menge Türkise gesehen zu haben. Eine Anzahl polierter Steinäxte war vorhanden, die hübscher aussahen als jene, die üblicherweise in dieser Gegend gefunden wurden. Es gab auch sogenannte ‹Abbalgmesser› und ‹Sandalenleisten›; Polster oder Ringe, die sie auf dem Kopf trugen, um Lasten zu befördern – einige waren hübsch aus Yuccafasern gewoben oder geflochten; einige waren sehr einfach: Spiralen aus Yuccastreifen, die an verschiedenen Stellen gebunden waren, um die Streifen zusammenzuhalten; andere waren aus Wacholderrinde mit Schnur umwickelt, wieder andere aus Maiskolbenblättern. Sie mögen auch als Gefäßstützen verwendet worden sein, um Gefäße mit rundem Boden zu halten, die ohne einen Halt nicht gut aufrecht stehen konnten.»

Vom archäologischen Standpunkt aus war, was nun geschah, purer Vandalismus. Aber wer hätte die einfachen Farmer, die sich jetzt als Schatzsucher fühlten, eines besseren belehren sollen? Es wurde bevorzugter Wochenendsport, nach dem Kirchgang in die Ruinen zu steigen und zu «sammeln».

Doch was geschah mit diesen kostbaren, in diesem Fall so wunderbar erhaltenen Zeugnissen eines prähistorischen Volkes? Noch einmal erinnert sich
Howe:

«Als wir diese Arbeit beendet hatten, wurde der Kram herausgeschafft und
von den verschiedenen Mitgliedern der Gruppe weggetragen, *aber wo ist er
nun?* Niemand weiß es. Wie die meisten Gegenstände aus den kleineren Pueblos, die die größeren Gebäude umgeben, sind sie verschwunden. Da ich nur
ein kleiner Junge war, konnte ich nicht jene Gegenstände bekommen, die ich
gerne gehabt hätte, sondern mußte nehmen, was übrigblieb. Es ergab trotzdem eine kleine nette Sammlung. Aber auch das ist nahezu alles verschwunden.»

Aber es war noch genug da, weit weit mehr, als Johnson und seine Jungen
vermuteten. Und Earl H. Morris deckte es auf.

Es ist kurios, wie viele der später berühmt gewordenen Anthropologen und
Archäologen ihre Lebensaufgabe schon in frühester Jugend entdeckten.

Frank Cushing war neun Jahre alt, als er von einem pflügenden Farmer die
ersten vorkolumbischen Pfeilspitzen geschenkt bekam; als er vierzehn war,
hatte er eine Sammlung von mehreren hundert und begann zu graben. Julio
Tello wurde als Zehnjähriger durch offenbar künstliche Löcher in einem indianischen Schädel zu seinen späteren Studien über indianische Operationsmethoden angeregt. Roland T. Bird begann seine Karriere als Helfer seines
Vaters mit neun Jahren, bis er der große Dinosaurier-Spezialist wurde, der
achtzig Tonnen Dinosaurier-Knochen und andere Fossilien ins American
Museum of Natural History schaffte. Frank Hibben, der spätere Ausgräber
der Sandia-Höhle, half als Neunjähriger bereits, als Wasserträger, bei den
Ausgrabungen von Mounds.

Aber das Wunderkind war zweifellos Earl H. Morris. Als er dreiundsechzig
Jahre alt wurde, verkündete er öffentlich, daß er in diesem Jahre sein *sechzigjähriges* Jubiläum als Archäologe feiere. 1889 geboren, war er wenig mehr als
drei Jahre alt, als er seine erste Ausgrabung machte. Er erinnert sich:

«Eines Morgens, im März 1893, gab mir Vater einen abgenutzten Pickel,
dessen Stiel er für meinen Gebrauch gekürzt hatte und sagte: ‹Geh und grab
in jenem Loch, an dem ich gestern gearbeitet habe, und du wirst mir aus dem
Wege sein.› Bei meinem ersten Schlag rollte ein rundlicher grauer Gegenstand
herunter, der sich als die Kelle eines schwarz-weißen Schöpflöffels erwies. Ich
rannte los, um ihn meiner Mutter zu zeigen. Sie ergriff das Tranchiermesser
aus der Küche und eilte zur Grube, um das Skelett freizulegen, dem der Löffel
beigegeben worden war. Somit hatte sich, im Alter von 3½ Jahren, das Entscheidende ereignet, das mich zu einem eifrigen ‹pot hunter›, Topfjäger wer

den ließ, der später die achtbarere und – ich hoffe verdiente Einstufung als Archäologe erwarb.»[2]

Diese schwarz und weiß dekorierte Kelle bewahrte er bis zu seinem Tode 1956. Er war als Ausgräber auch im Maya-Land tätig, wie Kidder; aber seine Liebe gehörte, wie die Kidders, dem Südwesten. Er war der Ausgräber par excellence, der Mann der physischen Arbeit im Feld, und schwer zwang er sich an den Schreibtisch. Seine Sammlungen, die fast alle das University of Colorado Museum bewahrt, sind ungeheuer umfangreich, aber kaum die Hälfte ist ausgewertet, nur einen Teil hat er selber interpretiert. Von vielen seiner Ausgrabungen liegen nur noch die Tagebücher vor, sehr genau, mit vorzüglichem Bildmaterial. Erst nach seinem Tode, 1963, begann die University of Colorado mit der Herausgabe der ‹*Earl Morris Papers*› mit der Aufarbeitung seines Materials unter der Leitung von Joe Ben Wheat.

Hier stehen wir vor einem ganz zentralen Problem der heutigen Archäologie, nicht nur in Amerika, sondern in der ganzen Welt. Es wird seit Jahrzehnten so viel ausgegraben, daß die wissenschaftliche Aufarbeitung nicht mehr nachkommt. Ich hatte 1961 die Erlaubnis, die sonst unzugänglichen Keller des Athener Museums zu besichtigen. Kein Zweifel: Die heutzutage erfolgreichste griechische «Ausgrabung» könnte (und müßte) in diesen Kellern stattfinden, wo unzählbare Schätze ruhen, die nicht einmal katalogisiert sind, die selbst Archäologen, die jahrelang in Griechenland arbeiteten, noch nie zu Gesicht bekommen haben. Zur amerikanischen Situation sagt Wheat, der Kurator für Anthropologie des University of Colorado Museum:

«Solche Sammlungen sind oft nur wenigen Archäologen vom Hörensagen bekannt oder durch Fußnoten oder Kurzhinweise in Veröffentlichungen; aber insgesamt gesehen bleiben sie geradeso begraben und unbekannt, als wenn sie nie ausgegraben worden wären. Wenn die nicht unerheblichen Kosten der Ausgrabungen, der Aufbewahrung und der Betreuung je ihre Berechtigung haben sollten, dann müßten diese Sammlungen, ohne die Mühe zu scheuen, aus den Museen wieder ausgegraben und publiziert werden. Geht man von den gegenwärtigen Kenntnissen aus, so ist dieses noch wichtiger, denn ein großer Teil solchen Materials *kann heute in genauer Entsprechung nicht mehr erlangt werden.*»[3]

Wie dem auch sei: 1915 hatte eine Besichtigung der Ruinen durch Dr. N. C. Nelson, dem damaligen Archäologen des American Museum of Natural History, stattgefunden, und es herrschte die einhellige Meinung: Hier mußte gegraben werden. Bei der Wahl des Ausgräbers einigte man sich auf Morris. Und Aztec wurde *sein* Aztec: Er grub dort von 1916 bis 1921, dann sporadisch im Jahre 1923, dann wieder 1933 bis 1934. Bereits 1923 erschien, was

nun auch dem ungeübten Auge sich darbot, so eindrucksvoll und wichtig, daß
Aztec zum Nationaldenkmal erklärt wurde. Der erste Kustos wurde am 8.
Februar Earl H. Morris mit einem Gehalt von 1200 Dollar jährlich, selbst da-
mals ein Hungerlohn, aber er schrieb munter:

«Meine Haltung gegenüber diesem Stück Arbeit wird nicht durch finanzielle Erwägungen bestimmt. Ich bin so sehr daran interessiert, als täte ich sie aus
eigenem Antrieb.»[4]

Er hatte von Beginn an große Schwierigkeiten. Der Zustand der Ruinen
war äußerst verschieden, die Erdmassen, manchmal leicht zu bewegen, aber
oft so hart wie Beton, waren enorm. Er hatte die phantastische Idee, einen
Schleusenkanal auszunutzen, um die nutzlose Erde einfach von der höheren
Nordseite hinunterzuspülen. Das funktionierte nicht. Auch eine Schmalspur-
bahn war ein Fehlschlag. Schließlich kam er zurück auf die alte Pferdewagen-
Methode: die Wagen konnten direkt bei der Ausgrabung vollgeladen werden
und den «Müll» weit weg auf einen Platz bringen, der frei von Ruinen war.

Die Räume, die er ausgrub, waren so verschiedenartig ineinandergefallen,
daß jedes Zimmer mit besonderen Methoden ausgegraben werden mußte. Er
entdeckte zahlreiche Kivas, diese halb unterirdischen geheimen Versamm-
lungsräume, 29 davon wurden in Aztec gefunden, und er legte vor allem den
«Großen Kiva» frei, der aus dem Südteil der Plaza sich beträchtlich heraus-
hob.

Und zu diesem Kiva muß Besonderes gesagt werden. Er ist der schönste
und eindrucksvollste, der in den Vereinigten Staaten zu besichtigen ist. Er
wurde nämlich 1933/34 von Morris *wiederhergestellt*, und so, wie ihn heute
jedermann sehen kann, diente er Jahrhunderte vor Kolumbus den geheimen
Versammlungen, Riten und Tänzen.

Er ist kreisrund mit einem Durchmesser auf dem inneren Fußboden von etwas mehr als 12,5 Meter (damit ist er nicht der größte: Der große Kiva im
Chaco Canyon zum Beispiel hat 19,2 Meter Durchmesser). Einen knappen
Meter über dem Fußboden erweitert er sich zu reichlich vierzehneinhalb Metern. Er besteht aus zwei Baugliedern, Ringen könnte man sagen. Der innere,
der eigentliche Kiva, liegt rund 2,4 Meter unter der Erde, der äußere Ring besteht aus vierzehn Räumen, die sich zum inneren Teil öffnen; der eine bildet
den Ausgang zur Plaza.

Betritt man heute diesen dämmerigen Raum, so kann man sich unmöglich
seiner weihevollen Wirkung entziehen. Der wohlgeformte Feuerplatz erscheint als Altar, wohleingefaßte Gruben von noch ungedeutetem Zweck wirken wie leere Sarkophage, die viereckigen Steinpfeiler gliedern den Raum wie
eine Kirche – nirgendwo sonst in nordamerikanischen Ruinen weht einen derart der religiöse Hauch eines längst versunkenen Volkes an wie hier, nirgend-

wo sonst auch kann man sich so leicht diesen Raum belebt vorstellen durch phantastisch verkleidete Medizinmänner in ekstatischem Tanz.

Dieser große Kiva ist nicht eine primitive Erdhöhle, er ist ein Stück Baukunst. Dasselbe hatte Morris schon am Pueblo selbst bewiesen. Nicht plumpe Adobe-Strukturen waren hier planlos aufeinandergetürmt, sondern behauener Sandstein war sorgsam gefügt, die gelb-braunen Wände sogar mit einem langen Band aus grünem Stein als Schmuck, fünf Lagen stark, durchzogen. Heute noch lassen sich drei Stockwerke erkennen, obwohl so vieles eingestürzt ist. Doch es gibt noch fast zwanzig Räume, deren Decken vollkommen intakt sind, ja, es mögen mehr sein, denn noch immer ist Aztec nicht vollkommen ausgegraben. Das Pueblo war stark, in sich geschlossen – es hatte nur einen einzigen Eingang. Sogenannte «Fenster» führen nur von einem Raum in den anderen, keins geht nach außen. Nach den letzten Angaben von 1962 lassen sich in dem untersten Stockwerk 221 Räume feststellen; 119 im zweiten Stockwerk und immerhin noch 12 im dritten. Das sind zusammen 352 Räume, aber es kann kein Zweifel herrschen, daß das Pueblo, als es in seiner Blüte stand, weit mehr Räume hatte. Wenn man schätzt, daß diese Wohnstadt von 1500 Menschen bevölkert war, so ist das natürlich völlig ungenau, es mögen noch viel mehr gewesen sein. (1964 berichtet Roland Richert z. B. von der Ausgrabung von weiteren 14 Räumen in der sogenannten «Ost-Ruine».)

Wie und durch wen entstand es? Und wann wurde es erbaut und wann verfiel es?

Wichtig ist die geographische Lage, die wir schon beschrieben. Das Bedeutende an dieser Lage ist, daß sich Aztec ungefähr auf der Hälfte zwischen der großen Pueblo-Gruppe am Chaco Canyon (weiter südlich, in der Nordwestecke von New Mexico) nahe dem heutigen Highway 44 und der ebenso großen in Mesa Verde befindet (nördlich, in der Südwestecke von Colorado, nahe dem heutigen Städtchen Cortez). Beide unterscheiden sich in ihrer Architektur, besonders in ihrer Keramik, die sowohl in Farbe als auch Ornament äußerst verschieden ist.

Nun ist völlig unklar, ob Aztec vielleicht dadurch entstand, daß größere Gruppen nacheinander aus diesen zivilisierten Zentren emigrierten oder ausgestoßen wurden, oder ob nur ein Austausch von Ideen und Techniken mit einer früheren Bevölkerung stattgefunden hat, oder ob kleine kriegerische Gruppen das Animas-Tal eroberten und den Einwohnern ihren Lebensstil aufzwangen. Sicher ist, daß zuerst ein Chaco-Stil angewendet wurde, der sich auf Architektur, Keramik und Begräbnisriten erstreckte (wie in der ganzen Chaco-Region wurden auch hier sehr wenige Gräber aus dieser Zeit gefunden).

Das völlig Rätselhafte am Aufstieg von Aztec ist jedoch, daß es *zweimal* gebaut wurde, mit rund hundert Jahren Abstand!

Noch vor wenigen Jahrzehnten wäre es einem Archäologen nicht im Traum eingefallen, zu hoffen, daß er jemals über diese Perioden genaue Daten ermitteln könnte. Nun, heute können wir hierzu Daten *aufs Jahr genau* liefern, mit Hilfe der Baumring-Datierung, von der wir aber hier nur die *Resultate* geben, die *Methode* wollen wir erst im Kapitel «Der Endlose Baum» erklären.

Heute wissen wir, daß das erste Pueblo Aztec von 1110 bis 1124 nach Chr. erbaut wurde; wir wissen sogar, daß die größte Arbeitsleistung in den Jahren 1111 bis 1115 vollbracht wurde.

Um 1110 erreichte die erste Gruppe den Ort und begann den Bau. Im nächsten Jahr muß eine Invasion sehr viel größerer Gruppen stattgefunden haben, denn ungefähr die Hälfte des Pueblos wurde vollendet. Wie viele Menschen es auch immer gewesen sein mögen: Wenn man heute vor den Ruinen steht, erscheint diese Leistung einfach unwahrscheinlich. Um 1115 erschien die dritte Welle von Zuwanderern, um das Werk nahezu zu vollenden – es gibt Anzeichen, daß es bis zu vier Stockwerken emporgeführt wurde. Die Zeit bis 1124 oder 1125 ist ausgefüllt mit Anbauten, die wahrscheinlich nötig waren für den Familiennachwuchs, oder weil vielleicht mehr Vorratsräume gebraucht wurden, oder auch, weil die Gepflogenheit bestand, alte Räume als Abfallplätze zu benutzen.

Natürlich ist es äußerst reizvoll, sich das Leben dieser Menschen vorzustellen, und eine Imagination, die sich an die archäologischen Funde hält, ist durchaus möglich, ja, sogar wünschenswert. Europäische Forscher sind mit solchen Beschreibungen äußerst vorsichtig, *zu* vorsichtig, denn wenn der Archäologe nicht als letztes Ziel seiner Arbeit die Verlebendigung der toten Materie sieht, bleibt er nichts als Material-Sammler.

John M. Corbett hat solche Verlebendigung für die erste Periode des Pueblo Aztec versucht:

«Während der Blüte der Chaco-Besiedlung muß Aztec einen faszinierenden Anblick geboten haben. An einem sonnigen Sommertag müssen Plaza und Dächer emsige Geschäftigkeit gezeigt haben – Mütter, die ihre Jüngsten nährten und beaufsichtigten, Mais für Tortillas mahlten, Fleisch für den Topf vorbereiteten, Körbe flochten und Gefäße aus Ton formten, die später gebrannt wurden. Alte Männer lagen in der Sonne oder unterrichteten die jüngeren Knaben. Die meisten Männer und größeren Jungen waren emsig damit beschäftigt, Mais, Bohnen und Kürbisse auf den fruchtbaren Feldern zu pflegen, die das Pueblo umgaben. Es war eine anstrengende Arbeit, denn jedes Feldstück eines jeden Klans mußte seinen sorgfältig abgemessenen Anteil

Wasser aus dem Bewässerungsgraben erhalten, der am Abhang der Terrasse nördlich des Pueblo verlief. Manchmal während des Tages kamen wohl Jäger heim, glücklich, wenn sie mit Wild beladen waren, traurig und langsam, wenn sie nach erfolgloser Jagd mit leeren Händen erschienen. Gelegentlich tauchten Fremde mit Tauschwaren auf, wurden willkommen geheißen und beköstigt, und die ganze Plaza nahm ein festliches Gepräge an.

Nachts muß das Pueblo ganz anders ausgesehen haben: dunkel, geheimnisvoll und ruhig. Hier und da warf ein kleines verlöschendes Feuer einen flakkernden Glanz auf eine braune Adobe-Mauer. Das schwache Licht, das aus der Falltür im Dach eines oder zweier Kiva fiel, deutete an, daß Vorbereitungen für eine Zeremonie im Gange waren oder die besondere, streng geheime Versammlung einer der Kultgesellschaften. Wenn man genauer hinsah, konnte man vielleicht einen der Wachtposten erkennen, der für einen kurzen Augenblick als Silhouette gegen den Himmel auftauchte, wenn er den Standort wechselte. Das Pueblo aber war ohne diesen Laut – Schweigen, nur unterbrochen von dem gelegentlichen Bellen eines Hundes oder dem Wimmern eines Säuglings – bis die Jäger leise das Pueblo verließen, wenn der Morgenstern erschien und bis beim Verlöschen des Sternes das stärker werdende Morgenrot das Nahen eines neuen Tages im Leben des Pueblo Aztec verkündete.»[5]

Aber nun geschah das vollkommen Rätselhafte.

Besonders wenn diese so idyllische Beschreibung stimmt (nicht mit einem Wort erwähnt sie ja eine mögliche Bedrohung des Idylls), dann ist es unerklärlich, warum diese blühende Gemeinschaft sich plötzlich auflöste, plötzlich spurlos verschwand. Es muß sich in sehr kurzer Zeit abgespielt haben. Dennoch müssen die Einwohner Muße gehabt haben, sozusagen in Ruhe ihre Sachen zu packen, denn sie nahmen alles Wertvolle mit sich. Morris und andere nach ihm fanden nicht den geringsten äußeren Anlaß. Keine Feuersbrunst trieb sie von dannen, keine Pestleichen weisen auf einen Grund zu panischer Flucht hin, und es fehlt jedes Anzeichen dafür, daß vielleicht ein kriegerischer Stamm sie aus ihren Häusern vertrieben hätte, keine Spuren eines Gemetzels oder Hinterlassenschaften neuer Okkupanten sind zu finden.

Um 1150 nach Chr. war das Pueblo leer, leer wie eine Geisterstadt. Eulen rasteten in den «Fenster»-Höhlen, Ratten huschten durch die Räume, der Wind blies Sand und immer wieder Sand durch die Ritzen, bis die Böden an die zwanzig Zentimeter hoch damit bedeckt waren. Nur hin und wieder tönte ein Krachen aus dem toten Gemäuer, wenn eine Decke einbrach, durch die sich Regenrinnsale den Weg gebahnt hatten.

Hundert Jahre lang blieb das Pueblo verlassen!

Mysteriös ist, daß dieser Exodus fast mit dem des Chaco-Volkes zusammenfiel. Aber im Chaco Canyon hatten sich nachweisbar die Wasserverhält-

nisse so verschlechtert, daß sich die Tausende von Menschen nicht mehr ernähren konnten; aber deren Auswanderung erstreckte sich über mehrere
Jahrzehnte, beginnend etwa um 1100. Vielleicht war es eine Gruppe dieser
ersten Auswanderer, die nach Norden zog ins fruchtbare Animas-Tal und
dort Aztec gründete, dominierend über eine viel primitiver lebende Urein-
wohnerschaft von *Basket Makers*.

Die schlechten Wasserverhältnisse, die die Chaco-Erbauer auf die Wander-
schaft trieben, waren nicht – oder kaum – gegeben in Aztec. Der Animas war
ein Fluß, der nie völlig trocken lag. Ein paar Anzeichen lassen die Möglichkeit offen, daß der Fluß vielleicht sein Bett änderte und damit das Bewässe-
rungssystem für die Felder so erheblich störte, daß eine Wiederherstellung
nicht möglich oder nicht gewollt war. Wir wissen es nicht. Höchstwahrscheinlich zogen die Tausende der Aztec-Männer mit Weib und Kind zurück
nach Süden, zu den Chaco-Menschen, wenn die wirklich ihr Stammvolk waren, fanden aber auch die bereits seit langem im Aufbruch und wanderten
weiter zum mächtigen Rio Grande und dem Lande der Hopis, wo sich ihre
Spuren im Dunkel der Geschichte verlieren.

Aber nun stehen wir vor dem zweiten Rätsel.

Rund hundert Jahre später wurde die Geisterstadt von neuem Volk okku-
piert. Genau gesagt: Zwischen 1220 und 1260 nach Chr., wobei wir wieder
eine kürzere Periode stärkster Bauaktivität feststellen können, die Zeit von
1225 bis 1250, also die Arbeit immerhin einer ganzen Generation; Kinder
wurden in dieser Zeit geboren und hatten Zeit, eine Familie zu gründen.

Daß diese hundert Jahre dazwischen wirklich keine Bewohner in Aztec sahen, ist archäologisch zweifelsfrei bewiesen. Denn die Neuankömmlinge bauten nicht nur innerhalb der von Sand, Geröll und Balken verschütteten Räume neue Räume *auf* dem Schutt (statt ihn auszuräumen), sie verkleinerten
auch zahlreiche Räume, indem sie neue Wände zogen, die Eingänge verkleinerten. Ihr Baustil, zahlreiche Geräte und Keramik, die sie hinterließen, verrät diesmal eindeutig einen Einfluß von Norden, nicht mehr vom südlichen
Chaco-Tal, sondern vom nördlichen Mesa Verde. Sie restaurierten auch den
großen Kiva, allerdings nachlässig und nicht recht stilgemäß – aber sie benutzten ihn wieder. Andere, kleinere Kivas in veränderter Form wurden gebaut, aus dem alten Pueblo wurden Stützbalken herausgerissen und an anderer Stelle eingebaut, und außer behauenem Sandstein wurden jetzt auch
Kopfstein-Strukturen verwandt. Eine eigenartige Struktur mit drei Mauern
zeigt der heute so genannte Hubbard-Mound, und aus der ganzen Anlage der
religiösen Zentren läßt sich schließen, daß in dieser Periode die «Priester»
oder Medizinmänner dominierender waren als je zuvor.

Der größte Unterschied zur Chaco-Periode, der Morris auffiel, war indes die Anzahl der Gräber, auf die er jetzt überall stieß, nicht weniger als 149, meistens unter den Fußböden der Zimmer, in denen die Angehörigen des Toten nach seiner Bestattung dann weiterlebten wie zuvor. Viele der Leichen waren sorgsam bestattet, und es waren ihnen zahlreiche Gegenstände auf die letzte Reise mitgegeben. Doch hat das nicht lange gewährt. Plötzlich sind die Bestattungen wie in größter Eile erfolgt, und kaum noch wurden Beigaben neben die Toten gelegt. Und dann hat eine Feuerkatastrophe fast den ganzen östlichen Flügel des Pueblos zerstört. War es Zufall? Sind diesmal doch Feinde eingedrungen und haben gebrandschatzt? Haben die Bewohner selbst das Feuer gelegt, als sie abzogen?

Denn sie zogen ab!

Genau wie hundert Jahre zuvor die «Chaco-Leute» (wir gebrauchen diesen Ausdruck immer wieder in Ermangelung eines richtigeren) verließen die Neuankömmlinge nach einer Generation das gerade wieder unter unendlichem Arbeitsaufwand restaurierte Pueblo und verschwanden, etwa seit 1252, genauso ins Unbekannte wie ihre Vorgänger.

Wieder ist kein zwingender äußerer Anlaß erkennbar, wenn es nicht abermals die Wasserverhältnisse waren, die sich noch einmal verschlechtert hatten. Waren es die Vorboten der katastrophalen Wetterveränderung, des immer bemerkbarer werdenden Regenmangels, die sie frühzeitig vertrieben haben? Denn die wirklich große, ganz unvorstellbare Dürre, die das Land schlug wie eine ägyptische Plage, kam erst zwei Jahrzehnte später und währte genau von 1276 bis 1299. In diesen dreiundzwanzig Jahren entvölkerte sich das ganze San Juan-Tal, das einst so fruchtbar gewesen war – und das vielleicht die Wiege einer nordamerikanischen Hochkultur hätte werden können.

Nur noch Trümmer stehen heute von Aztec und lediglich der wohlrestaurierte Kiva läßt die einstige Kultur ahnen, die das Leben dieser Völker prägte.

5. Mumien, Mumien…

Ein kleines Mädchen im Alter von sechs Jahren schrieb einst in ihr Tagebuch: «Ich möchte nach vergrabenen Schätzen buddeln und unter Indianern forschen und ein Gewehr tragen und auf das College gehen.»[1]

Tatsächlich hat sich fast alles erfüllt, was sie wollte: sie ging aufs College und studierte Anthropologie, sie machte Entdeckungen bei den Indianern, grub nach «Schätzen», und zeitweise hat sie auch, im Navajo-Land, ein Gewehr getragen – denn das abenteuerlustige Mädchen wurde die Frau von Earl H. Morris.

Und sie war eine erstaunliche Frau. Sie war außerordentlich gescheit und gleichzeitig burschikos, ertrug die unglaublichsten Strapazen und war dabei eine liebevolle Beobachterin der subtilsten Erscheinungen, der Arbeit ihres Mannes und der wilden Natur des Südwestens. Und sie hat uns ein bezauberndes Buch hinterlassen. Es erschien 1933 und heißt ‹Digging in the Southwest›. Da es kein wissenschaftlicher Bericht und auch keine belletristische Literatur ist, erscheint es weder in den archäologischen Fach-Bibliographien noch in einer amerikanischen Literaturgeschichte. Es ist vergessen wie Bandeliers ‹Delight Makers› und genauso zu Unrecht, denn genau wie dieses Buch hat es heute bereits wieder dokumentarischen Wert, weil es Aufschluß darüber gibt, mit welcher Zurückhaltung man im Jahre 1933 viele archäologische Probleme des Südwestens anging.

Es ist auf dreihundert Seiten eine Plauderei über ihre Grabungserlebnisse mit ihrem Mann, witzig, geistreich, kritisch, mit den liebenswürdigsten Seitenhieben auf allzu pedantische Fachkollegen, aber doch auch mit größter Bewunderung für ihre Leistung. Es ist heute wie damals eine faszinierende Lektüre, und es gibt für den jungen Studenten und den Nichtfachmann keine bessere und amüsantere Einführung in die Pioniertage der Archäologen des Südwestens. Hier als Beispiel für ihre Schreibweise eine Stelle, wo sie die Schwierigkeiten, die sich Fachleute bei Definitionen machen, resümiert:

«Ich erinnere mich einer Gelegenheit, als die Crème der im Südwesten tätigen Archäologen zur gleichen Zeit an einem Orte versammelt war und zwei unschätzbare Tage ihrer Versammlung damit verbrachte, die Frage: ‹wann ist

ein Kiva kein Kiva› zu diskutieren. Nicht nur konnten sie sich nicht über diese negative Behauptung einigen, sondern, was viel schlimmer war, sie ent-
schieden auch nie im positiven Sinne, was ein Kiva war. Und das – es mag zu
ihrer Schande und ihrem Unbehagen berichtet werden – zu einer Zeit, als jeder Mann, jede Frau und jedes Kind unter ihnen *sofort einen Kiva erkannte,
soweit ihn überhaupt ein Auge erblicken konnte.*» Aber um die Definitions-
schwierigkeiten doch zu erhellen, fügt sie eine Fußnote ein, ganz trocken, aber
höchst maliziös:

«Ein typischer Kiva ist ein unterirdischer, kreisrunder Kultraum, ausschließlich Männern vorbehalten. Gelegentlich findet man sie auch oberir-
disch, weniger häufig in rechteckiger Form, selten mit weltlichen Funktionen,
und manchmal waren auch Damen in ihm willkommen.»[2]

Daß wir sie jedoch gerade in unserem kurzen Kapitel über Mumien zitieren, hat seinen Grund darin, daß sie selber diesem Thema mehrere Abschnitte
widmet, ausgehend vor allem von den Grabungen in Mummy Cave, in der
Mumien-Höhle. (Diese Höhle ist nicht zu verwechseln mit dem Mumien-*Tal*,
dem Mummy Valley, das in Kentucky liegt und in dem auch Mumien gefunden wurden. Darunter der 1875 entdeckte guterhaltene Frauenkörper, der als
«Klein-Alice», Little Alice, bekannt, dann jedoch gestohlen und verkauft
wurde; er wurde später vor der Mammut-Höhle noch einmal ausgestellt,
doch dann verschwand er spurlos.) Doch bevor wir das Wort «Mumie» hier
überhaupt noch weiter verwenden, muß der Begriff geklärt werden; es
herrscht nämlich in der nordamerikanischen Archäologie eine gewisse Abneigung gegen seine Verwendung. McGregor führt das Wort im Index seines Buches ‹Southwestern Archaeology› überhaupt nicht an. Wenn es anderswo auftaucht, wird es meist in Anführungsstriche gesetzt, um darzutun, daß die Bezeichnung fragwürdig sei.

Nun, die Abneigung ist übertrieben und oft falsch. Normalerweise denkt man
bei dem Wort «Mumie» an die altägyptischen, wohlerhaltenen Körper in Sär-
gen oder Sarkophagen. Die Ägypter hatten die Mumifizierung zur Kunst erhoben – es galt, den Körper zu erhalten, damit nach dem Tode der «Ka», der
«Geist» oder die «Seele» des Verstorbenen, wieder in die Hülle schlüpfen konnte. Die technische Prozedur der Mumifizierung dauerte bis zu siebzig Tagen.
Eingeweide wurden entfernt, das Hirn herausgenommen, in speziellen Bä-
dern und mit verschiedenen Chemikalien wurde der Körper präpariert, dann
mit Leinwandbinden zahllose Male fest umwickelt, bevor er endlich zur Ruhe
gebettet wurde (man hat ausgerechnet und umgerechnet, daß der Preis dafür
den heutigen Gegenwert von 4000 bis 8000 Mark betragen haben muß). Hinter
der ganzen Prozedur stand der feste Glaube an ein neues Leben nach dem Tode.

Nachdem diese Mumifizierungskunst jahrzehntelang als unlösbares ägyptisches Geheimnis gegolten hatte, wissen wir heute ziemlich genau über sie Bescheid. Wir wissen vor allem, daß oftmals die übertriebene Behandlung mit Chemikalien den Körper mehr zerstörte als konservierte, und daß für die *gute* Erhaltung von bedeutendstem Einfluß nicht die Behandlung, sondern die Trockenheit, die Keimfreiheit der Stätten waren, an denen die Mumien verwahrt wurden. So haben wir in Ägypten zahlreiche Beispiele dafür, daß die Körper armer Leute, deren Verwandte sich die Mumifizierung gar nicht leisten konnten und die deshalb einfach im Sand bestattet wurden, wohlerhaltener waren als kostbar präparierte. Und nun ist bemerkenswert: Keinem Ägyptologen ist es je eingefallen, die solcherart unpräpariert Beerdigten, sofern sich noch vertrocknetes Gewebe über dem Skelett spannte, nicht ebenfalls «Mumien» zu nennen. Und genauso nennen wir ohne Zögern «Mumien» auch die Körper in den europäischen Katakomben, im Kapuzinerkloster zu Palermo auf Sizilien oder im Bleikeller des St. Petri-Domes zu Bremen. So definiert auch ‹Der Große Brockhaus› die Mumie: «Eine durch natürliche Austrocknung oder durch künstliche Zubereitung vor Verwesung geschützte Leiche.»

Danach besteht also nicht der geringste Grund, die besonders im Südwesten der Vereinigten Staaten gefundenen Körper vorkolumbischer Menschen, sofern sie durch die extrem günstigen Klima- und Bodenverhältnisse in einem Zustand sind, der Gesicht, Haar und Haut wohlerhalten erkennen läßt, nicht Mumien zu nennen. Zumal auch, zumindest bei bestimmten Stämmen, hinter der sorgfältigen Bestattung dieser Körper der Glaube an ein Fortleben nach dem Tode stand – sonst wären die oft so reichlichen Grabbeigaben, Waffen, Schmuck, Geräte, ziemlich sinnlos. (Selbst mumifizierte Hunde wurden gefunden. Daß sie nicht einfach verscharrt wurden, geht nicht nur aus ihrer sorgfältigen Einbettung hervor, sondern auch daraus, daß man neben zwei Hunden, von denen einer sehr einem heutigen Spaniel ähnelte, zwei rotbemalte Hirschknochen fand – Speise für die Reise ins Unbekannte. Die Mumie eines gelben Collies soll auf einer Hundeschau in Boston gezeigt und mit einem «Blauen Band» geehrt worden sein!)

Natürlich sind weit mehr Skelette gefunden worden als Mumien. Weil eben die idealen Bedingungen für eine Konservierung nicht überall gegeben waren.

Die Begräbnisformen der vorkolumbischen Indianer sind allein im Südwesten so mannigfaltig, wie es ihre religiösen Vorstellungen gewesen sein müssen (hier noch ganz zu schweigen von der anfangs äußerst verwirrenden Vielfalt, die die Archäologen im Osten der Vereinigten Staaten, im Land der Mound Builders vorfanden – wir erinnern uns an Thomas Jeffersons Skelettfunde).

Tatsächlich ist es im Rahmen dieses Buches ganz unmöglich, hier eine Ordnung zu versuchen; es liegen so viele Einzelfunde vor, verstreut über den ganzen großen Kontinent, daß hier nur noch der Fachmann mit dem Fachmann sich verständigen kann. Doch wenn auch Ordnung und Entwicklung hier zu kurz kommen müssen, so erhellen doch einige Blitzlichter die vorgeschichtliche Szene.

Aber was soll der Archäologe sagen, wenn er zum Beispiel Schädelgräber findet, nur gehäufte Schädel – und keine Spur der Körper, die dazugehörten? Wenn er an gänzlich anderem Ort nur Körper findet und keinen einzigen Schädel dazu (wobei, wohlgemerkt, die Funde von diesen beiden Stellen nicht zusammengehören)?

Oder wie soll man jenen Mann deuten, der, offenbar nach seinem Tode, genau in der Taille zuerst in zwei Teile geschnitten und dann sorgfältig wieder zusammengenäht worden war?

Und es muß ein höchst merkwürdiges Ereignis gewesen sein, das zum «Begräbnis der Hände» führte. Earl H. Morris entdeckte es in der Tseahatso-Höhle, nicht weit von der Mumien-Höhle. Seine Frau beschreibt es folgendermaßen:

«Die Gegebenheiten waren wie folgt: Am Boden der Grabhöhle, auf einem sauberen Grasbett, lagen die beiden Hände und Unterarme eines Erwachsenen. Die Knochen wurden von den eingetrockneten Sehnen zusammengehalten; die Handflächen waren nach oben gekehrt. Und das waren alle Teile dieses menschlichen Wesens, die gefunden werden konnten. Die abgeschnittenen Ellenbogen berührten die Wand der Grabhöhle; die beiden anderen Höhlen jenseits der Trennwände waren leer. Dieses bewies, daß die Bestattung, so wie man sie vorfand, vollständig war. Mehr noch: Es gab Grabbeigaben, und hierbei kam die fast lächerliche Seite dieser Angelegenheit zum Vorschein. Denn diesen beiden armen, einsamen Händen hatte man zwei Paare der bestgewobenen Sandalen mit rotem und schwarzem Muster mitgegeben, die je aus dem Boden des Südwestens auftauchten. Keine Handschuhe, sondern *Sandalen*! Auf diesen lagen drei Halsketten, von denen zwei Anhänger aus Haliotisschalen hatten, während die dritte ein einzigartiges Meisterwerk war: Sie war aus achtzehn weißen Muschelringen hergestellt, jeder etwa 7,5 Zentimeter im Durchmesser und so an der Kordel befestigt, daß er den benachbarten Ring etwas überlappte. Ein Schmuckstück von einer Wirkung, wie sie schwer zu ersinnen ist – aber eine *Halskette*, kein Armreifen! Es gab außerdem noch einen Korb voll von langen, halbmondförmigen Perlen, einen großen Korb, der das Ganze bedeckte und endlich – Widersinn der Widersinne – eine riesige *Steinpfeife*. Schuhe ohne Füße, Halsketten ohne einen Nacken und eine Pfeife ohne einen Mund – wahrhaft metaphysische Triumphe über physische Verneinung.»

Die fehlenden Körperteile konnten nicht gefunden werden. Natürlich machten sich die beiden Morris und andere nach ihnen Gedanken über dieses seltsame Händegrab. *Eine* Erklärung war, daß der Mann bei einem Erdrutsch begraben worden war und man seinen Körper nicht mehr hatte befreien können, nur die Arme mit den Händen hatten sich noch emporrecken können – ja, was dann? Man hatte sie abgeschnitten und beim Begräbnis die Teile als das Ganze geehrt.

Eine klarere Tragödie wurde gleichfalls in diesem Areal aufgedeckt.

Auf dem Grunde einer Grabhöhle fand sich ein enormer Korb mit vier Kinderleichen. Darüber lagen die Leichen von weiteren vierzehn Säuglingen und Kindern. Kein Anzeichen von Gewalt wurde gefunden. Also bleibt nur die Erklärung, daß eine furchtbare ansteckende Krankheit in wenigen Tagen alle Kinder (wahrscheinlich die meisten dieser Wohngemeinschaft) hinweggerafft hatte.

Keine Gewalt in diesem Fall – und doch hat es Gewalt gegeben, obwohl wir sagen können, daß wahrscheinlich die präkolumbischen Völker Nordamerikas (ganz im Gegensatz zu den «hochzivilisierten» Mittelamerikas, den Azteken etwa) den *Krieg* nicht kannten, diese «Fortführung der Politik mit anderen Mitteln», die es erst gibt, seit die ackerbauenden Gemeinschaften zu wirklichen Staaten wurden. Mit dem Staat erst beginnt die Politik und damit der *Krieg*, der mehr ist als Stammesfehde, Raubzug, Kampf um Wasser- und Weideplätze, gelegentliches Morden oder geplantes wie die Blutrache. Natürlich sind das die primitiven Vorformen des Krieges, aber sie sind eben weit entfernt von jenem permanenten Militarismus, den erst die Hochkulturen der Menschheit perfektionierten, seit ihrem Beginn, seit den Assyrern, Persern, Griechen und Römern. Erst die zivilisierten Spanier brachten den Militarismus nach Nordamerika. Unsere Pueblo-Völker scheinen friedfertig gewesen zu sein, nur im Notfall, zur Verteidigung, griffen sie zu den Waffen – und unterlagen meist.

So sind auch Mumien- oder Skelettfunde, die auf ein Massaker schließen lassen, relativ selten. Morris fand eine Anzahl Schädel beisammen, die alle die tiefen Spuren schwerer Steinäxte trugen, sogar Kinder und Säuglinge waren auf diese Weise niedergemetzelt worden. Im Körper einer so erschlagenen alten Frau steckten außerdem noch die Reste eines Pfeiles, der sie offenbar vorher getroffen hatte. Er war ihr von unten durch die Seite gefahren und es scheint, daß die Frau versucht hatte, ihn selbst zu entfernen. Aber es gelang ihr nur, die steinerne Spitze *abzubrechen*, Spitze und Schaft aus hartem Holz blieben in der Wunde – und dann traf sie die tödliche Axt. (Über ein wesentlich größeres Massaker werden wir in dem Kapitel «Die Türme des Schweigens» zu berichten haben.)

Nicht nur in den frühen Zeiten der Korbflechter, der Vorgänger der Pueblo-Erbauer, sondern auch später noch, wurden die Toten einfach unter den Müllhaufen vergraben, die sich vor den Höhlen im Lauf der Zeiten ansammelten. Oft sorgfältig, oft nachlässig. Manchmal haben die Totengräber die Mühe gescheut, ein richtiges Grab auszuheben, sei es, weil nicht genug Raum vorhanden war, sei es, weil der Boden einfach zu hart war. So preßten sie den Körper oft in grotesk verrenkter Stellung in ein möglichst kleines Loch. Damit taten sie den Archäologen einen Tort an: Denn wenn der Ausgräber etwa auf eine Hand traf, so hatte er vor solchen Gräbern keine Ahnung, in welcher Richtung wohl Brustkorb oder Beine zu suchen seien.

So ist ein Fund, wie ihn Morris noch in Aztec machte, sehr viel befriedigender. Unter dem Boden eines Zimmer fand er die sorgfältig bestattete Leiche eines erwachsenen Mannes. «Des Kriegers Grab» nannte er seinen Fund. Der Körper war in eine Federdecke gewickelt, das Ganze in eine Binsenmatte. Neben zahlreichen kleineren Grabbeigaben war das Außerordentliche ein ungewöhnlich reich verzierter Schild, der,

Indianischer Totengrund

Den Glauben will ich stets mir retten,
Nennt's Wissenschaft auch Widersinn,
Wie wir im Grab die Toten betten,
Das weist auf ew'ge Ruhe hin.

Wie anders der Indianer doch!
Ist er vom Leben einst befreit
Dann setzt man ihn zu Freunden noch
Zur großen ew'gen Festlichkeit.

Der Federn Schmuck, der Schale Zier,
Das Wildbret auf den Weg als Speise.
Ja, tätig ist er wie einst hier
Auf seiner langen Seelenreise.

Sein Bogen ist zum Schuß gespannt,
Die Pfeile scharf mit spitzem Stein.
Verließ er auch sein Volk, sein Land
So geht er in ein neues ein.

von Philip Freneau (1752–1832). Amerikanischer Poet, Zeitungsherausgeber und Kapitän. Unterstützte politisch Jefferson, dessen Mitarbeiter er zeitweise war und von dessen Ausgrabung er zweifellos Kenntnis hatte.

92 Zentimeter lang und 79 Zentimeter breit, den größten Teil des Körpers bedeckte. Der Schild war hart geflochten, der äußere Rand geharzt und mit winzigen Selenit-Splittern übersät, nach innen dunkelrot und schließlich grünblau eingefärbt. Ein Prachtstück. Daneben lagen Äxte, sicherlich Waffen und kein Handwerkszeug, eine davon wunderbar ausgeformt aus Hematit; und ein langes Messer aus rotem Quarzit. Der Mann war ungewöhnlich groß und kräftig im Knochenbau – sein kostbares Begräbnis zeigt, daß er in hohem Ansehen stand.

Wir wissen nicht, woran dieser Krieger gestorben ist. Vielleicht an einer verzehrenden, schleichenden Krankheit. Denn wir müssen hier ausdrücklich die
Sage vom gesunden Leben der Naturvölker abtun, die der Grund zu den unentwegten Rufen «Zurück zur Natur» ist, die vor zweihundert Jahren mit
dem französischen Philosophen Jean-Jacques Rousseau in unserer westlichen
Welt begannen, auch heute noch ertönen und durch nichts gerechtfertigt sind,
denn Männer wie Henry David Thoreau sind nichts als interessante Sonder-
linge in einer Zivilisationswelt.

Nicht nur, daß die Säuglingssterblichkeit bei «Naturvölkern» außerordentlich hoch ist, wir können ruhig annehmen, daß die Lebenserwartung eines nordamerikanischen präkolumbischen Menschen kaum höher als dreißig
Jahre war. (Noch heute ist die Lebenserwartung eines Pueblo-Indianers, der
nach alter Weise lebt, nicht höher als 40 Jahre, während die der weißen Amerikaner in der nächsten Stadt, vielleicht nicht mehr als 25 Meilen entfernt,
über 60 liegt.) Wir haben zahlreiche Deformationen und Krankheitserschei-
nungen an ihren Körpern entdeckt, wobei wir berücksichtigen müssen, daß
der Spezialist für Paläoautopsie ja nur die Krankheiten entdecken kann, die
an den Knochen abzulesen sind; daß sich die anderen Leiden gar nicht mehr
aufzeigen und die epidemischen Infektionskrankheiten (wie bei dem oben geschilderten Kindergrab) nur vermuten lassen.

Earl H. Morris schickte einmal eine Mumie, die er 1931 ausgegraben hatte, an
den Spezialisten Dr. Roy L. Moodie in Santa Monica, weil ihm schien, daß
mit dem Körper nicht alles zum besten gestanden hätte.

Nun, Moodie fand heraus:

«Es scheint, daß der Tote ein junger Mann von etwa 27 Jahren war, der
drei verschiedene, voneinander zu unterscheidende Krankheiten gehabt hatte.

Erstens: Er hatte einen großen gezackten Bruch an der Stirn erlitten, der
wie durch ein Wunder gerade am Gehirn vorbeigegangen war. Diese Wunde
hatte sich infiziert und wochenlang geeitert, kein Wunder, denn Desinfek-
tionsmittel waren vollkommen unbekannt. Endlich war sie unter Hinterlas-
sung einer dichten weißen Narbe geheilt.

Zweitens: Seine Zähne waren in einem furchtbaren Zustand. Er litt unter
Karies, Zahnfleischvereiterung, Zahnstein, Abnützung der ersten Schneide-
zähne und des inneren Zahnbeines. Alles zusammen muß außerordentlich
schmerzhaft gewesen sein, aber im Vergleich zu seinen anderen Leiden war es
unbedeutend.

Drittens: Er war von einer schrecklichen Krankheit, Ostitis fibrosa, befal-
len, bei der das ganze Knochengerüst einschließlich des Marks allmählich
durch Fasergewebe ersetzt wird. Obwohl diese Krankheit nicht vor dem Erreichen des Erwachsenenstadiums begann, war bereits einer seiner großen

schweren Oberschenkelknochen beträchtlich gebogen und andere Knochen waren im Begriff sich zu vergrößern und in einem lebendigen Körper zu verrotten.»

Anfangs nahm Dr. Moodie an, der Mann sei schließlich an Lungenentzündung gestorben, dann korrigierte er sich:

«...daß der Tod durch Blutvergiftung eingetreten sein könnte, die von den vielen, fast krebsartigen Geschwüren herrührte.» «Und damit wir nicht in übertriebenes Mitleid für unsere Mumie verfielen, erwähnte er die Mumie eines jungen Mädchens von einer der Channel Islands vor der kalifornischen Küste, deren Körper von Tausenden bohnengroßer Geschwüre durchsetzt war, über hundert davon am Kopfe.»[3]

Cañon del Muerto (Cañon des Toten), Antilopen-Haus, Weißes Haus, Mumien-Höhle – das heutige Areal des «Canyon de Chelly National Monument» in der Nordostecke Arizonas – das war die Landschaft, in der Morris neun Jahre lang forschte und fand; Ruinen mit Turm, Höhlenwohnungen, Hunderte von Räumen, Gräber mit Mumien und Skeletten, mehr als ein Jahrtausend vorkolumbischer Südwest-Geschichte repräsentierend. Hier hausten Korbflechter, später dann Pueblo-Leute, schon zu der Zeit, da in Europa gerade das Römische Reich verfiel.

Die Cañons sind zum Teil so schmal und tief, daß die Sonne erst um zehn Uhr erscheint und um zwei Uhr schon wieder verschwindet. Die Atmosphäre kann so unheimlich werden, besonders nach dem Sinken der Sonne, wenn plötzlich Geräusche hörbar werden, die von der Tagesarbeit und Unruhe übertönt worden waren, daß selbst die Ausgräber berichten, sie hätten eines Nachts Angstzustände bekommen, die sie fast hysterisch machten.

Die Navajo-Indianer, ihre Helfer, waren ohnehin überzeugt, daß Geister durchs Tal strichen. Vor den Toten hatten sie abergläubische Furcht – wurde eine Mumie gefunden, legten sie sofort die Arbeit nieder und überließen die Grabung den Archäologen.

Welches Verhältnis hatten die Männer der Wissenschaft zu jenen Körpern, die plötzlich nach Jahrhunderten des Schlummerns, manchmal nach mehr als einem Jahrtausend ihre verrunzelten Gesichter dem Licht boten? Fühlten sie sich als Grabräuber, Grabschänder (eine Frage, die viele Ägyptologen im vorigen Jahrhundert beschäftigte, als sie die ersten Pharaonen aus ihren Gräbern hoben)? Überwältigte sie der Hauch des Ewigen, überrieselte sie metaphysischer Schauer (wovon Howard Carter so eindringlich berichtet, nachdem er zum erstenmal Tut-ench-Amun ins Antlitz blickte)? Sind sie nur kalte Sezierer archäologischen Befundes, zynische Händler mit Vergangenheit?

Sie sind all dies, je nach den Umständen.

Die Morris schienen niemals allzu pietätvoll. Eine lange Kiste, die eine der am besten erhaltenen Mumien barg, benutzten sie tagelang als Frühstückstisch. Und sie luden mit boshaftem Vergnügen ihre besten Navajo-Arbeiter ein, die vor Entsetzen meilenweit gelaufen wären, hätten sie geahnt, von welcher Tafel sie die Büchsen Pfirsiche aßen, auf die sie so scharf waren.

Aber dann dies:

Eines Tages gruben sie in der Tseahatso-Höhle die Mumie eines Mannes aus, der noch zu den Korbflechtern gehörte; er mochte an die tausend Jahre alt sein. Neben ihm lagen vier Atlatls, Körbe, Sandalen, Knäuel von Menschenhaar, Feuersteinsplitter – also oft Gefundenes. Aber diesmal lag auch Bedeutenderes neben diesem Mann. Es war bekannt, daß die Korbflechter Flöten gefertigt hatten, aber sehr wenige waren in gutem Zustand entdeckt worden. Und hier lagen vier wunderbar erhaltene Stücke!

Die Ausgräber konnten nicht widerstehen.

Angesichts der Mumie, angesichts des ehemaligen Besitzers, hoben sie die Flöten an die Lippen und versuchten, ihnen Töne zu entlocken. Anfangs gelang es nicht. Dann fand Earl H. Morris den richtigen Ansatz – und über die pittoreske Landschaft stiegen klare Töne in die reine Luft.

Und dazu bemerkt Ann Morris:

«Mit den Flöten schien der alte Flötenspieler selber wieder zum Leben zu erwachen. Unser Verstand erwartete natürlich nicht, daß er sich wieder aus jenem staubigen Grabe erhöbe, aber da er es nicht tat, schien er nun irgendwie unendlich viel weiter entfernt als zuvor. Der Umgang mit einigen unserer besten Mumien hatte ein Gefühl der Vertrautheit entstehen lassen. Nun aber wichen die eine und damit alle zurück in die Zeit, und wir wurden der ungeheuren Unnahbarkeit des Todes gewahr.»[4]

Wir sind bisher im Südwesten mehr oder weniger der Chronologie der Entdeckungen gefolgt. Vom ersten Blick, den die Spanier auf Pueblos tun durften, bis zu den ersten Grabungen, Deutungen, den ersten Versuchen, geschichtliche Entwicklung festzulegen.

Jetzt ist es an der Zeit, vorzugreifen. Darzutun, wie die ersten Erfolge in der *Datierung* errungen wurden – zu sagen, *wann* also die Korbflechter lebten, *wann* die Pueblos erbaut wurden. Es sind zwei Kapitel, die mit Naturwissenschaft mehr zu tun haben als mit Archäologie. Deshalb müssen wir zuvor einiges über den *Sinn* der nordamerikanischen Archäologie sagen, dabei auch einiges über jene beiden wissenschaftlichen Methoden, die auch heute noch das A und O des Archäologen sind, zu seinem fundamentalen Rüstzeug gehören, zur Deutung nämlich der «Schichten und Scherben».

Zweites Buch

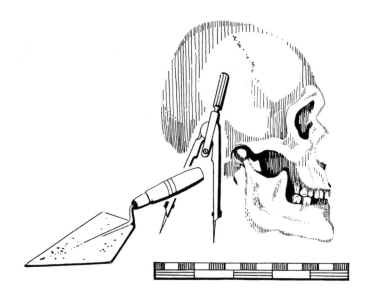

6. Was heißt und zu welchem Ende studiert man Archäologie?

Anthropologie ist die Wissenschaft vom Menschen. Archäologie ist die Wissenschaft von dem, was der Mensch hinterlassen hat. Oder, vom englischen Archäologen Stuart Piggot sarkastisch auf die noch kürzere Formel gebracht: «Die Wissenschaft vom Müll.» Der Archäologe selbst: «Der Mensch, dessen Zukunft in Trümmern liegt.»

Die ersten beiden Sätze scheinen völlig klare Definitionen zu bieten. Sie tun das auch – bis man sie zu interpretieren anfängt, bis man sich anschaut, was Anthropologie und Archäologie heute alles umfassen; bis man erfährt, wie verschieden sie in verschiedenen Ländern gelehrt werden und wie viele Unterabteilungen sie haben. Tatsächlich fängt keine Darstellung eines größeren archäologischen Komplexes heute an, ohne daß der Verfasser vorausschickt, was er unter Archäologie – meist «im engeren Sinne» – versteht. Wozu wir noch Sir Mortimer Wheeler zitieren können, der die beste «Einführung» in die Archäologie geschrieben hat, die es gibt: «Was in der Tat ist Archäologie? Ich weiß es eigentlich selber nicht.»

Nun – bleiben wir auf dem Boden. Archäologie bedeutet die Ausgrabung, die Sammlung und die Deutung versunkener Kulturen, durch die historische Zeit bis zurück in die prähistorische. Sie entspringt dem Wunsch des Menschen, über seine Vergangenheit Aufschluß zu erhalten, zu vergleichen, sich an ihr zu messen (ein gewisser Ahnenkult ist die Voraussetzung jeder Archäologie). Seit den großen archäologischen Entdeckungen des 19. Jahrhunderts, seit der Entdeckung der Pharaonen-Gräber, der Maya-Ruinen in Mittelamerika, seit der Ausgrabung des bis dahin nur sagenhaften Troja durch Heinrich Schliemann und des ebenso sagenhaften «Palastes des Minos» auf Kreta durch Arthur Evans und ihrer ungeheuren Schatzfunde, hat die Archäologie einen romantisch-abenteuerlichen Schimmer bekommen.

Sie hat diesen Schimmer zu Recht (in der Einleitung habe ich darüber bereits einiges bemerkt). «...Jenes herrliche Spiel, das in den entlegenen Ecken der Welt gespielt wird und das alle Erregungen des Schatzsuchens schenkt, dezent versteckt unter dem achtbaren Mantel der Wissenschaft», hat die schon zitierte Ann Morris gesagt.

Dabei vergißt der Außenstehende, der die wissenschaftlichen Ergebnisse meist nur durch journalistische Meldungen kennenlernt, daß hinter diesen Ergebnissen drei Triebkräfte stehen: Arbeit, Arbeit und noch einmal Arbeit! Größte Strapazen im «Feld», Kampf gegen widrige Umstände (oft politische), gegen Hitze, Kälte, Staub, Schlamm, fieberübertragende Insekten. Dann die enervierende Kleinarbeit im Laboratorium, im Museum. Oft jahrelanger wissenschaftlicher Streit. Nicht Inspiration, sondern Transpiration – aber das wiederum, in solcher Zuspitzung, kann nur ein völlig phantasieloser Gelehrter sagen. Beenden wir diese Deutungen mit der Bemerkung des «Vaters der Archäologie», des Johann Joachim Winckelmann, der 1764 mit seiner ‹Geschichte der Kunst des Altertums› die ersten Tore in die Vergangenheit aufstieß: «Man muß mit Feuer entwerfen und mit Phlegma ausführen!»

In den Vereinigten Staaten ist die Archäologie eine relativ junge Wissenschaft. In Europa liegen ihre Anfänge in der Renaissance (als man alte Kunstwerke zu *sammeln* begann), durch die Wiederentdeckung der Alten Sprachen (als man zu *verstehen* begann), in der Verherrlichung der Antike durch die Klassiker, die die Ideale der Griechen zum Richtmaß jeder Erziehung nahmen. Wie keine andere der großen Zivilisationen begann die abendländische sich für die Vergangenheit zu interessieren, und eine bis dahin nie gekannte Sucht nach zeitlicher *Ordnung* dieser Vergangenheit überfiel die Menschen. Tatsächlich kann bis heute kein Abendländer, der vor eine Ruine tritt, die Frage unterdrücken: «Wie alt ist das?» An zweiter Stelle kommt die Frage: «Wer schuf es?»

So sind natürlicherweise die beiden Quellen der europäischen Archäologie die Kunstwissenschaft und die Philologie. Von Beginn an gingen sie Hand in Hand, denn das meiste, was nicht nur in Griechenland und Italien, sondern im 19. Jahrhundert auch in Ägypten und Vorderasien gefunden wurde, war einerseits Kunstobjekt, andererseits trug es häufig Inschriften. Diese Archäologie, als Gemeinschaftswerk, öffnete uns den Blick auf mehr als fünf Jahrtausende menschlicher Kulturgeschichte, zurück bis zu den Sumerern. Als Historie galt alles, was durch das geschriebene Wort belegt war. So legte die Archäologie solche Wunderwerke wie die Tempel von Olympia und Delphi frei, führte uns weit zurück durch so sensationelle Entdeckungen wie die des Grabes von Tut-ench-Amun und der Königsgräber von Ur, und leistete durch die Entzifferung der Hieroglyphen und Keilschriften erstaunliche Beiträge zur Kenntnis der «Alten». Es lag auf der Hand, daß diese Archäologie eine Hilfswissenschaft der Geschichtsschreibung werden mußte, denn erst die Historiker faßten das tote Faktenmaterial zusammen zur großen Menschheitsschau, hinweg über den Gang der Jahrtausende, wobei das moralische Moment, das erzieherische Ideal, wie es Schiller in seiner berühmten Vorlesung von 1789 in Jena unter dem Titel formuliert hatte: «Was heißt und zu welchem Ende studiert man Universalgeschichte?», immer mehr zurücktrat. Es käme nämlich, sagte er damals noch, darauf an, nur jene Fakten zu sammeln, die «auf die heutige Gestalt und den Zustand der jetzt lebenden Generation einen wesentlichen, unwidersprechlichen und leicht zu verfolgenden Einfluß gehabt haben...» – eine pragmatische Einstellung, die dem heutigen Archäologen, der die Wahrheit und nichts als die Wahrheit sucht, höchstens als Nebenzweck erscheint.

Völlig anders ist die Situation der amerikanischen Archäologie. In dem Glossar zu seinem Buch ‹America's Buried Past› schreibt der amerikanische Archäologe Gordon C. Baldwin kurz und knapp: «Archäologie: Das Studium des Menschen vor der Erfindung der Schrift.» Das ist nicht flüchtig hingeschrieben, er wiederholt es im Text: «Archäologie ist die Wissenschaft der Entdeckung der Vergangenheit des Menschen aus den Dingen, die er hinterlassen hat. Mit anderen Worten, sie ist die Erforschung alles dessen, was in der *Vorgeschichte* war, der Völker und ihrer Künste und Handwerke, die es *vor der geschriebenen Geschichte* gab.» Wie? Danach wäre die Ausgrabung der Tontafelbibliothek des Königs Assurbanipal zu Ninive nicht ein Werk der Archäologie gewesen?

Heute haben die Vereinigten Staaten mehr als 10 000 organisierte Amateur-Archäologen, die sich passioniert um die amerikanische Vergangenheit kümmern. Das war nicht immer so. Als 1847 in Washington zur Debatte stand, ob für die Smithsonian Institution die Indianer-Porträts von George Catlin angekauft werden sollten, reagierte der Kongreßabgeordnete James D. Westcott, Florida, allergisch:

«Ich bin dagegen, Porträts von Wilden zu erwerben. Was für eine moralische Lektion könnten sie uns vermitteln? Ich würde lieber die Porträts der zahllosen Bürger betrachten, die von diesen Indianern hingemordet wurden.»

Und noch 1892 wehrte sich gegen den Vorschlag, 35 000 Dollar für ethnologische Forschungen zu bewilligen, der Kongreßabgeordnete H. C. Snodgrass, Tennessee:

«Ich bin der Meinung, es ist eine sinnlose Ausgabe. 35 000 Dollar auszugeben, um eine Gruppe politischer Beamter ins Land zu schicken, damit sie in den Indianer-Mounds graben und in Veröffentlichungen berichten, was sie dabei vielleicht finden – ich wüßte nicht, welchen Wert das für die Wissenschaft oder zur Erziehung haben könnte.»

(Zitiert nach Geoffrey T. Hellman: ‹The Enigmatic Bequest, II. The Smithsonian: Octopus on the Mall›.)

Die Baldwinsche Formulierung muß jedem Europäer völlig unsinnig erscheinen. Sie ist es zum Teil auch, denn man kann nicht ein Wort, das hundert Jahre lang eine klare Bedeutung hatte, plötzlich der Hälfte dieser Beziehung entkleiden.

Aber, wie schon gesagt, die Situation in Nordamerika war und ist eben anders. Der nordamerikanische Archäologe hat es *durchgehend mit Prähistorie zu tun*, eben nicht mit «Geschichte, belegt durch schriftliche Mitteilungen», denn die Indianer vor Kolumbus hatten keine Schrift. Und sie hatten auch keine Tempel und Paläste und schon gar nicht eine Venus von Milo, einen Hermes des Praxiteles. Die nordamerikanische Vergangenheitsforschung konnte sich also nicht an Kunstwerken und nicht an Inschriften entzünden, sie konnte nicht aus Kunstwissenschaft und Philologie erwachsen. Sie erwuchs von Beginn an aus der *Beschäftigung mit dem Menschen*, aus der Anthropologie. «Dieses Buch beschäftigt sich mit Archäologie als einem Teil der ‹Anthropologie›», schreibt James Deetz in seiner vortrefflichen ‹*Invitation to Archaeology*› im Jahre 1967. Anders ist es in Nordamerika gar nicht möglich.

Die Anthropologie nun begann mit dem Material, das zuerst die spanischen Eroberer, dann die ersten Reisenden, dann die ersten studierten Völkerkundler zusammentrugen. Jene Anthropologie, die in Europa mit den berühmten Schädelmessungen einen ersten Höhepunkt erreicht hatte und sich vorzugsweise mit dem menschlichen *Körper* befaßte, wurde in Nordamerika zu einer Spezialwissenschaft, der *Physical Anthropology*. Dann begann eine ganz außergewöhnliche Spaltung der Disziplinen, die heute bis zum Grade der Verwirrung fortgeschritten ist. Es gibt «Politische», «Ökonomische», «Soziale», «Historische», «Psychologische Anthropologie» – ja, es gibt sogar eine «Christliche», selbstverständlich auch eine «Marxistische Anthropologie».

Was uns hier interessiert, ist jene Anthropologie, die die Archäologie unter ihre Fittiche genommen hat. Es ist die sogenannte *Cultural Anthropology*, die einerseits mit der Erforschung des Vorzeitmenschen beginnen, und andererseits damit enden kann, daß die Anthropologin Hortense Powdermaker, nachdem sie in Melanesien eine Steinzeit-Kultur erforscht hatte, mit der gleichen kühlen Methode die Gesellschaftsformen des modernen Hollywood unter die wissenschaftliche Lupe nimmt. Welches sind die Quellen von Hollywoods Macht? Was ist sein hervorstechendstes Charakteristikum?[1]

Nun wird in den Vereinigten Staaten an 137 Universitäten und Colleges Archäologie gelehrt (Zählung von 1968). Merkwürdigerweise aber unterstehen diese Lehrstühle keineswegs immer den Departments of Anthropology, sondern ebenso häufig den Departments für Soziologie, Geologie, Kunstgeschichte, Allgemeine Geschichte, an der University of Southern California und einigen anderen sogar dem Department of Religion. Robert Ascher von der Cornell University sagt dann in einer sehr kritischen Untersuchung: «Meine Auffassung ist, daß die Einordnung der Archäologie innerhalb der Universität anachronistisch ist. Sie spiegelt die Herkunft und die frühe Geschichte dieses Forschungsgegenstandes wider, nicht aber die heutige Archäologie.»²

Tatsächlich ist diese verwirrende Situation einfach die Folge einer zu schnellen Entwicklung. Dafür gibt es ein gutes Beispiel: In den zwanziger Jahren entwickelten zwei Professoren der University of Kentucky, der Zoologe W. D. Funkhauser und der Physiker William S. Webb, das Ausgraben als Hobby – sie wurden Sonntagsarchäologen. Im Juli 1927 nun eröffnete die Universität das Department of Anthropology and Archaeology. Wen ernannte sie zu den ersten Professoren? Den Zoologen Funkhauser und den Physiker Webb! (Nebenbei: Beide machten sich sehr verdient um die Erforschung der Prähistorie von Kentucky.³)

So etwas wäre heute nicht mehr möglich.

Es war von Beginn an klar, daß mit den Geschichtskonzeptionen, den Begriffen von Kultur und Zivilisation, wie sie etwa Spengler und Toynbee geprägt haben, auf nordamerikanischem Boden nichts anzufangen war. Doch es zeigte sich in der Archäologie an nordamerikanischen Universitäten eine besondere, eine fast grundsätzliche Abneigung gegen *jede* große Konzeption; regte sich irgendwo philosophisches Denken, so war es sofort suspekt. Zum Beispiel hat es *fünf Jahre* gedauert, bis der größte moderne Anreger anthropologischen Denkens, der Franzose Claude Lévi-Strauss, auch nur ins Englische übersetzt wurde; dabei war seine ‹Strukturale Anthropologie› vom Forum des Collège de France in Paris bereits zum heftigsten Streitgespräch der Intellektuellen in den kleinsten Cafés geworden.

Der Begriff «Kultur» zum Beispiel wurde im Sprachgebrauch der nordamerikanischen Archäologen so vieldeutig, daß er fast jeden Wert verlor. Tatsächlich ist ein ganzes Buch erschienen, nur um die Definitionen zu definieren.⁴ Besonders den zahllosen lokalen, überspezialisierten «Kirchturm-Archäologen» ist jede größere Konzeption, die über ihre Staatsgrenze hinausgeht, geradezu verdächtig. Franz Boas und Alfred L. Kroeber, Margaret Mead und Ruth Benedict, die ihre Forschungen stets in weltweitem Bezug sahen und vor allem die Bildungsvoraussetzungen mitbrachten, die das erst ermöglichten, sind Ausnahmen. Wenn Ruth Benedict in einer Untersuchung über die Indianervölker Nietzsches Begriffe «apollinisch» und «dionysisch» anführt und die Pueblo-Völker als «Apollinier» bezeichnet, so ist das eine Charakterisierung, die in der nordamerikanischen Fachliteratur völlig fremdartig anmutet. Ihr Werk ‹Urformen der Kultur› (1934) ist einmalig und machte sie mit Recht weltberühmt, wirkte zurück auf Europa, auf europäisches Denken, was man nur von ganz wenigen amerikanischen anthropologischen Werken sagen kann – ein Faktum, das zum Teil die völlige Ignoranz der Europäer, die präkolumbische Geschichte *Nord*amerikas betreffend, entschuldigt.

Dieser allgemeine Eindruck zwang wohl auch den großen englischen Archäologen Sir Mortimer Wheeler zu seinem Ausfall gegen den amerikanischen Kollegen W. W. Taylor:

«Die Archäologie ist eine Wissenschaft, die in erster Linie nach Tatsachen sucht. Ein amerikanischer Autor behauptete sogar einmal: ‹Archäologie an sich ist nicht mehr als eine Methode und eine Reihe spezialisierter Techniken zum Sammeln von Beweisstücken alter Kulturen. Der Archäologe an sich ist wirklich nichts als ein Techniker.› Ich zögere nicht, solche überspitzte Ansicht als Unsinn zu bezeichnen. Ein Lepidopterenspezialist ist doch viel mehr als ein Schmetterlingsfänger, und ein Archäologe, der nichts anderes ist als ein Scherbensammler, verdient seinen Namen nicht. Er sucht in erster Linie Tatsachen, aber diese Tatsachen sind greifbare Zeugnisse früherer menschlicher Betätigung; darum muß er auch ein Geisteswissenschaftler sein, denn seine zweite Aufgabe besteht darin, sein Material mit gezügelter Vorstellungskraft, die auch künstlerische und sogar philosophische Qualitäten besitzen muß, zu beleben und zu vermenschlichen.»[5]

Aber das schrieb Wheeler 1956. Seit dieser Zeit ist Außerordentliches geschehen in der nordamerikanischen Archäologie. 536 Museen (nach einer Zählung von 1967) zeigen ständige Ausstellungen, die die Geschichte der Indianer von den ersten Anfängen bis heute darstellen. Allein ein Museum wie das Ocmulgee National Monument Museum enthält etwa zwei Millionen Relikte von den Mound Builders bis heute. Die Literatur vermehrt sich in beinahe beängstigendem Maße; allein die Titelkartei des Laboratory of Anthropology in Santa Fé verzeichnet mehr als 10 000 Publikationen nur über die Archäologie des Südwestens; nur Computer werden hier noch für Auswertung sorgen können.

Diese Fülle *verlangt* jetzt nach größeren Konzeptionen; und tatsächlich sind im letzten Jahrzehnt mehr übersichtliche Kompilationen erschienen als in den fünfzig Jahren zuvor — die amerikanische Vorgeschichte wird *überschaubar*, die Mosaik-*Steinchen* werden zum Mosaik gefügt. Und ein Problem wie die Diffusionstheorie — ob und wieweit vielleicht Asien auf die altamerikanischen Kulturen Einfluß genommen hat — wird heutzutage *weltweit* diskutiert. Das alles setzt die Überprüfung der theoretischen Grundlagen voraus, wieder einmal eine Revision der Frage: Worin bestehen Wesen und Sinn der Archäologie überhaupt. Gordon R. Willey und Philip Phillips schlugen hier 1958 eine Bresche, als sie ihr vieldiskutiertes Werk ‹*Method and Theory in American Archaeology*› erscheinen ließen.

Und immer deutlicher wird heute die ganz spezielle Aufgabe gerade der *nord*amerikanischen Archäologie, ihr Geschenk an die Archäologie der Welt, an die Vorgeschichtsforschung überhaupt.

Die Frühgeschichte der *Alten* Welt liegt weitgehend verschüttet unter den Trümmern und Scherben der Hochkulturen. Keine direkte Beziehung besteht mehr zwischen den frühen Jägern und Sammlern, den Höhlen- und Pithaus-Bewohnern zum heutigen Menschen. In Nordamerika aber, verteilt über einen riesigen Kontinent, liegt die Frühgeschichte des Menschen in der obersten Schicht – und in den Pueblos sieht der Forscher noch heute Menschen am Werke, die nicht wesentlich anders leben als ihre prähistorischen Vorfahren. Der letzte Steinzeit-Mensch Nordamerikas starb 1916 in einem Museum in San Francisco – eine phantastische Geschichte, die im ‹Nachspiel› unseres Buches erzählt wird.

In kürzester Form hat Paul S. Martin (der schon 1947 zusammen mit George Quimby und Donald Collier in ‹*Indians before Columbus*› einen der ersten großen Überblicke gab) die besondere Situation der amerikanischen Archäologie charakterisiert:

«Mein Leser mag sagen: ‹Sehr gut. Griechen und Römer haben zu unserer Zivilisation beigetragen; aber welchen Nutzen haben wir von der Erforschung indianischer Kulturen?› Meine Antwort besteht aus zwei Teilen: Die amerikanischen Indianer haben auch zu unserer Lebensweise beigetragen, indem sie uns Ideen in der Architektur gaben (Pueblo und Maya) und indem sie uns wertvolle Nahrungspflanzen gaben wie Kartoffeln, Tomaten, Erdnüsse, Mais, Bohnen, Kürbis (um nur einige wenige zu nennen).

Der zweite Teil meiner Antwort ist etwas verwickelter. Wir sollten glücklich sein, indianische Kulturen erforschen zu können, selbst wenn wir annehmen würden, sie hätten nichts zu unserer Kultur beigetragen, weil Amerika und die Indianer ziemlich weitgehend von der Alten Welt abgeschnitten waren und sich hier verschiedene Kulturen mehr oder weniger *unabhängig* voneinander entwickelten, nachdem die Indianer (mongolide Gruppen) über Sibirien nach hier eingewandert waren. Kurz gesagt, die Neue Welt stellt eine Art *riesigen Reagenzglases*, ein *großes Laboratorium* dar, wo alle Arten von Ereignissen stattfanden... Dieses ist eines der wenigen solcher ‹Laboratorien›, die wir kennen, da es unmöglich ist, Menschengruppen in ein Reagenzglas zu sperren und zu beobachten, was dann geschieht.»

Und Martin schließt, womit auch wir dieses Kapitel schließen wollen, bevor wir uns einigen speziellen Methoden der Archäologie widmen:

«Und daher liegt der Wert der Archäologie in der Entwicklung einer neuen Art, das Leben zu betrachten, in der Suche nach Wahrheit und Schönheit, wohin dieses auch immer führen mag, und in der Hilfe, die sie uns gibt, unsere Zeit und unsere Probleme zu verstehen. Wir müssen unser Verstehen der Hoffnungen und Wünsche der Menschen erweitern und unser Wissen von der menschlichen Natur. Vielleicht, wenn wir alle unsere Köpfe zusammenstecken, können wir die Ursachen für den Aufstieg und den Fall großer Kulturen entdecken und vielleicht unsere eigene vor dem Untergang bewahren.»[6]

Dr. A. E. Douglass, der Erfinder der Baumring-Datierung, entnimmt einem Baum
eine Holzprobe. Die dazu verwendeten Hohl-Bohrer werden allein von einem
schwedischen Familienunternehmen hergestellt und fördern die Proben in Form
dünner Stangen (cores) zutage, an denen sich die Ringe ablesen lassen. Diese
Methode ist die einzige, die Datierungen alter Gebäude, selbst verkohlter Reste,
auf das Jahr genau *erlaubt – in günstigen Fällen bis in die Zeit vor*
Christi Geburt.

PUEBLO BONITO

Der Plan zeigt alle Räume des Pueblos, die 1896–1900 von der Hyde-Expedition ausgegraben wurden. Im Januar 1941 wurden einige zwanzig Räume des Nord-Ost-Flügels durch Felsstürze zerstört – sie sind durch punktierte Linien gekennzeichnet. Die Front des Pueblos ist etwa 160 Meter lang.

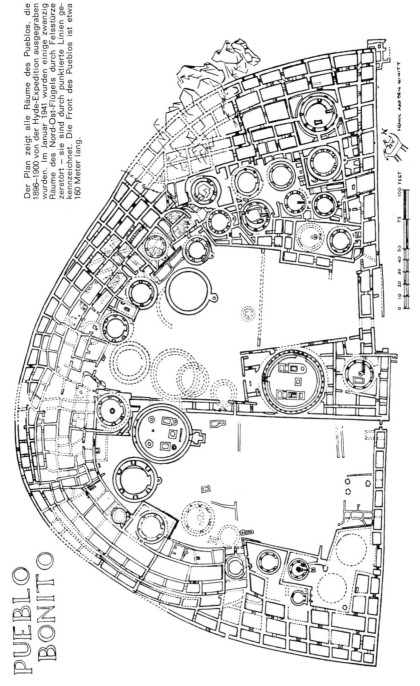

FRANK AND PAUL WHITT

0 10 20 30 50   75   100 FEET

Grundriß und Rekonstruktion von Pueblo Bonito im heutigen «Chaco Canyon National Monument» in New Mexico. Die Zeichnung läßt zahlreiche runde Kivas erkennen. Das untere Bild stammt von dem berühmten Wildwest-Forscher, Fotografen und Zeichner William Henry Jackson, der die Ruinen 1877 besuchte. In diesem riesigen Pueblo von rund achthundert Räumen konnte Dr. Douglass seine ersten genauen Baumring-Datierungen machen: Bauiahre von 919–1130 nach Chr.

Nordteil des Taos-Pueblos, wie es 1886 aussah. Heute ist Taos das von Touristen am meisten überlaufene Pueblo nördlich von Santa Fé, New Mexico. Aber noch immer leben Indianer in Taos und erklettern auf Leitern die Eingänge auf den Dächern. Der Dichter D. H. Lawrence war hier, und der schweizerische Tiefenpsychologe C. G. Jung ließ sich hier uralte Weisheit «ins linke Ohr» flüstern (siehe 10. Kapitel).

Die fünf Brüder Wetherill, von denen besonders Richard (Mitte) sich um die Erforschung der Höhlenstädte (Cliff Dwellings) von Mesa Verde, Colorado, und rund um die «Four Corners» verdient gemacht hat – dem einzigen Ort der USA, wo vier Staaten zusammenstoßen: Utah, Colorado, New Mexico und Arizona. Das Foto stammt wahrscheinlich aus dem Jahre 1893 – schon ein paar Jahre vorher hatte er den inzwischen legendären Felsenklippen-Palast (Cliff Palace) entdeckt.

*Rekonstruktion einer alltäglichen Szene in einem Cliff Dwelling,
einer mehrstöckigen Häusergruppe in einer riesigen Halbhöhle, in Mesa Verde,
Colorado. Das Leben spielte sich meist vor der Tür ab; die Räume wurden
hauptsächlich für die Vorräte und zum Schlafen benutzt. Im Vordergrund eins der
Haustiere der Pueblo-Indianer: der Truthahn. Das andere (sie hatten nur zwei
domestizierte Tiere) fehlt hier: der Hund.*

*Der von dem Rinderfarmer Richard Wetherill 1892 entdeckte «Felsklippen-Palast»
(Cliff Palace) in Mesa Verde, Colorado, tief und hoch hineingebaut in eine
natürliche Höhle. Die Touristin mit Kind sitzt auf dem Rande eines der zahlreichen
Kivas, der geheimen Männerversammlungsräume, die einst überdacht und nur
durch eine Dachluke zugänglich waren.*

Square Tower Ruin, «Ruine des viereckigen Turmes», ist ein anderes der rund achthundert Cliff Dwellings von Mesa Verde. Der vierstöckige Turm macht diese Höhlensiedlung zur Festung. Sie ist heute Touristen unzugänglich, kann jedoch von nahen Aussichtspunkten vorzüglich eingesehen werden.

7. Schichten und Scherben

Im El Navajo Hotel in Gallup (New Mexico), das in den zwanziger Jahren Treffpunkt aller Archäologen war, die sich dort zu den jährlichen Indianer-Festspielen versammelten, erschien eines Tages «Ted» Kidder in fröhlicher Runde und berichtete schmunzelnd:

«Was würdet ihr machen, wenn ihr in Pecos arbeiten müßtet? Ich habe gerade einen Suchgraben in den Hang eines Abfallhügels gezogen und finde dort die älteste Keramik in der *obersten Schicht* und all den neueren Kram in der *untersten.*»

Die Kollegen starrten ihn überrascht an, denn das stellte die sicheren Gesetze der Stratigraphie völlig auf den Kopf.

Bis Kidder erklärte: Da hatten die letzten Pecos-Bewohner offensichtlich – nein, eben nicht offensichtlich, sondern erst erklärbar nach vielem Nachdenken und genauer Prüfung der Umgebung – auf altem Baugrund eine neue tiefe Grube ausgehoben, hatten den obersten Aushub zur Seite geworfen und den untersten natürlich obendrauf, auf diese Weise die sonst so unerschütterliche Ordnung der «strata», der archäologischen Schichten, genau umkehrend.

Aber, fuhr Kidder fort, das sei nicht die überraschendste Entdeckung in Pecos gewesen: «Ich habe ein Grab gefunden, das alle sechs *Keramikstile auf einmal* enthielt – jede Sorte von Keramik, die jemals in Pecos hergestellt wurde, von frühester Zeit bis zu den letzten Tagen!» Und immer noch schmunzelnd gab er die einzig mögliche Erklärung: «Offensichtlich ist hier ein vorgeschichtlicher Sammler schon vor mir an der Arbeit gewesen!»[1]

In unserem einleitenden Bericht über Jeffersons Mound-Ausgrabung gaben wir bereits die erste Erklärung über die Wichtigkeit der Stratigraphie, der Wissenschaft von den Schichten (die, noch einmal sei es betont, dieser außerordentliche Präsident der Vereinigten Staaten als erster in der Geschichte der Archäologie, einschließlich der europäischen, bewußt anwandte).

Sie scheint so einfach: Wenn man gräbt, liegt das Neueste stets zuoberst, das Älteste stets zuunterst. Wenn man also mehrere Kulturschichten findet, sie zum Beispiel nach Keramik-Typen unterscheiden kann und dann nume-

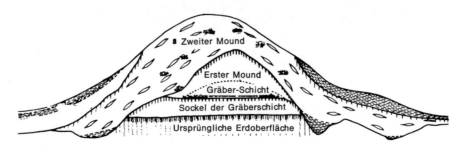

Querschnitt des Crooks Mound der Hopewell-Kultur – eine besonders klare Schichtgrabung durch einen Begräbnishügel (Burial Mound). Die Skelette fanden sich in der dritten Schicht von oben.

riert, so hat man eine relative Chronologie – relativ, das heißt, ohne noch zu wissen, wie lange die Kultur einer Schicht währte, und wann, nach christlicher Zeitrechnung, die unterste Schicht entstand.

Wie aber, fragt nun der Unerfahrene, entstehen denn diese Schichten überhaupt? Nun, zuerst einmal entstehen sie im Lauf der Jahrtausende durch die verschiedensten natürlichen Einflüsse, geologische Umwälzungen etwa – so wurde die Stratigraphie zuerst auch von größter Wichtigkeit für die Geologen, und mit Recht gilt da als Vorkämpfer William «Strata»-Smith, der 1816 ‹Strata Identified by Organized Fossils› herausgab. Aber auch sie entstehen in viel kürzeren Zeiträumen überall da, wo Menschen hausen. Menschen bauten Hütten oder Häuser – Sturm, Erdrutsch, Überschwemmung, Feuer oder Krieg zerstörten sie. Oft verließen sie die zerstörten Stätten, aber meist, der Zweckmäßigkeit halber oder einfach dem ‹Trägheitsgesetz› folgend, bauten sie erneut auf derselben Stelle. Nicht einmal, sondern viele Male!

Und was sie nicht brauchten, warfen sie weg; oft jahrhundertelang auf dieselbe Stelle. Tatsächlich entstehen «archäologische» Schichten aber auch schon in einem Menschenalter. Sie können in unserer Müllgrube entstehen, wenn wir sie nur lange genug benutzen. Nehmen wir an, die erste Müllfuhre wurde 1930 auf unsere Halde gekippt. In der untersten Schicht fänden wir dann heute zum Beispiel – wenn wir nach den Regeln der Stratigraphie graben – an Pfannen und Töpfen nur solche aus Eisen, dazwischen einige wenige Exemplare aus Aluminium. Der alte Autoreifen zuunterst unterscheidet sich deutlich von dem Weißwand-Gürtelreifen, den wir zuoberst finden. Die Spielzeuge, unsere eigenen damals, waren primitiv gegen die hochtechnisierten, die unsere Kinder heute wegwerfen. In einer bestimmten Zeit wurden die Blechdosen rar – damals war nämlich Krieg. Unten finden sich zahlreiche Flaschen, oben fast nur noch Dosen; und wenn doch noch Flaschen vorkom-

men, so haben sie einen ganz anderen Verschluß. Plastikgegenstände tauchen
erst in der alleobersten Schicht auf. Jeder kann sich den Spaß machen, sich
solche kurzfristigen Schichtungen auszumalen...

Das Prinzip der Stratigraphie ist also, wie wir sehen, sehr einfach. Aber die
beiden Kidder-Beispiele zeigen, wie verwirrend oft das Problem der Schichten
sein kann. Der englische General Pitt Rivers (der eigentlich Lane Fox hieß,
aber 1880 freudig den neuen Namen annahm, weil das die Voraussetzung eines erheblichen Erbschaftsanspruchs war) – Pitt Rivers also verfeinerte die
stratigraphische Ausgrabung, die Heinrich Schliemann in Troja noch sehr
grob vorgenommen hatte, zu einer Methode, die später Sir Mortimer Wheeler
als die «dreidimensionale» bezeichnete. Die Aufzeichnungen sollten so genau
sein, daß es möglich sein mußte, jeden entfernten Gegenstand theoretisch
haargenau auf seinen Fundort zurückzubringen. Wheeler selbst verfeinerte
weiter. Aber er sagte auch, und warnte damit die Anfänger vor den Tücken
der Schichtungen: «Das erste Gesetz über die Schichtung besagt, daß es kein
unabänderliches Gesetz gibt.»[2]

Die Nordamerikaner haben die Stratigraphie, seit Kidder, zu voller Mei-
sterschaft entwickelt. Von der berühmten Snaketown-Grabung 1934/35
durch Emil W. Haury, Harold und Nora Gladwin und E. B. Sayles, die so exakt war, daß, nach erneuter Ausgrabung, dreißig Jahre später, Haury mit
Stolz sagen konnte: Die neuen Ergebnisse «ergänzen unsere Feststellungen
und widersprechen ihnen nicht»[3], bis hin zu einer neueren Ausgrabung in einer Höhle in Wyoming, wo exakt 38 (achtunddreißig!) Schichten gegeneinander abgegrenzt, und von 7280 *vor* Chr. bis 1580 *nach* Chr. datiert werden
konnten![4]

Doch nicht nur der Mensch selber, auch das meiste, was er schuf, ist vergäng-
lich. Das trifft besonders auf die Produkte des prähistorischen Menschen zu,
auf seine Gebrauchsgegenstände aus Holz, Knochen, Flechtwerk, Textilien;
wenn wir uns deren leichte Verderblichkeit vor Augen führen, erscheint es als
Wunder, wieviel die Archäologen doch noch finden konnten. Mit einer Ausnahme:

Fast unzerstörbar ist die Keramik. Schon im vorigen Jahrhundert erkannten die Archäologen, welcher Schlüssel zur Vergangenheit ihnen mit den Krü-
gen und Vasen und Schalen in die Hand gegeben war, selbst dann noch, wenn
nichts als Scherben übriggeblieben waren, zu Haufen getürmt vor den Eingängen prähistorischer Wohnstätten, wofür die nordamerikanischen Archäologen gleich vier Bezeichnungen haben: *«dump heaps»*, *«kitchen middens»*,
«refuse piles», *«trash mounds»*. *«Pothunter»* (Topfjäger) nannte sie deshalb
der Volksmund freundlich-spöttisch (heute ist es ein Schimpfwort für die

128

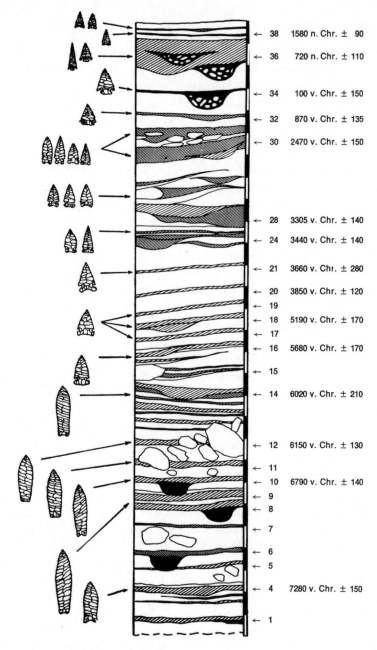

← 38	1580 n. Chr. ± 90
← 36	720 n. Chr. ± 110
← 34	100 v. Chr. ± 150
← 32	870 v. Chr. ± 135
← 30	2470 v. Chr. ± 150
← 28	3305 v. Chr. ± 140
← 24	3440 v. Chr. ± 140
← 21	3660 v. Chr. ± 280
← 20	3850 v. Chr. ± 120
← 19	
← 18	5190 v. Chr. ± 170
← 17	
← 16	5680 v. Chr. ± 170
← 15	
← 14	6020 v. Chr. ± 210
← 12	6150 v. Chr. ± 130
← 11	
← 10	6790 v. Chr. ± 140
← 9	
← 8	
← 7	
← 6	
← 5	
← 4	7280 v. Chr. ± 150
← 1	

Die Stratigraphie einer Felsenhöhle in den Absaroka Mountains nahe dem Yellowstone Park. Achtunddreißig Schichten lassen durch die Funde erkennen, daß die Höhle seit mehr als 9000 Jahren bewohnt war. Die untersten Schichten zeigen nur die Waffen der Atlatl- und Speerwerfer, die oberen bereits kunstvolle Pfeilspitzen.

skrupellosen Schatzjäger und nächtlichen Ausgräber, die Räuber kurz, wie immer sie sich tarnen mögen, die nur aus Geldgründen schürfen). Aber selbst die «klassische» Archäologie blickte anfangs geringschätzig auf diesen neuen Zweig der Forschung:

«Vor einem halben Jahrhundert machte Godley, ein Oxford-Gelehrter, sich über seine Kollegen, die eben begannen, den Wert des archäologischen Beweises für die antike Welt richtig zu würdigen, lustig:

‹Nicht Vers ist es und Prosa nicht,
Nur Töpferwerk allein
Ist es was schließlich zu uns spricht
Von Menschen Tat und Menschen Sein.›»[5]

Dabei kann die Bedeutung der Keramik für die Archäologie gar nicht überschätzt werden. Mit der Keramik beginnt die Zivilisation der Menschheit, das anfangs nur getrocknete, später gebrannte Gefäß ist vielleicht das erste Produkt der *Technik*, die Ornamente auf dem Ton vielleicht der erste *Kunstausdruck* (abgesehen von der Höhlen- und Felsmalerei). Keramik fällt fast immer erst mit der Begründung des Ackerbaus zusammen, mit der Seßhaftigkeit.

Schon die anfangs nur mit der Hand geformten und nur an der Sonne getrockneten Gefäße hatten schnell verschiedene Funktionen: Sie waren Eß-, Trink- und Aufbewahrungsgefäße, sie waren aber auch Urnen, in denen die Asche der Toten bewahrt wurde, und sie wurden Grabbeigaben, die den Toten auf seinem Wege begleiten sollten. Tonfiguren, nach menschlichem Bilde geformt, Idole, waren erster religiöser Ausdruck in der Kunst. Oft kam das Material von geheimgehaltenen Orten, wie es zum Beispiel für die Friedenspfeifen gebraucht wurde (die Indianer haben ja der Alten Welt nicht nur den Tabak, sondern auch die Pfeife dazu geschenkt), und wurde über Hunderte von Meilen herbeigeschafft.

Die Keramik, die dann gebrannt, glasiert, ornamentiert wurde bis zu höchster, erlesenster Kunstfertigkeit, begleitet alle Kulturen der Menschheit; an ihrer Einfachheit oder Vollendung läßt sich der Stand der Kultur ermessen — und die Scherbenschichten geben uns oft die einzige deutbare Stratigraphie.

In jedem Museum, das seine Objekte nach einigermaßen richtiger Chronologie aufgebaut hat, kann man diese wundervolle Entwicklung beobachten. Die groben Zweck- oder Zufallsformen zuerst, dickwandig, rauh in der Oberfläche, kaum ornamentiert. Dann wird die offensichtlich geschicktere Behandlung des Tons erkennbar, der sich plötzlich viel weicher in die Hände geschmiegt hatte. Die Formen werden runder, regelmäßiger, die ersten Ornamente tauchen auf, einfache Linien und Punkte sind noch wie von unsicherer Kinderhand eingeritzt, werden langsam sicherer, lösen sich dann von ihrer Korb-Herkunft, werden freier, spielerischer. Dann kommen die ersten Farben auf, weiß, schwarz, rot. Dann werden die Töpfe, Schalen und Vasen immer dünnwandiger, härter und regelmäßiger gebrannt, werden vielfarbig, mit immer schwierigeren Ornamenten – keine anderen Werkstücke der Menschheit liefern so augenscheinlich und überzeugend den Beweis für die Entwicklung von der Primitivität zur Kultur, vom Groben zum Feinen, vom Zweckgerät zum – ja, wir dürfen hier schon sagen: zum Kunstwerk. Mit hundert Schritten in einem Museum kann man diese Entwicklung abschreiten; man sollte es langsam tun, nachdenklich und mit ein bißchen Ehrfurcht...

Wo wurde die Keramik erfunden? Und wann?

Nun, der Alte Orient kennt sie seit mehr als 7000 Jahren, China seit vielleicht 4000, Amerika seit 2500 vor Chr. Und da zeigt sich gleich ein spezielles Problem: Derart alte Keramik findet sich sowohl in Mittelamerika und weiter

Die kunstvollste, in der Ornamentierung phantasiereichste Keramik des Südwestens stammt von den Mimbres. Hier ein Berglöwe auf einer Schale aus dem 10. bis 12. Jahrhundert nach Chr. Wenn eine solche Schale einem Toten ins Grab mitgegeben wurde, wurde sie oft absichtlich zerbrochen, «getötet».

südlich, als auch im Nordosten von Nordamerika (als «Nuclear»- und «Woodland-Tradition» unterscheidet sie der Archäologe).[6]

Diese beiden Keramikkulturen sind *verschieden* voneinander. Sie sind zu jener Zeit *unabhängig von der Alten Welt* gleich *zweimal* in Amerika entstanden. Natürlich können später asiatische Einflüsse hinzugekommen sein. Natürlich auch breiteten sie sich über die amerikanischen Kontinente aus, vermischten, beeinflußten sich. Aber es besteht sogar eine gewisse Wahrscheinlichkeit, daß die Keramik nicht nur *zweimal*, sondern sogar *dreimal* (in *Nord*amerika zweimal) erfunden wurde, nämlich sehr viel später noch einmal, um 400 *nach* Chr., in der Gegend des San Juan-Tales, rund um die «Four Corners» im Südwesten! (Aber diese ganze Frage der Originalität ist noch heiß umstritten.)

Merkwürdigerweise gibt es Historiker, die nicht ohne «Einflüsse» auskommen, besonders in Europa. Sie wollen aus unerfindlichem Grunde in der Kulturgeschichte nicht wahrhaben, was ihnen die Geschichte der Technik laufend vor Augen führt: daß nicht nur individuelle Erfindungen gemacht werden, sondern daß sie bis heute mehrere Male *gleichzeitig* gemacht werden. Die Keramik in Amerika wurde mindestens zweimal original *erfunden!* Bei der überwältigenden Fülle an Keramik, die man in Nordamerika gefunden hat, fragt man sich unwillkürlich, wie lange eigentlich ihre Herstellung in der prähistorischen Zeit wohl gedauert haben mag. Erst 1925 wurden darüber die ersten ernsthaften Versuche angestellt. Für die Herstellung einer kleinen ornamentierten Schale waren ungefähr zwei Stunden Arbeit, dazu etwa zwölf Trocken-Stunden nötig; das Brennen dauerte 36 bis 80 Minuten.[7]

Aber wie?

Die Liebhaber literarischer Leckerbissen kennen natürlich den englischen Satiriker Charles Lamb. Vor 150 Jahren schrieb er den sonderbaren Essay ‹*Eine Abhandlung über Schweinebraten*›. Da entwickelte er die Theorie, daß die Kunst des Bratens von Fleisch in grauer Vorzeit von dem kleinen Chinesenjungen Bo-bo entdeckt wurde, als er spielerisch seines Vaters Hütte anzündete, wobei neun Ferkelchen verbrannten. Und da «stieg ihm ein Duft in die Nase, wie er ihn nie zuvor wahrgenommen hatte»! So weit, so gut. Lambs Satire beruht darauf, daß er behauptet, die Chinesen hätten nun generationenlang (durchaus logisch), ihre Hütten samt eingesperrten Schweinen verbrannt, um zu exzellenten Braten zu kommen.

Wenn wir nun sagen, daß die eigentliche indianische Keramik mit dem Brennprozeß begann, so können wir durchaus einen indianischen Bo-bo annehmen, ein unschuldiges Kind, das vielleicht eines Tages, ebenfalls in grauer Vorzeit, eine nur an der Sonne getrocknete Schale spielerisch ins Herdfeuer rollte – und daß dann die zuerst erschrockene Mutter mit Freude entdeckte, daß die Schale nicht verdorben, nicht gesprungen, sondern viel härter, viel nützlicher geworden war.

Das ist die rein materialistische Erklärung: «Das gesellschaftliche Sein bestimmt das Bewußtsein.» Die idealistische Erklärung aber ist die, daß ein nachdenklicher Kopf den intelligenten Schluß zog, daß, wenn die warme Sonne den weichen Lehm hart macht, daß heißere Feuer ihn noch härter machen müßte: «Das Bewußtsein bestimmt das gesellschaftliche Sein!»

Ähnliche Erklärungen liegen parat für die Entstehung der ersten Ornamente; nur nicht ganz so scharf getrennt. Zum Beispiel: Das Geflecht, das man zum besseren Tragen um eine noch nicht ganz getrocknete Vase geschlungen hatte, hinterließ Rillen, die man dann aus Gewohnheit sogar auf solchen Schalen oder Vasen nachahmte, die gar kein Tragenetz mehr brauchten. Aber – sagt hier der Nicht-nur-Materialist –: wahrscheinlich waren die ersten Ornamentierungen, die der Mensch erfand, jene, die er auf seinen eigenen Körper projizierte. Die Bemalung und Tätowierung sind beide bei den Indianern in reichem Maße zu finden, und Schmucktrieb übertrug das auf die Gebrauchsgegenstände. Und der Formenreichtum? Sicher bestimmte anfangs der Zweck die Formen, aber der *Spieltrieb* darf nicht vergessen werden; der Mensch war und ist ein *«homo ludens»*, wie ihn der holländische Kulturhistoriker Johan Huizinga in einem seiner berühmten Werke nannte.[8]

Das *Finden* der Keramik ist das eine; das *Deuten*, die Klassifizierung das andere. Vor sechs Fragen steht der Archäologe:

Wo, in welcher Umgebung und Schicht ist das Stück gefunden worden?

Welcher Art ist das Material?

Welche Herstellungsmethode?

Wie ist der Stil, die Form, beschaffen?

Welcher Art sind die Ornamentierungen?

Wie steht es mit der Datierung?

Zur Frage der Datierung ist nun in neuerer Zeit, besonders an der University of California, eine Methode entwickelt worden, die ein *absolutes* Entstehungsdatum jedes keramischen Stücks zu ermitteln vermag.

Es ist die sogenannte Thermolumineszenz-Methode; ein Leuchteffekt wird gemessen, der bei erneutem Brennen von alter Keramik hervorgerufen wird und auf die Radioaktivität der Mineralien zurückzuführen ist, die jeder Ton enthält.

1963 gab E. T. Hall von der Oxford University eine Kurzbeschreibung und war noch durchaus zurückhaltend, was den Wert der Methode betraf. Doch 1970 schreibt er:

«Töpferwaren und Keramiken enthalten stets eine gewisse Menge von radioaktiven Verunreinigungen (z. B. Uran und Thorium) in einer Konzentration von wenigen Millionsteln. Diese Substanzen emittieren mit einer bekannten Rate, die von ihrer Konzentration in der Probe abhängt, α-Teilchen. Wenn ein α-Teilchen von den Tonmineralien, welche die radioaktive Verunreinigung umgeben, absorbiert wird, bewirkt das eine Ionisation der Atome: Elektronen werden von ihrer festen natürlichen Bindung an die Atomkerne befreit und kommen unter Umständen später metastabilen Zuständen höherer Energie zur Ruhe. Es wird also Energie gespeichert. Bei gewöhnlichen Temperaturen bleiben diese Elektronen in den metastabilen Zuständen oder Fallen. Wenn zu irgendeiner Zeit das Material zu hinreichend großen Temperaturen aufgeheizt wird, etwa beim Brennen eines Topfes, so werden die festgehaltenen Elektronen freigelassen und senden dabei Licht aus.

Vom Zeitpunkt des Brennens, als alle Fallen geleert wurden, bis heute war ein Prozeß des Füllens gemäß der Absorption der α-Teilchen durch das Material im Gang, und je weiter dieser Zeitpunkt zurückliegt, desto mehr Fallen sind wieder gefüllt worden, um so größer ist die Thermolumineszenz.

Um also das Alter eines Tonstückes zu bestimmen, muß folgendes gemessen werden:
I. die Lichtausstrahlung beim Erhitzen der Probe,
II. die α-Radioaktivität der Probe,
III. die Bereitschaft der Probe auf künstliche Bestrahlung bekannter Intensität durch eine radioaktive Quelle mit Thermolumineszenz zu reagieren.

Eine Kombination der Meßergebnisse erlaubt es, das absolute Alter oder den Zeitpunkt des Brennens abzuleiten. Man kann auch die Ergebnisse mit denen von Keramik bekannten Alters vergleichen, um auf diese Weise das Alter der Probe zu bestimmen.»[9]
Aber die Deutung!
Sie ist keine Sache von Amateuren. Als ich, kein Neuling auf dem Gebiet der Archäologie der Alten Welt, 1965 zum erstenmal in Nordamerika über das Ausgrabungsfeld einer alten indianischen Kultur schritt, der Hohokam-Kultur in Snaketown/Arizona, ausgegraben hauptsächlich von Emil W. Haury, als wir über Millionen von Scherben schritten und Haury ein Stückchen dort, ein Stückchen da aufnahm, das nicht größer war als zwei Fingernägel und nichts zeigte als vielleicht einen Punkt oder eine abgebrochene Linie, und Haury dazu murmelte: «Periode soundso, Mischmasch, Periode soundso, aber *das* ist viel älter! Sehen Sie!» – da überkommt einen, nun ... Die muntere Ann Axtell Morris, die zu allem etwas gesagt hat, bemerkt hierzu, und sie berichtet über *ihren* ersten «Field-trip» im Jahre 1923:
«Man muß es einfach ‹fühlen›! Das klingt ganz schön unbefriedigend, und es war erst einige Jahre später, daß es mir plötzlich dämmerte, ähnlich wie bei

der Aneignung einer Fremdsprache, die man einige Zeit gehört hat. Die Identifizierung von Keramiktypen ‹schlägt an› wie eine Impfung. Eine Nacht ist
man völlig am Schwimmen, am nächsten Morgen hat man's! Dieses Kunststück bringt die Zeit zustande. Es ist nicht eine Frage von Punkten und Strichen, Linien oder Flächen, Form oder Ton. Es ist eine unbewußte Kombination aller dieser Fakten mit einem undefinierbaren Etwas, das lauter spricht
als Worte.»[10]

Eine andere, bedeutendere Wissenschaftlerin, A. O. Shepard, machte 1954
den Versuch, die Probleme der Keramik und ihrer Klassifizierung *kurz* und
anschaulich darzustellen. Es wurde ein Buch von 414 Seiten daraus.[11]

Das leitet uns zu den zwei bedeutendsten Beiträgen naturwissenschaftlicher Art, die Nordamerika nicht nur seiner eigenen, sondern der Archäologie
der ganzen Welt geschenkt hat.

8. Die Tickende Zeit

«Wir Archäologen», sagte 1965 Froelich Rainey, Direktor des Museums der University of Pennsylvania, «sind uns zuwenig der revolutionären technologischen Veränderungen bewußt, die unsere Welt beeinflussen, und ich glaube, die Physiker sind sich zuwenig der geschichtlichen Kräfte bewußt. In der Archäologie wenigstens überschreiten wir die Grenze zwischen den Naturwissenschaften und den Geisteswissenschaften in täglicher praktischer Erfahrung. Beide bringen einander begeistertes Interesse entgegen und ein neues Verständnis für die geistige Haltung der anderen Disziplin.»[1]

Dies sagt Rainey noch 1965, als schon zahlreiche Naturwissenschaftler der verschiedensten Disziplinen mit unglaublichem Einfallsreichtum der Archäologie zu Hilfe gekommen waren und erstaunliche Resultate erzielt hatten. Aber die Ergebnisse in nächster Zukunft werden noch viel erstaunlicher sein – bereits heute ist daran nicht mehr zu zweifeln.

Im Jahre 1963 versuchten zwei englische Wissenschaftler den ersten Überblick über die zahlreichen Methoden zu geben: Don Brothwell vom British Museum und Eric Higgs aus Cambridge. Sie nannten ihr Werk schlicht ‹Science in Archaeology, A comprehensive Survey of Progress and Research›. Der stattliche Band umfaßte 595 Seiten und enthielt 54 verschiedene Beiträge von meist verschiedenen Autoren über fast gänzlich verschiedene Methoden, der Archäologie Fragen zu beantworten, die eben nur die Naturwissenschaften und die moderne Technik zu beantworten vermögen. *Nur zwanzig Jahre vorher* hätte weder ein Archäologe noch ein Naturwissenschaftler das auch nur im Traume für möglich gehalten.

Dabei ist die Entwicklung in diesen neuen Techniken so akzelerierend, daß man schätzen darf, daß heute ein Buch zum gleichen Thema bereits bedeutend umfangreicher sein müßte. 1952 galt Frederick E. Zeuners ‹Dating the Past› als Standardwerk.[2] Es ist heute nur noch von historischem Interesse, und das große Sammelwerk von Brothwell/Higgs enthält bereits in seiner zweiten Auflage von 1970 hundertfünfundzwanzig Seiten mehr als in der ersten.

Unser Buch beschreibt die Geschichte der nordamerikanischen Archäologie. Deshalb beschränken wir uns nicht nur aus Raumgründen auf die beiden Methoden, die *allein in Nordamerika, von Nordamerikanern,* entwickelt wurden, sondern vor allem deshalb, weil diese beiden Methoden die bedeutendsten und zukunftsträchtigsten sind. Es handelt sich um die *Radiocarbon-Datierung* (auch C^{14}-Methode genannt) und die *Dendrochronologie* (auch Baumring-Datierung genannt).

Unter allen Methoden erregte die sogenannte Radiocarbon-Datierung von Willard F. Libby von der University of Chicago das größte Aufsehen – wie wir heute wissen, mit Recht.

Libby wurde 1908 auf einer Farm in Colorado geboren. Seinen Plan, Ingenieur zu werden, änderte er nach Beginn seines Studiums und wandte sich der Chemie zu. Chemie war schon damals ohne Physik und Mathematik nicht mehr denkbar. So lag es nicht außerhalb seiner Studien, daß er sich mehr und mehr für Radioaktivität interessierte. Zwischen 1941 und 1945 war er mit seinen Forschungen am Zustandekommen der Atombombe beteiligt – er spricht von dieser Zeit ganz allgemein als von «Kriegsforschung». Nach dem Krieg ging er als Professor an die University of Chicago, und hier entwickelte er die Grundlagen der neuen Datierungsmöglichkeiten.

Libby selbst zu zitieren, ist fast unmöglich, weil er in technischer Hinsicht zu ausführlich ist. Doch E. H. Willis von einem der ersten Radiocarbon-Laboratorien, die nach Libby entstanden, nämlich dem der University of Cambridge, hat sich einmal in einer Kurzfassung der Methode versucht:

«Als Libby die Idee hatte, daß der durch kosmische Strahlen erzeugte radioaktive Kohlenstoff ein wertvolles Hilfsmittel zur Altersbestimmung wäre, nahm er an, daß die C^{14}-Atome bereitwillig zu Kohlendioxyd oxydierten und sich ohne Schwierigkeiten mit dem atmosphärischen Kohlendioxyd vermischten. Als eine Folge der schnellen Umgruppierungen in der Erdatmosphäre würde die durch radioaktiven Kohlenstoff gekennzeichnete Kohlensäure eine weltweit gleiche Verteilung erreichen. Man könnte erwarten, daß sie durch den Prozeß der Photosynthese von allen Pflanzen im gleichen Verhältnis aufgenommen würde. Ferner konnte man annehmen, daß alles tierische Leben, das direkt oder indirekt vom pflanzlichen Material abhängig ist, ebenfalls die gleiche allgemeine Radioaktivität aufweisen würde. In der gleichen Weise würde das Leben im Meere beeinflußt werden, da sich die Kohlensäure der Atmosphäre in einem Austausch-Gleichgewicht mit derjenigen der Ozeane befindet, die wiederum mit der atmosphärischen Kohlensäure ein Gleichgewicht erreicht. Er bewies, daß diese Gleichgewichtsverhältnisse im Vergleich mit der Halbwertszeit des C^{14} schnell erreicht wurden. Beim Tode eines Or-

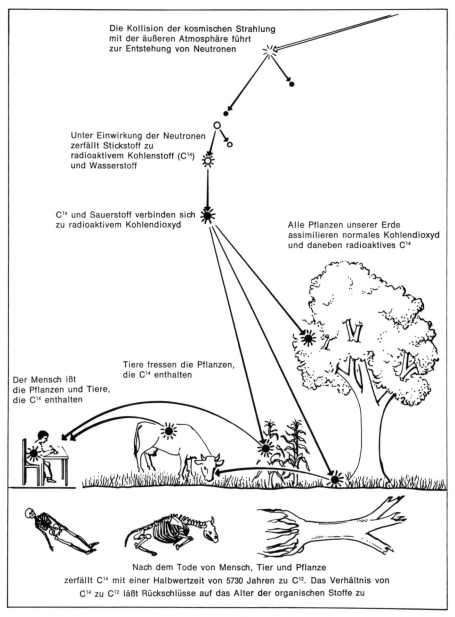

Die Kollision der kosmischen Strahlung
mit der äußeren Atmosphäre führt
zur Entstehung von Neutronen

Unter Einwirkung der Neutronen
zerfällt Stickstoff zu
radioaktivem Kohlenstoff (C^{14})
und Wasserstoff

C^{14} und Sauerstoff verbinden sich
zu radioaktivem Kohlendioxyd

Alle Pflanzen unserer Erde
assimilieren normales Kohlendioxyd
und daneben radioaktives C^{14}

Tiere fressen die Pflanzen,
die C^{14} enthalten

Der Mensch ißt
die Pflanzen und Tiere,
die C^{14} enthalten

Nach dem Tode von Mensch, Tier und Pflanze
zerfällt C^{14} mit einer Halbwertzeit von 5730 Jahren zu C^{12}. Das Verhältnis von
C^{14} zu C^{12} läßt Rückschlüsse auf das Alter der organischen Stoffe zu

Schema des Einflusses von Carbon-14 auf alle organischen Stoffe.

ganismus würde jede weitere Aufnahme oder jeder weitere Austausch von radioaktivem Kohlenstoff aufhören. Der eingeschlossene radioaktive Kohlenstoff würde dann im expotentiellen Verhältnis zur Zeit zerfallen.»[3]

Noch einfacher gesagt, handelt es sich um folgendes: Als Theorie war bekannt, daß der atmosphärische Teil unserer Erde unter dauerndem Beschuß durch kosmische Strahlen steht. Diese Strahlen produzieren beim Auftreffen auf unsere Atmosphäre Neutronen, die auf die atmosphärischen Stickstoff-Atome reagieren und dabei winzige Mengen des Kohlenstoffs (C^{14}) entstehen lassen. Dieses C^{14} vermischt sich mit Kohlendioxyd und erreicht die Erde.

Dieses Kohlendioxyd nun, worin winzige Mengen von C^{14} enthalten sind, brauchen die Pflanzen unserer Erde – durch Photosynthese führen sie es ihrer Nahrung zu. Dadurch, daß Tiere und Menschen Pflanzen essen, geht C^{14} auch in jedes Tier und jeden Menschen ein.

Das alles riefe nur begrenztes Interesse hervor, wenn nicht C^{14} radioaktiv wäre! – Der Schluß, den Libby zog, war, daß alle organische Substanz radioaktiv sei, und der weitere Schluß, daß es einen Weg geben müsse, diese Radioaktivität zu messen. Dafür war der Weg vorgezeichnet, denn radioaktive Substanzen haben die Eigenschaft, mit bestimmter Geschwindigkeit zu zerfallen. So ist es möglich, festzustellen, daß nach einer bestimmten Zeit der Gehalt an Radioaktivität in einem Material genau auf die Hälfte reduziert ist, nach einer weiteren genauso langen Zeit auf ein Viertel – und so weiter. Dieses nennt man die «Halbwertszeit». Sie liegt bei C^{14} bei 5568 Jahren *(so nahm man anfangs an)*.

Wichtig ist nun, daß die Aufnahme von C^{14} durch Pflanzen immer konstant ist, solange die Pflanze lebt – durch ständigen Nachschub bleibt die Menge erhalten. Aber im Augenblick, da die Pflanze stirbt (oder der Mensch oder das Tier, die vorher Pflanzen konsumiert haben), beginnt der Zerfall. Wenn man nun mit dem Geigerzähler die Menge von erhaltenem C^{14} genau messen könnte, so hätte man das jeweilige Alter des gestorbenen Lebewesens (nicht seine Lebensdauer, sondern sein historisches Alter nach seinem Tode), also das historische Alter jedes organischen Stoffes, festgestellt.

Diese Entdeckung verkündete Libby 1947, nachdem er zahlreiche organische Stoffe getestet hatte. Die im ersten Augenblick ungemütliche Vorstellung, daß wir selber radioaktiv sind, daß die Milch, die wir trinken, das Fleisch, das wir essen, der Salat, den wir gelangweilt aufspießen, daß der Tisch, an dem wir sitzen, und das Bett, in dem wir schlafen – daß sie alle radioaktiv sind (und jedes Kind lernt heute in der Schule, wie gefährlich radioaktive Strahlen sind), das alles braucht uns hier nicht zu ängstigen, denn die Mengen sind unvorstellbar klein.

Deshalb war auch das Hauptproblem von Libby die Entwicklung einer

Meßmethode von außerordentlicher Sensibilität. Was theoretisch stimmen sollte, daß zum Beispiel ein Baum, der vor 5568 Jahren gefällt wurde, nur halb so viele Tick-Geräusche im Geigerzähler bewirkte wie ein heute gefällter – das erwies sich auch in der Praxis der Messung als grundsätzlich richtig, denn es gelang Libby in verblüffend kurzer Zeit, die notwendigen feinen, oder wir sollten sagen: superfeinen – Meßinstrumente zu konstruieren.

Hier nun horchten zum erstenmal die Altertumsforscher auf: Sollte endlich eine Meß-Methode entdeckt worden sein, die rein naturwissenschaftlich das Alter von Gegenständen bestimmen konnte, deren exakte Datierung mit den bisher bekannten Mitteln nicht möglich gewesen war? Selten haben grundverschiedene Wissenschaften so schnell zusammengefunden wie in diesem Fall. Es lag daran, daß nicht nur die Archäologen auf etwas Großes hofften, sondern daß auch Libby selbst sofort erkannte, daß allein die Altertumswissenschaft ihm exakte Beweise für die Richtigkeit seiner Analysen liefern konnte. Er mußte ganz einfach seine Methode an Gegenständen erproben, deren hohes Alter einwandfrei feststand. Dafür bot sich sofort das alte Ägypten an – hier hatten auf Grund schriftlicher Quellen und astronomischer Daten die Archäologen und Historiker eine fast bis aufs Jahrzehnt genaue Chronologie entwickeln können.

Schon am 9. Januar 1948 fand die erste Tagung statt, an der Vertreter verschiedener Wissenschaften teilnahmen, und bereits im Februar ernannte daraufhin die American Anthropological Association einen Arbeitsausschuß, der Libbys Methode auf ihre Brauchbarkeit für die Altertumswissenschaft systematisch untersuchen sollte. Den Vorsitz übernahm Frederick Johnson von der Peabody-Foundation in Andover; außerdem gehörten noch dazu Froelich Rainey vom Museum der University of Pennsylvania, Donald Collier vom Museum in Chicago und später der Geologe Richard Foster Flint von der Yale University. Diese vier suchten sich weitere Mitarbeiter, denen ganz bestimmte Versuchsbereiche zugewiesen wurden.

Und nun ergoß sich ein Strom von Materialien aus aller Welt in das Laboratorium von Dr. Libby – eine Kollektion, so bizarr, wie sie bestimmt noch nie ein technisches Labor gesehen hatte. Tatsächlich glich Libbys Arbeitsraum bald einem Kuriositäten-Kabinett. Da waren Stücke von Mumien aus Ägyptens großer Zeit, Holzkohle von einem Feuer, an dem sich ein prähistorischer Mensch gewärmt hatte, der Zahn eines Mammuts, das in der letzten Eiszeit ausgestorben war, eine Sandale aus einem Indianergrab in Ohio, ein Stück der Planke des Totenschiffes, das zur letzten Ehre eines Pharao gebaut worden war, ein halbverkohlter Knochen, in dem noch eine Pfeilspitze steckte, ein Stück vom Balken, der einst das Dach eines hethitischen Tempels getragen hatte ... Allerdings waren mehr als die Hälfte der Proben, die Libby in der ersten Arbeitsperiode untersuchte, amerikanischen Ursprungs, nämlich von 216 Proben 109. Das war nicht verwunderlich, da Libby natürlich zuerst von seinen amerikanischen Kollegen bestürmt wurde, ihnen bei den Datierungen zu helfen, mit denen sie sich seit Jahren erfolglos, unter nutzlosen Streitigkeiten, herumschlugen, zum Beispiel bei der Datierung der frühesten Spuren des Menschen auf dem amerikanischen Kontinent, besonders des sogenannten Folsom-Menschen, von dem wir in unserem Buch noch viel hören werden.

Aber es waren dennoch die Proben aus dem Mittelmeerraum, die die ersten Bestätigungen von Libbys Theorien brachten. Als erstes untersuchte er ein Stück Akazienholz, das von einem Balken stammte, der sich im Grab des ägyptischen Pharao Djoser gefunden hatte. Diesen Pharao datierten die Altertumswissenschaftler auf ungefähr 2700 vor Chr. Libbys Datierung ergab: ein wenig älter als 2000 vor Chr. Das war nicht sehr gut. Besser war seine Datierung, als er das Stück einer Planke untersuchte, die zum Totenschiff des Pharaos Sesostris gehört hatte. Hier irrte sich Libby nur um viereinhalb Prozent.

Dann jedoch geschah etwas, was wie der härteste Rückschlag aussah, der seiner Methode zuteil werden konnte, und sich dann in einen glänzenden Triumph verwandelte. Der große amerikanische Archäologe James H. Breasted, Gründer und erster Direktor des weltberühmten Oriental Institute der University of Chicago, *die* Autorität seiner Zeit für Ägyptologie, schickte Hölzer eines pharaonischen Sarkophags ein, von denen er mitteilte, daß sie von sehr hohem Alter sein müßten – das bedeutete, für ägyptische Verhältnisse, Jahrtausende. Libbys Messung ergab: Die Hölzer waren neu! Stimmte nun die Physik oder das autoritäre Wort der Kapazität? Breasted, ein keineswegs starrsinniger Mann, untersuchte seinen Sarkophag aufs neue, diesmal genau. Und er fand heraus, daß er, der große Kenner, tatsächlich einer modernen Fälschung aufgesessen war! [4]

Das war für Libby ein Triumph ohnegleichen: dennoch gab es auch wieder leichte Fehlschläge. So konnte es nicht ausbleiben, daß einige Altertumsforscher ganz vertraulich schon der Meinung Ausdruck gaben, daß man hier allzu früh einer großen Hoffnung aufgesessen sei. Libby nährte diese Meinung insofern, als er von Anfang an zugab, daß seine Messungen stets einen Unsicherheitsfaktor enthielten, der im Durchschnitt etwa zehn Prozent betrug; er drückte ihn so aus, daß er bei jeder Jahreszahl ein Plus und ein Minus hinzufügte. Also: Dieses Holz ist 2000 Jahre alt ± 100 oder ± 200. Aber dieser Faktor ließ sich einigermaßen berechnen und war nicht allzu schmerzlich; denn bei prähistorischen Datierungen, wo es stets um Tausende von Jahren ging, war schon die Festlegung auf ein Jahrhundert ein gewaltiger

Fortschritt. Libby wußte jetzt, daß er auf dem richtigen Weg war; es galt lediglich, seine Apparaturen zu verbessern.

Wenn man ein Radiocarbon-Laboratorium betritt (heute gibt es ein paar Dutzend in der ganzen Welt), so glaubt man sich in die unheimliche Welt eines jener monströsen Filmprofessoren vom Dr. Mabuse-Typ versetzt, die inmitten der geheimnisvollsten Apparaturen am Untergang einer Regierung oder gar der ganzen Menschheit arbeiten.

Ein ganzes Zimmer scheint aus nichts anderem zu bestehen als aus gläsernen und metallenen Röhren, Kolben, Leitungen, ineinander verschlungen zu bizarrsten Formen. Und in diesen Röhren dampft es und zischt es, Flüssigkeiten und Gase steigen aufwärts und abwärts, die Zeiger von Meßinstrumenten zittern unter Einwirkungen, die nicht zu erkennen sind – kurz, dem Laien erscheint dieser Raum wie eine Hexenküche, und am unheimlichsten darin ist wohl der klaviergroße, stählerne, offenbar tonnenschwere, tresorartig aussehende Kasten, der in der Verborgenheit seines Innern die eigentliche Seele dieses Labors birgt: eine Kombination von Zählrohren zum Messen der Radioaktivität.

Es ist nämlich leider nicht so, daß man nur einen Geigerzähler an ein Stück altes Holz zu halten braucht, um an der Anzahl der Tick-Laute die erhalten gebliebene Radioaktivität und damit das Alter zu erkennen. Das ist einfach deshalb nicht möglich, weil die Strahlungsenergie von C^{14} zu schwach ist, und weil es außerdem in vielen Fällen so ist, daß noch andere radioaktive Substanzen ihren Einfluß geltend machen.

Das erste, was man zu tun hat, ist, aus dem zu prüfenden Material den reinen Kohlenstoff herauszupräparieren. Sonderbarerweise erreicht man das am einfachsten dadurch, daß man es verbrennt. Dabei sondert sich der Kohlenstoff gasförmig ab, den man leicht wieder zu fester Form reduzieren kann.

Bei dieser Mitteilung Libbys stockte den Altertumsforschern das Herz! Wie – die ganze Messung war nur möglich, wenn man die Proben zerstörte? Dieser Gedanke flößte Entsetzen ein, denn gerade Ende der vierziger Jahre hatte man ja die Schriftrollen am Toten Meer entdeckt, die unbekannte Bibeltexte enthielten und deren Datierung so ungefähr das Wichtigste für Theologie und Kirchengeschichte darstellte, was sich denken ließ. Nun winkte hier die Möglichkeit einer genauen Datierung – aber war es nicht völlig undenkbar, daß man auch nur eine einzige dieser Rollen, deren Kostbarkeit außerhalb jeder materiellen Schätzung lag, zerstörte?

Nun – hier liegt wirklich ein Problem vor. Libby rechnete sofort aus, welche Menge eines Stoffes er brauchte. Um beim Holz zu bleiben: Wollte er wenigstens zwei Messungen durchführen (von Anfang an beharrte Libby der Kontrolle wegen auf mehreren Messungen), so brauchte er mindestens 20 Gramm Kohlenstoff – und dazu benötigte er ein Stück Holz von etwa 65 Gramm. Diese Menge ändert sich je nach dem Material. Um zum Beispiel Torf oder Leinen zu datieren, braucht man etwa 200 Gramm, bei Knochen noch mehr.

Eine Tatsache, die bei sehr vielen Materialien nicht ins Gewicht fällt, weil einfach so viel davon vorhanden ist, daß die Zerstörung von ein paar Gramm nicht wichtig ist. Bald aber zeigten sich andere Fehler, die selbst Libby kurze Zeit in größte Unruhe versetzten. Die Ungenauigkeiten, die am Anfang seiner Versuche dadurch entstanden waren, daß man die Einwirkung von anderen Strahlen nicht unterbinden konnte, wurden beseitigt, weil man schnell lernte, geeignete Schutzmaßnahmen einzuführen. Dennoch kam es hin und wieder vor, daß einige Messungen offensichtlich total falsch waren. Nun, hier stellte es sich heraus, daß manchmal nicht Libby Schuld hatte, sondern die Archäologen, die ihm das Material lieferten.

Ein ganz einfacher Fall: Die Archäologen hatten die Reste eines Hauses ausgegraben, fanden dabei mehrere Balken, sägten ein Stück heraus und schickten es Libby zur Kontrolle – nur zur Kontrolle, denn aus anderen Anzeichen wußten sie bereits genau, wie alt das Haus war. Libbys Datierung zeigte ein um 200 Jahre höheres Alter an! In einem solchen Fall stellte sich bei nochmaliger Untersuchung der Grabungsstelle folgendes heraus: Das Haus war vor uralter Zeit einmal repariert worden, und zwar offenbar mit dem Abbruchholz eines Gebäudes, das schon zweihundert Jahre vorher errichtet worden war. Ausgerechnet nun dieses viel ältere Flick-Stück hatten die Archäologen Libby geschickt!

Ähnliche Probleme treten auf, wenn die Stratigraphie eines Fundortes nicht äußerst sorgfältig vorgenommen worden war und man Libby Stücke schickte, von denen man *glaubte*, sie gehörten zur ältesten Schicht, die aber in Wirklichkeit zu einer viel jüngeren gehörten.

Eine andere Fehlerquelle gibt es, für die weder Libby noch die Archäologen verantwortlich zu machen sind. Sie liegt im Material. So hat sich zum Beispiel herausgestellt, daß das Fleisch von gewissen Wassertieren weniger Spuren radioaktiver Substanz zeigt als die Schale. Oder daß gewisse Pflanzen nicht soviel C^{14} annehmen wie andere Pflanzen in anderer Umgebung. Das sind Fehlerquellen, die nur nach reicher Erfahrung ausgeschaltet werden können.

Ein höchst kurioses Messungsergebnis zeigte sich bei der Untersuchung von relativ jungen Bäumen längs der Autobahn. Nach der Radiocarbon-Datierung waren sie mehrere hundert Jahre alt – also ein offenbar unsinniges Resultat. Was war geschehen? Durch die Abgase unserer Fabriken und Autos, die ja von Jahr zu Jahr ein immer größeres Problem bilden, gerät eine Unmenge von Kohlenstoff in die Luft, die den normal vorhandenen Kohlenstoff sozusagen «verdünnt» und damit den Anteil an radioaktiver Substanz erheblich herabsetzt, also einen Zerfallsprozeß vortäuscht, der gar nicht stattgefunden hat.

Genauso ist auch das Gegenteil möglich. Seit 1954 zeigten sich in den Laboratorien Nordamerikas erheblich veränderte Meßergebnisse – alle Materialien schienen plötzlich um zehn Prozent oder noch mehr jünger zu sein als erwartet. Das Phänomen war für kurze Zeit völlig unerklärlich. Bis einer der Forscher darauf kam, den seit 1954 wiederholt vorgenommenen Tests mit der Wasserstoffbombe die Schuld zu geben. Er hatte recht: Nach jeder Explosion trieb eine stark radioaktive Wolke von Westen nach Osten über Amerika hinweg und beeinflußte die Apparaturen!

Man kennt heute noch weit mehr Fehlerquellen, aber sie werden nach und nach eliminiert. Doch ist es immerhin so, daß viele der ersten Messungen (bis zur Mitte der fünfziger Jahre) wiederholt werden müssen. Zum Beispiel hat sich auch die Ansicht über die oben erwähnte Halbwertszeit geändert. Man nimmt jetzt an, daß sie nicht 5568, sondern 5730 Jahre beträgt. Danach müssen alle alten Messungen, die vor 1961 vorgenommen wurden, rechnerisch noch einmal überprüft werden, weil sie um 3 Prozent zu niedrig liegen. Man rechnet heute mit so viel weiteren Verbesserungen in naher Zukunft, daß man, wann immer das möglich ist, Teile der Materialproben aufbewahrt, um die Messung in einigen Jahren wiederholen zu können. Wobei es hilft, daß man heute zur Messung nicht mehr soviel Material zerstören muß wie anfangs; zum Beispiel konnten inzwischen die Schriftrollen vom Toten Meer ohne allzu große Zerstörung geprüft werden.

Hinzu kommt, daß man, wie eingangs bemerkt, ja nicht nur die Radiocarbon-Datierung zur Verfügung hat, sondern eine ganze Reihe anderer Datierungsverfahren. Und jeder gewissenhafte Archäologe versucht heute, alle nur möglichen Messungen vorzunehmen, die sich gegenseitig bestätigen müssen, ehe man das Ergebnis akzeptiert.

Unter allen Verfahren aber ist die C^{14}-Methode dennoch die bedeutendste, was die Reichweite ins Altertum betrifft. Als Libby anfing, glaubte er, daß Stoffe, die älter als 25 000 Jahre waren, keiner Messung mehr zugänglich seien. Heute kann man bereits bis zu 70 000 Jahren messen, also bis etwa in die Zeit des Neandertalers.

Seit längerem werden alle gewonnenen Daten systematisch nach einem Lochkarten-System gesammelt von der Radiocarbon Dates Inc., c/o John Ramsden, P.O. Box 22, Braintree, Massachusetts, wo jeder Wissenschaftler sich Auskunft holen kann. Außerdem erscheint jährlich eine Liste der Daten unter dem Titel ‹*Radiocarbon*›, die aus der Zeitschrift *American Journal of Science* hervorging.

Willard F. Libby erhielt bereits 1960 den Nobelpreis für Chemie! Der einzige Wissenschaftler, der im Zusammenhang mit der Archäologie diesen Preis erhielt!

9. Der Endlose Baum

So bedeutend auch immer die Hilfe war, die die Radiocarbon-Datierung der Archäologie leistete, eines konnte sie nicht: das genaue *Jahr* fixieren. Tatsächlich aber gab es eine solche Methode schon lange vor der Radiocarbon-Datierung. Daß wir sie trotzdem später besprechen, hat seinen Grund darin, daß diese Methode lange Zeit nur in einem beschränkten geographischen Raum angewendet wurde, nämlich im Südwesten der Vereinigten Staaten, und daß sie ihre technische Perfektion erst in den letzten beiden Jahrzehnten, vor allem im Laboratory of Tree-Ring Research in Tucson, im Rahmen der University of Arizona gefunden hat.

Wie alle großen einfachen Gedanken ist auch der der *Baumring-Datierung* oder *Dendrochronologie* mehrfach vorausgedacht worden, ehe er die überragende praktische Bedeutung erlangte, die er heute hat; jedem Kolumbus fuhren Wikinger voraus. So ist es kaum verwunderlich, daß der Grundgedanke schon bei dem Manne auftaucht, der fast alles vorausgedacht hat: bei Leonardo da Vinci. In seinen Tagebüchern findet sich der Hinweis, daß man an Baumringen trockene und feuchte Jahre ablesen könne.

Eine Baumring-Analyse wurde auch von dem Autor des ‹Ninth Bridgewater Treatise›, von Charles Babbage, 1837 vorgeschlagen. Er spricht über eine Methode der Auswertung von Verschiedenheiten der Baumringe und sieht bereits die Möglichkeiten des *cross-datings* (wir werden gleich erklären, was das ist). Er schreibt: «... Die Anwendung dieser Ideen, das Alter versunkener Wälder oder von Torfmooren festzustellen, könnte möglicherweise sie letztlich mit der Chronologie des Menschen in Verbindung bringen.» Und Frederick E. Zeuner, der Historiker der Vergangenheitsdatierung, zögert nicht, festzustellen: «In der Tat ein bemerkenswerter Fall von Voraussicht in der Wissenschaft.»[1]

Aber der eigentliche Erfinder der Methode, eben der Mann, der sie aufs äußerste nutzbar machte für die Archäologie, war ein Amerikaner, der ursprünglich, Physiker und Astronom, als Direktor des Steward Observatory an der University of Arizona, mit etwas gänzlich anderem beschäftigt war: mit dem Einfluß der Sonnenflecken auf das irdische Wetter.

Schon um das Jahr 1913 hatte er seine Methode im Prinzip entwickelt, aber erst 1929 konnte er, rückblickend, einen Artikel mit folgenden stolzen Worten einleiten:

«Indem wir die von den Baumringen erzählte Geschichte in Daten übertragen, haben wir die Horizonte der Geschichtswissenschaft in den Vereinigten Staaten um nahezu acht Jahrhunderte vor Kolumbus' Ankunft an den Küsten der Neuen Welt zurückgeschoben, und wir haben in unserem Südwesten für diesen Zeitraum eine Chronologie aufgestellt, die genauer ist, als wenn Menschenhände die wichtigsten Ereignisse, während sie sich zutrugen, niedergeschrieben hätten.»[2]

Der Ausgangspunkt aller späteren Arbeiten dieses Dr. Andrew Ellicott Douglass, der bis zu seinem neunzigsten Lebensjahr im Labor arbeitete und erst in seinem fünfundneunzigsten Jahre 1962 starb, war seine Beobachtung, daß die Sonnenflecken offenbar Einfluß auf das Erdklima hatten. Grob gesagt: Alle elf Jahre, wenn Sonnenflecken aufgetreten waren, hatte es auf der Erde viel Sturm und Regen gegeben, hatte also viel Feuchtigkeit sich auf die Pflanzenwelt gesenkt. Doch standen, um diesen Zusammenhang für eine lange Periode zu beweisen, dem Dr. Douglass zuwenig meteorologische Daten aus der Vergangenheit zur Verfügung – regelmäßige Aufzeichnungen der Wetter-Stationen waren erst neueren Datums.

Es war eine Stunde glücklicher Eingebung, als er sich einer Beobachtung erinnerte, die er schon als Knabe gemacht hatte – die jeder von uns gemacht hat. Wenn man die Schnittfläche eines abgesägten Baumes betrachtet, sieht man Ringe, von denen man seit uralten Zeiten weiß, daß es Jahresringe sind. Was aber nicht bei flüchtigem Blick erkennbar ist, Dr. Douglass aber auf seinen entscheidenden Gedanken brachte, ist die Tatsache, daß die Ringe nicht gleich sind. Manche sind schmal, manche breit, oft folgen viele schmale wenigen breiten und umgekehrt, und auch die Farbe ist verschieden. Sollten etwa, dachte sich Douglass, die fetten Ringe die «fetten Jahre», die mageren Ringe die «mageren Jahre» darstellen – nämlich die feuchten und die trockenen?

Das nun war leicht zu beweisen. An einem frisch abgesägten Baum konnte er die äußeren Ringe schnell mit den Wetterberichten der letzten Jahre vergleichen – seine Vermutung stimmte. Dasselbe mußte sich bewahrheiten, wenn man bis zum innersten Kern des Baumes zurückging. Wenn er also einen dreihundert Jahre alten Baum vor sich hatte, mußte er exakt sagen können, was für Wetter während der drei Jahrhunderte in einer speziellen Gegend geherrscht hatte.

Tatsächlich fand er auf diese Weise in Arizona einen einwandfreien Zusammenhang zwischen den Sonnenflecken und dem Wachstum der Bäume – alle elf Jahre hatte es viel Feuchtigkeit, eine «fette Periode» gegeben. Seltsam

– mit einer Ausnahme. Zwischen 1650 und 1725 nach Chr. fand er nur Trokkenheit! Konnte das sein? Hatte es 75 Jahre lang keine Sonnenflecken gegeben? War vielleicht doch etwas falsch an seiner Beobachtung?

Da geschah etwas ganz Unglaubliches. Der englische Astronom E. Walter Maunder hatte von seinen Arbeiten gehört und schrieb ihm einen Brief. Seit Jahren mit dem Phänomen der Sonnenflecken beschäftigt, hatte er aus gänzlich anderen Quellen gefolgert, daß es um 1700 für eine längere Periode keine Sonnenflecken gegeben hatte, ja, er nannte die Daten, und es waren genau die fünfundsiebzig Jahre, die Douglass aus seinen Baumringen erschlossen hatte!

Es ist nicht genau ersichtlich, was Douglass jetzt veranlaßte, mit seiner Forschung immer weiter in die Vergangenheit zurückzugreifen. Vielleicht ärgerte ihn einfach die Barriere, die ihm seine Bäume in den Weg stellten. Denn in Arizona, wo er an Nadelbäumen arbeitete, kam er nicht weiter zurück als bis etwa auf das Jahr 1450 – denn er fand einfach keine Bäume, die älter waren.

Hier nun lag es nahe für einen Mann des Südwestens, der sich auskannte in diesem Land der vielen Ruinen, daß er sich sagte: Ich muß ein paar Scheiben von den alten Bäumen haben, die die ersten Spanier, gegen 1650, hier fällten, um ihre ersten Missionshäuser und Kirchen zu errichten. Die erste Hilfe leistete ihm schon 1914 Dr. Clark Wissler vom American Museum of Natural History in New York – er gab ihm sogar *noch* ältere Proben, nämlich von Balken des prähistorischen Pueblo Bonito in New Mexico. Aber das genügte Douglass nicht. Er hatte inzwischen entdeckt, daß er zu seinen Analysen gar nicht eine ganze Scheibe von einem Balken brauchte, sondern nur ein sogenanntes *core* – eine mit einem Hohlbohrer aus dem Balken herausgebohrte Probe, die ihm in Form einer Stange dasselbe erzählte wie eine Scheibe.

Er schrieb Archäologen überall im Südwesten an mit der Bitte, ihm solche Proben zu besorgen – Scheiben, Bohrproben, ja, er machte sich anheischig, selbst an halbverkohlten Resten noch einiges deuten zu können. Unter den Angeschriebenen waren auch Earl H. Morris, der in den Aztec-Ruinen arbeitete, und Neil Judd, der im Pueblo Bonito grub. Beide «Groß-Häuser» waren um etwa dieselbe Zeit entstanden, was aus der Ähnlichkeit aller gefundenen Materialien klar ersichtlich war – aber wirklich *genau* zur selben Zeit?

Beide Siedlungen waren vor-spanisch, das war auch klar, aber da es nirgendwo im alten Nordamerika je einen geschriebenen Kalender gegeben hatte, hatten weder Judd noch Morris die leiseste Idee, welchem Jahr der christlichen Zeitrechnung sie die Entstehung zuordnen sollten.

Da schrieb ihnen Dr. Douglass: «Ich dachte, es könnte für Sie von Interesse sein zu wissen, daß der letzte Balken im Dach der Aztec-Ruinen genau neun Jahre vor dem letzten Balken von Pueblo Bonito geschlagen worden ist. Die meisten der anderen Hölzer weisen auf gleichzeitige Besiedlung hin.»[3]

Er schrieb tatsächlich: «Ich dachte, es könnte für Sie von Interesse sein...»
Nun, in Wirklichkeit schlug diese Nachricht bei Judd und Morris wie eine
Bombe ein. Daß hier jemand an prähistorischen Balken einen Altersunter-
schied von nur neun Jahren mit absoluter Sicherheit zu erkennen vorgab, war
einfach unglaublich. Sollte es solchem Magier nicht möglich sein, nun auch
noch zu sagen, in welchem Jahrhundert oder gar in welchem Jahrzehnt diese
neun Jahre lagen?

Hier nun stand Douglass vor dem entscheidenden Problem der Dendro-
chronologie. Er löste es. Und es ist nur zu verwundern, daß er in den eigenen
Darstellungen seiner Methode so gar kein Wesen von dieser entscheidenden
Entdeckung macht, sie erscheint ihm selbstverständlich.

Kurz gesagt, handelt es sich darum, daß er die Möglichkeit des *cross-da-
ting* oder des *overlapping* entdeckte; bleiben wir beim letzteren, so können
wir vollkommen sinngemäß mit «Überlappen» übersetzen. Zum Beispiel:

Ein Baum, gefällt im Jahre 1960, hat, sagen wir, 200 Jahresringe. Das
heißt, daß der Baum im Jahre 1760 zu wachsen begann. Und die 200 Ringe sind
verschieden schmal und breit und zeigen genau die Klimaverhältnisse von
Jahr zu Jahr. Nun sucht sich der Baumring-Forscher zum Beispiel eine alte
Kirche mit demgemäß sehr alten Balken aus derselben Gegend. Solch ein Balken zeigt uns, sagen wir, 100 Ringe. Von beiden wird eine graphische Darstellung auf je einem langen Band gemacht. Diese Bänder werden untereinander gelegt und danach gegeneinander verschoben – nämlich so lange verschoben, bis sich, im günstigen Fall, die äußeren Ringe des Kirchenbalkens irgendwo mit den inneren Ringen des Baumes decken, der 1760 zu wachsen begonnen hatte. Diese Deckung nun, dieses «Überlappen», beträgt in unserem Falle, sagen wir, 50 Ringe, also 50 Jahre. Das bedeutet, daß der Kirchenbalken
mit 100 Jahresringen im Jahre 1810 geschlagen wurde und im Jahre 1710 zu
wachsen begonnen hatte. Schon haben wir erstens unseren Kirchenbalken datiert und darüber hinaus – und das ist hier das Wichtigste – einen fünfzig Jahre weiten Schritt zurück in die Vergangenheit getan.

Wir brauchen jetzt nur noch andere, noch ältere Balken zu finden, die sich
«überlappen» lassen, und die naß-trockene Chronologie läßt sich ad infini-
tum nach rückwärts verlängern – zu einem «endlosen Baum».

Wie weit zurück?

Nun, es klingt unglaublich, aber es mag hier vorweggenommen sein: Im
Südwesten der USA ist ein solcher endloser Baum konstruiert worden, der *bis
vor Christi Geburt* reicht!

Man sieht, daß die Dendrochronologie im Prinzip ganz einfach ist. In der
Praxis aber ist sie sehr kompliziert. Das wird augenscheinlich, wenn man ein

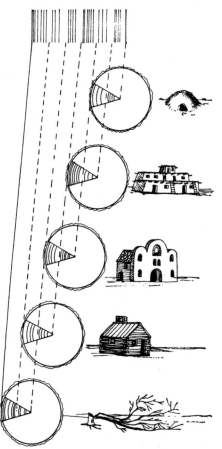

*Schema einer Baumring-Datierung
(Dendrochronologie).
Durch «Überlappen» der Holzproben,
ausgehend von einem kürzlich
gefällten Baum, ist es möglich, die
Entstehungszeiten des Blockhauses,
der spanischen Missionskirche,
des Pueblos, schließlich des
prähistorischen Pit-Hauses aufs Jahr
genau zu bestimmen.*

Baumring-Laboratorium besucht. Diese Laboratorien sind übrigens die wohl-
riechendsten der Welt. Haben wir das C^{14}-Laboratorium als wahre Hexenküche beschreiben müssen, so stellt sich das Baumring-Labor als eine Folge
von Studierzimmern dar, in denen auch Höhere Mathematik getrieben werden könnte – wenn nicht alle Zimmer von den wunderbaren Gerüchen der
Hölzer aus aller Welt – vom Sandelbaum bis zur harzigen Tanne – durch-
strömt wären. Ein Blick nun auf die zahlreichen graphischen Darstellungen,
Blicke auch durchs Mikroskop auf zum Teil sehr kleine Reste halbverkohlter
Holzproben zeigen sofort einige Schwierigkeiten. Kein Baum tut uns
nämlich den Gefallen, wirklich ganz genau so zu wachsen wie sein Nachbar.
Unzählige Einflüsse rufen Störungen im Wuchs der Ringe hervor, Verwach-
sungen entstehen, Überlagerungen, die oftmals so schwierig zu erkennen sind,
daß leicht Mißdeutungen erfolgen, wodurch selbstverständlich die *ganze* Ska-
la falsch wird und besonders eine Überlappung nur mit größten Schwierig-

keiten herzustellen ist. In der jahrzehntelangen Arbeit hat man zahlreiche Eigenarten des Baumwuchses entdeckt und die Auswertungsmethoden ständig verfeinert. Als Fay-Cooper Cole, der große Lehrer für Anthropologie an der University of Chicago, 1934 dort ebenfalls ein Baumring-Labor einrichtete, wurde bald eine neue Auswertungsmethode probiert, die sogenannte Gladwinsche. In der Tat überwand sie einige der Unzulänglichkeiten der Douglass-Methode, führte dafür aber neue Fehler ein. Doch zurück zu den zwanziger Jahren und den ersten großen Erfolgen.

Dr. Douglass hat seine Baumring-Datierung einmal mit dem Rosetta-Stein, dem Drei-Sprachen-Stein, verglichen, der den Schlüssel zur Entzifferung der ägyptischen Hieroglyphen bot. Heute kann man diesen Vergleich wagen; damals, als Douglass über den Holzresten aus dem Pueblo Bonito saß, noch nicht. Denn mit der Bonito-Chronologie hing er völlig «in der Luft». Aber nun erhielt er Hilfe; denn jedermann begann sich für diese neue Wissenschaft zu interessieren. Die National Geographic Society, der die Archäologie soviel verdankt, das American Museum of Natural History und die Carnegie Institution in Washington waren die ersten, die Unterstützung gaben und vor allem Geld zur Verfügung stellten. Es war klar, Dr. Douglass mußte Holzproben finden, die historisch zwischen der früh-spanischen Zeit und der – nennen wir sie hier einmal so – Bonito-Aztec-Zeit lagen. Nicht weniger als drei Expeditionen, nämlich die von 1923, 1928 und 1929 wurden ausgeschickt, um solche Proben zu finden.

Bevor das Jahr 1928 zu Ende ging, konnte Dr. Douglass eine ununterbrochene Ring-Sequenz bis zurück auf das Jahr 1300 nach Chr. vorlegen; ein Holzrest, nur ein einziger allerdings, wies gar zurück bis 1260. Daneben aber rekonstruierte er aus Hölzern von mehr als dreißig Ruinen eine «schwebende» Chronologie von nicht weniger als 585 Jahren. «Schwebend», das heißt hier, daß er diese 585 Jahre zwar in sich kontinuierlich beieinander hatte, daß er aber nicht wußte, an welcher Stelle er sie in unsere christliche Zeitrechnung einordnen sollte. Er wußte nur, daß sie irgendwo *vor* dem Jahre 1260 beginnen mußte. Diese Lücke zu schließen, war das Problem.

Es wurde 1929 gelöst!

Aber das gelang nicht ohne Schwierigkeiten, die von einer Seite kamen, von der man sie nicht erwartet hatte.

Douglass und seine Helfer, die mit ihren Bohrern in fast allen Pueblos erschienen, zogen sich das Mißtrauen der Indianer zu. Anfangs nutzten weder Überredungskünste etwas, noch der Versuch, sich anzubiedern, indem sie mit den Indianern zu leben versuchten, ihre Sprache zu lernen begannen, alle komplizierten Gebote indianischer Höflichkeit zu meistern trachteten. Aber

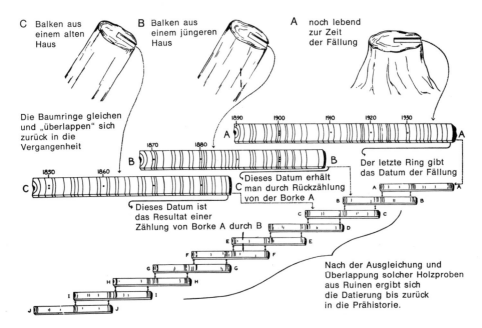

Ein Schema, das noch einmal die «Überlappung» in der Baumring-Datierung zeigt.

– Hand aufs Herz – wenn heute ein Mann anderer Hautfarbe und fremder Sitte in eins unserer Häuser treten würde mit dem Verlangen, er wolle zu wissenschaftlichen Zwecken, die uns ganz undurchschaubar sind, Löcher in unsere gepflegten Balken und Wände bohren, so würden wohl auch wir ihn für wahnwitzig halten und wahrscheinlich hinauswerfen.

Douglass war einmal gezwungen, weil man ihm das Bohren verbot, sieben Stunden lang, von 5 bis 12 Uhr, in einem verschütteten Keller, auf dem Bauche liegend, seine Ringe zu zählen.

Doch dann hatte ein findiger Mitarbeiter die Lösung. Durch Zufall fand er heraus, daß die dortigen Indianer nichts so sehr begehrten wie ausgerechnet lila Samt. Unverzüglich wurden ganze Ballen davon herbeigeschafft, und nachdem sich die Forscher außerdem noch verpflichtet hatten, jedes Bohrloch sofort mit einem Türkis zu verschließen, um die Geister abzuhalten, hinein- und herauszufahren – da konnte die Expedition bohren, soviel wie sie wollte.

Und die glücklichste Bohrung erfolgte im östlichen Arizona, in den Ruinen bei Showlow. Hier fand der damals noch junge Emil W. Haury ein Stück Baum, das die Südwest-Archäologie mit einem Schlag auf die historische Linie christlicher Chronologie brachte. Das Stück war nicht sehr attraktiv, es war halb verkohlt. Sie katalogisierten es unter der Nummer HH 39 – und als sie es analysiert hatten, wurde diese Nummer zur berühmtesten in der Geschichte der nordamerikanischen Baumring-Datierung. Um es kurz zu machen: Dieses Stück überlappte die vorhandene Baumring-Sequenz um nicht weniger als 23 Jahre und erlaubte die Datierung des Jahres 1237. Damit gelangen jetzt mühelos weitere Rückdatierungen bis – wir nehmen es schon voraus – auf das Jahr 700 nach Chr.!

Dabei stellte sich heraus, daß zwischen der «festen» Chronologie und der «schwebenden» gar kein Abstand, gar kein *gap* gewesen war. Von Beginn an hätten sie ein «Überlappen» feststellen können, wenn sie es nur erkannt und früh genug genügend Material gehabt hätten. Aber unendlich viel Material war bei den früheren Ausgrabungen verlorengegangen. Denn die Archäologen hatten den kleinen, oft unter den Händen zerbröckelnden Holzresten nicht die geringste Aufmerksamkeit geschenkt, sie hatten sie als unnütz weggeworfen. Hinzu kam, daß gerade dieser historische Abschnitt eine abnorme und damit schwer zu analysierende Baumring-Entwicklung zeigte. Wie man jetzt feststellen konnte, hatte es zwischen 1276 und 1299 nach Chr. eine ganz ungewöhnliche Dürre-Periode gegeben (diese generationslange Dürre gab später die Erklärung für die damals noch unverständlichen Anzeichen einer großen Völkerwanderung der Pueblo-Indianer). Wie dem auch sei, Dr. Douglass konnte im Dezember 1929 verkünden, daß er eine ununterbrochene Baumring-Datierung bis aufs Jahr 700 nach Chr. zurückgeführt hatte (einen «endlosen Baum» von 1229 Jahren!) und daß er außer dem Pueblo Bonito rund vierzig andere Pueblo-Ruinen einwandfrei datiert hatte!

Hier ein paar Datierungs-Beispiele:

Pueblo Bonito

Aztec

Mesa Verde

Mummy Cave (Tower House)

White House

Oraibi

Kawaikuh

Showlow

Diese Zahlen geben nun nicht etwa die Lebensdauer der Pueblos an, wie ja sofort klar wird, wenn man sieht, daß einige nur eine kurze Zeitspanne umfassen, sondern nur Daten, die man *innerhalb* der Lebensdauer der Pueblos damals einwandfrei feststellen konnte.

Wir müssen uns darüber klar sein, daß dies die genaueste archäologische Datierung ist, die, beim Fehlen jeder schriftlichen Dokumentation, jemals irgendwo auf der Welt geglückt war! Sollte auch sie Fehler bergen? Und warum beschränken wir uns in unserer Darstellung immer auf den amerikanischen Südwesten? War die Methode vielleicht anderswo ungeeignet?

Was die Fehlerquellen betrifft, so summierte sie vorzüglich Dr. Bryant Bannister, als er an seiner Dissertation über die Datierung der Chaco Canyon-Region arbeitete (wozu auch Pueblo Bonito gehört). Er publizierte sie 1965, als er bereits Direktor des Laboratory of Tree-Ring Research in Tucson, Arizona, geworden war. Diese Fehlerquellen sind genau die gleichen, mit denen auch die Radiocarbon-Datierer stets zu rechnen haben.

Genaugenommen aber sind das Probleme, mit denen sich mehr der Archäologe, der stets alle Umstände zu beachten hat, herumschlagen muß als der Datierer – etwa als man in einer Ruine nachweisen konnte, daß die verwendeten Baumstämme über die unglaubliche Distanz von 280 Kilometern von den Indianern herangeschleppt worden waren und sich natürlich wegen ganz anderen Ring-Wuchses anfangs überhaupt nicht in die Chronologie der Ruine einordnen ließen. Oder man kam folgendem ungewöhnlichen Fall auf die Spur, den Bannister so berichtet: «Douglass beurkundete einen Fall, bei dem ein Baumstamm aus dem 14. Jahrhundert wahrscheinlich immer wieder ununterbrochen benutzt wurde, bis er 1929 in einem erst kurz zuvor verlassenen Teil von Oraibi entdeckt wurde.»[4]

Diese Beispiele führen zu der letzten Frage, warum wir bisher ausschließlich vom Südwesten der USA berichteten. Ganz einfach, weil anfangs wirklich nur im Südwesten die Methode erprobt wurde, besser gesagt, weil nur im Südwesten die Bedingungen für die Dendrochronologie ideal waren.

Libbys Radiocarbon-Datierung war ein Geschenk Amerikas an die Archäologen in aller Welt – und wurde sofort akzeptiert.

Douglass' Dendrochronologie war anfangs nur von Nutzen für die Amerikaner. Jede Region muß ihre *eigene* Baumring-Sequenz aufmachen. So nutzte es Douglass zum Beispiel gar nichts, als er, was nahelag, nach Kalifornien ging, um ältere Bäume zu finden und die Redwood- und die gigantischen Sequoia-Bäume analysierte. Diese Bäume hatten extrem lange gelebt, bis zu 3000 Jahren, aber sie waren in einem völlig anderen Klima aufgewachsen als die Arizona-New Mexico-Bäume und konnten demnach nicht die geringste Überlappung mit ihnen aufweisen. Dr. Edmund Schulmann, übrigens ebenfalls von der University of Arizona, entdeckte in den fünfziger Jahren noch ältere Bäume: die *Bristlecone Pines* (Borstenkiefern) in Kalifornien, die bis zu 4500 Jahre alt sind – die ältesten Lebewesen der Welt. An ihnen sollte sich erweisen, daß sie eine vorzügliche Kontrolle der Radiocarbon-Datierung ermöglichten, die hier offensichtlich fehlerhaft arbeitete – an *toten* Hölzern gelang C. W. Ferguson an derselben Universität eine *einwandfreie* Rückdatierung bis zum Jahr 5200 vor Chr.[5]

Schließlich lehrte noch die Erfahrung, daß nicht alle Klimata und Bäume gleich günstig für eine Datierung sind. Es war einer der glücklichsten Zufälle, die sich denken lassen, daß Douglass seine Arbeit in Arizona begonnen hatte, denn ausgerechnet die arizonischen Nadelhölzer (*pine, fir, pinyon*) waren die geeignetsten.

Immerhin, bald eroberte sich die Methode dennoch weitere geographische Bezirke. J. Louis Giddings, der erst kürzlich verstorbene große alte Mann der Eskimo-Forschung, wandte Douglass' Methode in Alaska an – und trieb eine kontinuierliche Chronologie bis zurück aufs Jahr 978 nach Chr. Und 1967 berichtete Charles C. DiPeso, daß er bei einer äußerst komplizierten Schichtgrabung in den Las Casas Grandes-Ruinen in der mexikanischen Provinz Chihuahua eine vielhundertjährige Geschichte aufdeckte – durch eine Baumring-Datierung, die von 850 bis 1336 nach Chr. reichte, da die Stadt niedergebrannt wurde.

Bei dieser Las Casas Grandes-Grabung stieß man anfangs nur auf eine «schwebende» Chronologie von 486 Jahren, ehe es mit Computer-Hilfe gelang, «Anschluß» zu finden an einen «Endlosen Baum». Nun muß ausdrücklich hervorgehoben werden, daß auch die «schwebenden» Chronologien für den Archäologen schon von hohem Wert sind. Bryant Bannister bewies es bereits in der Türkei, andere in Skandinavien. Denn auch wenn kein Anschluß vorliegt an die christliche Zeitrechnung, so ist es doch äußerst aufschlußreich, wenn ein Ausgräber zum Beispiel die verschiedenen Schichten eines Ruinenfeldes *untereinander* exakt datieren kann, oder, ist die «schwebende» Chronologie lang genug, die *Lebensdauer* einer oder mehrerer Kulturschichten. Denn auch die sorgfältigste Stratigraphie gibt ihm ja nur die *Aufeinanderfolge* der Schichten an.

In Deutschland gelang es schon kurz nach dem Kriege dem Münchener Forstwissenschaftler Professor Bruno Huber, eine Datierungsreihe in der Nähe von Berchtesgaden bis auf das Jahr 1300 zurückzuführen. Und in Deutschland griff auch ein passionierter Außenseiter, der Oberstudienrat Ernst Hollstein aus Trier, um 1961 die Methode auf, zuerst als Hobby, dann mit wissenschaftlicher Unterstützung, bis schließlich seine Arbeit als so bahnbrechend erkannt wurde, daß ihn die Regierung 18 Monate vom Schuldienst befreite. Er untersuchte vor allem Eichenhölzer im Rheinland und datierte zum Beispiel den Westbau des Trierer Doms (1042–1074), das Langhaus des Doms zu Speyer (1045) und ein Chorgestühl des Kölner Doms (1308–1311).

So hat sich aus Tucson in Arizona, durch einen Mann, der sich anfangs für nichts als für Sonnenflecken interessierte, die «absolute» archäologische Datierung über die halbe Welt verbreitet.

Drittes Buch

Die Betatakin-Ruine bei Kayenta, Arizona.

10. Entlang der Straße...

Ohne Umschweife können wir nun die Entwicklung von den Korbflechtern bis zu den höchsten Formen des Pueblo-Lebens mit der christlichen Zeitrechnung koordinieren; was Kidder, der allein von der Stratigraphie abhängig war, auf der Pecos-Konferenz 1927 noch nicht konnte, da damals die Baumring-Datierung in ihren Anfängen steckte. So sieht diese Entwicklung tabellarisch aus:

		Pueblo V, Zeit bis heute
1600		
1540	Spanier erobern die Pueblos	
1500		Pueblo IV
1400		
1300		
1200	Die Zeit der «Hochhäuser»	Pueblo III (Die Große Zeit)
1100		
1000		Pueblo II
900		
800		Pueblo I
700		
600	Atlatl wird durch Pfeil und Bogen	Korbflechter III
500	ersetzt. Beginn der Keramik	
400		
300		Korbflechter II
200		
100		
Christi Geburt		Korbflechter I

Türkis-Intarsien. Schmuckstücke aus Hawikuh, New Mexico.

Natürlich ist das nur ein Schema. Es faßt die *Gemeinsamkeiten* zusammen, wobei im einzelnen große Unterschiede herrschen können – verschiedene Völker mit verschiedenen Sprachen, und in den Pueblo-Perioden die dem unbefangenen Beschauer so unähnlich anmutenden Höhlenhäuser (*Cliff Dwellings*), Tafelberg-Pueblos (*Mesa Pueblos*) und Flußtal-Pueblos (*Valley Pueblos*). Und die Übergänge sind fließend. Wir geben hier deshalb nur die groben Charakteristika.

Korbflechter (Basket Makers) I bis III. Die Korbflechter I tauchten um oder vor Christi Geburt in der Gegend der *Four Corners* auf. Ihre Existenz ist Hypothese – wir können nichts über sie sagen, als daß sie die Grundlagen für all das gelegt haben müssen, was die Korbflechter II bereits so deutlich auszeichnet. Dies sind nun Völker, von denen wir uns bereits ein ziemlich genaues Bild machen können. Sie lebten in Höhlen oder sehr primitiven Erdgruben-häusern (*pithouses*), waren Farmer, die bereits Mais und Kürbis pflanzten, waren langschädelig, hatten eine braun-rötliche Haut und starkes, dunkles Haar. Sie brachten es in der Korbflechterei zu einer Kunstfertigkeit, die einfach erstaunlich ist. Wohlgemerkt: Sie hatten noch keinerlei Töpferei, also mußten ihnen die Körbe zu jedem Zweck dienen, zum Transport, zur Aufbewahrung, ja selbst zum Kochen (heute lernt man nur noch als Pfadfinder, wie man das macht; der mit Harz verklebte und abgedichtete Korb kann natürlich nicht übers Feuer gestellt werden, also kehrt man die Kochprozedur um, indem man das Wasser von innen und nicht von außen erhitzt: Man wirft glühende Steine in das Körbchen). Aufbewahrungskörbe erreichten eine Größe bis zu 260 Zentimetern im Umfang und waren oftmals wundervoll rot und blau dekoriert.

Aber eine geradezu fanatische Flechtkunst offenbarte sich in ihrer Sandalen-Produktion. Hier entwickelten sie mit Flechtwerk und Lederriemen, Ornament und Federschmuck solche handwerkliche Phantasie, ständig neue Formen erfindend, daß es tatsächlich schwer ist, mehrere Paare zu finden, die völlig gleich sind. Erstaunlich bleibt, wie genau sich unterscheiden läßt, daß sie Sandalen für den täglichen Gebrauch und sozusagen «Sonntagssandalen» hatten, für festliche Gelegenheiten.

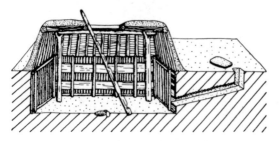

Rekonstruktion eines «Pithouse», eines Erdgrubenhauses aus der Gegend von Flagstaff, Arizona. Der Einstieg war zugleich Rauchabzug. Der Schacht zur Rechten diente der Ventilation und war verschließbar.

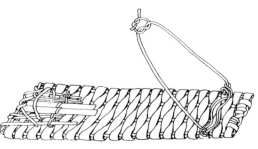

*300 vor Chr. oder noch früher wurde
diese Sandale getragen. Links wurden
die Zehen eingehakt; die Schnur
rechts wurde ums Gelenk geschlungen.
Aber die frühen Jäger und Sammler
erfanden unzählige Varianten.
Feiertags trugen sie weit kunstvollere
Sandalen als zur Arbeit.*

Sie entwickelten auch die erste Form der *cradle*, der auf dem Rücken getragenen Wiege, die man noch heute im Navajoland sehen kann (jeder weißen Frau bricht das Herz, wenn sie die eingeschnürten, zur völligen Bewegungslosigkeit verurteilten Säuglinge sieht; aber einige Untersuchungen haben gezeigt, daß die Kinder nicht darunter leiden, daß die Mütter jedoch davon profitieren; eine andere Sache wird es gewesen sein, als man eine Kopfschnürung einführte, wobei der Langschädel zum Flachschädel deformiert wurde).

Ihre Waffen waren Steinmesser, Holzkeulen, gegen kleines Getier auch Wurfhölzer (doch einen echten Bumerang entwickelten sie nicht). Ihre bedeutendste Waffe war der Atlatl, der Schleuderspeer, den sie jedoch von früheren Jägern übernommen hatten (eine genaue Beschreibung dieser ersten Wunderwaffe der Menschheit folgt, mit Bild, in Kapitel 21). Die Ausbreitung dieses Volkes ist nicht genau zu bestimmen, da ihre wichtigsten Erzeugnisse, eben die Korbflechtereien, sehr vergänglicher Natur waren. Immerhin läßt sich sagen, daß sie sich von den Four Corners entlang der heutigen Grenze Utah-Arizona weit nach Westen bis hinein nach Nevada ausbreiteten.

Die Korbflechter III nun setzten sich gegen ihre Ahnen deutlich durch jähe Erfindungsgabe ab (oder die Fähigkeit, fremde Einflüsse und Erfindungen schnell zu verarbeiten). Nach 450 nach Chr. gelingt die Einführung der Töpferei, etwas später wird das Atlatl durch Pfeil und Bogen ersetzt. Der Speisezettel wird reichhaltiger, die Bohne kommt hinzu. Für das Jahr 475 nach Chr. können wir das erste Haus, charakteristisch für diese Epoche, durch Baumringmessung datieren. Diese Pit-Häuser sind rund oder eiförmig, manchmal mit Steinplatten umlegt oder ausgelegt, liegen dreißig Zentimeter bis anderthalb Meter tief im Boden und haben einen Durchmesser von 2,70 bis 7,60 Meter. Oft sind die Wände schon sorgfältig verputzt.

Töpfe sehr verschiedener Form wurden nun zum erstenmal in größeren Mengen in den tieferen Schichten der Gräber und «Müllhaufen» gefunden. Gebrannte und ungebrannte mit deutlichen Entwicklungen in der Dekoration, so daß die stratigraphische Ordnung möglich wurde. Auch erste, kleine, immer weibliche Tonfigurinen fanden sich.

Ziemlich genau um 700 nach Chr., also 100 Jahre bevor in Europa Karl der Große Kaiser wurde, 300 Jahre bevor die ersten Wikinger in Amerika landeten, wurden aus den Pit-Haus-Bewohnern «Städte»bauer; es begann die Kultur der Pueblos.

Nochmalige Klarstellung, wie sie uns in den Formulierungen der Pecos-Konferenz gegeben ist:

Korbflechter II stellte dar «eine Stufe mit Feldbau und Speerschleuder, aber ohne Töpferei». Korbflechter III «eine Stufe, auf der Grubenhäuser oder Wohnbauten aus Steinplatten errichtet und Keramik hergestellt wurde. Die Keramik ist im allgemeinen charakterisiert durch grobe Linien, einfache Muster, viele Flechtmuster und einige unbeholfene naturalistische Motive sowie einen im allgemeinen relativ groben Ton und kugelige Gefäßformen.» Gegen Ende der Periode wird Pfeil und Bogen eingeführt (manche Forscher weisen diese Tat erst der nächsten Periode zu).

Dieselbe Klassifikation sagt nun über *Pueblo I*: «Die erste Stufe, auf der Kopfdeformation vorgenommen, die wellenförmige Verzierung des Tongefäßhalses eingeführt und (in einigen Gegenden) Dörfer mit rechteckigen Räumen in echter Steinbauweise entwickelt wurden.»[1]

Diese Grundlagen der Pueblo-Kultur wurden also im Pueblo I, das heißt von 700 bis 900 nach Chr. entwickelt. Die Bevölkerung breitet sich diesmal in südöstlicher Richtung aus, ins heutige New Mexico, nach Westen vielleicht bis an den Grand Canyon.

In der *Pueblo II-Periode* wurden nun die eigentlichen Pueblos, die Häusergruppen, immer weiter ausgebaut. Das bedeutete eine enorme Verdichtung der Bevölkerung, eine Konzentration der Familien zu Familien-Gruppen, zu den ersten *Gesellschaften* mit einer hierarchischen, also von den Priestern bestimmten Ordnung, deren Zentren jetzt die Kivas wurden, die, wie einst die Pit-Häuser, weiterhin stets halb oder ganz unter der Erde angelegt waren, wie um das Fluidum des Geheimen, Verborgenen zu bewahren. Warum plötzlich die Sitte der Kopf-Deformierung mit den *«rigid cradle boards»*, den starren, flachen Wiegenbrettern, auftauchte, ist völlig ungeklärt.

Durch das Auftauchen einer Schwarz-auf-Weiß dekorierten Keramik können wir den Beginn von Pueblo II ziemlich genau auf 900 nach Chr. festlegen. Dann tauchen auch die ersten Tonkrüge mit wirklichen Henkeln auf (solche Kleinigkeiten sind in der Entwicklung durchaus von Bedeutung; sie erleichtern schlagartig viele Lebenspraktiken wie etwa die Erfindung des Streichholzes die Lebenspraxis des 19. Jahrhunderts erleichtert hat). Die Verbreitung der verschiedenen Keramik-Typen läßt auf ständige Kommunika-

tion zwischen den Pueblos schließen, selbst dann
noch, als sich starke Gruppen weiter nach Süden
oder zum Osten hin bis zum Pecos-Fluß entfernten.
Das Ende der Pueblo II-Periode können wir wiederum durch zahlreiche Baumring-Datierungen
und die entsprechenden Keramik-Formen ziemlich
genau datieren – um 1100 nach Chr. Daß sich diese
Entwicklungen, zwar nicht aufs Jahr genau, aber
doch an runde christliche Jahrhundert-Zahlen halten, ist ein merkwürdiger Zufall.

Es folgen die rund zweihundert Jahre, die wir
schematisch *Pueblo III* nennen, emphatischer die
«Große Pueblo-Zeit» oder gar *Die Goldene.* Hier
entstanden jene mehrstöckigen Wabenbauten nun
schon für Hunderte von Familien, jene verschach-
telten Wohnkomplexe, die von ferne an jenen mo-
dernsten Apartment-Bau erinnern, der die Weltausstellung von Montreal zierte, das Habitat. Es
gibt allerdings sehr unsichere Anzeichen, daß bis zu
sechs, vielleicht sogar bis zu *sieben* Stockwerken getürmt wurde. Die weißen Amerikaner erbauten das
erste *sieben*stöckige Wohnhaus erst 1869 in New
York – was als gewagtes Experiment weltweit be-
staunt wurde.

Alle handwerklichen Künste verfeinerten sich,
zum Flechtwerk gesellten sich die ersten polychro-
men, also vielfarbigen Keramiken in kunstvollen
Formen, wobei die Keramik der Mimbres-Kultur
wohl die erstaunlichste ist: sie geht freizügig über
geometrische Dekorationen hinaus, Insekten, Fische
und Vögel erscheinen da plötzlich, in ihren Charakteristika phantastisch gesteigert zu Fabelwesen,
während zum Beispiel ein Grashüpfer bis ins sub-
tilste Detail durchgezeichnet ist. Alles in allem eine
Keramik «in vielen Fällen *die beste Keramik, die
während irgendeiner Periode hergestellt wurde,* mit
einer im allgemeinen deutlichen Abnahme in der
Bedeutung der wellenverzierten Ware.»[2]

Die Anzahl der wunderbaren Keramikfunde,
die, heute jedermann zugänglich, in allen großen

Vogel, Fisch, Hund,
Bär und Reh.
Schwarz-Weiß-Dekorationen
der Mimbres, New Mexico,
in ihren Tonschalen.

amerikanischen Museen besichtigt werden können, geht in die Millionen;
was sich außerdem in Privatsammlungen befindet, kann gar nicht geschätzt
werden. Natürlich fluktuierten diese Kunstfertigkeiten, zweifellos wurde
Tauschhandel getrieben, nicht alle Pueblos entstanden zur gleichen Zeit, so
daß ein aufstrebendes Pueblo vielleicht gerade noch Kunstfertigkeiten übernahm und weiterentwickelte, die im Herkunftsort bereits durch raffiniertere
Varianten abgelöst wurden. Auch ist es nicht so, daß bestimmte Gebräuche,
die sehr alt waren, einfach starben; bevor man das recht übersah, war es für die
Archäologen eine Überraschung, als sie entdecken mußten, daß zur Zeit, da
das riesige Pueblo Bonito in voller Blüte stand, im selben Areal auch noch
Pit-Häuser gebaut wurden.

In dieser Gesellschaft konnte die Spezialisierung nicht ausbleiben. Es
scheint ziemlich ausgeschlossen, daß Produkte wie zum Beispiel folgende je-
dermanns Fähigkeiten entsprangen: kunstvolle Einlegearbeiten mit Türki-
sen, kleine Kupferglocken, Steinschnitzereien in Form von Tieren oder Vö-
geln oder die Halskette aus fünftausendsiebenhundert *Muschelplättchen*, jedes einzelne mit dem Hartholzbohrer durchlöchert. Leider wissen wir sehr
wenig über die Kleidung – bis auf geringe Reste, die immerhin zeigen, wie
kunstvoll gewebt wurde, ist alles der Zeit zum Opfer gefallen.

Der Tourist, der heute in Arizona und New Mexico von Ruine zu Ruine
zieht, wandelt zwischen den gespenstischen Schatten des *12. und 13. Jahrhunderts*, jener Zeit, da in der Alten Welt die Kreuzzüge tobten. Gegen Ende
des 13. Jahrhunderts kam die Große Dürre. Um 1300 war die «Goldene
Zeit» vorbei, die «Städte» wurden verlassen, verfielen. Im Rio Grande-Tal,
am Pecos, im Westen in den Hopi- und Zuñi-Regionen überlebte die Kultur
noch für einige Zeit. Das führt uns zu *Pueblo IV,* jener Zeit, die wir heute enden lassen mit dem Tage, da Coronado 1540 die ersten Pueblos, die sogenannten «Sieben Städte von Cibola» eroberte, jener Zeit, da Soldateska alles
zerstörte auf der Fahndung nach Schätzen, die die Pueblos nie besaßen, und
da Missionare begannen, die differenzierte Religion der Pueblo-Menschen mit
christlichen Phrasen zu diffamieren. *Pueblo V* nennen wir die Zeit seit 1600
bis heute, da trotz der Spanier und trotz der später einströmenden Pioniere,
denen die Bodenspekulanten folgten, doch noch zahlreiche Pueblos überleben.

Am 25. August 1916 wurde der National Park Service gegründet. Vorausge-
gangen war der Antiquities Act, von 1906, der bereits das Eingreifen der Regierung gestattete, wenn es galt, alte Monumente aus Amerikas Vergangenheit vor Verfall oder Zerstörung zu bewahren (noch heute werden mit der Begründung wirtschaftlicher Notwendigkeit von mächtigen Interessengruppen
ständig Versuche unternommen, in Gebiete vorzudringen, wo etwa die Er-

richtung von Dämmen zur Elektrizitätsgewinnung nicht nur der Landschaft irreparablen Schaden zufügen, sondern die Rechte der Indianer weiter beschneiden, die alten Kulturbauten unwiederbringlich zerstören würde; die Projekte der letzten Jahre, den Grand Canyon und Glen Canyon aufzustauen, führten jedoch zu den heftigsten Protesten des amerikanischen Volkes).

In dem Gesetz über den National Park Service wurde in gespreizter Beamtensprache gefordert, «die Benutzung jener Gebiete der Föderation, die als Nationalparks, -monumente und Reservationen bekannt und hierin einzeln genannt sind, durch solche Mittel und Maßnahmen zu fördern und zu regulieren, die mit den grundsätzlichen Zwecken der genannten Parks, Monumente und Reservationen übereinstimmen, den Zwecken, die da sind: Die Landschaft und die natürlichen und geschichtlichen Objekte sowie das Tierleben darin zu erhalten und Vorsorge solcher Art und durch solche Mittel zu treffen, daß man dieselben genießen kann, und sie unbeschädigt bleiben zur Erbauung späterer Generationen.»

Uns interessiert hier der archäologische Aspekt. Und auf diesem Gebiet hat der Park Service (der, wie auch das Bureau of Indian Affairs, direkt dem Innenministerium, dem Department of Interior, untersteht) Außerordentliches geleistet. Im Augenblick, da eine historische und prähistorische Stätte zum National Monument erklärt wird, unterliegt sie nicht nur dem besonderen Schutz der Regierung, sondern der Park Service kümmert sich um die Erhaltung der Ruinen und gleichzeitig um ihre Erschließung, um ihre Bewachung und um sachkundige Führer, und mit seiner Unterstützung sind all die Liliput-Museen eingerichtet, die jetzt entlang der Straßen stehen.

Diese Liliput-Museen mit ihren freundlichen Rangers (die heute meist angehende Archäologen sind, nicht hüpfende ägyptische Dragomane, die einem mit der einen Hand an den Kleidern zerren, mit der andern so lange Bakschisch heischen, bis man sich verzweifelt unterwirft) bergen oft zauberhafte kleine Ausstellungen, Fundstücke von Ort und Stelle, so daß der Beschauer den Überblick behält und die direkte Beziehung sieht zwischen dem Steinwerkzeug, der Pfeilspitze, dem Schmuckstück, dem Schädel mit der Ruine vor der Tür. Hier wird Literatur geliefert, die von Fachleuten speziell über diesen Fundort geschrieben wurde, verständlich, wohl illustriert, zu geringem Preis.[3]

In den meist angegliederten kleinen Verkaufskiosken kann man Farbdias erwerben (bessere als man selber aufzunehmen imstande ist – obwohl ich an einigen Plätzen ausdrücklich die Punkte markiert fand, von denen aus zu bestimmter Tageszeit das beste Foto zu schießen sei), und oft sorgfältige Repliken von den dort gefundenen Originalen, nur wenig von dem Schund, der in den Touristenläden angeboten wird.

Dazu kommt der Mut zum Diorama, dem «lebendigen Schaukasten», den so wenige europäische Museen zeigen aus Furcht vor – vielleicht verfälschender – Rekonstruktion. En miniature, in figürlichen Darstellungen, die in der Regel auch ästhetisch befriedigen, sieht der Laie hier oft zum erstenmal die abstrakte Mitteilung der Literatur, oft schwer verständlich, übertragen in lebendiges «Theater der Vorzeit», das für den Menschen dieser Zeit sein «Welttheater» war. Er sieht das rege Pueblo-Leben der frühen «roten» Menschen, das Jägerdasein im Kampf mit dem Bison, der hier sichtbarlich die Klippen hinabgestürzt und gespeert wird. Verkleinerungen jener gewaltigen Schaukästen, die die großen Museen, vor allem das Museum of Natural History in New York zeigen. Es ist kein Wunder, daß die amerikanischen Museen von Scharen von Kindern und Jugendlichen frequentiert werden, wie das die europäischen Museumsleute, in ihre oft gähnend leeren Räume blickend, nur zu träumen wagen.

Auch gibt der Park Service höchst instruktive Demonstrationen. Nicht weit von Kayenta im Norden Arizonas, innerhalb des Navajo National Monument, liegen drei große Ruinen: Betatakin, Keet Seel und das sogenannte Inschriften-Haus (*Inscription House*), (Spanier haben dort 1661 eine leider nicht mehr lesbare Inschrift hinterlassen). Betatakin ist eins der eindrucksvollsten Cliff Dwellings des Südwestens. Tief im Cañon, in eine ungeheure Höhlenmuschel hineingebaut, in ein rotes Sandstein-Kliff von gewaltiger Höhe, alle Farben des Gesteins vom ewig rinnenden Wasser bloßgelegt, lebte hier zwischen 1242 bis zur Dürre-Zeit um 1300 ein Pueblo-Volk in seinen mehrstöckigen Häusern und Türmen. 150 Räume kann man zählen, davon 6 Kivas, 13 offene Patios. Betatakin, was «Haus an der Bergseite» heißt, wurde 1909 von Byron Cummings und John Wetherill wiederentdeckt, 1917 von Neil M. Judd vorsichtig restauriert.

Zwischen Douglas-Föhren, Pinyons und Wacholder dauert der Abstieg in den Cañon, bis hin zu den Ruinen, knapp anderthalb Stunden. Doch ein

Zwischen 1100 und 1200 nach Chr. wurde von den Anasazi dieser Krug geformt, 15 cm hoch, schwarz und weiß dekoriert, schön und zweckmäßig.

kürzerer Weg führt zu einem Punkte, von dem man quer über die Schlucht hinweg den grandiosen Blick auf die ganze Höhlenmuschel genießen kann, deren Bauten, verweilt man lange genug, im wechselnden Licht der wandernden Sonne seltsame Lebendigkeit vortäuschen.

Entlang dieses Weges nun hat der Park Service die wichtigsten Pflanzen angesiedelt, die den Indianern einst das Leben erleichterten oder gar erst ermöglichten; damit wird augenfällig, was jedem Besucher sich immer wieder als Frage aufdrängt: Wie weit verstanden diese «Anasazi», was einfach «Die Alten» heißt, die Natur zu nutzen? Hier ein paar Beispiele:

Big Sagebrush (Artimesia tridentata), sehr strenger Geruch, wird von den Hopis gekaut. Kindhoher, dicker, grau-grüner Busch mit winzigen Blättern, die, gekocht, gegen Rheumatismus und Erkältung helfen.

Cliffrose (Cowania stamburiana), mannshoher, grau-grüner Busch. Absud gebraucht zum Wundenwaschen. Heute auch Nahrung für Rind und Schaf.

Oneseed Juniper (Mexican Cedar-Juniperus monosperma), Feuer- und Bauholz. Eßbare Beeren. Borke und Beeren liefern grüne Farbe für Webstücke.

Narrowleaf Yucca (Yucca angustissima), *wichtigste Nutzpflanze des prähistorischen Indianers.* Kniehoch, lange, lanzenförmige Blätter, gebraucht für Sandalen und Körbe; gespalten ergaben sie Fasern für vielerlei Zwecke; ihre Spitzen wurden als Nadeln verwendet. Frucht ist eßbar. Die Wurzeln lieferten Seife (noch heute von Hopis und Navajos gebraucht).

Pinyon (Pinus edulis), Baum. Sehr nahrhafte, lange haltbare Nüsse. Harz zur Dichtung von Körben. Liefert schwarze Farbe für wollene Kleidung.

Buffaloberry (Sepherdia rotundifolia), silberschimmernder großer Strauch. Eßbare Beeren. Navajos machen aus gekochten Beeren eine Salbe für Schafe, deren Augen durch Sandsturm gereizt sind.

Pricklypear Cactus (Opuntia erinacea), kleiner, scheibenartiger Kaktus. Frucht wird zu Gelee eingekocht, oder, nach Entfernung der langen Stacheln, sonnengetrocknet gegessen; lange haltbar.

Es gibt heute Dutzende von Möglichkeiten, sich die Ruinenwelt von Arizona, New Mexico und den Four Corners zu erobern. Unser Buch ist kein Reiseführer. So wollen wir nur ein paar der Stätten kurz erwähnen, uns dann jedoch eingehend einer der bedeutendsten Ruinen widmen, Mesa Verde, weil hier die Entdeckungsgeschichte, die ja das eigentliche Thema unseres Buches ist, so ungewöhnlich ist.

Tucson im südlichsten Arizona, unbedeutend vor einer Generation, heute pulsierendes Geschäftszentrum, birgt die schon 1891 gegründete University

of Arizona mit dem Arizona State Museum, dessen anthropologisch-archäo-
logischer Abteilung in den letzten drei Jahrzehnten Emil W. Haury, der
große Lehrer und Forscher, Leiter einer «Feld-Schule» für praktische Archäologie, der Ausgräber der Ventana-Höhle, seinen Stempel aufdrückte.
Dazu gehört das Radio Carbon Laboratory und das Laboratory of Tree-Ring
Research, in dem der Gründer und Erfinder der Baumring-Datierung, Dr.
Douglass arbeitete.

Die Sammlungen des Museums sind so wohlgeordnet, daß ihre Besichtigung wohl die beste Vorbereitung für den Weg nach Norden ist.

Auf der Straße nach Phoenix, genau 111 km nördlich von Tucson, trifft
man auf die erste Ruine, auf *Casa Grande*, ein einst vierstöckiges, lehmig-gel-
bes, klotzartiges Gebäude, Mittelpunkt einer Siedlung, die vor 600 Jahren

Der prähistorische «Südwesten», mit seinen Pueblos und
Cliff Dwellings (Höhlenstädten). Die noch bewohnten Pueblos zwischen
Albuquerque und Taos sind (außer Taos) hier nicht eingezeichnet; über sie kann
sich der Tourist leicht jede Information beschaffen.

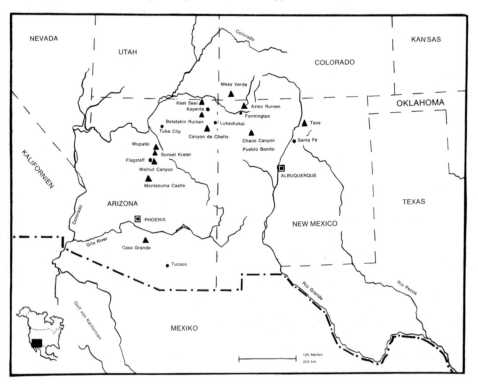

floriete. Der Weg dorthin, dann über Phoenix hinaus bis Flagstaff, führt auf heute vorzüglichen Straßen durch zwei der typischen, schönsten Arizona-Landschaften: durch die Wüste erst, in der sich wie mehrarmige Kandelaber nur die großen Sajuaro-Kakteen erheben (es heißt, daß es siebzig Jahre braucht, bis ihnen ein Arm wächst), und dann hinauf in das Land der phantastischen, rot und gelb glühenden Felsfiguren. Noch vor Flagstaff liegt *Montezuma Castle*, eine der am besten erhaltenen Höhlenstädte (Cliff-Dwellings). Es hängt, unwirklich anzusehen, auf halber Höhe in einer riesigen Felsenhöhle: ein paar tote Fensteraugen starren herab, nur durch Leitern ist es zu erreichen. Die freundliche Aufsicht hat ein Schild angebracht: Wer *das Glück* habe, eine Klapperschlange zu sehen, möge es der Aufsicht melden!

Um 1450 war es bereits verlassen. Natürlich hat auch dieses *Montezuma Castle* nichts mit dem letzten Azteken-Kaiser zu tun, der, von Cortés besiegt, 1520 von seinem Volk gesteinigt wurde. Genausowenig wie die nahe gelegene *Montezuma Well*, ein kreisrunder See, wie durch einen Meteoreinschlag entstanden, ein aus der Tiefe heraufschimmerndes, unheimliches Gewässer, das uns wie ein Auge des Erdinnern anblickt (auch hier bauten die Indianer schwer zugängliche Höhlenwohnungen in die Seitenwände).

Das Museum of Northern Arizona in Flagstaff, seit vielen Jahren von Edward B. Danson ausgebaut, ist ein Zentrum für vielerlei anthropologische, archäologische, geologische, ethnologische und biologische Forschung, Gründung eines eigenartigen Mäzens und Wissenschaftlers: Harold S. Coltons. Und bei ihm müssen wir einen Augenblick verweilen. Colton, ein Bankierssohn aus Philadelphia, 1881 geboren, hatte zuerst Zoologie und Chemie studiert und wurde Professor an der University of Pennsylvania. 1912 kam er zum erstenmal nach Flagstaff, das damals 2000 Einwohner hatte, 1916 machte er die ersten archäologischen Expeditionen (noch mit Pferd und Maultier). 1926 siedelte er sich in Flagstaff an und gründete nicht nur das Museum, dessen Direktor er 32 Jahre lang war, sondern entwarf auch die detailliertesten Baupläne, baute aus grau-braunem Basalt in einem Stil, der in Flagstaff (und auch nur in Flagstaff) Schule machte. Dieser große, hagere, adlernasige Gentleman mit gepflegtem Spitzbart, den ich traf, als er vierundachtzig

Coltons Schätzung der Pueblo-Bevölkerung von Nord-Arizona	
600 nach Chr.	3 000
800	10 000
1000	23 000
1150	19 000
1400	7 400
1890	2 000
1950	4 000

Die sprunghafte Steigerung der Bevölkerung (nach dem tiefsten Stand überhaupt) zwischen 1890 und 1950 betrifft nicht nur die Arizona-Indianer, sondern alle Indianer der USA, die, entgegen weitverbreiteter Meinung, keineswegs aussterben, sondern sich vermehren.

Jahre alt war, von geistiger Frische und Rüstigkeit ohnegleichen, fuhr mich
einen Nachmittag lang über hundert Meilen weit zu «seinen» Ruinen.

Er hatte bis dahin 156 prähistorische Stätten lokalisiert, über 200 Arbeiten
über die verschiedensten Themen veröffentlicht, die Klassifizierung von 400
Typen der Keramik des Südwestens versucht; seine akademischen Qualifika-
tionen und Ehrungen sind so zahlreich, daß ‹Who's Who› zwanzig Zeilen
braucht, in Abkürzungen, um sie aufzuzählen – er ist eine fast schon mythische Figur in der Archäologie Arizonas und wird es bleiben.

Eines seiner lesbarsten und informativsten Bücher über die Prähistorie Nord-
Arizonas heißt ‹*Black Sand*›. Es beschäftigt sich hauptsächlich mit den Auswirkungen einer Katastrophe, die 1064/65 nach Chr. nordöstlich von Flagstaff stattgefunden hat: Ein Vulkan öffnete sich, der Sunset Crater (Sonnen-
untergangskrater), und spie schwarze Asche über ein Gebiet von 800 Quadratmeilen, alles Leben erstickend. Man könnte auf ein amerikanisches Pompeji hoffen, aber das Volk der Sinaguas, das hier lebte, wohnte in armseligen
Pit-Häusern, keine «Paläste» also liegen unter dem Schwarzen Sand. Aber
was nach der Katastrophe wie der «Schwarze Tod» aussah, erwies sich als
Keim neuen Lebens. Das schwarze Land war fruchtbarer denn je zuvor, die
Indianer, die rechtzeitig geflüchtet waren, eilten zurück. Doch die Kunde
vom fruchtbaren Zauber verbreitete sich, und es setzte ein ganz einmaliger
«Run» auf die Schwarze Erde ein – vom Süden vor allem strömten Familien
herbei, und, was das wichtigste war, mit ihnen kamen neue Ideen, neue Lebenspraktiken, neue, überlegene Kultur. Und Volk und Land veränderten
sich, die Pithaus-Bewohner lebten in der zweiten Generation nach der Erup-
tion bereits in Drei-Zimmer-Häusern!

Wenn heute der Hopi-Indianer zu dem Krater emporblickt, weiß er, daß
einige der zweihundertfünfzig Kachinas, der helfenden und strafenden Geister, auf ihn herabblicken, denn dort leben sie. Dort lebt auch in einer Lava-
spalte Yaponcha, der mächtige Windgott. War er es, der anderthalb Jahrhunderte nach der «glücklichen» Katastrophe langsam, aber stetig die fruchtbare
Erde wieder davonblies, so daß in der ersten Hälfte des 13. Jahrhunderts der
Mais immer spärlicher wuchs, daß die Felder verdorrten, daß die Menschen
wiederum auswandern mußten?[4]

Neunundzwanzig Kilometer nördlich vom Sunset Crater liegen die vierstöcki-
gen Wupatki-Ruinen, 34 Kilometer südlich die des Walnuß-Cañons.

In Wupatki lebten ebenfalls Sinaguas (spanisch *sin* = ohne; *agua* = Wasser), ein Wort, von Colton geprägt, das die schwierigen Verhältnisse erhellt.
Innerhalb des Wupatki National Monument (im weitesten Sinn) liegen *acht-*

hundert Ruinen. Das eigentliche Wupatki war bevölkert von 1120 bis 1210 nach Chr., neunzig Jahre wie das so schrecklich und herrlich beschriebene Ninive der Bibel. Doch auf Wupatki standen Wohnhäuser und keine Paläste, statt der Tempel Kivas, und es wurde nicht geschleift, sondern verlassen. Aber es zeigt noch heute zwei Bauten, die ungewöhnlich und bedeutend für den Südwesten sind.

Als 1933 die ersten Ausgrabungen des Museum of Northern Arizona begannen, stießen die Archäologen auf ein kreisrundes Gemäuer mit einer Stufe, wahrscheinlich einer Sitzreihe, die sich rundherum zog. Natürlich schien das ein Kiva zu sein. Aber: Die sonst in jedem Kiva vorhandenen Ausbauten für die Zeremonien fehlten völlig, und es war kein Anzeichen dafür gegeben, daß dieses Rund je überdacht gewesen wäre. Ein Kiva, ein «geheimer» Zeremonienraum, offen allen Blicken, unter glutheißer Sonne? Die Archäologen konnten bis heute die genaue Funktion dieses Bauwerks nicht bestimmen, es ist das einzige Beispiel seiner Art; so nennt man es in Ermangelung besserer Bezeichnung «Amphitheater».

Das zweite Bauwerk ist ein Ballspiel-Platz!

Er ist nicht der einzige seiner Art, aber wohl der nördlichste, und er zeigt, wie weit Geist und Gut, Tanz und Spiel, von Süden her infiltrierten. Denn diese *Ball Courts* sind mexikanisch. Die spanischen Soldaten sahen sie als erste, und sie konnten auch als erste die merkwürdigen elastischen Bälle in die Hand nehmen, mit denen die Indianer dort spielten – die ersten *Gummibälle*, die ein Weißer sah, und von denen man auch tatsächlich noch zwei in Arizona gefunden hat.

Wir kommen aus der Welt der Ruinen, dann der noch bewohnten Pueblos nicht mehr heraus, wenn wir nach einem Abstecher in die Sinagua Cliff Dwellings des Walnuß-Cañons noch einmal nach Norden fahren, vom Highway 89 bei Tuba City nach Osten abbiegen ins Hopi-Land und als er-

Beispiel einer mehrfarbigen Keramik aus der Gegend um Kayenta, Arizona.

Dekoration auf Tonwaren aus dem Chaco Canyon, New Mexico.

stes auf Oraibi treffen, die *älteste noch heute bewohnte Stadt* der Vereinigten
Staaten, ununterbrochen seit dem 12. Jahrhundert, *also älter als Berlin, genauso alt wie Moskau.*

Von Tuba City nach Nordosten führt der «Navajo Trail», kein «Trail»
(also Indianerpfad) mehr heute, sondern ein Highway bis Kayenta; Präsident
«Teddy» Roosevelt, der große Jäger, brauchte zu Pferd noch tagelang für
diese Strecke, übernachtete in Kayenta in dem einsamen Farmhaus eines der
Wetherill-Brüder und fand es interessant genug, einen Zeitungsartikel darüber zu schreiben. Noch vor einem Jahrzehnt kamen in Kayenta kaum mehr
als ein Dutzend Reisende im Monat an (abgesehen vielleicht von einer archäologischen Expedition zur Erforschung der nahe gelegenen Betatakin-
Ruinen); heute stehen dort luxuriöse Motels.

Wenn wir in Richtung New Mexico den Canyon de Chelly passieren, wo
das Ehepaar Morris so lange grub, einen Abstecher über die Four Corners
machen, die halsbrecherischen Serpentinen nach Mesa Verde (Colorado) hin-
auffahren, dann wieder ins weite New Mexico vorstoßen, über Farmington
nach Süden, erreichen wir abseits der Straße 44 das Pueblo Bonito, diesen ungeheuren Pueblo-Komplex, der von Beginn an archäologisch am faszinie-
rendsten war, weil an seinen Schichten und Scherben und Baumringen zum
erstenmal sich *Geschichte* erkennen ließ.

Achthundert Räume, vier bis fünf Stockwerke hoch, auf gewaltigem Mau-
erwerk ruhend, einst von schätzungsweise 1200 Menschen bewohnt, erbaut
zwischen 919 und 1130 nach Chr. (doch mit zahlreichen viel früheren Relikten), seit 1897 zuerst von George H. Pepper, dann von Neil M. Judd ausgegraben, schließlich immer wieder untersucht, gesiebt, bis heute. An die
100 000 Tonnen Sand wurden mit Hacke, Schaufel und Handkarren bewegt
(die ersten Bulldozer, damals *Steam Shovel* genannt, waren gefährlich für die
Forschung; Ann Morris läßt einen Fahrer ausrufen: «Hallo! Hallo! Hier is'
'ne halbe Mumie! Is' das nich' intressant?»).

Das Pueblo bedeckt eine Grundfläche so groß wie das Kapitol in Washington. Fünfzehn Ruinen liegen in der weiteren Umgebung im Abstand von sieben
bis vierzig Meilen. Die reichsten Türkis-Schmuckstücke wurden in Bonito gefunden, darunter ein Halsband von *2500 Türkis-Kügelchen*!

Ruinen und noch bewohnte Pueblos mischen sich dann zu-
hauf in New Mexico, im weiten Rio Grande-Tal, zwischen
Albuquerque und Sante Fé bis nach Taos. (Der Zauber Santa
Fés, dieser noch heute in der Architektur indianisch-spa-
nisch bestimmten Stadt, bedürfte langer Beschreibung.) Die
Museen in Albuquerque und im alten spanischen Gouver-
neurspalast in Santa Fé sind sehenswert. 1948 wurden von
fünfundzwanzig Pueblos, von Acoma im Süden bis Taos im
Norden, die ersten planmäßigen Luftaufnahmen gemacht.
Sie mit Erdmessungen vergleichend, wertete Stanley A. Stubbs
sie aus und publizierte 1950 das Werk ‹*Pueblos aus der Vogelschau*›.[5]

Taos dürfte das meist besuchte Pueblo sein; aber es ist
auch das am meisten kommerzialisierte – was den Tourismus
betrifft. Es ist 600 Jahre alt, Resultat der Völkerflucht
vor der großen Dürre im San Juan-Tal. Von hier sprang
später die einzige große Pueblo-Revolte gegen die spanische
Herrschaft auf, 1680 unter Führung des Medizinmannes
Popé. Heute leben an die 1200 Menschen in Taos. Einer der
prominentesten Besucher war wohl der Schweizer Psychologe C. G. Jung, obwohl das in der Fachliteratur kaum vermerkt
ist. Mit Recht kann man jedoch gespannt sein, was dieser
weltberühmte Mann, der Spezialist für unsere Urseele und
die Archetypen, hier zu sagen hatte. Nun: Als ihm 1924/25
der «Häuptling» Ochwiay Biano (er nennt ihn so, obwohl
die Pueblos nie einen «Häuptling» hatten, sondern heutzutage einen offiziellen Gouverneur, der die weltlichen
Belange vertritt, aber außerdem den oft viel bedeutende-
ren und innerhalb der Pueblowelt einflußreicheren Caci-
que, der von den geheimen Gesellschaften gewählt ist und
auch heute noch den weißen Behörden völlig unbekannt
bleibt) – als ihm also ein Mann namens Biano seine abfällige Meinung über alle Weißen kundtat und schloß:
«Wir glauben, daß sie verrückt sind», fragte Jung, warum er
das glaube. «Sie sagen, daß sie mit dem Kopf denken», antwortete Biano. «Aber natürlich. Wo denkst du denn?» – «Wir
denken hier», sagte der Indianer und zeigte auf sein Herz.
Das machte Jung völlig sprachlos. «Ich versank in langes
Nachsinnen ... Dieser Indianer hatte unseren verwundbaren
Fleck getroffen und etwas berührt, wofür wir blind sind.»

*Vasen, Krüge,
Schalen vom
Canyon de Chelly,
Arizona.*

Später sitzt er auf dem Dach des fünften Stockwerks des Pueblos und hat eine zweite Unterhaltung mit Ochwiay. Dabei befällt ihn (alles hier nach seinem Tagebuch zitiert) eine Ahnung von den Geheimnissen von Eleusis, und er versteht plötzlich gewisse Stellen in Pausanias und Herodot. Als der Indianer ihm nach einem kurzen Religionsgespräch abschließend erklärt: «Die Sonne ist Gott. Jeder kann es sehen», und als ein anderes Mal ein aus dem Nichts auftauchender Indianer ihm mit einer «tiefen, von heimlicher Emotion vibrierenden Stimme», von *hinten in sein linkes Ohr* raunt: «Denkst du nicht, daß alles Leben vom Berge kommt?», da vermag er nur, auf den Fluß blickend, der zweifellos von den fernen Bergen herabströmte, zu antworten: «Jedermann kann sehen, daß du die Wahrheit sprichst.» – «Leider», fügt er hinzu, «wurde die Unterhaltung bald unterbrochen, und so gelang es mir nicht, eine tiefere Einsicht in den Symbolismus des Wassers und des Berges zu gewinnen.»[6]

Ein anderer Psychologe hat Tieferes gesagt und beobachtet. Aber er war ein Dichter, der lange in New Mexico lebte: kein Geringerer als D. H. Lawrence. Man lese seine drei kurzen Impressionen ‹Indianer und Unterhaltung›, ‹Der Tanz vom sprießenden Mais› und ‹Der Schlangentanz der Hopi›.[7]

Weit zurück bis vor die Zeiten des Kolumbus reichen die gesellschaftlichen und religiösen Traditionen, die heute in den Pueblos noch lebendig sind. Zur Gesellschaft:

Goethe (1749–1832)

Amerika, du hast es besser
Als unser Kontinent, der alte,
Hast keine verfallene Schlösser
und keine Basalte.

Dich stört nicht im Innern,
Zu lebendiger Zeit,
Unnützes Erinnern
Und vergeblicher Streit.

Goethes Gedicht trifft nicht mehr zu in einer Zeit, da der Weiße Mann Amerikas seine indianische Erbschaft anerkennt, Schuldgefühle durch Denkmalspflege absorbiert und stolz darauf ist, daß auch die Neue Welt eine Alte ist.

«Die Frauen üben in der Pueblo-Gesellschaft eine große Macht aus. Ihnen gehören die Häuser und alles, was darin ist. Eine Frau kann, ganz selbstverständlich, sagen: ‹Das ist mein Haus und dort drüben ist das Haus meiner Großmutter!› Selbst wenn ein Mann, beladen mit Wild, das er erlegt hat, nach Hause kommt, so wird es in dem Augenblick, in dem er es über die Schwelle des Hauses hebt, Eigentum seiner Frau ... Ein Mann lebt mit seiner Frau in *ihrem* Haus. Wenn er eine Frau aus einem anderen Dorf heiratet, so zieht er dorthin. Ein Witwer kehrt in die Wohnung seiner Mutter zurück.

Ein Kind nimmt oft den Familiennamen seiner Mutter an. Ein Junge gehört zum Klan seiner Mutter. Dieser ist immer ein anderer als der seines Vaters, da Angehörige des gleichen Klanes einander nicht heiraten können. Der wichtigste Mann im Leben

eines Jungen ist der Onkel mütterlicherseits – der Bruder
der Mutter. Er ist es, der ihn in seinen Klan einführt und
der sein Pate ist, wenn er in seine religiöse Gesellschaft
eingeführt wird. Gewisse Arbeiten sind Frauen vorbehalten, andere Männern. Neben vielen Tätigkeiten beim
Hausbau und der Hausreparatur betreuen die Frauen die
Gärten, verrichten leichte Feldarbeiten, bereiten das Essen und stellen Keramik und Körbe her. Die Männer jagen, verrichten die schwere Feldarbeit und *weben*! Man
erwartet von jedem Hopi-Bräutigam, daß er eine vollständige Aussteuer an Kleidung und Decken für seine
Braut webt.

Eine solche Gesellschaft, in der die Leute ihre Herkunft von den Müttern ableiten, nennt man matrilinear.
Wenn sich eine Frau von ihrem Manne trennen will, so
legt sie einfach seine Decke und seine Schuhe vor die Tür.
Das zeigt ihm, daß er nicht länger erwünscht ist.»[8]

Diese Beschreibung vereinfacht, mit Absicht des
Autors, die Verhältnisse *sehr*. Sie sind in Wirklichkeit so
kompliziert, haben meist einen kaum noch durchschauba-
ren religiösen Hintergrund, daß seit Morgans und Bandeliers Zeiten tatsächlich sich Tausende von Publikationen
allein mit diesem Thema befassen; wieweit die Pueblo-Gesellschaft die klassische «Mutterrechts»-Auffassung von
J. J. Bachofen (1861) bestätigt, ist eine Ansichtsfrage.

Dennoch: Sie entwickelten, gehen wir zurück bis auf
die Basket Makers, in zweitausend Jahren weder Rad
noch Pflug und kannten kein Eisen. Sie hatten weder
Pferd noch Rind, noch Schaf, noch Schwein und domestizierten lediglich Hund und Truthahn. Sie entwickelten
keine Schrift, von einem Alphabet zu schweigen (die
Tausende in die Felsen gezeichneten und gemalten
Piktographien – was an sich Bilder-«Schrift» bedeutet –
haben sehr geringen Mitteilungswert. Die einzige indianische wirkliche Schrift wurde erfunden, konstruiert,
von dem verkrüppelten, doch geistig brillanten Chero-
kee-Indianer Sequoyah, der um 1760 in Tennessee geboren wurde und 1843 in Mexiko starb; er entwickelte in
zwölf Jahren eine Art Alphabet, um die Fähigkeiten
seines Volkes denen des weißen Mannes ebenbürtig zu

Probe aus Sequoyahs, des Cherokeesen, erfundener Schrift, die den Indianern Anschluß an die Kultur des Weißen Mannes geben sollte. Es ist die einzige indianische Schrift (halb Alphabet, halb Silben-schrift), die je in Nord-amerika entstand; aber erst um 1800 nach Chr.

machen: eine echte Schrift, lehrbar, lesbar, schreibbar, aber sie konnte sich nicht durchsetzen).

Daß trotz all dieser Mängel eine Hochkultur möglich gewesen wäre, bewiesen in Mexiko die Mayas und Azteken, in Südamerika die Inkas, die es zu höchst komplizierten Staatswesen, zu Monumentalbauten, zu erstaunlichen Entdeckungen in Astronomie und Mathematik brachten (die Mayas entwikkelten die besten Kalender der Welt und erfanden die Null). Die Pueblo-Völker standen dicht vor diesem Schritt auf die Stufe der Hochkultur. Was hatten sie nicht, das die mittelamerikanischen Völker hatten, was hielt sie von diesem Schritt ab?

Was sagte Kidder schon 1924? «Nur wenige Völker haben sich so weit einer Zivilisation genähert wie die Pueblo-Indianer und sich dabei doch die unentbehrliche Demokratie des einfachen Lebens bewahrt ... Es gab weder reich noch arm, jede Familie lebte in der gleichen Art Wohnung und aß die gleiche Art Nahrung ... Eine hervorragende Stellung im gesellschaftlichen oder religiösen Leben konnte einzig durch individuelle Fähigkeiten erlangt werden und war die Belohnung für Dienste an der Gemeinschaft.»[9]

Warum auch nahmen sie die Einflüsse von Süden nicht intensiver auf? Das Ausmaß dieser Einflüsse unterliegt heute noch einem Streitgespräch. *Wollten* sie verharren in der von Kidder geschilderten frühen Demokratie, in der sie schlicht glücklich waren?

In den fünfziger Jahren bereiste die englische Archäologin Jacquetta Hawkes mit ihrem Mann, dem Dramatiker J. B. Priestley, die Pueblo-Welt. Sie war des Staunens voll. Dann fragt sie: «Ereignete sich das alles wirklich ohne einen zündenden Funken aus der Alten Welt? Wenn es das tat, dann ist es ungeheuer bedeutungsvoll. Dann erscheint der Mensch als ein Lebewesen mit einem inneren Drang zu städtischer Zivilisation, zur Errichtung von Altären, Tempeln und Palästen. Wenn ich ein amerikanischer Archäologe wäre, würde ich an nichts anderes denken als zu beweisen, wo hier die Wahrheit liegt.»[10]

Und D. H. Lawrence sagt über die Pueblos: «Daß sie nicht zerkrümeln, ist ein Geheimnis. Daß diese viereckigen Lehmhäufchen Jahrhunderte und Jahrhunderte durchhalten, während griechischer Marmor stürzt und Kathedralen wanken, das ist das Wunder. Aber die bloße menschliche Hand mit ein bißchen frischem, weichem Lehm ist eben rascher als die Zeit und trotzt den Jahrhunderten.»[11]

Nach so vielen Fakten zum Abschluß dieses Kapitels eine leicht romantische Geschichte, die die Überschrift tragen könnte: «Die verlorene Stadt von Lukachukai.»

Wer glaubt, die Pueblo- und Cliff Dwelling-Erforschung sei abgeschlossen, der irrt. Hunderte von Höhlen und Ruinen dürften noch unentdeckt, geschweige denn erforscht sein. Ein Traum freilich, den noch die Männer der dreißiger Jahre hegten, wird sich wohl kaum mehr erfüllen: Die Entdeckung einer sagenhaften Stadt, vielleicht doch noch einer Art von «Cibola». Aber tatsächlich ging noch Morris solchen Gerüchten nach – eben «Der verlorenen Stadt von Lukachukai».

Diese Gerüchte sind gar nicht so alt – soweit wir wissen. Anfang dieses Jahrhunderts erst scheinen sie aufgetaucht zu sein. Ann Morris schreibt noch geheimnisvoll: «Die Einzelheiten dieser besonderen Geschichte sind im Besitz von Earl und mir ...» Aber sie ironisiert die Kenntnis: «... es ist einer von jenen Fällen, in dem wir einen Mann kennen, der einen Indianer kennt, der wieder einen andern kennt ...»[12]

Hinzu kam, daß die Gerüchte, wie alle echten Gerüchte, ins Unbekannte wiesen: In diesem Fall in die damals noch ganz unzulänglich erforschten Gebiete südlich der Four Corners, in denen zum Beispiel ein ganzes Gebirge, Chuska oder Tunicha genannt, einmal groß, dann klein und einmal gar nicht auf den Karten verzeichnet war. Heute führt der Highway 666 östlich daran entlang.

Wie dem auch sei – nach den Gerüchten ließ sich eine Landschaft lokalisieren, die die Navajos «Lu-ka-chu-kai» nannten, was «Der Platz des weißen Schilfrohrs» heißt. Nahm man alle Nachrichten zusammen, so mußte sich dieser Platz innerhalb eines Areals von nur 50 Quadratmeilen befinden. Er sollte zu finden sein!

Der Grund, warum das nicht einfach war, liegt in der Natur dieses Landstrichs, der von ganz ungewöhnlicher Wildheit ist. Weglose Felsformationen, Abgründe, die zu Regenzeiten reißende Wasser führen, hielten jede Erkundung auf. Immerhin, jenseits aller Gerüchte gab es eine exakte und glaubwürdige Nachricht:

Im Jahre 1909 kreuzten zwei Franziskaner, die Padres Fintan und Anselm, die wilde Berglandschaft. Eines Mittags erreichten sie einen hohen Gipfel und beschlossen zu rasten. Ihr Führer, ein junger Navajo, verschwand plötzlich. Aber bald kam er wieder. Und er brachte eine *Olla* mit, einen ungewöhnlich großen, wunderbar dekorierten tönernen Wasserkrug. Völlig unbeschädigt!

Nun hatte zufälligerweise Padre Fintan einige Zeit bei der Zusammenstellung der Keramik-Sammlung des Brooklyn-Museums geholfen; er erkannte die Rarität und fragte sofort: «Wo kommt das her?» worauf der Navajo die generöse Indianergeste machte, die den ganzen Horizont umfaßt, und durchaus jede Ortsangabe verweigerte.

Wohl aber erzählte er willig, daß dort, wo er den Krug geholt hatte, noch

unzählige andere lagen. Wie? Einfach so – an der Oberfläche? Und unbeschädigt? Gewiß – erwiderte der Indianer. Dort seien auch große Häuser,
und ein hoher hoher Turm. Und alles heil? Ja, auch viele Krüge stünden dort,
noch voll von Maiskörnern, daneben zahlreiche Metates, wohlgeformte, kleine
Steinwannen zum Zerreiben der Körner, und viele herrliche Decken und
wunderbare Sandalen. Ganz plötzlich müssen die Anasazi, die «Alten», ihre
Heimstätte verlassen haben, sagte der Indianer, und sicher würden sie eines
Tages wiederkommen.

Die Beschreibung des Kruges, die die Padres dem Ehepaar Morris gaben,
deutete auf Pueblo III, auf die Glanzperiode des Südwestens, noch mehr die
hohen Häuser und der Turm. Eine Bonanza also für den Archäologen, wenn
es stimmte, daß wirklich alles *heil* war.

Natürlich wollten die Padres die Olla kaufen. Da versteinerte der junge
Navajo. Weder Geld noch Worte durchbrachen seine Abwehr. Dies gehöre
den Anasazi, erklärte er; er habe es nur entliehen, um es seinen Freunden zu
zeigen; natürlich müsse er es zurückbringen! (Hier fällt einem die Geschichte
von jenem Mr. Kennedy ein, der vor Jahren aus dem New Yorker Museum of
Natural History nach und nach nicht weniger als *vierhundert* indianische Relikte stahl, nicht etwa, um sich zu bereichern oder um einem Sammelwahn zu
huldigen – *sondern um sie den Indianern zurückzugeben!*)

Und das tat der Indianer. Nach einer halben Stunde war er wieder zurück
und die drei setzten ihren Weg fort. Die Padres trafen Morris und erzählten
die Einzelheiten. Sie würden eines Tages zurückgehen, sagten sie; ihr Rastplatz sei gar nicht zu verfehlen, und die «Verlorene Stadt» müsse sich in einer
halben Fußstunde um diesen Platz herum leicht finden lassen.

Aber hier irrten sie. Earl und Ann Morris hatten die genaue Beschreibung,
aber sie konnten trotz mehrfacher, strapaziöser Versuche nicht einmal den
Rastplatz finden. Emil W. Haury verbrachte 1927 einen halben Sommer in
diesen Cañon-Landschaften, untersuchte zahlreiche Ruinen – keine entsprach der sagenhaften «Verlorenen Stadt». Der Mythos ist abgetan. In keinem modernen archäologischen Werk taucht der Name Lukachukai mehr
auf. Als ich vor ein paar Jahren am Highway 666 Navajos traf, die noch den
steifen Hut und die kurzen Zöpfe der dahinsterbenden alten Generation trugen, als ich sie eindringlich befragte, da gaben sie vor, den Namen noch nie gehört zu haben.

Sie waren schlecht informiert. Jenseits der Grenze, in Arizona, im Schatten
des gewaltigen, über 2700 Meter hohen Matthews Peak, hat sich ein kleiner
Ort den klingenden, geheimnisvollen Namen zugelegt: Lukachukai.

II. Die neugierigen Brüder von Mesa Verde

Eines heißen Nachmittags trabten zwei Reiter durch die ausgedörrte Landschaft des Südwestens in der Nähe von Chaco Canyon. Es waren Richard Wetherill, der Farmer, und sein Cowboy Bill Finn. Sie versuchten zu klären, wer das Lieblingspferd von Wetherills Tocher Elisabeth getötet hatte. Als sie sich einem Flußbett näherten, trafen sie auf eine Gruppe Navajo-Indianer, einige davon bewaffnet.

Was nun geschah, ist auch in den späteren, unter merkwürdigen Umständen abgehaltenen gerichtlichen Untersuchungen nie einwandfrei geklärt worden. Nach Aussagen Finns, der überlebte, näherte sich der Navajo Chis-chilling-begay, den sie kannten, und begann ein Gespräch. Sie trennten sich. Die Sonne blendete; niemand konnte genau sehen, was geschah. Ein Schuß fiel, die Kugel pfiff über Finns Kopf hinweg. Noch ein Schuß: Er durchschlug Wetherills erhobene Zügelhand, traf ihn in die Brust, warf ihn vom Pferd und tötete ihn augenblicklich.

Solche Vorkommnisse waren nicht ungewöhnlich im Jahre 1910. Und wir hätten keinen Grund, die Geschichte zu erzählen, wenn nicht Richard Wetherill eine der abenteuerlichsten Figuren, vielleicht die letzte im Navajo-Land gewesen wäre – und der wohl ungewöhnlichste Amateur-Archäologe, der je im Südwesten gelebt hat.

Wie es jedem großen Amateur der Wissenschaft erging, so erging es auch ihm: Er wurde von der Fachwelt widerwillig anerkannt, aber zugleich unentwegt diffamiert – als *pothunter*, als Mann, der sich als *Navajo-Trader* an den Indianern bereichert hatte, als Rinderdieb, der viermal vors Gericht mußte. Was die «Bereicherung» auf Kosten der Indianer betrifft: Als er tot war, fand seine Witwe 74,23 Dollar auf seinem Konto – aber Schuldverschreibungen der Navajos, die über mehrere tausend Dollars lauteten!

Wir danken es dem Herausgeber einer kleinen Tageszeitung in Massachusetts, Frank McNitt, der auf zahlreichen Reisen in den Südwesten mit einer Sorgfalt, die an Fanatismus grenzte, alle Fakten über Richard Wetherill zusammentrug und eine Ehrenrettung zustande brachte in dem Buch ‹*Richard*

*Ungewöhnliche Außendekoration einer Schale von
Mesa Verde, Colorado. Die meisten Dekorationen
der Mesa Verde-Menschen waren streng
geometrisch (vor 1300 nach Chr.).*

Wetherill: Anasazi›. Dank McNitt wissen wir heute (und er legt so viele Do-
kumente vor, daß an seinen Erhebungen gar nicht zu zweifeln ist), welche Bedeutung dieser einfache Farmer und seine Brüder für die Archäologie des
Südwestens gehabt haben.

Fünf Brüder waren es: Richard, Benjamin, John, Clayton und Winslow.
Wir können hier das Pionierleben dieser fünf Quäker nicht nachzeichnen –
uns interessiert vor allem die Entdeckung von Mesa Verde.

Natürlich – sie waren Amateure, aber sie waren keine Analphabeten. Sie
machten Aufzeichnungen, fotografierten, sie stießen in die wildesten Landschaften, unzugänglichsten Cañons vor, sie gaben die ersten fundierten
Nachrichten von Basket Makers und von den Cliff Dwellings von Mesa Verde.

Mesa Verde ist, wie der Name sagt, ein gewaltiger, begrünter Tafelberg
von etwa 24 mal 32 Kilometern und erhebt sich in der Südwestecke Colorados bis zu 600 Meter über das umliegende Land.

Aber damit ich nicht in den Verdacht gerate, einem sozusagen prähistorischen Patriotismus das Wort zu reden und etwa überzubewerten, was sich in
Mesa Verde sehen läßt, gebe ich das Wort einer wirklich unverdächtigen Zeu-
gin, nämlich noch einmal der englischen Archäologin Jacquetta Hawkes, deren Blick an allen Wundern der Alten Welt geschult war, als sie zum erstem-
mal die steile Straße nach Mesa Verde emporfuhr und die dennoch schrieb:

«Wir fuhren in der vorgeschriebenen würdevollen Geschwindigkeit durch
das niedrige Gehölz; alles schien ruhig und eintönig, das ebene Plateau ohne
jede Unterbrechung. Mit der Plötzlichkeit unvermuteter Freude lag es vor
uns. Wir waren am Rande eines tiefen Cañons – die Erde hatte sich vor uns
aufgetan. Die oberen Teile waren senkrechte Sandsteinmauern, gelb und
braun gebändert; weiter unten wichen sie steilen Hängen, dunkel von Vegetation. Diese so plötzlich entschleierte natürliche Erhabenheit war wunderbar
genug, aber dort, an der gegenüberliegenden Seite des Cañons, war eine *hän-
gende Stadt*, eine kleine, fahlgoldene Stadt mit Türmen und Häusern, die eine

weite, ovale Höhlung im Felsen ausfüllte. Die dunklen Spitzen der Fichten ragten bis zu ihrem Fuß, der tiefschwarze Schatten der Höhle überdachte sie mit einem einzigen Bogen, aber die Vorderseiten der Häuser und Türme standen im grellen Sonnenlicht, alle ihre Winkel waren ausgeleuchtet und die Türen und Fenster zeigten sich als jettschwarze Vierecke. Sie war wie ein Intaglio, eingeschnitten in eine ovale Schrägfläche. Der Kalkstein erhob sich senkrecht empor zum Wald und ins grenzenlose Blau. Die goldene Stadt sah so unendlich entfernt aus, dort jenseits des Abgrunds, so entfernt und friedlich in ihrer steinernen Fassung, daß sie wie ein Traum oder ein Trugbild einer ewigen Stadt schien.»[1]

So auch muß Mesa Verde auf die gewirkt haben, die zum erstenmal einige der Ruinen sahen. Wahrscheinlich war es ein Captain J. N. Macomb schon 1859 (ein Pater Francisco Atanasio schlug 1776 sein Lager nur *in der Nähe* auf).[2]

An einem kühlen Dezembermorgen des Jahres 1888 betrat Richard Wetherill die Szene. Mit seinem Cousin Charlie Mason war er auf der Suche nach verlorenen Rindern. Genaugenommen hatte er schon früher von der väterlichen Farm aus Ruinen entdeckt – bei ihnen hatte nämlich 1885 ein ungewöhnlich unternehmungslustiges Fräulein übernachtet, eine gewisse Virginia Donahue, die, entgegen allen Ratschlägen, sich schleunigst nach Hause zu begeben, mit den Wetherill-Brüdern nach Speerspitzen und Keramik gesucht hatte. Ja, sie kam im nächsten Jahr wieder, und am 6. Oktober 1886 scheinen sie zusammen eine der eindrucksvollsten Ruinen, das sogenannte *Balcony House* entdeckt zu haben. Aber die bedeutendsten Entdeckungen gelangen eben doch erst Richard und seinem Cousin: Das war der sogenannte *Cliff Palace*, die größte aller Höhlen-«Städte», mit 200 Wohnräumen und 23 Kivas; dann am 18. Dezember 1888 die *Spruce Tree-Ruine* und am Tage darauf jene, die durch ihren viereckigen Turm charakterisiert ist, die *Square Tower-Ruine*.

Anasazi nannte man das offensichtlich vorkolumbische Volk, das hier gelebt hatte, und «Anasazi» wurde Richards ehrenvoller Beiname, den ihm die Indianer gaben. Die Wetherills waren unermüdlich in weiteren Entdeckungen, und sie waren hilfreich: Jedem, der kam und ernsthaftes Interesse zeigte, wurden sie als Führer unentbehrlich. Daß 1893 der schwedische Archäologe Gustav Nordenskiöld einen ersten wissenschaftlichen Bericht ‹The Cliff Dwellers of Mesa Verde› veröffentlichen konnte, verdankte er nicht zuletzt den neugierigen Brüdern, vor allem Richard.

Heute wissen wir, daß die Geschichte von Mesa Verde um 500 nach Chr. begann und, wie die Geschichte so vieler anderer Pueblos und Cliff Dwellings in diesem Gebiet, schon um 1300 nach Chr. *beendet* war.

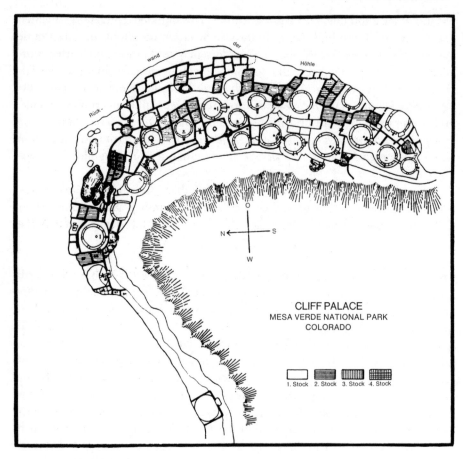

CLIFF PALACE
MESA VERDE NATIONAL PARK
COLORADO

1. Stock 2. Stock 3. Stock 4. Stock

Die Entfernungen, die Richard im Sattel und zu Fuß zurücklegte, müssen enorm gewesen sein. Durch die Bekanntschaft und Freundschaft mit Wissenschaftlern wuchs seine Erfahrung, seine Urteilskraft. Vermutlich war er der *erste*, der einwandfrei ein Volk lokalisierte, das *früher* als die Pueblo- und Cliff-Dwelling-Leute gelebt hatte; und *er* war es, der diesem «vor-keramischen» Volk den Namen «Korbflechter» gab – Basket Makers, wie sie bis heute heißen, wenn man nicht allgemein von den «Anasazi» spricht. Von 1894 wahrscheinlich stammt seine erste ausführliche Beschreibung. Der Artikel ist nicht mit seinem Namen gezeichnet, aber McNitt, sein bester Biograph, zweifelt nicht an Wetherills Autorschaft. Kidder wurde in seinen Studentenjahren noch vor dieser «Erfindung eines Volkes durch Wetherill» gewarnt, bis er die Existenz dieses Volkes durch eigene Forschung glänzend bestätigt fand (1897 hatte schon Mitchell Prudden mit Hilfe Wetherills eine Beschreibung veröffentlicht, die eigentlich keinen Zweifel hätte lassen sollen).[3] Hier ein kurzer Absatz, der die Akkuratesse von Wetherills Beschreibung zeigt:

«Etwas weniger als einen Meter unter den untersten Hinterlassenschaften der Cliff Dwellers fanden wir die Überreste eines ganz anderen Stammes. Der Unterschied wird durch die Kopfform verdeutlicht, die natürlich [und] langköpfig oder dolichocephal ist. Die Cliff Dwellers, so wie wir sie finden, haben eine senkrechte Abflachung am Hinterkopf, die sie künstlich brachicephal macht. Wir haben zweiundneunzig Skelette aus der Höhle genommen, sie befanden sich in Tiefen zwischen ein Meter vierzig und zwei Meter zehn, einschließlich dreier Cliff Dwellers, die wir in einer Tiefe von sechzig bis neunzig Zentimetern fanden. Im Mittelteil der Höhle lagen die Skelette so dicht beieinander, daß sie sich berührten.»[4]

Die ersten Fotografien brachte William Henry Jackson in den Osten, ab 1874. Jackson, *der* Fotograf des amerikanischen Westens und seiner Pionier-

Rekonstruktion einer der kleineren Mesa Verde-Bauten, doch mit allen Charakteristika der großen: mehrstöckig, mit einem Wehrturm, mit allen Eingängen auf den Dächern und mit unterirdischen Kivas. Die Datierung war hier besonders schwierig, da sich zuwenig Holzreste fanden, um eine Baumring-Datierung zu ermöglichen. Doch berücksichtigt man die Typen der Keramik, deren Alter von anderen Fundstellen her bekannt ist, so ergibt sich, daß der Ort hauptsächlich zwischen 1100 und 1150 nach Chr. bewohnt war.

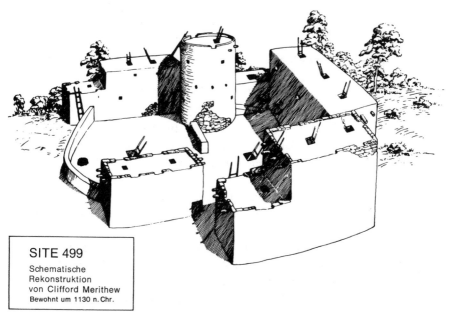

SITE 499
Schematische
Rekonstruktion
von Clifford Merithew
Bewohnt um 1130 n. Chr.

zeit, fertigte von den Cliff Dwellings sogar Ton-Modelle an, die auf der
«Centennial Exposition» zu Philadelphia Aufsehen erregten – niemand zuvor
hatte von solchen Höhlen-Bauten in Nordamerika überhaupt je gehört. Tatsächlich machten Modelle und Bilder solche Sensation, daß sie zeitweise die
Besucher von der eigentlichen Attraktion der Ausstellung abzogen, von Gra-
ham Bells unglaublicher Erfindung, dem Telefon.[5]

Es hat keinen Sinn, die Ruinen von Mesa Verde weiter beschreiben zu wollen.
Wir zeigen in diesem Buch einige Bilder, die mehr sagen als Worte. Ein Teil
des Gebiets trägt heute Wetherills Namen: Wetherill Mesa. Im November
1959 und im Februar 1964 wurden neue Ausgrabungen in diesem Gebiet für
den Nichtfachmann so anschaulich beschrieben, wie es zur Tradition des *National Geographic Magazine* gehört.[6]

Für unsere Zeit, zwei Generationen nach den Wetherills, liegen zwei Zahlen vor: Seit die einsamen Brüder in den achtziger Jahren Mesa Verde entdeckten, besuchten 1966 insgesamt 423 366 Menschen die Ruinen, allein im
folgenden Sommer waren es 322 444. Ich wüßte nicht, was besser für das historische Interesse der Amerikaner spräche – zumal die Auffahrt nach Mesa
Verde, entlang den abgrundtiefen Cañons, völlige Schwindelfreiheit erfor-
dert.[7]

Als Mesa Verde schon längst zum *National Park* erklärt worden war (J.
W. Fewkes übernahm die erste archäologische Organisation, heute ist dort
eine ständige archäologische Station mit einem sehenswerten Museum), da
wurde vor ein paar Jahren die amerikanische Öffentlichkeit durch die Nachricht alarmiert, daß die schönsten Indianer-«Städte» in äußerste Gefahr gerieten. Flugzeuge der US Air Force, schneller als der Schall, donnerten über die
Cliff Dwellings hinweg und riefen plötzlich Risse in den alten Gebäuden hervor, die jahrhundertelang allen Unbilden standgehalten hatten. 1967 mußte
sich die Regierung mit dem Problem befassen, die *New York Times* brachte
ausführliche Berichte. Da war zum Beispiel die Aussage eines Navajos namens Guy Yazzie Teller, der Zeuge war, wie nach dem Überfliegen durch Jets
Felsen zusammenbrachen und eine Ruine begruben.[8]

Es gibt eine lakonische Notiz von Alfred V. Kidder, der Jahrzehnte nach Wetherills Beschreibungen wieder einmal durch Mesa Verde zog und berichtete:

«Vor einer Reihe von Jahren erforschten Jesse Nusbaum und ich die Höh-
lensiedlungen (Cliff Dwellings) an der Westseite von Mesa Verde. Wir sahen
eine, die hoch über uns an der gegenüberliegenden Cañonwand hing und
entschlossen [uns], sie in Augenschein zu nehmen. Aber der Aufstieg war

schrecklich schwer – eine senkrechte Wand hinauf und über ein schmales Felsgesims mit einem tiefen Abgrund darunter. Schließlich aber schafften wir es. Voll Begeisterung über unsere Entdeckung und den erfolgreichen Aufstieg blickten wir durch eine Öffnung in den Felsen auf unsere Ruine. Und genau da, vor unseren Augen, war eine auf die Schmalseite gestellte Steinplatte. Auf ihr lasen wir diese Worte: ‹Was für Narren sind diese Sterblichen. R. Wetherill›.»[9] Der «einfache Farmer» Wetherill also kannte seinen Shakespeare: «What fools these mortals be» – «Was für Narren sind diese Sterblichen» – das sagt Puck zu Oberon im ‹Sommernachtstraum›!

12. Cochise, Mogollon – und die Hohokam, «das Volk, das spurlos verschwand»

«... aus Cochise entsprang Mogollon, entwickelte sich in manchen Gebieten zur Hohokam-Kultur und führte, in Verbindung mit den Basket Makers, schließlich zu den Pueblos...»[1]

Wie? Hatten die Archäologen plötzlich eine geschichtliche Entwicklung aufgedeckt, die, als die Pueblo-Forschung in voller Blüte stand, kaum geahnt werden konnte? Reichte nordamerikanische Indianerkultur noch weiter zurück in die Vergangenheit, und vor allem: Reichte sie viel weiter nach Süden?

Unser Zitat stammt von McGregor aus dem Jahre 1965 und bestätigt nur, was Harold S. Gladwin und Emil W. Haury schon dreißig Jahre vorher vermutet und Haury dann 1943 programmatisch zusammengefaßt hatte.[2]

Aber siebenundzwanzig Jahre später denkt Haury nicht mehr so linear. Nach wie vor glaubt er, daß die Mogollon von den Cochise kamen (mit kulturellem Einfluß von Mexiko), daß aber die Hohokam eine Immigranten-Gruppe waren, die eine vollkommen neue Kultur in den Südwesten brachte – was spätere mexikanische Einflüsse, wie wir sehen werden, nicht ausschließt.

Eine außerdem existierende Patayan-Kultur hier auslassend, wissen wir heute, daß die Cochise- und Mogollon-Kulturen (im südlichen Arizona beheimatet, auch als «Wüsten-Kulturen» bezeichnet) sich überschnitten. Zu den Mogollon sagt Paul S. Martin, der sich speziell mit ihnen beschäftigte, im Jahre 1959: «Der Ausdruck ‹Mogollon› wurde gewählt, um die Hinzunahme von Feldbau, Hausbau und Töpferei zu kennzeichnen... Dieser Ausdruck bezeichnet eine der längsten, ununterbrochenen Kulturentwicklungen in Nordamerika, mit Wurzeln, die bis etwa 6000 vor Chr. zurückreichen...», und er fährt überraschenderweise fort: «... und mit Stämmen, Ästen und Trieben, die vielleicht bis in die heutige Zeit reichen – eine Zeitspanne von vielleicht etwa 8000 Jahren.»[3]

Nun, was die Rückdatierung in immer fernere Vergangenheiten betrifft, so ist man heute nicht mehr so großzügig mit den Jahrtausenden. Um den Leser

gleich in eine rechte Beziehung zur Zeit zu setzen, geben wir hier eine Übersicht, wie sie neuerer Forschung entspricht:

	HOHOKAM	MOGOLLON
1700 nach Chr.	Modern	
1600	Jüngere Zeit	
1450		
1300	Klassische Zeit	
1200		
1100	Zeit der	Mogollon V
1000	Seßhaftigkeit	
900		Mogollon IV
700	Kolonialzeit	Mogollon III
600		
500		Mogollon II
400		
Christi Geburt	Pionierzeit	Mogollon I
300 vor Chr.		

Diese Tabelle geht auf eine Übersicht von McGregor zurück, der sich bei der
Hohokam-Klassifikation auf Gladwin (1936) und bei dem Mogollon-Schema
auf Wheat (1955) stützt.

Was nun die Hohokam betrifft, so können sie inzwischen weit subtiler datiert werden, wobei eine noch neue Methode half, die Robert L. DuBois von
der University of Arizona in diesem Fall an den Resten alter Feuerplätze
praktiziert hat: der «Archäomagnetismus», von dem hier nur gesagt werden
soll, daß er historische Aussagen aus der geophysikalischen Tatsache ableitet,
daß die Kompaßnadel niemals exakt nach Norden weist – zu Christi Zeiten
zeigte sie woandershin als zur Zeit des Kolumbus oder heute.[4]

Die Radiocarbon-Methode hatte einen Holzkohlenrest der Hohokam auf
425 vor Chr. mit einer Ungenauigkeit von 100 Jahren mehr oder weniger datiert. Die neue Methode gab das Datum 300 vor Chr. für den ältesten bisher
gefundenen Feuerplatz.

Die eigentliche *kulturelle* Entwicklung der Hohokam vollzog sich zwischen
500 und 1100 bis 1200 nach Chr., wonach sie als «Volk» langsam ver-

Hohokam-Zeichnung

schwanden. Genauer als in unserer oben gezeigten Tabelle kann man aber deutlich getrennt voneinander noch vier andere, *frühere* Phasen unterscheiden. Es sind also nicht weniger als *sieben* kulturelle Phasen, die das «Verschwundene Volk» durchlief, in denen vieles neu entstand und sich vieles änderte – merkwürdigerweise bloß eines nicht: die Architektur.

Diese Hohokam erschienen von Anfang an in ganz besonderem Licht, und ihnen allein wollen wir uns in diesem Kapitel widmen, denn «eine Synthese verlangt nicht nur Zusammenfassung, sondern auch strenge Auswahl».[5]

Der Name Hohokam, ein Wort der Pima-Indianer für «Die, die spurlos verschwanden», schien lange Zeit gerechtfertigt.[6]

Als von 1927 an Harold S. Gladwin als Initiator und Leiter der Gila Pueblo Archaeological Foundation of Globe, Arizona, zum erstenmal auf wirkliche Spuren dieses Volkes stieß, brauchte er Jahre (und er lokalisierte Tausende von prähistorischen Stätten), bis er Snaketown (45 Kilometer südlich von Phoenix, der Hauptstadt Arizonas) als einen wahrscheinlichen Mittelpunkt seiner Kultur eruiert hatte. Dabei fehlte es von Anfang an nicht an verwirrenden Entdeckungen. So hatten zum Beispiel Kidder und Gladwin eine Kontroverse darüber, ob die mächtige mehrstöckige Ruine «Casa Grande» ein Hohokam-Monument sei, was Gladwin bestritt. Als er bei Versuchsgrabungen auf einen Mound traf, der drei Meter hoch und fünfzig Meter im Durchmesser war, und einen soliden, offenbar bearbeiteten Steinblock entdeckte, begann er Kidders Ansicht zu erwägen. Aber dann grub er tiefer. Und dann fand er, daß der «prähistorische» Block aus Beton war, mit einem einzementierten Eisenstab – ein trigonometrischer Punkt des Vermessungsamtes der Vereinigten Staaten![7]

Jedenfalls: 1934 wurde bei Snaketown, das eine kleine Indianersiedlung von vielleicht fünfzig Menschen war, das erste archäologische Camp errichtet;

von Beginn an mit einem ganzen Stab von Spezialisten und mit zahlreichen Pima-Indianern als Helfern. Direktor der Ausgrabung wurde der damals dreißigjährige Emil Walter Haury. Es sollte sich erweisen, daß er eine Ausgrabung organisierte, die beispielhaft wurde. (Daß er nebenbei auch die erste Mogollon-Grabung machte, deren Publikation «heute ein Meilenstein unter den archäologischen Arbeiten über den Südwesten» ist, wie Martin bemerkt, sei hier nur am Rande vermerkt.)[8]

Der archäologisch interessierte Tourist, der etwa 1966 nach Snaketown kam und über dieses weite Feld blickte, über das zwei Ausgrabungen hinweggegangen sind (denn 1964 vertiefte Haury die Grabung), wird enttäuscht gewesen sein, obwohl am 3. April 1965 das Areal vom National Park Service zur National Registered Historical Landmark erklärt wurde – in einer feierlichen Zeremonie, an der nicht weniger als fünfhundert Pima- und Maricopa-Indianer teilnahmen, die vielleicht (vielleicht!) die Nachkommen der Hohokam sind.

Die Landschaft ist karg, ausgedörrt, staubig – aber wenn (sehr selten) Regen fällt, dann schlammig und kaum passierbar. Der Gila-Fluß, der einst hier fruchtbare Felder bewässerte, ist nicht zu sehen; nur verschwommen erblickt das Auge ein paar Gebirgszüge am Horizont. Wenige Salzbüsche und kaum lebensfähig erscheinende Mesquite-Bäumchen verstärken den Eindruck der Trostlosigkeit und das Gefühl, sich geradezu in einer afrikanischen Landschaft zu befinden. Und, merkwürdig genug, der einzige große, schattenspen-

Groteske, bemalte Tonfigur der Hohokam, von den Archäologen aus vielen Bruchstücken sorgfältig wieder zusammengesetzt. Sie lag mehr als 950 Jahre unter der Erde.

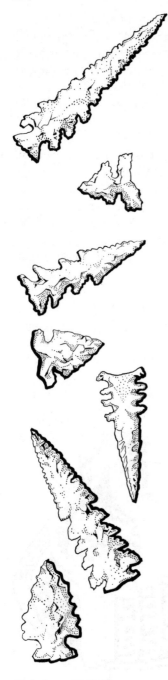

dende Baum in dieser staubigen Ebene, der hier
ungeheuer typisch wirkt in seiner verdorrten, pittoresken Gestalt, ist *wirklich* ein afrikanischer
Baum, eine Tamariske, die vor zwei Menschen-
altern ein Biologe aus Afrika einführte, hier zu
Versuchszwecken anpflanzte und die tatsächlich gedieh.

Aber in dieser Landschaft siedelte sich schon
um Christi Geburt ein Volk an – es konnte nur
deshalb dort leben, weil es die Wüste in geradezu
unvorstellbarer Arbeit verwandelte.

Der große, hagere, ruhige Haury hatte an der
University of Arizona studiert (deren prominen-
tester Lehrer für Archäologie er später wurde),
seinen Doktor in Harvard gemacht, hatte als
wissenschaftlicher Assistent schon 1929 an der
Entwicklung der Baumring-Datierung mitge-
arbeitet, hatte bereits gegraben – und was Gladwin, der Initiator der Snaketown-Grabung, im
Vorwort des großen Abschlußberichtes 1937
über Haury und den zweiten wichtigen Mitarbeiter, E. B. Sayles, sagte, war, wie sich längst
herausgestellt hat, nicht übertrieben:

«Haurys Analyse der Kunstwerke und sein
methodisches Aufteilen der Abfalldepots in Abschnitte, Sayles' Sorgfalt und Können bei der
Ausgrabung ... sind, so glauben wir, *Musterbei-
spiele amerikanischer Technik, wie sie sich heute
am besten zeigt.*»[9]

Wenn wir jetzt einiges über die erstaunlichen
Hohokam berichten, so fassen wir die Ergebnisse
beider Grabungen, der von 1934/35 und der
von 1964/65, zusammen.

Das Merkwürdigste an der Entdeckungsgeschichte der Hohokam ist, daß bereits 1887/88
Frank Hamilton Cushing, den wir als «Medizinblume» schon im dritten Kapitel vorstellten,
nicht weniger als 5000 Proben der Hohokam-
Kultur sammelte, worüber Haury sagt: «Auf

Hohokam-Pfeilspitzen

Einige der großen Vorratskrüge der Hohokam in Arizona, vorgeführt von der
«Leiterin der Sammlungen» im «Arizona State Museum», Miss Wilma Kaemlein.
Der scharf gebogene Rand der Gefäße ist typisch für die späte Periode von
etwa 900–1200 nach Chr. Hier treten auch Tiere als Dekoration auf, wie der
Salamander auf dem linken Krug.

Steinerne Schmink-Täfelchen der Hohokam aus der Zeit von 700–900 nach Chr.
Sie dienten dem Anrühren der Farben, mit denen sich die Männer, weniger
die Frauen, bemalten. Oft waren sie in der Form von Tierkörpern geschnitten,
gewöhnlich bis zu 15 Zentimeter lang. Die größte hier abgebildete Tafel ist
22,5 Zentimeter lang.

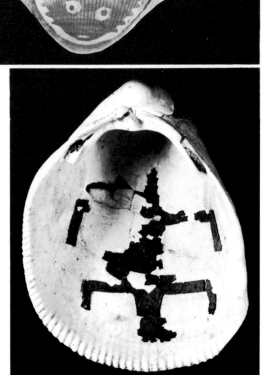

Längere Zeit wußte man nicht, wie die Hohokam auf den zerbrechlichen Seemuscheln diese Tier-Ornamente anbrachten – auf der rechten Muschel zum Beispiel die Horn-Eidechse. Dann entdeckte man, daß sie geätzt waren – 500 Jahre bevor Albrecht Dürer diesen Prozeß in Europa populär machte – mit einem Kaktus-Saft. Den Beweis dafür liefert die linke Muschel. Mit einer der Säure widerstehenden Substanz wurde die Zeichnung aufgetragen – die erste Phase des Prozesses. Aus irgendeinem Grund vollendete der Künstler diese Arbeit nicht.

Das größte Werk der Hohokam in ihrer mehr als tausendjährigen Geschichte: Die Bewässerung der Wüste durch ausgedehnte Kanalsysteme. Das Gemälde von Paul Coze zeigt die Arbeiter am Werk – ohne Schaufel und Karren.

*Wohl das merkwürdigste aller Bilddokumente aus der nordamerikanischen
Archäologie. Es zeigt eine Mound-Ausgrabung durch Dr. Montroville Dickeson,
gemalt auf Musselin von I. J. Egan um 1850. Unser Bild ist ein Ausschnitt aus
einem Gemälde, das 106 Meter lang und 2,29 Meter hoch ist und jetzt im
«City Art Museum of St. Louis» aufbewahrt wird, wegen seiner Brüchigkeit aber
leider nicht mehr ausgestellt werden kann. Das gigantische Panorama
«Monumental Grandeur of the Mississippi Valley» enthält noch Bilder von de Sotos
Beerdigung 1542, die Auswirkungen eines Tornados, das Massaker von Fort Rosalie,
die Verfolgung eines Farmers durch Wölfe (was als «humoristische Einlage»
angepriesen wurde) und anderes. Es ist auf zwei Stangen aufgerollt. So konnte
es auch in kleinen Sälen gezeigt werden (und Dr. Dickeson reiste damit durch
ganz Amerika) – es wurde wie ein Filmstreifen abgewickelt. Dickeson, Arzt und
Amateur-Archäologe, widmete seinen eigenen Angaben nach zwölf Jahre der
Ausgrabung von rund 1000 altindianischen Monumenten und Mounds und
sammelte 40 000 indianische Kuriositäten, die man heute noch besichtigen kann –
sie befinden sich im Museum der University of Pennsylvania.*

Zwei der Mounds, wie sie der Reisende im vorigen Jahrhundert zu Tausenden
sehen konnte – viele sind heute eingeebnet. Beide Bilder entstanden vor 1848.
Das obere zeigt den Grave Creek Mound nicht weit von Wheeling, West-Virginia,
mit einem Umfang von 304 Metern an der Basis und einer Höhe von mehr
als 15 Metern. Das untere einen der Mounds in Marietta, Ohio.

Eine 46 Zentimeter hohe Sandsteinfigur der Mound Builders in Wilson County, Tennessee.

Der «Große Schlangen-Mound» (Great Serpent Mound) im Adams County, Ohio,
405 Meter lang. Die Zeichnung stammt von dem Forscherpaar Squier und Davis
aus dem Jahre 1848 und machte die Schlange berühmt. Squier nennt sie:
«Wahrscheinlich die außergewöhnlichste Erdanhäufung, die bisher im Westen
entdeckt wurde ...»

Schädel aus zwei Gräbern der Mound Builders. Der obere aus Point Washington, Florida, ist durch eine Urne geschützt. Unten Mann und Frau aus dem größten Mound der Hopewell-Gruppe, südlich von Columbus, Ohio. In beide Schädel sind, bizarrer Schmuck, kupferne Nasen eingesetzt.

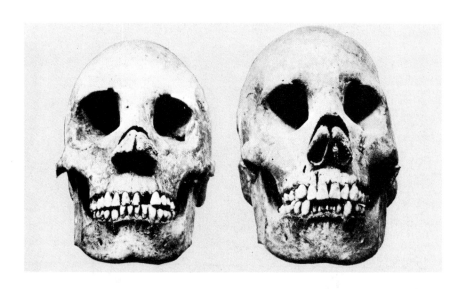

Grund der Ruinen, die er untersuchte, schloß Cushing, daß die Wüste die Heimat einer ‹größeren, wenn nicht sogar weiter als das Pueblo-Volk im Norden entwickelten Bevölkerung› gewesen sei».[10] Das war, wie wir sehen werden, in verschiedener Hinsicht übertrieben, aber es war doch eine erstaunliche Voraussage auf Grund von damals ganz undeutbarem Material.

Daß die Hohokam danach solange unbeachtet bleiben konnten, hat mehrere Gründe. Zuerst: Sie *verbrannten* ihre Toten, was die andern frühen Völker des Südwestens nicht taten; ein paar spärliche, doch stark zerstörte Knochen- und Schädelreste konnten gefunden werden, kaum deutbar, und so haben wir keine rechte Vorstellung, wie die Hohokam ausgesehen haben. Eine zweite Angewohnheit ist noch viel einmaliger und merkwürdiger: Oft zerbrachen sie mit Absicht gerade ihre wertvollste, ihre kunstvollste Keramik, als ob sie ihre Spuren willentlich für kommende Geschlechter verwischen wollten.

Außerdem hinterließen sie kaum bemerkenswerte Reste von Bauwerken, von eindrucksvollen Wohnbauten. Und ihre wirklich größte Leistung, die sie vor allen auszeichnete, nämlich der Bau von riesigen, sich über viele Quadratkilometer erstreckenden Bewässerungsanlagen, fiel zum größten Teil der Natur zur Beute. Ewig treibender Sand verschüttete die Kanäle, obwohl noch heute da und dort einer der sechstausend Pima-Indianer zu sehen ist, der neben einem mehr als zweitausend Jahre alten Bewässerungskanal fortsetzt, was die Vorfahren begannen: Die Kultur von Mais, Kürbis, Bohnen, Baumwolle und Tabak.

Denn die Hohokam waren nicht mehr nur Jäger, Sammler von wilden Früchten. Wie sie es jedoch gewagt haben, in die *Wüste* vorzustoßen, was sie dazu trieb – das ist noch heute ihr Geheimnis.

Immerhin: Schlüsse lassen sich ziehen, und wenn wir erfahren, daß Haury mehr als *anderthalb Millionen* Tonscherben und andere Relikte gesammelt hat, daß schon Zehntausende von Scherben gewaschen, geordnet, katalogisiert sind und bereitliegen für weitere Forschung, so wissen wir, nachdem wir gelernt haben, welchen Schlüssel zur Vergangenheit gerade die Keramik liefert, daß wir uns wohl ein gewisses Bild von dem «Volk, das spurlos verschwand» machen können; sogar von einem Wesenszug ihres Charakters – daß sie nämlich *friedfertig* waren.

Als Haury nach Abschluß der zweiten Grabung im Hubschrauber über Skoaquik flog (das ist das Pima-Wort für Snaketown = Schlangenort, und es gibt dort Klapperschlangen genug, wahrhaftig), da überblickte er zum erstenmal das ganze gewaltige Gebiet dieser «Stadt»-Siedlung. Sie bedeckte 300 Acres, das sind weit mehr als eine Million Quadratmeter. Einhundertsiebenundsechzig Häuserreste hatten sie ausgegraben. Wie viele waren es insgesamt?

Wenn dem Hohokam ein Haus abbrannte oder ein Wüstensturm es um-
wehte, so errichtete er meist sein neues Haus auf den Trümmern, manchmal
auch dicht daneben. Diese Wohnbauten waren schon mehr als Pit-Häuser, sie
waren nur etwa dreißig Zentimeter in die Erde gesenkt. Eingerammte Pfähle,
dann schräg dagegengestellte, hielten Dach und Wände aus Astwerk, bewor-
fen mit Lehm (diese Bauweise änderte sich nicht; 1935 konnte Haury das
letzte Haus dieses Typs fotografieren, gebaut und bewohnt von einem Pima).
Der obere Teil wurde vom Wind der Jahrhunderte völlig zerstört. Was aber
blieb, waren Holzreste in den Löchern, zumindest die Löcher selbst, in denen
die Pfähle gestanden hatten. Dabei fanden die Forscher heraus, daß das beste
Instrument, sie zu entdecken, nicht etwa das Auge, sondern das Ohr war –
«durch das Horchen auf den singenden Ton, den eine Maurerkelle, wenn sie
über feste Erde geschabt wird, macht. Ein Wechsel im Ton zeigt an, daß eine
andere Oberfläche, das weiche Verwitterungsmaterial eines Pfostenloches,
mit der Klinge in Berührung kam.»[11]

So konnten sie die ungefähre Wohndichte von Skoaquik (Snaketown) ermitteln: zu jeder Zeit umfaßte die Stadt hundert Häuser – ihre Lebensdauer
war etwa 25 Jahre. Rein statistisch betrachtet bedeutet das, daß in jedem
Jahrhundert 400 Häuser neu erbaut wurden – und zwar über eine Zeitspanne
von 1200 Jahren (wie Haury rechnet). Haurys Blick aus dem Hubschrauber
konnte also über die Reste von rund 5000 Wohnbauten schweifen.

Dazwischen nun lagen merkwürdige Hügel, Mounds. Bei der Untersuchung hatte sich herausgestellt, daß vor allem die kleineren reine Schutt- oder
Müllhaufen waren, was bedeutet, daß die ordentlichen Hausfrauen der Hohokam ihre Abfälle nicht einfach vor die Tür warfen wie bei den meisten anderen prähistorischen Völkern. Andere Mounds aber waren offensichtlich mit
Überlegung konstruiert. Der größte hatte eine wohlangelegte Plattform von
mehr als fünfzehn Metern Durchmesser. Der höchste, «Mound No. 29», erlaubte mit Hilfe der Stratigraphie die Festlegung der schon erwähnten sieben
Phasen der Kultur, darüber hinaus die erste sichere Datierung: In der fünften
Phase fanden die Forscher Töpferware, die sie kannten!

Es war Ware aus den nördlichen Pueblos, und die war bereits so genau datiert worden, als trüge jedes Stück einen Datumstempel, und das Datum hieß
in diesem Fall: 500 nach Chr. Doch war dieser Fund aus einem anderen
Grund noch weit wichtiger: Er bedeutete, daß die Hohokam mit dem Norden Handelsbeziehungen unterhalten hatten! Hatten sie vielleicht auch mit
dem Süden Handel getrieben?

Nun, schon die Gestalt der Mounds mit einer Plattform wies eindeutig auf
einen Einfluß von Mexiko hin. Aber die Archäologen fanden ein viel deutli-

*Ein Räuchergefäß der Hohokam –
vielleicht aber auch als
Medizinbecher gebraucht.*

cheres Zeichen: Einen Ballspielplatz! Und das war zweifellos eine vom Süden
inspirierte Anlage, worauf wir schon anläßlich der Wupatki-Ruinen hingewiesen haben. Dies Ballspiel muß der Nationalsport jener Völker gewesen
sein. Wir wissen nur, daß es mit einem «Gummi»-Ball gespielt wurde, der
offenbar durch einen an einer hohen Seitenwand angebrachten Ring getrieben werden mußte (die Substanz des Balles wurde wahrscheinlich aus dem
Guayulestrauch gewonnen, der den Guayulekautschuk liefert). Sich über die
Spielregeln den Kopf zu zerbrechen, ist müßig. Die Nachrichten der Spanier
sind spärlich. Kurioserweise gibt es eine Beschreibung nebst Federzeichnung
eines Deutschen, des Kupferstechers und Reisenden Christoph Weiditz aus
dem Anfang des 16. Jahrhunderts.

«Auf soliche Manier spilen die Indianer mit einem aufgeblassen bal mit
dem hindert On die hend an zue Rieren auf der Erdt. haben auch ein hardt
leder fordern hindern darmit er vom bal den widerstroich Entpfacht haben
auch solich lodern hentschuch an.»[12] Und das Bild bestätigt diese merkwürdige Spielregel: Zwei Spieler strecken sich den «hindern» entgegen, der
Ball fliegt zwischen ihnen. Dazu scheint allerhand Kunstfertigkeit von-
nöten.

Doch wie nach Norden und Süden, so hatten die außerordentlichen Hohokam auch nach Westen Beziehungen. Es fanden sich Seemuscheln, die nur aus
dem Golf von Kalifornien stammen können. Und mit diesen Muscheln hat es
eine besondere Bewandtnis.

Daß nur selten Glück und Zufall, sondern in der Regel «Feldarbeit», immer wieder harte, geduldige Arbeit, verbunden mit wissenschaftlicher Pla-
nung, zu all diesen Funden und Erkenntnissen verhelfen, zeigt eine hübsche
Geschichte.

Als Haury zur Ausgrabung aufgebrochen war, hatten ihm seine Studenten
einen Talisman mitgegeben, einen kleinen silbernen Spachtel, der eine Inschrift aus Shakespeares ‹Julius Cäsar› trug: «Ihr seid nicht Holz, ihr seid
nicht Stein, sondern Menschen!» – die klassische Aufforderung, wie ein Archäologe seine Funde zu betrachten habe.

Ob aus reinem Spaß, ob mit einer Spur von Aberglauben, das «Spurlos verschwundene Volk» vielleicht beschwören zu können – Haury begab sich mit seinem zweiundsiebzigjährigen, langjährigen Pima-Freund Williams irgendwohin in die Mitte des Feldes und schleuderte den silbernen Spachtel in die Luft. Blitzend fiel er herab. Und dort tat Williams den ersten Spatenstich – wir müssen die geheimen Erwartungen aller unserer Leser, die der Magie zugetan sind, enttäuschen: Diese Stelle war die unergiebigste, die sie während der ganzen Grabungskampagne angestochen hatten!

Doch nun zu den Muscheln. Um so erstaunlicher war die Entdeckung, die sie hierbei machten. Denn diese Muscheln zeigten Verzierungen von solcher Feinheit der Ausführung, daß es unerklärlich war, wie die Indianer sie auf dem brüchigen Material hervorgebracht hatten. Da waren Hornkröten, Schlangen und die verschiedensten geometrischen Figuren. Wohlgemerkt: Diese Figuren und Ornamente (sie konnten auf die Zeit «um das Jahr 1000 nach Chr.» datiert werden), waren nicht aufgemalt, auch nicht eingeritzt als Umrißgravüren, sondern flächig-plastisch gearbeitet mit erhabenen und zurücktretenden Partien. Es drängte sich hier eine Hypothese auf, die unannehmbar schien: daß die Verzierungen *geätzt* seien. Aber gab es in der Wüste irgendeine ätzende Chemikalie? Ja: Der fermentierte Saft der Frucht des Saguaro-Kaktus hat eine schwach ätzende Wirkung. Sollte ein Indianer das auf irgendeine Weise, durch einen Zufall, entdeckt und in einen künstlerischen, schöpferischen Prozeß umgesetzt haben?

Dies würde nämlich bedeuten, daß dieser Indianer tatsächlich einen ganzen *Prozeß* erfand. Er mußte ja auch eine Substanz finden, die der Ätzung widerstand. Und die gab es auch: Es war Harz oder Erdpech. Der Indianer malte die Zeichnung mit diesem Harz auf die Muschel, legte sie in die Ätzlösung, die ungeschützten Teile wurden angeätzt, das Harz wurde vorsichtig wieder abgekratzt, und übrig blieb die nun erhabene Dekoration.

Hier liegt dann zweifellos eine echte Erfindung vor. Das Erstaunlichste daran ist, daß dies in der Geschichte der *erste* künstlerische Ätzprozeß ist, den wir kennen. Ein Hohokam-Indianer erfand ihn um das Jahr 1000 nach Chr., das heißt *rund 450 Jahre bevor europäische Waffenschmiede dies Verfahren anwandten*, mehr als 500 Jahre *bevor der deutsche Maler und Graphiker Albrecht Dürer in Nürnberg im Jahre 1515* dieses Verfahren zu einer Bereicherung der künstlerischen Ausdrucksmöglichkeiten erhob!

Ist es bewiesen? Ja, denn 1965 fand Haury eine Muschel-Schale, auf deren Innenseite mit schwarzem Harz die Zeichnung eines vierfüßigen Tieres aufgetragen war. Diese Muschel war ein Werkstück – aus unerfindlichem Grunde hatte sie niemals das Säurebad erreicht.

Aber diese Hohokam, die in ihrer Wohnarchitektur nicht über primitive Hütten hinausgekommen waren, die mehr hausten als wohnten, zeigten noch andere künstlerische Fähigkeiten. Die rührenden kleinen Kupfer-Glöckchen wollen wir hier auslassen, weil ihre Herkunft nicht eindeutig ist.[13]

Viele Museen zeigen altägyptische Schminktäfelchen, auf denen die zierlichen Damen des Pharaonenhofes die Farbe für ihr Make-up mischten. Nun, die Hohokam hatten sie auch. Es sind kunstvoll verzierte, aus Stein geschnittene Paletten, bis zu 15 Zentimeter lang, oft so gearbeitet, daß die Platte auf dem Rücken eines Tierkörpers ruht, der Hornkröte etwa, der Eidechse, der Schlange, des Vogels. (Auch diese Motive scheinen von Süden eingeführt, besonders die Schlange in allen Varianten, obwohl natürlich die Hohokam genug Schlangen um sich hatten, um selbständig auf dieses Motiv zu verfallen. Das Motiv «Schlange und Vogel» hat sich bis heute in der *mexikanischen Flagge* erhalten.) Nur – bei den Hohokam schminkten sich wahrscheinlich nicht die Frauen, sondern die Männer bemalten sich für ihre religiösen Tänze.

Die Keramik der Hohokam ist vielfältig, reich und farbig ornamentiert. Größtes Finderglück zeigte hier James Lancaster, der zu widerlegen scheint, was wir oben über das Verhältnis von Arbeit und Glück sagten. Fachmann zwar, hatte er doch all seine Erfahrungen im Mesa- und Cañon-Land gesammelt, nie zuvor in der Wüste. Gerade er bewies den Spürsinn des Unbefangenen, das Glück des Außenseiters.

Nacheinander fand er:

Achtzehn dickwandige Tongefäße, wahrscheinlich «Dufttöpfe», in denen wohlriechende oder betäubende Substanzen während der religiösen Zeremo-

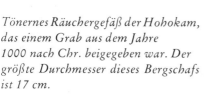

Tönernes Räuchergefäß der Hohokam, das einem Grab aus dem Jahre 1000 nach Chr. beigegeben war. Der größte Durchmesser dieses Bergschafs ist 17 cm.

nien verbrannt wurden; ein weltweit verbreiteter Brauch, der sich bis in unsere Tage noch in der katholischen Kirche erhalten hat.

Als er wenig später eine bescheidene, nur sechzig Zentimeter tiefe Grube vorsichtig öffnete, fand er einen kleinen keramischen Schatz: tönerne Tiere, eine ganze Herde von neunzehn kleinen Hirschen, 12,5 Zentimeter hoch, die Köpfchen erhoben zu aufmerksamem Lauschen. Daneben drei der menschlichen Gestalt nachgeformte Gefäße, vierzig Tonscherben, Muschelarmbänder und anderes.

Das Glück verließ ihn nicht – «als ob ihn Blutsbande mit diesem alten Stamm verbänden», wie Haury bemerkte. Er fand fünfzig aus weichem Stein geschnittene Gefäße, ein Tier, dessen Rücken sich geöffnet darbietet, zwei Männer, die einen dickwandigen Topf halten, drei Kröten, die am Rande solchen Topfes emporklettern... Und gerade diese edelsten Erzeugnisse hohokamischer Kunstfertigkeit waren alle zerbrochen, offensichtlich mit Absicht. Waren es Gegenstände eines geheimen Kultes gewesen, die «getötet» werden mußten nach Gebrauch?

Und dieses Volk, im kleinen so kunstfertig, war im großen gewaltig. Wir meinen ihr Kanalsystem, das ihnen den intensiven Ackerbau erlaubte, die ständig notwendige Bewässerung des Maises vor allem, der die Grundlage fast aller nordamerikanischen Kulturen ist.

Dieses System der *meilenlangen* Kanäle entstand allmählich, Arbeit vieler Generationen. Ein fünf Kilometer langer, mit den Händen und den primitivsten Holz- und Steinwerkzeugen gegrabener Kanal konnte auf die Zeit *vor*

Zwölf Zentimeter hohe menschliche Tonfigur. Ein Werk der Hohokam zwischen 900 und 1100 nach Chr.

Christi Geburt datiert werden, da die Hohokam noch längst nicht auf dem Wege waren, auch ein «kunstfertiges» Volk zu werden. Die Kanäle mußten sorgfältig der Landschaft angepaßt werden (wie machten sie das ohne jegliches optische Meßgerät?), sie mußten ständig überwacht werden, verändert, ausgebessert, Regulierungsvorrichtungen mußten eingebaut werden – und das durch die Jahrhunderte hindurch.

Und die Natur war gegen sie. Niemals war der Wasserstand des Gila-Flusses gleich hoch, die Regenmengen konnten nie vorausberechnet werden, auch vom besten Medizinmann nicht. Katastrophen konnten nicht ausbleiben. Durch die Überlagerung von Kanälen aufmerksam geworden, wagte Haury folgendes Bild zu entwerfen:

«Auf dem Höhepunkt der Mittsommerhitze in Arizona bauen sich Kumuluswolken zu dunklen Türmen auf. Über die Wüste hinfegend verursachen sie starke örtliche Regengüsse. Ein solcher traf irgendwann vor 900 nach Chr. die obere Terrasse. Der in Minuten gefüllte Kanal barst durch seine Uferbegrenzung und das Wasser schnitt eine tiefe Rinne in den Boden nahe dem oberen Schleusentor, als es zur unteren Terrasse hinabschoß. – Spuren dieses Ereignisses zeigen deutlicher als jede Theorie, wie hart die Hohokam zu arbeiten hatten, um das Wasser in ihren Kanälen am Fließen zu halten. Sie eroberten die Wüste nur durch dauernde Anstrengungen.»[14]

Wie endete dieses erstaunliche Volk?

Aus unerfindlichen Gründen «starb» die «Stadt» Snaketown um 1100 nach Chr. (Nach einem Brief von Haury an den Verfasser vom 12. Januar 1970 ist dies seine neueste Schätzung.) Noch nicht das Volk. In kleinen Gruppen baute es an anderen Stellen des Tals bescheidene Siedlungen – immer noch seine Bewässerungskunst übend. Im 14. Jahrhundert erfolgte eine Invasion anderer Stämme aus dem Osten und aus dem Norden – eine *friedliche*, wie auch die Hohokam ein Jahrtausend lang ein Volk ohne Kriege gewesen waren; es erfolgte eine *Durchdringung* mit Menschen der Mogollon- und Anasazi-Kultur, die offenbar in großer Zahl einströmten (die Keramik erzählt uns all dies). Salado-Volk nennen die Forscher diese Menschen. In dieser Zeit erst entstand die bollwerkähnliche, vierstöckige «Casa Grande».

Doch Haury glaubt, die Hohokam lebten fort – in den heutigen Pimas sei ihr Stamm erhalten. Zu ähnlich sind die Lebensweise, der Haustyp, die Keramik, die Feldbewässerung, um zufällig sein zu können. Heute allerdings fahren auch die Pimas schon ihren Ford. Doch merkwürdigerweise kamen diese Indianer, die Haurys Helfer waren, während der Arbeit immer mehr zu der Überzeugung, hier auf dem Grunde ihrer Ahnen zu schürfen. Und als die Grabung abgeschlossen war, da gaben sie den Ausgräbern aus Dankbarkeit

ein Fest. Sie überreichten Geschenke – wunderbar geflochtenes Korbwerk –,
und dann sangen sie in einem Sechs-Männer-Chor: Christliche Hymnen in
der Pima-Sprache!

Bevor wir uns dem Vater all dieser Kulturen, dem Mais zuwenden, den wir so
oft erwähnten: Erteilen uns die Hohokam eine Lehre? Haury schließt den Bericht, den er im *National Geographic Magazine* für eine größere Öffentlichkeit geschrieben hat, mit einer philosophischen Betrachtung:

«Nach so vielen Jahren der Beschäftigung mit den verschwundenen Hohokam bin ich überzeugt, daß ihre Leistung lehrreich für unsere Zeit ist. Ihr Geheimnis des Erfolges war sehr einfach: Sie setzten sich mit der Natur auseinander, aber sie mißbrauchten sie nicht. Sie wurden ein Teil des ökologischen
Gleichgewichtes, anstatt es zu stören. Sie akzeptierten die Bedingungen ihres
Daseins in einer schwierigen Umwelt, und sie hatten für mehr als tausend
Jahre Bestand. Für unsere eigene Generation mit ihren verunreinigten Strö-
men und ihrer verschmutzten Luft, ihren massiven und plötzlichen Umwelt-
veränderungen, ihrer Wasserverknappung, und ihrem überhandnehmenden
Mißbrauch des schrumpfenden freien Landes haben die Leistungen von Snake-
town tiefe Bedeutung.»[15]

13. Die Geschichte vom Mais

Es ist heute eine kaum mehr bestrittene Annahme der Historiker, daß der Akkerbau die Voraussetzung jeder Hochkultur ist.

Wir wissen heute, daß die frühesten Formen des Ackerbaus in Mesopotamien entstanden, wo also auch die ersten Hochkulturen der Menschheit nach einem geschichtslosen Dahindämmern von Naturvölkern sich unvermutet aus der Dunkelheit abzeichneten – mit einer, gemessen an den Jahrhunderttausenden vorher, noch heute völlig rätselhaften Schnelligkeit und ohne erklärbare Ursache. Es waren die Hochkulturen der Sumerer, dann der Babylonier und Assyrer entlang des Euphrats und Tigris, die der Ägypter etwa zur gleichen Zeit im Tal des Nils, die der Inder im Indus-Tal, die der Chinesen entlang der großen Flüsse.

Diesen Hochkulturen waren zahlreiche Domestikationen von Pflanzen und Tieren gelungen, sie hatten das Rad und den Hebel und den Pflug erfunden; sehr bald auch die Schrift (in Mittelamerika taucht das Rad immerhin an Spielzeugtierchen auf).

Nun, nichts dergleichen gilt für die Kulturen Nordamerikas, nicht einmal für die der Inkas, Mayas und Azteken in den Anden, in Zentralamerika und Mexiko, die wir uns angewöhnt haben, ebenfalls als Hochkulturen zu bezeichnen (Spengler und Toynbee sehen sie so). Die amerikanischen Völker haben weder Wagenrad noch Pflug erfunden und sie entwickelten keinerlei alphabetische Schrift. Doch ein ebenso wichtiger Mangelfaktor ist: Sie gelangten in Nordamerika nur zu sehr wenigen Domestikationen!

Das Wort kommt aus dem Lateinischen: *domesticus* heißt soviel wie «häuslich», «zum Haus gehörig». Domestikation oder Domestizierung ist die Umzüchtung von Wildpflanzen und Wildtieren zum Nutzen des Menschen, und durch weitere Züchtung und Pflege – ihre systematische Ausbeutung.

Unsere heutige Überbewertung rein technischer Dinge in der Entwicklung des frühen Menschen wird gut illustriert durch eine Liste der fünfzehn Errungenschaften, die ein amerikanischer Autor für die wichtigsten und erfolgreichsten in dieser Entwicklung hält. Als die ersten sieben führt er auf: [1]

1. Rad   5. Das Schmelzen
2. Hebel   von Metall
3. Keil   6. Schrift
4. Schraube   7. Das Weben

Das ist eine rein technische Einschätzung. Kulturhistorisch ist sie ganz unsinnig. Es ist bezeichnend, daß diesem technischen Kopf die Wichtigkeit der Domestikation gänzlich entgangen zu sein scheint. So hätte zum Beispiel die Erfindung des Rades kaum Sinn gehabt, wenn man nicht Zugtiere gehabt hätte, die man vor ein Gefährt spannen konnte (der reine Handkarren zum Beispiel ist merkwürdigerweise eine sehr späte Erfindung). Daß schon als Nummer vier die Schraube auftaucht, ist sehr sonderbar – sie wurde kaum nützlich vor der Entwicklung der Metallbearbeitung, die er merkwürdigerweise später ansetzt. Dagegen ist die Kunst des Webens und Flechtens sehr viel älter als jede Metallbearbeitung, selbst die Töpferei, die er gar nicht erwähnt und die von einschneidender Bedeutung für jede frühe Kultur war. Und nun gar die Schrift chronologisch vor das Weben einzuordnen ist einfach falsch.

Betrachtet man noch einmal die Liste im Hinblick auf die amerikanischen Kulturen, so sieht man, daß die meisten von ihnen ohne die sechs ersten wichtigen Errungenschaften auskamen; erst der Nummer sieben bemächtigten sich alle, und hier muß unbedingt die fast gleichzeitige Erfindung der Töpferei genannt werden.

Aber zum bedeutendsten, was der Mensch der Frühzeit geleistet hat, gehören die Domestikationen. Sie sind normalerweise nicht zu trennen von der Entwicklung zu jeder höheren Form des Menschseins. Sie bedeuten die Gewinnung der Unabhängigkeit vom Jagdglück und von erfolgreicher Sammel-Ernte durch die Gewöhnung vorher wilder Tiere ans Haus und durch die Kultivierung vorher wilder Pflanzen zur Abgabe reicherer und beständigerer Frucht. Durch die Entdeckung also, daß die Natur, daß Tier und Pflanze sich überlisten, daß sie sich beherrschen und schließlich *planvoll ausbeuten lassen*!

Es ist bemerkenswert, daß die biblische Schöpfungsgeschichte diesen ungeheuren Entwicklungssprung der Menschheit sich in einer einzigen Generation vollziehen läßt. Adam und Eva lebten noch paradiesisch – bis sie *verdammt* wurden zur Arbeit auf dem Acker. Ihre Kinder Kain und Abel aber herrschten bereits über eine domestizierte Natur: Abel ist Hirte, Kain ist Ackerbauer! Offenbar konnten sich die Bibelautoren eine Daseinsform des Menschen ohne Domestizierung von Tier und Pflanze bereits nicht mehr vorstellen – und hielten sie für gottgegeben von Anbeginn.

In Wirklichkeit brauchte es Tausende von Generationen, bis den Menschen diese erste bedeutendste Unterjochung der Natur gelang, wahrscheinlich an verschiedenen Plätzen der Erde, wobei aber Mesopotamien wieder als erstes Zentrum anzusehen ist. Daß die wesentlichen Domestikationen überall wohl ungefähr zur gleichen Zeit erfolgten, daß zwischen 3000 und 2000 vor Chr. alle wesentlichen Domestikationen abgeschlossen waren und bis in unser neunzehntes Jahrhundert hinein dann keinerlei weitere Domestikationen erfolgten – das ist eins der noch ungelösten Rätsel (erst im neunzehnten Jahrhundert erfolgte die ungeheure Differenzierung der heutigen Domestikationen, spät erst die Gewinnung neuer, wie Nerz, Silberfuchs, Chinchilla, und erst in unseren Tagen zeichnet sich eine Erweiterung auf die Kleintierwelt ab, auf die Welt der Algen und sogar Mikroben). Und gleich müssen wir hinzufügen, daß die Frage, *wie* denn eigentlich diese ersten Unterwerfungen von Tier und Pflanze vor sich gegangen sind, ebenfalls ein noch nicht endgültig gelöstes Rätsel ist – seit fünfzig Jahren beschert uns da die Wissenschaft jedes Jahrzehnt eine neue Theorie. In einigen der letzten Theorien wurde sogar die Möglichkeit erwogen, daß da und dort eine *Selbst*-Domestikation stattgefunden habe (dieser Begriff wird heute auch auf den Menschen angewandt, aber das ist nicht unser Thema) – daß ein Tier etwa sich dem Menschen freiwillig unterwarf, wie es zum Beispiel beim Hunde, der in der Alten Welt das erste aller domestizierten Tiere war (schon im 10. Jahrtausend vor Chr.), leicht denkbar ist. Bemerkenswerterweise liefert uns hierzu gerade Nordamerika ein hochinteressantes Beispiel, wo nur zwei Tiere domestiziert wurden: Hund und Trut-

Oben: Tabakpflanze mit der frühesten Darstellung einer Zigarre, erschienen in Mathias Lobels ‹Stirpium›, Antwerpen 1576.
Unten: Die früheste Darstellung eines Maiskolbens, erschienen in Oviedos ‹Historia Natural›, Sevilla 1535.

hahn – ein erstaunlich geringer Erfolg beim Reichtum der Tierwelt. (Wobei nicht einmal ausgeschlossen ist, daß der Hund von den späten Einwanderern aus Sibirien über die Bering-Straße *bereits domestiziert mitgebracht wurde!*)

Hier ist nun der Truthahn besonders bemerkenswert. Erstens domestizierten ihn die Indianer der weitaus meisten Stämme keineswegs, um ihn zu verspeisen, sondern nur seiner Federn wegen, die sie zum Schmucke brauchten. Und zweitens ist es möglich, daß dieser Truthahn tatsächlich ein Beispiel der Selbstdomestikation bietet. Wenn sich das als wahr herausstellen sollte, und man auch dem Hunde diese Möglichkeit zuspricht, bedeutet das, daß die nordamerikanischen Völker *überhaupt keine* echte Domestikation zustande gebracht haben – ein kultureller Sonderfall ohnegleichen. Bei den Pflanzen steht es dagegen, wie wir sehen werden, anders.

In die Richtung der Selbstdomestikation des Truthahns scheint nämlich ein Experiment zu weisen, das Jean M. Pinkley 1965 mit viel Humor unter der Überschrift beschreibt: ‹Die Pueblos und der Truthahn: Wer domestizierte Wen?›[2]

Der Kerngedanke findet sich bereits in einem der ersten Sätze: «Zu behaupten, daß der Indianer den Truthahn zähmte, hieße, ‹den Karren vor das Pferd spannen›. Der Indianer hatte keine Wahl; der Truthahn domestizierte ihn.»

Das Experiment geht zurück bis aufs Jahr 1944, da der National Park Service, der oft versuchte, in historischer Zeit ausgestorbene Tierarten wieder anzusiedeln, zusammen mit dem Colorado State Game and Fish Department in Mesa Verde, dem ruinenreichsten Cañon-Gebiet im äußersten Südwesten des Staates Colorado, die ersten Hähne und Hennen aussetzte – nicht mehr als drei Hähne und sieben Hennen in den ersten drei Monaten.

Da die Zoologen und Biologen annahmen, man müßte anfangs den Tieren, die sich ja in dem neuen Gebiet nicht auskannten, besonders zur Winterzeit mit Nahrung aushelfen, fütterten sie sie. Das war der Anfang eines Desasters.

Ein paar Jahre ging alles gut. Das heißt, es gab Anzeichen, daß die Vögel überlebten. Dann änderte sich jäh das Bild, als noch mehr Tiere ausgesetzt wurden. Was daraufhin in den fünfziger Jahren geschah, konnte wegen seiner Komik einer Erzählung von James Thurber entnommen sein oder an den berühmten Hitchcock-Film ‹Die Vögel› erinnern, weil es einem Alptraum ähnlich wurde.

Tatsächlich ist kaum zu glauben, was die Beobachter berichteten: daß die Vögel sich nämlich zu einer Landplage entwickelten. Innerhalb weniger Jahre gewöhnten sie sich an alle Geräusche, die in dem vielbesuchten Mesa Verde von Menschen und Autos hervorgerufen wurden. Sie gingen auf den Straßen spazieren und zwangen Autofahrer zu gefährlichen Manövern. Sie entdeckten, daß die *porches* der Häuser, die mit Fliegendraht verkleideten Veranden, vortrefflich Schutz an Regentagen boten. Sie marschierten hinein und weigerten sich durchaus, wieder abzuziehen. Sie waren von unersättlicher Freßgier und fanden mit absoluter Sicherheit jede Gelegenheit zum Stehlen von Nahrung, wobei sie sozusagen eine Hilfsgemeinschaft mit den Jays, den Eichelhähern eingingen, die stets als erste die Nahrung entdeckten und dann durch lautes Gekreisch den Fundort verrieten. Da die Truthühner gewaltige Vögel sind, hinterließen sie unglaubliche Mengen von Exkrementen, so daß ihre bevorzugten Pfade unpassierbar wurden in leichtem Sommerschuhwerk – nicht zu vergleichen also mit dem, was die zierlichen Tauben dem venezianischen Markus-Platz antun. Kinder konnten nicht mehr in Ruhe spielen, faustgroße Exkremente zerplatzten ihnen auf dem Schädel. Frauen, die ihre Wäsche aufhängten, wurden angegriffen und die Wäsche verschmutzt. Die Türen mußten verschlossen gehalten werden, denn die Tiere inspizierten die Wohnräume und stellten den größten Unfug an.

Unbegreiflicherweise setzten die Parkleiter im Februar 1957 noch einmal einen Stamm Truthühner aus. Der brauchte diesmal keine Zeit zur Eingewöhnung; er verbündete sich sofort mit dem alten, erfahrenen, und die Situation geriet jetzt außer Kontrolle der Parkwächter, als die Tiere die ersten Unfälle verursachten.

Es mußte etwas geschehen. «Unsere Rasen, Veranden, Dächer, Gehwege und Fahrbahnen sahen wie Höfe von Bauernhäusern aus. Die Vögel waren arrogante, herausfordernde, laute, schmutzige Schädlinge, und wir beschlossen, zu ihrem eigenen Wohl und um unseren Verstand zu behalten, daß Schritte unternommen werden müßten, sie in die Wildnis zurückzutreiben, sie zu zwingen, wieder ‹wilde› Truthühner zu werden.»[3]

Nach einer Konferenz mit den Zoologen und Biologen zogen die Parkwächter mit Flinten los – zur touristenfreien Winterszeit –, warteten, bis sich die Vögel zu Gruppen versammelt hatten und schossen dann kurz über ihre Köpfe. Erschreckt flogen sie auf, flatterten bis hundert Meter weit und versammelten sich dort aufs neue, offenbar ein wenig verstört. Die Wächter zogen nach und schossen wieder. Diesmal erhoben sich die Vögel zwar genau wie vorher, flogen aber nur noch fünfzig Meter weit und zeigten nur noch sehr geringe Verstörung. Die Wächter schossen zum drittenmal, und diesmal zeigte sich, daß ihr Angriff verpufft war: Die Vögel schlugen jetzt zornig mit den Flügeln, fühlten sich also zwar gestört, aber hatten durchschaut, daß keine Gefahr vorlag und hielten wacker ihre Stellung.

Was nun?

Die Biologen rieten diesmal zu «Cherry Bombs» – das ist ein in unkundiger Hand nicht ungefährliches Mittelding zwischen Feuerwerkskörper und

Handgranate. Wenn diese Bomben inmitten der großen Hühnervögel explodierten, hüpften diese einen Augenblick wie besessen herum und – blieben, wo sie waren. Die Wächter warfen verzweifelt ihre Bomben, wobei es schließlich geschah, daß eine Bombe niederging, ohne gleich zu explodieren, und sofort sauste einer der älteren Vielfraße herbei, um sie aufzupicken. Er fuhr gen Himmel ohne Verzögerung. Die Wirkung auf die anderen? Nicht die geringste.

Nun steigerten sich die Wächter ein paar Tage lang in eine wahre Raserei. Sie errichteten Steinpyramiden an jeder günstigen Stelle und bombardierten die Vögel von diesen Gipfelstellungen herab mit Nah- und Ferngeschossen. Die Tiere wurden nur unwirsch, wenn sie direkt getroffen wurden, dann schrien sie vor Wut – aber ansonsten blieben sie, wo sie waren und spielten mit den Wurfgeschossen. Jetzt nahmen die Wächter Wasserschläuche und bespritzten die Vögel – die fanden das großartig. Die Männer jagten sie mit Stöcken bis zur Erschöpfung, setzten sich in ihre Geländewagen und fegten mit heulenden Sirenen die Straßen entlang – die Tiere spielten begeistert mit. «Je mehr Mühe wir aufwandten, um so mehr Spaß hatten die Truthühner daran... Wären Truthühner nicht mit einem Spatzengehirn ausgestattet, so würde ich vermuten, sie besuchten die Wiesen absichtlich, um fotografiert zu werden, damit sie über die Possen jenes zweibeinigen Lebewesens, das man Mensch nennt, lachen konnten.»[4]

Genug dieser Einzelheiten. Irgendwie, im Laufe längerer Zeit wurden die Wächter schließlich Herr dieser Vogelplage. Was aber ist die Folgerung aus diesem ungewöhnlichen Experiment?

Es ist denkbar, daß einst folgendes geschah: Als die Indianer der sogenannten «Korbmacher-II-Zeit» die ersten kleinen Felder anlegten (kaum größere Gemeinschaften als Familien waren damals am Werke), da mußten sie bald bemerken, daß immer zwei oder drei Mitglieder abgestellt werden mußten, um die reifenden Früchte zu schützen. Im Mesa-Verde-Gebiet, wo es keine permanenten Wasserläufe gab, waren die brütenden Vögel und die den Boden bestellenden Menschen an die gleichen Örtlichkeiten gebunden, an die Stellen, wo Wasser war. So gewöhnten sich die Vögel an die Menschen, ihre Gebärden und ihren Lärm. Und so ist die Annahme wahrscheinlich, daß die Truthühner auch zur Zeit der Früchte (denn die frühen Ackerbauer blieben zum großen Teil noch abhängig von den Wildfrüchten: Nüssen, Beeren und Samen aller Art) die engere Umgebung des Menschen nicht verließen: daß sie in ihrer Gefräßigkeit nicht nur über die Feldfrüchte der Indianer herfielen, sondern genauso unverschämt auch dort ernteten, wo sie nicht selber zu sammeln brauchten: in den Körben und Vorratshöhlen der Menschen. Das moderne Experiment hat bewiesen, daß die Indianer, auch wenn sie ihre Kinderscharen zur Hilfe nahmen, der Vögel kaum Herr geworden sein konnten.

Das wurde wahrscheinlich noch schlimmer, als die Indianer in der Zeit der sogenannten «Korbmacher-III-Periode» seßhafter wurden und sich zu kleinen Pit-Haus-Kolonien gruppierten. Denn nun wußten die Vögel genau, wo es etwas zu holen gab, wenn das Ernten und Sammeln beendet war, wenn der gefährliche Winter vor der Tür stand.

Die Folge? «Es blieb den Indianern nichts anderes übrig, als sie nachts in ein Gatter einzusperren und sie den Tag über zu hüten.»[5]

Nach den Erfahrungen des Mesa Verde-Experiments nimmt es wunder, daß die Indianer die Tiere nicht samt und sonders totschlugen, bevor sie entdeckten, wie nützlich das Fleisch, die Knochen und die Federn der Tiere sein konnten. Aber sie entdeckten es – und so kam es zur Domestizierung des Truthahnes, zur *Selbst*-Domestizierung, wie man hier vielleicht mit gutem Grunde sagen kann. Und sie war von höchstem Nutzen für die Mesa Verde-Völker. Denn diese *aßen* tatsächlich auch den Truthahn (was, wie schon gesagt, die meisten Stämme *nicht* taten), und sie verfertigten aus den Knochen Werkzeuge und Schmuckstücke, aus den Federn Putz und Decken.[6] Aber das war erst der zweite Schritt der Entwicklung. Zum ersten bemerkt rückschauend die Berichterstatterin des modernen Mesa Verde-Experiments: «Meine Sympathien gehören den Indianern: sie wurden wahrlich ausgebeutet.»[7]

(Dazu können wir noch ein anderes Zitat geben. Ivan L. Schoen berichtet 1968 in der Zeitschrift *Natural History*, in ‹Contact with the Stone Age› von einem Aufenthalt beim Wama-Stamm im Nordosten Südamerikas: «Die einzigen Tiere, die wir im Dorfe sahen, waren vier noch nicht ganz ausgewachsene *wilde* Truthühner, die ihrer Besitzerin überallhin folgten. Die Indianer hatten uns angewiesen, sie nicht zu berühren.» Man kann demnach Pinkleys Darstellung vielleicht als humoristische Überspitzung sehen. J. Stokeley Ligon berichtet zum Beispiel in ‹History and Management of Merriam's Wild

Der Truthahn – neben dem Hund das einzige Tier, das die nordamerikanischen Indianer domestizierten. Aber domestizierten sie ihn wirklich? (Siehe Text.) Die Zeichnung stammt von den Mimbres und entstand zwischen 1100 und 1300 nach Chr.

Turkey», The University of New Mexico Press, Albuquerque 1946, von anderen Erfahrungen.)

Durchaus anders nun stand die Sache mit der Domestizierung der Pflanzen in Nordamerika. Aber auch hier ist ein Vergleich mit den Errungenschaften der Alten Welt kaum statthaft.

Victor R. Boswell, Gartenbauexperte des United States Department of Agriculture, erzählt dazu eine hübsche Geschichte von einem Freund, den plötzlich gärtnerischer Wissensdurst packte. Er wollte die Pflanzen, die er sein Leben lang gegessen hatte, endlich *wachsen* sehen und legte sich, Stadtbewohner, der er war, in seinem Hinterhof einen Garten an, den er eines Tages in voller Blüte Boswell vorzeigte. «Bisher», sagte er, «habe ich *nur amerikanische Nutzpflanzen gezogen.* Im nächsten Jahr will ich mich mit ausländischen befassen.»[8]

Boswells Augen glitten bedächtig über die grüne Pracht, er zählte die Pflanzen, überschlug im Kopfe, was er sah, und konnte nicht umhin zu erwidern: «Diese Tomaten, Bohnen, Chili-Pfeffer, Lima-Bohnen und Kartoffeln sind die einzigen wirklich amerikanischen Gemüse, die Sie haben. Alle anderen sind ausländisch: Zwiebeln, Rettiche, Salat, Spinat, Rote Bete, Chard, Kohl, Brokkoli, Grünkohl, Möhren, Petersilie, weiße Rüben, Erbsen, Spargel, Sojabohnen, Senf, Eierpflanze und alle anderen. Die fremden Pflanzen in Ihrem Garten überwiegen die einheimischen etwa in einem Verhältnis von fünf zu eins.»

Er hätte, genauer noch, hinzufügen können: *Nord*amerikanisch ist sogar nur *eine* spezielle Bohnensorte; Tomaten, Pfefferschoten und Kartoffeln kommen aus Zentral- und Südamerika.

Aber der gute Hinterhofgärtner hatte andererseits zwei wirklich amerikanische Nutzpflanzen vergessen, nämlich den Squash (kleine Kürbissorten, weshalb der Amerikaner dafür auch abwechselnd die eigentliche Kürbisbezeichnung *pumpkin* gebrauchte) und die wichtigste Pflanze von allen, die Pflanze, die tatsächlich die meisten nordamerikanischen Kulturen erst ermöglichte, den Mais. Aber Mais und Kürbis brauchen Raum, und soviel Raum hatte der Kleingärtner nicht.

Der Mais rangiert in seiner Wichtigkeit als Nahrungsmittel unmittelbar hinter dem Reis, der noch mehr Menschen ernährt. Schon Kolumbus schickte ein paar der goldenen Kolben heim; es gab damals bereits unzählige Zuchtformen, dabei dürftige, unscheinbare, aber in fast allen Farben; noch heute produziert Zentralamerika mehr Variabilitäten als die ganzen USA.

Bald eroberte der Mais große Teile Europas – unter den Namen Mais, Kukuruz, Türkischer Weizen oder Welschkorn. In Italien ißt man ihn als Polenta, in Rumänien als Mamaliga. Nur in Deutschland war er lange Zeit kaum mehr als ein Futtermittel. Jedoch die Amerikaner benutzten den Mais seit der Kolonisationszeit in so vielen verschiedenen Zubereitungen, daß sie darin nur von den Mexikanern übertroffen werden. Das in Amerika allgemein gebräuchliche Wort *corn* oder *Indian corn* ist übrigens eine unzutreffende, weil zu allgemeine Bezeichnung; aber das ursprünglich indianische Wort *maize* scheint sich neuerdings wieder einzubürgern.

Die großen Kulturen der Alten Welt konnten ihre Ökonomie auf Weizen und Roggen, auf Gerste, Hafer, Hirse und Buchweizen aufbauen, vor allem auf Weizen und Roggen, aus denen man Brot backen kann, das im Alten Ägypten erfunden wurde und dessen Geschichte uns Heinrich Eduard Jacob in seinem Meisterwerk ‹6000 Jahre Brot›[9] so hinreißend beschrieben hat.

Als der Mensch anfing, seßhaft zu werden, sich zu größeren Gemeinschaften zusammenschloß, die ersten Städte gründete, da brauchte er als Basis seines nun bereits spezialisierten gesellschaftlichen Lebens das *Getreide*. Überall, ohne Ausnahme. Und überall auch, wo die Forscher den Spaten in die Vergangenheit stießen, trafen sie auf die Spur dieses wichtigsten Nahrungsmittels. Die rührendste Entdeckung geschah wohl in Pompeji, wo die Ausgräber, als sie die meterhohen Schichten von Asche und Bimsstein entfernt hatten, die der Vesuv im Jahre 79 nach Chr. auf diese reiche Stadt geschüttet hatte, noch die gerade fertig gebackenen Brote in den Öfen der Bäcker fanden!

Im ersten Moment mag es seltsam erscheinen, daß sich die Archäologen, von denen der Laie so oft fälschlich vermutet, daß sie vor allem nach Schätzen, Kunstgegenständen und Schriften grüben, immer mehr für diese Reste der *Nahrung* des frühen Menschen interessierten. Sehr einfach: Wenn man zurückverfolgen kann, wo das Getreide herkam, das heißt, wo die wilde Pflanze domestiziert wurde zur Kulturpflanze, dann hat man oft auch die Landschaft entdeckt, in der die ersten großen Gemeinschaftsbildungen entstehen konnten.

Tatsächlich war diese biologische Detektivarbeit bei den meisten Getreidearten auch von Erfolg gekrönt. Die Wildformen ließen sich fast alle in den östlichen Mittelmeerländern lokalisieren. Auf welchen Wegen sie sich ausbreiteten, und mit welcher Schnelligkeit oft, ist teilweise unbegreiflich.

Das trifft auch später sogar auf die amerikanischen Nutzpflanzen zu. Die südamerikanische Kartoffel wurde durch die Piraten der ersten englischen Elisabeth nach Europa gebracht und eroberte sich den Kontinent – aber nach *Nordamerika* wurde sie als *Irish Potatoe* erst sehr viel später wieder *eingeführt*. Die ebenfalls südamerikanische Tomate wurde von den Europäern, besonders von den Italienern, längst mit Genuß verspeist, da galt sie in *Nord-*

amerika – noch vor hundert Jahren! – als giftig; nur der experimentierfreudige Präsident Jefferson pflanzte welche in seinem Garten zu Monticello; nach Salem in Massachusetts führte sie erst 1802 ein italienischer Maler ein, in New Orleans tauchte sie erst 1812 auf!

Bei der Lokalisierung des Ursprungslandes von Squash und Bohnen ergaben sich keine besonderen Schwierigkeiten. Tatsächlich sind die Wildpflanzen den Kulturpflanzen so ähnlich, daß auch der Laie die Abstammung leicht zu erkennen vermag.

Ganz anders aber und rätselhaft erschien noch bis vor kurzem die Herkunft des Maises!

Er schien vollkommen fertig aus Gottes Hand gesprungen zu sein, denn trotz einer botanischen Jagd über den ganzen Kontinent und bis tief nach Südamerika hinein wollte es nicht gelingen, die *Wildpflanze* aufzuspüren, aus der er hervorgegangen war. Aus der er hervorgegangen sein *mußte*, denn der Mais ist die einzige Getreideart, die vollkommen abhängig ist vom Menschen, von Zucht und Pflege und ständiger Bewahrung vor der Überwucherung durch Unkraut. *Mais nämlich pflanzt sich nicht selber fort*, er muß stets neu von Menschenhand gesät werden. Überläßt man ein Feld sich selber, so fallen zwar die überreifen Körner zur Erde und treiben, aber sie sind so zahlreich, daß sich die Neupflanzen gegenseitig ersticken.

Wo also kam er her?

Es ist klar, daß kein Botaniker auf die Idee kam, die Wildpflanze im nördlichen Kanada oder auf dem südlichen Feuerland zu suchen. Mais braucht Wärme und mindestens 38 Zentimeter Regen jährlich. Man begann die Suche also dort, wo nicht nur das Klima das angemessenste war, sondern wo hohe Zivilisation eine lange Tradition der Kultivierung vermuten ließ: im südlichen Mexiko, in Yucatán und Guatemala, in der Nähe der bedeutendsten Zivilisation, die Alt-Amerika hervorgebracht hat, der der Mayas.

Tatsächlich fand man nach langem Suchen ein Gras, das dem Mais verwandt erschien, genannt Teosinte. Der Streit um die Bedeutung des Teosinte ging jahrelang, bis man sich schließlich bedauernd darauf einigen mußte, daß Teosinte wohl kaum in Frage kam, denn einige Botaniker behaupteten mit guten Gründen, daß die Entwicklung des Grases Teosinte bis zum schwere Frucht tragenden Mais nicht weniger als 20 000 Jahre gedauert haben müßte!

Ist überhaupt die geistige Vorwegnahme eines Endproduktes denkbar, dessen Gestalt nicht im geringsten augenscheinlich vorgebildet ist? Nein – bis zu Darwin, Mendel und Burbank, die nacheinander die ersten Gesetze der Genetik erahnten und schließlich in ein System brachten, war das Ergebnis von Auslese und Züchtung reiner Zufall. Die Vorstellung also, daß sich die ersten Ackerbauer Amerikas gedacht haben, wenn wir dieses Gras nur oft genug so und so selektieren, so und so pflegen, dann wird nach vielleicht Hunderten von Jahren dieses Gras einen reichen Fruchtkolben tragen, ist völlig absurd. Es mußte also eine Wildpflanze geben, die *augenfällig* diese fruchtbare Zukunft zumindest im Ansatz zeigte.

Der Streit ging weiter. Er erhielt eine ausgesprochen delikate Note, als die Forscher sich erneut mit der «Versteinerung» eines Maiskolbens befaßten, die 1920 in einem Kuriositätenladen in Cuzco in Peru entdeckt worden war und ihren Weg schließlich ins Smithsonian Institute in Washington gefunden hatte, wo sie unter den 50 Millionen (in Worten: *fünfzig* Millionen) Sammelstücken beinahe verschwunden wäre. Dieses Stück, «versteinert», wirkte unzweifelhaft äußerst alt; erstaunlicherweise ähnelte es aufs Haar einem heutigen Maiskolben, was einige stutzig machte. Nach langem Hin und Her entschloß man sich zu einer ungewöhnlichen Maßnahme. Man brach das «Fossil» in zwei Stücke, um aus der inneren Struktur vielleicht Aufschlüsse zu gewinnen. Die Überraschung war außerordentlich. Das «Fossil» bestand aus gebranntem Ton. Und im Innern befand sich ein Hohlraum, in dem drei gebrannte Tonkugeln kullerten. Wie Hibben dazu lakonisch bemerkt: «Irgendein findiger Peruaner hatte vor langer Zeit den ‹versteinerten Maiskolben› als Rassel für sein Baby hergestellt.»[10]

Schließlich nahm sich der große Luther Burbank der Sache an, der in fünfzigjähriger Arbeit, die ihn weltberühmt machte, Hunderte von neuen, besseren Gemüse-, Obst- und Blumen-Sorten mit seinem Namen verknüpft hatte. Er begann seine Experimente mit Teosinte, und es gelang ihm nach achtzehn Generationen sorgfältiger Züchtung eine primitive Maisform zu entwickeln – nur um dann zu entdecken, daß er irrtümlicherweise bereits mit einer Hybride, einer Kreuzung von Teosinte mit Mais, begonnen hatte. Er starb 1926, ohne das Problem gelöst zu haben.

Die ganze Frage trat erst in ein neues Stadium, als der Archäologe Herbert Dick, damals, 1948, noch Student des Peabody Museums der Harvard University, in der Fledermaus-Höhle in New Mexico einen überraschenden Fund tat. In einer stratigraphischen Grabung (nur mit Staubmasken war sie möglich) entdeckte er verschiedene Schichten, in denen er verschiedene Arten von Mais fand. Und diese Arten zeigten deutlich eine *Entwicklung*. In der untersten Schicht, an die zwei Meter tief, fanden sich die kleinsten, dürftigsten Kolben, nicht länger als zwei bis drei Zentimeter, aber zweifellos fertig ausgebildeter Mais. Eine C^{14}-Datierung erbrachte das erstaunliche Alter: 3600 vor Chr.! Nicht nur das. Die Biologen waren in der Lage, nachzuweisen, daß dieser älteste bis dahin aufgefundene Mais zweifelsfrei sowohl Popcorn als auch *Pod corn* war, zwei Formen, die auch heute lebendig sind (die hauptsächlichsten Formen heute sind Popcorn, Pod corn, Flint corn, Dent corn, Soft corn, Sweet oder Sugar corn und Starchy sweet corn). Der biologischen Probleme nahm sich nun besonders Paul C. Mangelsdorf aus Harvard an, die archäologischen Fragen aber verfolgte jetzt mit größter Hartnäckigkeit Richard MacNeish für die Peabody Foundation in Andover.

Es würde hier viel zu weit führen, dieser langjährigen und sehr subtilen Forschung im einzelnen nachzugehen. MacNeish durchstöberte in Tehuacán in Mexiko achtunddreißig Höhlen – erst in der neununddreißigsten fand er, was er suchte.

Es mag hier genügen, daß das Problem, das sich noch bis vor wenigen Jahren als völlig rätselhaft darstellte, heute den Biologen, Botanikern und Archäologen als gelöst erscheint. Die drei Forscher Mangelsdorf, MacNeish und Galinat veröffentlichen einen gemeinsamen Bericht, der mit folgender Zusammenfassung schließt:

«Reste vorgeschichtlichen Maises, darunter alle Teile der Pflanze, sind in fünf Höhlen im Tehuacán-Tal im südlichen Mexiko aufgefunden worden. Die frühesten Reste, die zwischen 5200 und 3400 vor Chr. datierten, sind mit großer Wahrscheinlichkeit *solche nicht domestizierten Maises*. Spätere Reste umfassen kultivierten Mais und geben eine deutliche Entwicklungsreihe wieder, die am Ende verschiedene, noch heute existierende mexikanische [Mais-] Sorten hervorbrachte. Trotz einer auffallenden Zunahme an Größe und Ertragsfähigkeit durch die Domestikation, welche dazu beitrug, Mais zum Grundnahrungsmittel der präkolumbischen Kulturen und Zivilisationen in Amerika zu machen, hat es in 7000 Jahren keine grundlegende Veränderung in den wesentlichen botanischen Merkmalen der Maispflanze gegeben.»[11]

Damit ist der Beweis erbracht, der gesucht wurde: Die Domestikation des Maises fand in Mexiko statt, und daher konnte sich dort eine der ersten amerikanischen Hochkulturen entwickeln. Die *nordamerikanischen* Indianer *übernahmen* diese Kulturpflanze, die sich im Laufe der Jahrhunderte ausbreitete nach Norden, bis endlich von Indianern versteckte Mais-Vorräte durch der Verzweiflung nahe Pilgerväter in Massachusetts nach der Landung im Jahre 1620 entdeckt wurden und ihnen über den ersten schrecklichen Winter halfen.

«Liebe und schätze deinen Mais, so wie du deine Frau liebst und schätzt», sagen die Zuñis von New Mexico noch heute – und ihre Ahnen sagten es wahrscheinlich vor Tausenden von Jahren.

Viertes Buch

14. Die Mounds werden entdeckt

Von Wisconsin bis zum Golf von Mexiko, vom Mississippi bis zu den Appalachen, vornehmlich aber im Staat Ohio, erheben sich Zehntausende von künstlichen Hügeln, zum Teil noch deutlich erhalten, zum Teil vom Wind eines Jahrtausends abgetragen, vom Pflug des Farmers zerrissen, von Grabräubern zerstört und ausgeplündert.

Unter diesen Hügeln befinden sich auch solche, die die Form von Pyramiden haben!

Wenn man dies Wort ausspricht, erheben sich vor unserem Auge die gigantischsten Steinbauten aller Zeiten, vor allem die drei ägyptischen Riesenmonumente bei Gizeh in der Nähe Kairos.

Damit sind nur die Tempelpyramiden der Mayas und Azteken in Zentralamerika und Mexiko zu vergleichen. Die *nordamerikanischen* Mounds, kaum im mathematischen Sinne Pyramiden zu nennen, sind nicht aus Stein, sondern sind manchmal nur kleine, manchmal aber doch riesenhafte Erdanhäufungen, künstliche Berge, ja, der gewaltigste bedeckt eine Grundfläche, die größer ist als die der ägyptischen Cheops-Pyramide.

Wie die Unterschiede auch sein mögen: Es ist erstaunlich, ja unerklärlich, wie wenig die Tatsache bekannt ist, daß es weit mehr als 100 000 solcher Mounds in den USA gibt. Man nennt alle diese Hügel, die oft gar nicht pyramidenähnlich sind, sondern manchmal völlig phantastische Formen haben, mit dem Sammelwort Mounds. Das Wort ist zweifelhaften Ursprungs. Es bezeichnet nicht unbedingt einen Grabhügel, auch nicht eindeutig eine Tempelpyramide, es ist ein Verlegenheitswort, das schließlich herhalten mußte, ein ganz vage vermutetes Volk zu benennen: eben die Mound Builders. (Builder heißt einfach Erbauer – aber es hat keinen Sinn, für Mound Builder einen neuen deutschen Begriff zu prägen, etwa «Hügel-Erbauer», weil eben Mound nicht immer gleich Hügel ist.)

Aber eine nordamerikanische Bescheidenheit ist unnötig. Man hat ausgerechnet, daß ein Mound nahe Miamisburg in Ohio nicht weniger als 8816 Kubikmeter Erde enthalten muß; ein anderer, in Ross County, ebenfalls Ohio (allein im County fanden sich etwa 500 Mounds), wurde aus 20 000 Wagenla-

dungen Erde aufgeschüttet, die Schätzung eines Farmers, denn die Indianer
hatten keinen Wagen, sondern nur ihre Hände, Körbe und Fellsäcke! Aber
wer einem Farmer nicht glauben mag, der möge zwei modernen Archäologen
glauben, die nach genauem Studium, nach Luftaufnahmen, nach sorgfältiger
Erdarbeit, einiges über die Mounds von Poverty Points im nördlichen Lousia-
na sagen konnten. Es waren James A. Ford und C. H. Webb, die 1956 kon-
statierten, daß dort ungefähr 405 000 Kubikmeter Erde bewegt worden waren. Über den größten Mound sagt Ford: «... man kann vermuten, daß der
fertige Mound über drei Millionen Arbeitsstunden erforderte.»[1]

Nimmt man alle nordamerikanischen Mounds zusammen, die ja unendlich
viel zahlreicher sind als die ägyptischen Pyramiden, so ergibt sich der organisierte Arbeitsaufwand eines «primitiven» Volkes, der in seiner Gesamtheit
weit über dem ägyptischen rangiert!

Es war klar, daß diese Monumente, auf die die ersten Siedler von der Ost-
küste her stießen, sofort die Phantasie zu den kühnsten Vermutungen hinrissen.

«Durch die Schlacht, durch Niederlage, immerzu und ohne Halten, Pioniere! Pioniere!»[2] besang Walt Whitman diese Männer, die wahrhaftig
keine archäologische Forschung im Sinn hatten, sondern die um ihr Leben
kämpften, und die deshalb diese Bauwerke unmöglich mit den wilden, noma-
dischen Roten, den tollkühn reitenden Sioux und Apachen, oder wie immer
sie heißen mochten, in Verbindung bringen konnten, mit jenen Indianern, die
nichts als Krieg und Jagd im Sinn zu haben schienen, jede sklavische Arbeit
zutiefst verachtend.

Aber auch die ersten gelehrten Männer, die ihnen folgten, waren ratlos.
Mußte hier nicht eine mythische Urrasse am Werk gewesen sein, von überle-
gener Zivilisation? Nun ist kurios: Eine wissenschaftliche Erforschung des
nordamerikanischen Ostens begann fast genau hundert Jahre früher als die
des Südwestens, wenn man die letztere um 1880 mit Bandelier beginnen läßt,
die erstere aber schon um 1780 mit Thomas Jefferson. Und wenn man mit
Respekt vermerken muß, daß schon am 19. November 1812 in einem Kaffee-
haus zu Boston die American Antiquarian Society gegründet wurde, wobei
erklärt wurde: «Ihr eigentliches und besonderes Ziel ist es, die Altertümer *unseres eigenen Kontinentes* zu entdecken; an einem festen, ständigen Sammel-
platz sollen solche Überreste amerikanischer Altertümer, soweit sie beweglich
sind, aufbewahrt werden.»

Solche Erklärungen aber hinderten nicht, daß es das ganze Jahrhundert
hindurch zahllose wissenschaftliche und unwissenschaftliche Kontroversen zu
den phantastischen Theorien über die Mound Builders gab.

Im Jahre 1827 erschien zu Heidelberg in Deutschland ein Buch mit dem Titel: ‹*Nachrichten über die frühen Einwohner von Nordamerika und ihre Denkmäler*›. Der Verfasser war ein Mann namens Friedrich Wilhelm Assall, der 1818 als Bergmann nach den Vereinigten Staaten ging, neun Monate lang Soldatendienste leistete, und sich dann in Ohio und Pennsylvanien ansiedelte, wo er es zum Berghauptmann brachte.

1823 kehrte er zu einem Besuch nach Deutschland zurück, wo er dem Heidelberger Professor Franz Joseph Mone von ganz erstaunlichen indianischen Bauwerken berichtete, die er besonders in Ohio gesehen hatte. Mone (aufs höchste interessiert, denn schon 1820 hatte die Universität Göttingen eine Preisfrage ausgeschrieben, die eine kritische Vergleichung der *Amerikanischen und Asiatischen* Denkmäler verlangte!) forderte Assall stürmisch auf, seine Erfahrungen niederzuschreiben.

Assall tat nicht nur das, sondern er durchforschte auch alle ihm zugängliche Literatur über diesen Gegenstand, um sie mit seinem Augenschein zu vergleichen – und oft waren seine eigenen Beobachtungen besser, geographisch und ethnologisch fundierter als die seiner Vorgänger. Sein Buch wird hier erwähnt, weil es wohl das erste in Europa war, das die Aufmerksamkeit zumal der deutschen Gelehrtenwelt auf Monumente in *Nordamerika* lenkte, sie kritisch untersuchte, mit Gedanken über ihr Alter und über das Volk, das sie errichtet hatte – zu einer Zeit, da in Amerika selbst eine *kritische* Betrachtung dieses Gegenstandes noch sehr im argen lag (Caleb Atwaters ‹*Description . . .*›, war ja kaum sieben Jahre vorher erschienen). Wir erwähnen das Werk auch deshalb, weil es bisher der amerikanischen Forschung, die sich mit der *Entdeckungsgeschichte* der Mound Builders befaßte, völlig entgangen zu sein scheint. Ein glücklicher Zufall spielte mir den völlig zerfledderten Band von 160 Seiten in die Hände – ich fand ihn bisher in keiner archäologischen Bibliographie in den USA, ja, nicht einmal die Library of Congress besitzt ein Exemplar!

Nun hatte ja, wie wir im «Vorspiel» unseres Buches berichteten, Thomas Jefferson schon vor 1781 weit mehr getan: Er hatte die erste stratigraphische Grabung an einem Mound in Virginia ausgeführt. Bemerkenswerterweise war er nicht der einzige frühe Präsident der Vereinigten Staaten, der ein lebhaftes Interesse an den Mound Builders zeigte. Als «Old Tippecanoe» war dieser andere Präsident bereits in die amerikanische Militärgeschichte eingegangen, als Held vieler Indianerschlachten, unter anderem gegen den sagenumwobenen Häuptling Tecumseh, dessen Aufstand vom Jahre 1810 er am Tippecanoe River zusammenschlug. Er machte steile militärische und politische Karriere, dieser William Henry Harrison, der wie Jefferson aus Virginia stammte, aber zeit seines Lebens ein Mann einfachster Lebensformen blieb, was ihm einen ungewöhnlichen hohen Wahlsieg bescherte: Er wurde der neunte Präsident der USA! Aber er blieb es nur einen Monat lang, vom 4. März 1841 an – am 4. April starb er bereits.

1829 schon hatte sein Interesse an den Mound Builders begonnen. 1838 publizierte er ‹*Discourse on the Aborigines of the Valley of the Ohio*›. Aber, anders als der in den Wissenschaften geschulte Jefferson, sah er die Mound Builders in romantischer Beleuchtung. Kriegerische Szenen fallen dem alten Militär ein, wenn er einen Mound sieht, den er als Festung bewertet. Rauchfäden sieht er gen Himmel steigen, und schaurige Menschenopfer will er auf einem Mound erblicken, den er als Tempelstätte einordnet. Immerhin erkannte er völlig nüchtern als einer der ersten: Die Mound Builders müssen Farmer gewesen sein. –

Jedoch: Die ältesten Beschreibungen von Mounds haben wir wieder nicht von den östlichen Einwanderern erhalten, sondern von den spanischen Konquistadoren, die von Süden kamen. Hernando de Soto landete 1539 in Florida, schlug sich nordwärts und sah immer wieder Mounds. Er sah alte *und* neue! Hier ein paar Zitate aus alten Quellen:[3]

«Der Gouverneur (de Soto) öffnete einen großen Tempel in den Wäldern, in dem die Häuptlinge des Landes begraben waren, und stahl aus ihm einen Perlenschatz...»

«Die Kaziken dieses Landes haben die Sitte, nahe ihrer Behausung sehr hohe Hügel zu errichten, auf denen sie manchmal ihre Häuser bauen.»

«Die Indianer versuchen ihre Dörfer auf erhöhten Plätzen zu errichten, aber dieweil, was Florida betrifft, nicht viele Stellen dieser Art vorhanden sind, auf denen sie bequem bauen können, errichten sie künstliche Hügel...»

«Das Haus des Häuptlings stand nahe dem Strande auf einem sehr hohen Hügel, *von Menschenhand* zur Verteidigung errichtet.»

«... eine Stadt von vierhundert Häusern und einem großen Platz, an dem das Haus nahe des Häuptlings auf einem *künstlich* errichteten Hügel (Mound) stand.»

Wären die Archäologen des 19. Jahrhunderts historisch geschult gewesen, um sich die spanischen Quellen erschließen zu können, würden zahllose mythische Vorstellungen über die Mound Builders gar nicht erst aufgekommen sein. Die Spanier kamen gar nicht auf die Idee, hier eine mythische Urrasse zu erfinden, denn sie sahen ja, wenn auch in bescheidenem Maß, Mound Builders noch am Werke.

Um so mehr blühten die Spekulationen dann im Osten. Noch zweihundert Jahre nach Hernando de Soto nahmen ernsthafte Gelehrte an, bei den Bauwerken im Süden könne es sich nur um Fortifikationen handeln, die von den Soldaten des Eroberers angelegt wurden. Nun waren freilich viele der Nachrichten, die von den ersten Reisenden und Pionieren stammten, die sich in den Westen trauten, bis über den Mississippi hinaus, recht ungenau. Die von Präsident Jefferson sorgfältig dirigierte Erkundungsfahrt der beiden Offiziere Meriwether Lewis (der vorher sein Sekretär war) und William Clark, die 1804 aufbrachen und in abenteuerlichen zweieinhalb Jahren das Land östlich des Mississippi bis zum Ozean erforschten (und eine unendliche Fülle von Material heimbrachten), war gewiß eine Ausnahme. Die Reise ist in der amerikanischen Geschichte so sagenhaft, daß noch heute Profit daraus gezogen wird: Reisebüros vermitteln Gruppenreisen «Auf den Spuren von Lewis und Clark».

Auch George Catlin war zweifellos ein ungewöhnlicher Mann. Dieser Rechtsanwalt wandte sich plötzlich der Porträtmalerei zu, spürte in sich dann einen Hang zum Abenteuer und verband beides, indem er als Maler acht Jahre durchs Indianerland zog, aber nicht nur Bilder, sondern auch zahllose Notizen, scharfsinnige Beobachtungen heimbrachte. Aber – Europa hörte zuerst davon: Es ist beschämend, daß er sein außerordentliches zweibändiges Werk, mit mehr als 300 exzellenten Stichen, im Jahre 1841 in London auf eigene Kosten drucken lassen mußte.[4]

Es ist ganz unmöglich, nun alle aufzuzählen, die *archäologisch* wertvolles Material zur Kenntnis der Mound-Völker herbeitrugen. Ein paar der ersten, der originellsten seien erwähnt.

Der Herrnhuter Missionar David Zeisberger zog mit einer Gruppe christianisierter Indianer nach Ohio und gründete dort 1772 die Siedlung Schönbrunn. Er hatte jahrelang unter den Onondagas und Delawaren gelebt, sah nun die Mounds, schrieb darüber in seiner ‹History of the American Indians› und gab damit wahrscheinlich den ersten ernst zu nehmenden Bericht.

Dann der Veteran des Revolutionskrieges, General Rufus Putnam, Gründer der Ohio Company im Jahre 1786, die offen die Absicht kundtat, riesige Ländereien zu billigstem Preis zu erwerben. Er fand in einem wackeren Kirchenmann, dem Reverend Manasseh Cutler, genau das, was wir heut einen Lobbyisten nennen würden – der setzte bei der Regierung, damals in New York, tatsächlich das Gewünschte durch. 1787/88 gründeten sie Marietta – im Zentrum zahlloser Mounds. Und ausgerechnet diese beiden zweifellos Hartgesottenen taten Gutes für die Archäologie: Sie verhinderten sinnlose Zerstörung der alten Monumente. Putnam, mit militärischer Vermessungstechnik vertraut, fertigte Karten des Mound-Areals an, die für mehr als ein Jahrhundert die besten blieben, die es gab. Und der Kirchenmann Cutler nahm, so unwahrscheinlich das klingt, rund 140 Jahre vor Dr. Douglass die

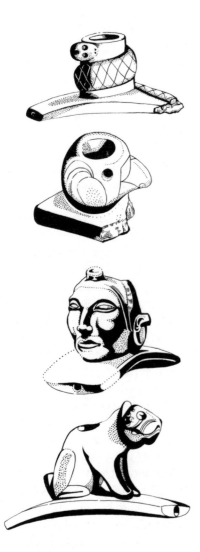

*Die Kunst, Pfeifen aus Ton
oder aus weichem Stein
herzustellen, war bei den Mound
Builders so hoch entwickelt,
daß sie erst viele hundert
Jahre später in Europa
übertroffen werden konnte.*

Baumring-Datierung vorweg (natürlich
in ihrer primitivsten Form, aber doch
wahrscheinlich zum erstenmal auf historische Monumente angewandt): Er fällte
einen der Riesenbäume auf einem der Ma-
rietta-Mounds, zählte die Jahresringe und
stellte fest, daß (im Jahre 1798) der Mound
schon *mindestens* 463 Jahre alt gewesen
sein muß!

Ein Sonderfall ist auch wieder Caleb
Atwater, der vom «Postmaster» aufstieg
zum «Commissioner of Indian Affairs»
unter Präsident Jackson. 1819 publizierte
er ein Werk, das ich des öfteren als «klassisch» interpretiert fand, das aber voller
Irrtümer steckt (wie alle seiner Zeit).[5] Es
basierte durchaus auf vielerlei eigener An-
schauung und enthielt ausgezeichnete
Zeichnungen und Karten. Aber auch folgende merkwürdige Bemerkung: Nachdem er berichtet, daß er zahllose Skelette,
darunter 50 Schädel der Mound Builders
genau examiniert habe, fügt er hinzu, daß
er zu der sicheren Überzeugung gekommen sei, dieses Volk habe «niemals zu einem Volke wie unsere Indianer gehört».
Und erstaunlich für einen Deutschen, dem
der Unterschied zwischen einem Friesen
und einem Bayern geläufig ist, behauptet
er weiter: «Die Gliedmaßen unserer Fossilien sind kurz und dick, und sind den
Deutschen mehr als allen anderen Europäern, die ich kenne, ähnlich.»

Die Verwirrung stieg, als man immer
mehr Relikte aus den Mounds ausgrub,
darunter besonders schön geschnitzte Ta-
bakspfeifen, deren einige aussahen wie die
Köpfe von Elefanten. Um 1880 war man
so weit, daß man einige Mounds, die einfach durch die Einflüsse der Natur defor-

miert waren, als ehemals klare Abbilder von Elefanten und Kamelen ansah, die in Nordamerika existiert hatten, aber ausgestorben waren. Was lag näher, als anzunehmen, daß die Mound Builders gelebt hatten, als diese Tiere noch ihr Wesen trieben – vor mehr als zehntausend Jahren? Das brachte noch 1880 Frederick Larkin auf die Theorie, daß die Mound Builders das Mammut nicht nur gezähmt, sondern regelrecht domestiziert hatten! Nur die gigantischen Mammute (Bulldozer der Vorzeit) konnten die gigantischen Erdmassen bewegt haben, die nötig waren, einen Mound zu türmen. –

Zwei besondere Charaktere müssen auch Fowke und Moore gewesen sein.

Gerard Fowke war Kavallerieoffizier des Bürgerkriegs gewesen. Er reiste durch den ganzen Osten, besuchte nicht nur jeden Mound, von dem er hörte, sondern stöberte auch alle erreichbaren Privatsammler auf, um ihnen seltene Funde abzuluchsen (welcher Art diese Funde sein konnten, beschreiben wir im übernächsten Kapitel). Nebenbei fand er Zeit, ein paar durchaus ernsthafte Bücher über seine Forschungen zu veröffentlichen. Das Kuriosum war: Er machte alle Reisen, Tausende von Meilen, *zu Fuß*, denn als er noch Kavallerieoffizier war, hatte er geschworen, daß er, sobald der Krieg zu Ende sei, niemals wieder ein Pferd besteigen würde. Er traute auch, nachdem er einen kleinen Unfall erlebt hatte, der Eisenbahn nicht. Er lebte lange genug, um noch die Vorzüge des Automobils zu sehen: Er verachtete es! Hibben berichtet, daß man noch in den zwanziger Jahren unseres Jahrhunderts diesen hochgewachsenen Mann, angetan mit Kavalleriestiefeln, die bis übers Knie reichten, über die Straßen von Ohio, Indiana und Illinois wandern sah.[6]

Nur Sammler, und zwar Raubsammler, scheint der reiche Baumwollhändler Cyrus Moore gewesen zu sein, obwohl er immerhin auch einige Beschreibungen und Illustrationen archäologischer Funde hinterließ. Er zog mit fünf-

Hölzerne Maske, der sogenannte «Hirschtänzer», aus dem Spiro Mound in Oklahoma.

undzwanzig handfesten Burschen jahrelang, Sommer für Sommer, auf einem extra für ihn konstruierten Hausboot über die Wasser des Mississippi und Ohio, stoppte, wo immer er einen Mound sah (und er konnte ja leicht Tausende von ihnen sehen) und plünderte sie mit seinen Männern aus. Vollbeladen mit indianischen Kunstwerken, die das Herz jedes Wissenschaftlers hätten höher schlagen lassen, fuhr er im Herbst hinunter nach New Orleans – des Abends, berichtet Hibbens, saß er im Heck seines Bootes, in einem extra für ihn angefertigten Sessel, und spielte Banjo.

Raubgräber gleich ihm gab es in Scharen, wenn sie auch meist gezwungen waren, mit geringerem Aufwand zu arbeiten. Nichts Grundsätzliches sei hier gegen die grabenden Amateure gesagt, denen die Wissenschaft unendlich viel zu verdanken hat und noch heute jeden Tag verdankt – sofern sie bei einem Fund dem nächsten Fachmann rechtzeitig Bescheid geben. Seit jeher, besonders nach dem letzten Krieg, gab es und entwickelten sich Amateur-Vereine, lokale Historical Societies, die ihre Mitglieder zu vorsichtigem Graben erzogen, die aufklärende Literatur verteilten, wie man gefundene Schätze zu retten habe für die Wissenschaft. Dankenswerterweise schrieb der Direktor des Bronson Museum of the Massachusetts Archaeological Society ein vorzügliches Handbuch für Amateure, das jeder «Sonntagsjäger» in der Tasche tragen sollte.[7]

Heute kann allerdings nicht mehr passieren (weil Staatsgesetze die meisten Mounds vor Plünderungen schützen), was dem Spiro Mound in Oklahoma geschah. Ein Farmer, noch im vorigen Jahrhundert, entdeckte beim Pflügen am Fuß eines Hügels, eines Mounds, eine rötliche Tabakpfeife, kunstvoll geschnitten aus Stein. Er zeigte sie Freunden, die davon gehört hatten, daß närrische Menschen im Osten hohe Preise für solche Dinge zahlten. Als die Ernte eingebracht war, zogen sie selbander zum Mound, kappten erst alle Bäume, die auf ihm wuchsen (womit sie eine Möglichkeit der Datierung zerstörten),

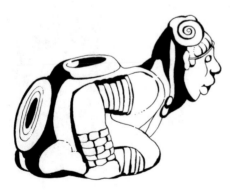

Einer der ersten registrierten Funde aus der Mound Builder-Zeit – schon von Alexander von Humboldt beschrieben, von Squier/Davis 1848 veröffentlicht. Eine kleine Pfeife aus grauem Sandstein. Die Herkunft ist unklar.

und begannen «pothunting». Und sie fanden genug, übergenug, sie fanden, so oft sie den Spaten in die Erde stießen: Keramik, gehämmerte Kupferplatten, noch mehr Pfeifen, Ketten aus Steinperlen, Knochen, Muscheln – die Schatzkammer schien unerschöpflich, und die Sammler kamen und zahlten gute Preise. Doch damit sprach sich die Sache herum. Die University of Oklahoma schickte Experten, um zu retten, was zu retten war. Doch die pfiffigen Farmer hatten inzwischen eine eingetragene «Schürfgesellschaft» gegründet, bewiesen, daß der Mound Eigentum dieser Gesellschaft war und verweigerten den Archäologen jedes Recht, ihr Tun auch nur zu kritisieren.

Tatenlos mußten die Wissenschaftler zusehen, wie jetzt die Farmer sogar mit Dynamit dem Mound zu Leibe gingen. Er wurde systematisch zerstört. Es dauerte lange, bis ein Dekret des Staates weiteren Unfug verhütete, und erst 1935 konnte die University of Oklahoma in den Ruinen von Spiro versuchen, noch einiges zu retten – und hatte in dem unergründlichen Mound tatsächlich noch einigen Erfolg.

Wenn die Forschung so viel Material gesammelt hat, daß es kaum noch zu überblicken ist, ist nichts dringender erforderlich als der große Ordner (im besten Fall) oder der große Kompilator (im zweitbesten Fall). Wie die Geschichte der Wissenschaft zeigt, sind diese Ordner oder Kompilatoren in vielen Fällen gar keine Fachwissenschaftler; vielleicht können sie das auch in den seltensten Fällen sein, denn sie müssen als wichtigste Eigenschaft die Fähigkeit zum Weglassen haben – ein Greuel für den Spezialisten, der die Vollständigkeit erstrebt. Deshalb sind diese Männer auch oft überhaupt keine Forscher «im Feld»; es können Stubengelehrte sein oder sogar reine Amateure, die dann allerdings außerordentliche Amateure sein müssen.

Die Geschichte der Mound Builder-Forschung hat in 120 Jahren drei solcher Werke hervorgebracht, die man mit Recht Standardwerke nennt. Und schon das erste war das Werk von Amateuren, die allerdings nicht «aus dem Lehnstuhl» schrieben, sondern auf bedeutende Weise auch forschten. (Zwischen diesen drei Werken liegen natürlich unzählige Publikationen anderer Männer, an deren Werk kein Archäologe vorübergehen kann; aber sie schufen, wie zum Beispiel der interessante Cyrus Thomas, kein «Standardwerk»).

Ephraim George Squier, 1821 in Bethlehem, New York, geboren, war Journalist in verschiedenen Städten, bis er sich in Chillicothe, im Staate Ohio, niederließ – mitten im Mound-Land. Er gab eine kleine Zeitung heraus und übernahm sogar ein unbedeutendes Staatsamt, aber er hatte genügend Zeit, seiner Leidenschaft für indianische Antiquitäten zu frönen. Diese Leidenschaft teilte mit ihm ein Chillicother Arzt, der Dr. E. H. Davis. Sie taten sich zusammen und erforschten Mounds. Jahrelang. Tatsächlich öffneten sie mehr als 200 dieser antiken Hügel und lokalisierten rund 100 alte indianische Grenzwälle, wie sie häufig zu den Mound-Gruppen gehörten. Und dann veröffentlichen sie gemeinsam (der Hauptanteil gehört Squier) das Werk, das in der nordamerikanischen Archäologie heut bereits als «klassisch» gilt: *Ancient Monuments of the Mississippi Valley: Comprising the Results of Extensive Original Surveys and Explorations*. Der gewichtige Folio-Band hat 306 Seiten, 19 Kapitel, 48 Tafeln (meist vorzüglich vermessene Karten) und 207 Holzschnitte. Das Werk erregte sofort Aufsehen, ja, das Manuskript hatte das schon getan, denn Squier hatte es einer Institution vorgelegt, die eine Kommission mit der Prüfung beauftragt und sich dann spontan entschlossen hatte, mit diesem Werk eine neue Publikationsreihe zu eröffnen. So erschien es in den heute berühmten ‹Smithsonian Contributions to Knowledge› als Band I, gedruckt in der City of Washington im Jahre 1848.

Damit trat auch ein Institut repräsentativ vor die Öffentlichkeit, die «Smithsonian Institution», die in Zukunft unendlich viel für die amerikanische Archäologie tun sollte und Hort der absolut größten wissenschaftlichen Sammlungen von Amerika wurde: gegründet von einem Engländer!

James Smithson war – unehelich – in Frankreich geboren worden und in Italien gestorben. Er war ein gebildeter Mann, in Oxford erzogen, und steinreich. Als er 1829 starb, hinterließ er sein gesamtes Vermögen einem Neffen. Sollte jedoch der Neffe ohne Leibeserben sterben, so sollte das Vermögen ungeteilt an die Vereinigten Staaten von Amerika überwiesen werden, «um in Washington, unter dem Namen Smithsonian Institution, eine Einrichtung zur Erweiterung und Verbreitung des Wissens unter den Menschen zu gründen».

Der Neffe starb 1835 ohne Erben, und 1838 segelte der Klipper ‹Mediator› mit einer gewaltigen Kiste voller goldener Sovereigns nach Philadelphia, wo sie unverzüglich in amerikanische Münze umgeprägt wurden: Es ergab sich die Summe von 508 318 Dollar und 46 Cent!

Dieses Testament ist bis heute ein Rätsel.

Denn Smithson ist *niemals in Amerika gewesen*, noch hat er jemals in seinem Leben besondere Interessen für Amerika gezeigt. Aber sein Geld wurde den USA zum Segen. Am 10. August 1846 wurde das Institut offiziell begründet – obwohl sich zahlreiche Stimmen erhoben hatten, die das Geschenk ablehnen wollten oder sogar behaupteten, Amerika habe juristisch gar nicht das Recht, es anzunehmen.

Doch zurück zu unseren Standardwerken.

Es dauerte nicht weniger als 82 Jahre, bis wieder ein Mann, Henry Clyde Shetrone, das Wagnis unternahm, die inzwischen aufgelaufene Literatur zu

Keramik der Hohokam aus Snaketown (Schlangenstadt) in Arizona. 100 vor Chr. bis 1100 nach Chr.

durchforsten, die kaum noch übersehbaren Sammlungen kritisch zu betrachten, und da, wo er dennoch Lücken sah, selber zum Spaten zu greifen. 1930 erschien sein Werk: ‹*The Mound-Builders, A Reconstruction of the Life of a Prehistoric American Race, through Exploration and Interpretation of their Earth Mounds, their Burials, and their Cultural Remains*›. Das Buch hatte 508 Seiten und 300 Illustrationen. Er stellt sich selber vor als «Director and Archaeologist, The Ohio Archaeological and Historical Society». Und er sagt im Vorwort:

«‹The Mound-Builders› ist dem Durchschnittsbürger und der Durchschnittsbürgerin gewidmet, die zwar genau wissen, von wie hohem menschlichen Interesse ihre Geschichte ist, die aber weder Zeit noch Gelegenheit haben, die umfangreiche und oft schwer erreichbare Literatur über dieses Thema zu verarbeiten.» Und er fährt fort: «Sofern auch der Vorgeschichtler von Beruf das Buch als eine handliche Zusammenfassung der Archäologie des allgemeinen Mound-Gebietes anerkennt, so wird diese Veröffentlichung mehr als gerechtfertigt sein.»

Seine Hoffnung hat sich erfüllt. Das Buch von Squier/Davis und das seine sind Klassiker, an denen kein Student der Archäologie vorübergehen kann. Ihre Notwendigkeit wurde dadurch bewiesen, daß beide Bücher, 1965 das erstere, 1964 Shetrone, zu teurem Preis auf fotomechanischem Wege nachgedruckt wurden, weil die Originale zu selten geworden waren.

Beide Bücher enthalten Irrtümer. In beiden wird nicht einwandfrei erklärt, wer nun die Mound Builders eigentlich waren, wie lange sie bauten, wann sie begannen und wann sie auf so rätselhafte Weise verschwanden.

Tatsächlich wurden in einer überwältigenden Fülle von Untersuchungen (gestützt durch die modernen Datierungsmethoden) diese Fragen erst wirklich nach 1930 geklärt. Und wieder war es ein Amateur, der sich als populärer Autor über den Roten Mann und als Jugendschriftsteller einen Namen gemacht hatte, der nun *die* Zusammenstellung wagte (in auch wissenschaftlich befriedigender Weise), die uns endlich das *wirkliche* Bild dieser arbeitsamen Völker (denn nicht *ein* Volk war es) vermittelte, frei von allem Mystizismus. 1968 erschien von Robert Silverberg: ‹*Mound Builders of Ancient America*›, und der Untertitel gibt das Programm: ‹*The Archaeology of a Myth*›.

Aber bevor wir nun ein kurzes Bild der Kulturen der Mound Builders entwerfen, müssen wir nicht nur *diesem* Mythos auf den Leib rücken, sondern grundsätzlich einiges sagen zu den phantastischen Vorstellungen über die Indianervölker überhaupt und ihre Herkunft, Hirngespinste, die auch heute noch unausrottbar geistern: Ein vertrauenswürdiger Mann sagte mir, daß es noch jetzt in Amerika etwa 300 000 Menschen gäbe, die fest daran glauben,

Diorama einer Mammut-Jagd in Arizona vor 12 000 Jahren.

daß nicht nur die frühe amerikanische Kultur, sondern alle Kultur überhaupt, aus dem Lande MU stamme! Die Anhänger der Atlantis-Theorie sind gar nicht zu zählen! Aber – wie sagte der große österreichische Romancier Robert Musil?: «Gewisse Irrtümer sind die Stationen zur Wahrheit!»

15. Die wilden Theorien von Atlantis bis MU

Natürlich machten sich die Konquistadoren Gedanken über die Herkunft dieser zahlreichen «roten» Völker. Wie wir schon bemerkten, herrschte besonders bei einigen Priestern die durchaus ernste Auffassung, daß die Indianer überhaupt keine Menschen seien, denn sie kamen in der Bibel nicht vor. Diese Ansicht war äußerst bequem in ökonomischer Hinsicht, denn sie erlaubte die bedenkenlose Versklavung der Eingeborenen. Dennoch hielt sie sich nicht lange, weil wohl besonders der Verkehr der Soldateska mit den Eingeborenenmädchen in kurzer Zeit das Gegenteil bewies. (Übrigens: Erst 1924 erklärte der Kongreß der weißen Menschen in Washington die Indianer zu *Bürgern* der USA «mit allen Rechten und Pflichten»!)

Eine einfache und klare Darstellung zu dem Problem hatte auch noch Cotton Mather 1702, der gewaltige, hexengläubige Prediger aus Boston, wohl der geistige Wegbereiter des schrecklichen Hexenprozesses in Salem 1692. Er behauptete nicht etwa metaphorisch, sondern buchstäblich, wie es hier steht, *der Teufel persönlich* habe diese roten Menschen nach Amerika gebracht.

Doch vor und nach Mather blieb die Frage offen: Wie paßten diese Menschen in Gottes Schöpfung, wie sie die Bibel, die einzig wahre Quelle, erzählte? Nun, sie paßten gar nicht, wenn man nicht in ungeheuer kühnem Schluß einfach annahm, daß es sich nur um Abkömmlinge der «Zehn verlorenen Stämme Israels» handeln könne. Und das tat man! Diese Theorie, die sich kaum darum schert, *wie* und *auf welchem Wege* diese Stämme die gewaltige Reise von Palästina über die Meere nach Amerika wohl bewerkstelligt haben mochten, findet Anhänger bis in unser Jahrhundert.[1] Daß sie allerdings zu den Glaubensartikeln der Mormonen, der «Heiligen der letzten Tage» gehöre, ist nicht ganz korrekt. Sie glauben nicht an eine Einwanderung der «Zehn verlorenen Stämme», wohl aber an zwei andere israelitische Emigrationen nach Amerika, wie sie ihrem Religionsgründer Joseph Smith im Jahre 1827 im Staat New York durch Moroni, einem «Wiederauferstandenen», auf golden schimmernden Platten in einer hieroglyphischen Schrift offenbart wurde. Danach glauben die Mormonen, die dem durchschnittlichen Europäer nur durch ihre Vielweiberei bekannt sind (die sie auch ausübten, die ihnen aber heute verboten ist), daß zuerst ein Stamm sogenannter Jarediten anschließend an den Turmbau von Babel sich aufmachte und Amerika bevölkert habe, daß er aber bereits im zweiten Jahrhundert vor Christi Geburt ein elendes Ende fand. Doch unerschrocken machten sich um das Jahr 600 vor Christi Geburt andere Israeliten, unter Führung eines gewissen Lehi, wiederum nach Amerika auf. Eine Gruppe, die Nephiten, wurden die großen Städtegründer in Mittelamerika und in den Anden, starben jedoch aus um 324 nach Christi Geburt. Die andere, primitivere, nomadische Gruppe soll der Urahn der nordamerikanischen Indianervölker gewesen sein. Das sind Daten, wie sie die Archäologie zur Zeit, da Joseph Smith seine Offenbarung empfing, nicht im entferntesten zur Verfügung hatte. Auch heute noch nicht.[2] Über dieses Buch soll Mark Twain gesagt haben: «Gedrucktes Morphium.»

Auch zwei durchaus nicht unkritische Köpfe des 18. und 19. Jahrhunderts versuchten, als sie immerhin eine Einwanderung der Indianer von Asien her annahmen, das noch mit der Bibel in Einklang zu bringen: Caleb Atwater, den wir im Zusammenhang mit den Mound Builders bereits erwähnten, unternahm es 1820, und James Adair, der sich als Händler vierzig Jahre lang in den Indianer-Territorien herumgetrieben hatte, schon 1775.[3]

Zeitlich dazwischen liegt Thomas Jefferson, der allein wieder das Problem rein wissenschaftlich sah und als einer der ersten eine Einwanderung der Indianer aus Asien über den hohen Norden annahm – über die Bering-Straße, wie wir heute wissen.[4]

Vorher und nachher nahm man außerdem an, daß die Indianer Abkömmlinge von Skandinaviern, Äthiopiern, Chinesen, Molukkanern, Skythen, Polynesiern, Hindus, Ägyptern, Phöniziern, der sagenhaften Atlantiden oder der noch weit sagenhafteren Bevölkerung des Landes MU wären.

Manch einer mag sich hier fragen, warum eine Erklärung, die, obwohl ebenso falsch, dennoch auf der Hand liegt, kaum aufgegriffen wurde. Nämlich die Annahme, daß der Indianer überhaupt nicht irgendwoher gekommen, sondern von Anfang an im Lande gewesen sei. Die Antwort liegt einmal in der schon erwähnten Bibelgläubigkeit, die solches ausschloß, zweitens aber darin, daß jeder Entwicklungsgedanke den Entdeckern der Neuen Welt und ihren Nachfolgern bis zum 24. November 1859, da Darwin in ‹Der Ursprung der Arten› die Evolutionstheorie publizierte, völlig fremd sein mußte. Die Idee, der Indianer habe sich wie der Mensch sonst auf der Welt aus niederen Formen zum Homo Sapiens entwickelt, konnte gar nicht gedacht werden.

Es handelt sich hier auch um den Begriff der historischen Zeit, der völlig neu konzipiert werden mußte. Wir erinnern uns, daß der irische Erzbischof James Ussher um 1650 auf Grund der Bibel ausgerechnet hatte, daß die Erschaffung der Erde *am 26. Oktober des Jahres 4004 vor Chr. morgens um 9 Uhr stattgefunden hatte!*[5]

1599 hatte schon Shakespeare, ohne es so genau auszurechnen, in ‹*Was Ihr wollt*› gesagt: «Die arme Welt ist fast sechstausend Jahre alt.»

Allein aus solchen Vorstellungen heraus ist zu begreifen, wie ungeheuer Darwin plötzlich das Weltbild veränderte, wie grundsätzlich anders das Bild vom Menschen wurde und als welch vernichtender Angriff auf die Bibel jede Evolutionstheorie angesehen wurde. Im berühmten «Affenprozeß» von Dayton/Tennessee wurde noch im Jahre 1925 der Lehrer John Scopes zu hundert Dollar Strafe verurteilt, weil er Darwins Theorie in der Schule gelehrt hatte. Stadt und Staat wurden lächerlich in der ganzen Welt. Hat das etwas geändert? Das schandbare Verbot des Lehrens jeder Evolutionstheorie bestand bis in unsere Jahre in drei Staaten der USA – in Tennessee, Alabama und Mississippi. Ein Hoffnungsstrahl: Im Jahre 1966 klagte die Biologie-Lehrerin Susan Epperson in Alabama gegen dieses Gesetz – und am 12. November 1968 erklärte der US Supreme Court jedes Gesetz gegen das Lehren der Evolutionstheorie als verfassungswidrig.[6]

Übrigens hätte natürlich noch ein anderer Gedanke auftauchen können, nachdem man die Indianer entdeckt hatte. Ein Freigeist zumindest hätte doch annehmen können, daß nicht die Indianer aus der Alten Welt kamen, sondern daß im Gegenteil die Indianer die menschliche Urrasse darstellen und *wir* von *ihnen* abstammen. Um solch hanebüchenen Gedanken zu fassen, war jedoch die Arroganz der Europäer viel zu groß.

Es gibt seit Jahren eine ernsthafte wissenschaftliche Diskussion darüber, ob nicht *Berührungen* zwischen asiatischen (oder anderen) Kulturvölkern und indianischen Kulturgruppen stattgefunden haben, aber *nachdem* die Indianer ihre beiden Kontinente bereits besiedelt hatten. Die Annahme, daß es so war, vertritt die sogenannte Diffusionstheorie. Von den phantastischen Geschichten jedoch, die die *Herkunft* der Indianer betreffen, oder aber ihre Kultur als vollkommen abhängig bezeichnen von außeramerikanischen Ursprüngen, müssen wir wenigstens zwei noch erwähnen. Solche Theorien, wenn auch Irrwege, gehören durchaus zur Geschichte einer Wissenschaft, ja sie müssen beschrieben werden, weil dadurch das Licht der Wissenschaft, das über solchen Sümpfen von Vorurteilen leuchtet, um so heller strahlt.

Das Problem Atlantis zum Beispiel unterliegt seit dem Altertum wie kein anderes der heftigsten Polemik. Ernsthafte Versuche zur Klärung paaren sich mit haarsträubenden Theorien, die purer Phantasterei entspringen. Das Gespräch von Atlantis geht zurück auf die zwei Dialoge ‹*Timaios*› und ‹*Kritias*› des griechischen Philosophen Platon. Danach hat Solon der Gesetzgeber, der rund zweihundert Jahre vor Platon lebte (etwa 640–560 vor Chr.), von ägyptischen Priestern die Kunde von Atlantis gehört, einer reichen, mächtigen Insel, mit einem hochkultivierten, aber auch kriegerischen Volk, die «hinter den Säulen des Herkules» gelegen habe.

9000 Jahre vor seiner Zeit – so Solon – soll dieses Land in einer gewaltigen Naturkatastrophe versunken sein.

Nun ist das ebenso wahrscheinlich wie unwahrscheinlich, sofern man bei Platons Bericht bleibt. Allerdings hat bereits Aristoteles, der Schüler Platons, diesen Bericht eine Fabel ohne jeden historischen Wert genannt. Warum indessen soll eine Insel, von einem Volk bewohnt, dessen Kulturzustand seiner Zeit angemessen war, nicht existiert und in einer Katastrophe untergegangen sein – dafür gibt es Beispiele. Es ist also keineswegs unsinnig, danach zu suchen. Ähnliches tat Heinrich Schliemann, als er nach dem sagenhaften Troja, Arthur Evans nach dem ebenso sagenhaften Palast des Minos forschte – beide ebenfalls nach antiken Quellen, die kaum glaubhaft waren, nun aber von ihnen bestätigt wurden, denn beide fanden, was sie suchten.

Nach Atlantis aber ist jede Suche bis heute vergeblich geblieben. Man hat im Lauf der Zeit geglaubt, es in Spanien, auf den Kanarischen Inseln, an der Niger-Mündung, in Mexiko, in Skandinavien lokalisieren zu können.

Eine weltweite Kontroverse löste in den fünfziger Jahren der deutsche Pastor Jürgen Spanuth aus, der seit 1947 theoretisch, später mit Tauchversuchen glaubte den Beweis erbracht zu haben, daß Atlantis nahe der Insel Helgoland in der Nordsee gelegen habe.[7] Und gerade, da diese Zeilen geschrieben werden, wird in Amerika von James W. Mavor jr. ein Bericht vorgelegt, der ebenso einwandfrei zu beweisen behauptet, daß Atlantis einer der Kykladen-Inseln im Ägäischen Meer vorgelagert gewesen sei.[8]

Diese Suche mag ruhig weiterbetrieben werden. Sie ist ein wenig lächerlich geworden, weil man, selbst wenn man eine untergegangene Insel mit Zivilisationsspuren finden sollte, niemals den Beweis einer Identität mit Platons Atlantis geben könnte – dazu sind die antiken Angaben einfach zu ungenau.

Was aber seit Jahrhunderten der ganzen Arbeit an diesem Problem die Aura reiner Scharlatanerie verleiht, ist die Mythisierung, die dadurch stattgefunden hat, daß man nachträglich Atlantis auf die unwahrscheinlichste Weise mit rein erfundenen Zivilisationsformen ausstattete, schließlich von einer alles überragenden prähistorischen «Atlantischen Kultur» fabelte und diese Insel zur Mutter-Insel aller menschlichen Kulturen überhaupt erhob.

Wir können hier auf diese Phantastereien nicht eingehen. Ein kurzes Beispiel möge genügen. Es stammt aus dem Buch des Anthroposophen Rudolf Steiner, der Anhänger in der ganzen Welt hat, ist in Berlin 1918 erschienen und nennt sich: ‹*Unsere atlantischen Vorfahren*›: «Wie man heute aus der

Steinkohle die Kraft der Wärme herausholt, die man in fortbewegende Kraft bei unseren Verkehrsmitteln verwandelt, so verstanden die Atlanter, die Samenkraft der Lebewesen in ihren technischen Dienst zu stellen ... Pflanzen wurden in atlantischer Zeit nicht bloß gebaut, um sie als Nahrungsmittel zu benutzen, sondern auch um die in ihnen schlummernden Kräfte dem Verkehr und der Industrie nutzbar zu machen, so hatten die Atlanter Vorrichtungen, die die Keimkraft des Pflanzensamens in technisch verwertbare Kraft umwandelten. So wurden die in geringer Höhe über dem Boden schwebenden Fahrzeuge der Atlanter fortbewegt.»

Nach all dem sollen wir außerdem glauben, daß selbstverständlich auch die amerikanischen Kulturen atlantischen Ursprungs sind (für die großen Gruppen der Rosenkreuzer, der Theosophen und der Anthroposophen steht es außerhalb jeder Diskussuon). Es ist nur merkwürdig, daß von dieser Zivilisation, die unsere heutige an technischer Vollkommenheit übertroffen haben soll, so außerordentlich wenig den Indianern in Erinnerung geblieben ist: Nicht einmal das Rad, von der Schrift ganz zu schweigen, haben sie bewahren können.

Dennoch: «Zwei Weise, Plato aus Athen und Donnelly aus Minneapolis, haben Atlantis zu einem Wort des täglichen Gebrauches gemacht», schrieb 1890 ein William Churchward. Er hatte recht, denn schon zehn Jahre vorher hatte das Buch ‹Atlantis: The Antediluvian World› von Ignatius Donnelly, den er so munter mit Platon paart, nicht weniger als achtzehn Auflagen erlebt und wird noch heute in Amerika als der verehrte «Klassiker» dieses Themas gelesen.

Donnelly wußte genau, wo Atlantis lag, genauer als Platon Es liegt nach ihm mitten im Atlantischen Ozean westlich der Azoren. Das glaubt auch heute die Mehrheit aller, die überhaupt daran glauben.

Doch so unglaublich es klingt: Tatsächlich ist die Atlantis-Theorie gegen eine andere, die in unserem Jahrhundert geboren wurde, geradezu banal. Ihr Schöpfer ist Colonel James Churchward (nicht zu verwechseln mit dem oben erwähnten) und er ist der Wiederentdecker des Landes MU.

Im Gegensatz zu Atlantis lag MU im Pazifischen Ozean und war nach Churchward wesentlich größer als das Eiland Platons: es bedeckte eine Fläche von der Osterinsel bis zu den Karolinen, von Hawaii im Norden bis zu den Cook-Inseln im Süden. Dieser Kontinent (kann man bei der Größe wohl sagen) hatte, so teilt Churchward mit, 64 Millionen Einwohner. Vor *50 000 Jahren* hatte sich dort eine Zivilisation entwickelt, die «in vieler Hinsicht der unseren überlegen» war, «und uns in einigen wichtigen, wesentlichen Dingen voraus, von denen die moderne Welt jetzt erst Kenntnis zu nehmen beginnt».[9] In MU hat auch die Erschaffung des Menschen stattgefunden.

«Die ältesten Zeugnisse über den Menschen können nicht in Ägypten oder im Euphrattal gefunden werden, sondern *genau hier in Nordamerika* und im Orient, wo MU seine ersten Kolonien gründete!»

Diese Behauptungen basieren auf den Texten einer Reihe von sogenannten *«Naacal tablets»*, Platten also, die Churchward, wie er erzählt, fünfzig Jahre vor der Publikation seines Buches fand – «in gewissen Klöstern Indiens und Tibets, deren Namen auf ihre Bitte hin nicht genannt werden dürfen». Unglücklicherweise. Korrespondierende Steinplatten fand sehr viel später, nach Churchwards Bericht, William Niven in Mexiko. Die Naacal-Tafeln sollen 15 000 Jahre alt sein, die Mexiko-Tafeln immerhin 12 000 Jahre. In Mexiko also geschrieben zu einer Zeit, da – nach allgemeiner archäologischer Ansicht, die für Churchward nicht gilt – gerade der sogenannte Tepexpan-Mensch, einer der frühesten, primitiven amerikanischen Jäger, sein Mammut jagte, und, wie der Anthropologe Robert Wauchope die Ansicht seiner Kollegen zitiert, «einige Schwierigkeiten haben würde, seinen Namen mit einem X zu unterzeichnen».[10]

Churchward brauchte nicht weniger als sechs Monate, um den Priester des indischen Klosters dazu zu bringen, ihm die Heiligen Tafeln zu zeigen, von denen ihm der Priester Andeutungen gemacht hatte und die seit undenklichen Zeiten in Gewölben unangetastet geruht hatten. Natürlich waren die Tontafeln in einer geheimen Schrift geschrieben, aber glücklicherweise war der Priester noch im Besitz des Schlüssels. Und er lehrte Churchward, was er wußte: «Monate intensiver Konzentration auf das Übersetzen der Tafeln folgten, aber die Belohnung rechtfertigte die Anstrengung. Die Schriften beschrieben im Detail die Schöpfung der Erde und des Menschen, und den Ort, an dem er zuerst auftrat – Mu!» Was an Einzelheiten auf diesen indischen Tafeln fehlte, ergänzten die Texte auf den mexikanischen.

Das genügt hier. Es ist schwer zu sagen, wieviel Anhänger Churchward heute hat – es müssen sehr viele sein. Ich persönlich habe nur zwei kennengelernt, beide Amerikaner, dabei Mystiker, ergeben der Weisheit des Ostens. Einer stand mit einem indischen Guru in Verbindung und fragte bei ihm zum Beispiel auf einer Postkarte an, ob er recht daran täte, sein Haus zu verkaufen. Wer sich für die erstaunlich detaillierten Texte Churchwards interessiert, kann sie sich leicht beschaffen. Nicht nur daß ‹The Lost Continent of Mu› bereits im Jahre 1961 die *zwanzigste* Auflage erreicht hatte, es existiert jetzt auch eine Taschenbuch-Ausgabe.

Die Faszination dieser Bücher für den Laien beruht darauf, daß sie ihm unzählige Probleme lösen: Probleme, die ihn meist aus romantischen Gründen interessieren, mit denen er sich aber nie richtig beschäftigt hat, deren Voraussetzungen und Schwierigkeiten er also gar nicht kennt.

Diese Bücher – und darin liegt ihr Erfolg – lösen die Probleme nicht, indem sie Schleier zerreißen und Klarheit zu schaffen suchen, worum der Wissenschaftler sich bemüht, sondern sie verhängen die Wahrheiten, sie tauchen sie ins milde Licht der Mystik und geben vor, dem Leser einen Schlüssel zu verkaufen, der ihn im Nu zu einem Auserwählten macht, zu einer Gruppe führt, die im Besitze besonderer Geheimnisse und *dadurch allein* in der Lage ist, alle verborgenen Wahrheiten in ihrer ganzen Tiefe zu begreifen, die der «nur» mit seinem Verstand arbeitende Wissenschaftler in all seiner menschlichen Armut nicht zu verstehen vermag.

Nun, kein Wissenschaftler kommt ohne Emotionen aus. Inspirationen, Ahnung, blind tastender Versuch sind aus der Geschichte wissenschaftlicher Forschung nicht wegzudenken. Daß gerade der Archäologe seinen Rang erst zeigt, wenn er aus dem toten Material mit Hilfe seiner Imagination («Imagination ist das Feuer der Entdeckung», sagte der große englische Archäologe Flinders Petrie) die Vergangenheit zu neuem Leben zu erwecken vermag, sollte eine Binsenweisheit sein. Wichtig aber ist zu verstehen, daß Wissenschaft letztlich als *Methode* begriffen werden muß, die die Imagination unter Kontrolle hält, daß ihr Prüfstein immer die belegbare Tatsache bleibt, daß sie mit Hypothesen zwar arbeitet, aber sie niemals zu Thesen erklärt, bevor sie sie beweisen kann. Natürlich ist dies das Ideal. Daß es trotzdem Irrwege gibt, liegt im Menschlichen begründet; daß Thesen, selbst naturwissenschaftliche, historisch bedingt sind und Revisionen unterliegen, ändert nichts daran.

Das aber ist genau das Gegenteil jener Halbwissenschaft, die von *Crackpots* («Geborstener Topf» = Mann mit leichtem Dachschaden) betrieben wird. Durchaus intelligent, oft von staunenswerter Belesenheit und Arbeitskraft, sind sie meist harmlos, können jedoch in Sonderfällen größtes Unheil anrichten, wie Houston Stewart Chamberlain und Alfred Rosenberg beweisen. Der Crackpot hat einen Tick. Rosenbergs Tick schuf die ungeistigen Grundlagen des Nationalsozialismus – in dem unsäglichen Buch ‹Der Mythos des XX. Jahrhunderts›.

Der Anthropologe Robert Wauchope hat speziell den Crackpots der amerikanischen Archäologie ein kleines Büchlein gewidmet.[11] Er beschreibt, wie man es besser gar nicht tun könnte, ihre stets beleidigte Attitüde gegenüber den professionellen Wissenschaftlern:

«Man kann nicht umhin, eine Konsequenz in diesen Attitüden zu sehen. Der typische Verteidiger der ‹wilden› Theorien über die Ursprünge der amerikanischen Indianer beginnt sein Buch mit dem Appell des Benachteiligten; er weist darauf hin, daß er persönlich von den Wissenschaftlern verachtet, lächerlich gemacht oder bestenfalls abgewiesen wurde. Dann sagt er voraus, daß seine Schriften entweder schlecht aufgenommen oder übersehen werden, und er greift die dickköpfige Bigotterie der Männer an den Universitäten und Museen an. Oft deutet er zwischen den Zeilen an, daß sie nicht nur hoffnungslos konservativ und gegenüber gelehrten Einbrüchen von Amateuren eifersüchtig sind, sondern daß sie in Wirklichkeit auch unehrlich sind und daß sie, wenn sie mit ihnen widersprechenden Beweisen konfrontiert werden, diese unterdrücken oder, wenn notwendig, vernichten. Dennoch, obwohl sie die Wissenschaftler als unwissend, unzuständig und unmoralisch verdammen, sind die Pseudowissenschaftler fast ohne Ausnahme stolz auf jede wirkliche oder (öfter) eingebildete Zustimmung, die sie von diesen mißgeleiteten Phuddy Duddies erhalten.»

Damit haben wir ein neues Wort. Crackpot gehört bereits zur amerikanischen Umgangssprache und steht im maßgeblichen amerikanischen Wörterbuch, dem ‹Webster›. *Phuddy Duddy* ist auch schon nicht mehr ganz neu, aber diese Sprachschöpfung eines Amateurs, der zurückschlagen wollte, ist noch weithin unbekannt geblieben. Phuddy Duddy ist eine Bereicherung der akademischen Abkürzung Ph. D. (philosophiae doctor), erhoben zur Karikatur (Webster allerdings erwähnt das Wort unter «F»; Fuddy Duddy ist nach ihm ein «Ultrakonservativer»). «Sie schlafen nicht bei geöffneten Fenstern, weil sie fürchten, neue Ideen könnten hereinfliegen» – so sieht Harold S. Gladwin, der dem Wort neuen Wert verlieh, den Ph. D. als Phuddy Duddy. Dabei war Gladwin ein Amateur-Archäologe, der wertvolle Ausgrabungen selber finanzierte und zahlreiche Meriten hat, aber, da einige seiner Theorien nicht voll akzeptiert wurden, sich geradezu als Kreuzfahrer gegen die Professionellen fühlte, die er als hoffnungslose Phuddy Duddies immer wieder aufs Korn nahm.[12] Es entbehrt nicht der Komik, daß sogar ein Phuddy Duddy selbst, nämlich Leo Wiener, ein Harvard-Professor für Slawische Sprachen, der mit Behauptungen über den Ursprung der mittelamerikanischen Kulturen aus Afrika mit den Archäologen aneinandergeriet, Gladwins Ton noch verschärfte, wenn er schlicht schreibt: «Ohne Frage werden die Archäologen-Hunde weiter den Mond anbellen . . .»[13]

Wauchope schließt, wie auch wir diesen Abschnitt schließen möchten: «Die Amateure werden immer die Phuddy Duddies hassen und die Wissenschaftler werden immer die Crackpots verachten.»

16. Die Mounds werden enträtselt

Die Stadt Newark, fünfzig Kilometer östlich von Columbus, der Hauptstadt des Staates Ohio, kann sich rühmen, einen der ungewöhnlichsten Golfplätze zu besitzen. Vielleicht fällt dem Unkundigen beim ersten Betrachten nichts Besonderes auf – hier erheben sich ein paar weite, abgeflachte Hügel, aber viele Golfplätze zeichnen sich durch Hügel aus. Die Hügel von Newark jedoch sind prähistorische *Mounds*! Und der weiße Ball der Spieler flitzt über die Monumente einer mehr als tausendjährigen Geschichte!

Über sechseinhalb Quadratkilometer erstreckten sich hier einst umwallte «boulevards», von einem Mound zum andern. Viel davon ist zerstört – nur der «Great Circle», eine Wall-Konstruktion von 365 Metern im Durchmesser, darin der «Adler-Mound», sind erhalten. Es scheint erstaunlich, daß die Einwohner von Newark sich nicht scheuten, hier einen Golfplatz abzustekken. Aber wir müssen uns vor Augen halten, daß für die Menschen von Ohio ein Mound absolut nichts Besonderes ist – sie leben zwischen ihnen, einige Farmer *auf* ihnen, denn, wie schon gesagt, es gibt Tausende und aber Tausende. Und nur an wenigen Orten ist heute das Gefühl nachzuempfinden, das noch Squier vor mehr als hundert Jahren überkam, als er über diese Stätte wandelte:

«Hier, bedeckt mit den gewaltigen Bäumen eines Urwaldes, bietet das Werk ein wahrlich großes und eindrucksvolles Bild; – und der Besucher, wenn er zum erstenmal die alte Allee betritt, kann nicht umhin, ein Gefühl der Ehrfurcht zu erleben, wie er es fühlen mag, wenn er durch die Türen eines ägyptischen Tempels tritt oder wenn er auf die schweigenden Ruinen von Petra in der Wüste blickt.»[1]

Ja, selbst der Mound, der wohl der berühmteste geworden ist, der sogenannte «Schlangen-Mound» (*Great Serpent Mound*), ist, steht man davor, geht man an ihm entlang, zwar äußerst wunderlich als Anlage, aber nicht eigentlich eindrucksvoll – man sieht ihn am besten vom Aussichtsturm, aus der Luft oder aus dem Hubschrauber, dann erst überfällt einen wirklich das große Erstaunen über solche Arbeit. Und tatsächlich sind die meisten Abbildungen, die verbreitet wurden, Luftaufnahmen; selbst Squier, der 1848 kei-

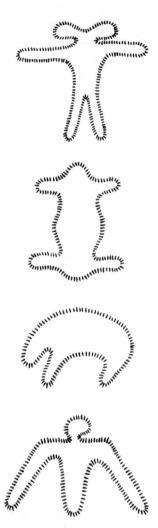

nerlei Möglichkeit einer Luftaufnahme hatte, muß das geahnt haben: Er gibt seinem Buch eine erstaunlich exakte Zeichnung der Großen Schlange *aus der Vogelperspektive* bei und nennt sie: «Wahrscheinlich die außergewöhnlichste Erdanhäufung, die bisher im Westen entdeckt wurde ...»[2]

Die Schlange liegt im Adams County, Ohio, und schmiegt sich in ihrer ganzen Länge der Biegung eines kleinen Flusses an, des Bush Creek, allerdings fünfundvierzig Meter über dem Wasserspiegel. Ihr Kopf liegt auf dem höchsten Punkt, das Maul geöffnet: der Schwanz ringelt sich mehrfach. «Die gesamte Länge», schrieb Squier, «dürfte nicht weniger als tausend Fuß sein» (305 Meter, tatsächlich aber 1330 Fuß, also etwa 405 Meter). Die durchschnittliche Körperhöhe beträgt etwa einen Meter. Kein Wunder, daß diese Schlange, sofort als Symbol genommen, Squier zu den phantastischsten Spekulationen hinriß: Er dachte an Ägypten, Griechenland, Assyrien, die Kelten, die Hindus und die Chinesen. Solchen beziehungsreichen Überlegungen entzog sich selbst viele Jahre später noch, 1883, nicht einmal F. W. Putnam vom Peabody Museum. Aber jenseits aller Spekulationen – als Putnam drei Jahre später die Schlange wiederum besuchte, fand er sie schwer beschädigt durch Amateur-Archäologen, wahrscheinlich Schatzsucher. Er leitete eine Kampagne zur Rettung dieses einmaligen Bauwerkes ein – und eine Gruppe energischer Ladies aus Boston sammelte 5880 Dollar, um das Monument zu retten. Wenn wir heute die Schlange besichtigen können, restauriert, verdanken wir es nicht zuletzt der ersten Hilfe dieser Ladies.

Effigy Mounds in Wisconsin, das heißt: Erdbauten in Form menschlicher oder tierischer Gestalten. Oben ein doppelköpfiger Mann. Die zweite Figur mag einen Frosch oder eine Schildkröte darstellen, 46 Meter lang. Darunter ein kleiner Bär, 17 Meter lang, und schließlich ein Vogel mit halb ausgebreiteten Schwingen.

Die heutigen Archäologen lieben das Wort «Mound Builders» nicht mehr. Aus einem einfachen Grunde. Seit nach 1900 William Mills vom Ohio State Museum, Fay-Cooper Cole in Illinois, Warren Moorehead in Georgia, W. S. Webb in Kentucky – und viele andere bis in die dreißiger Jahre – sich um die Mounds in wissenschaftlicher Weise zu kümmern begonnen hatten, stellte sich immer eindeutiger heraus, daß es «ein Volk der Mound Builders» nie gegeben hatte. Daß vielmehr *mehrere Völker, zu ganz verschiedenen Zeiten, und zu ganz verschiedenen Zwecken diese Mounds errichtet hatten.*

Zum Beispiel: Im nördlichen Mississippi-Tal sind die Mounds bucklig und selten höher als knapp zehn Meter. Aber fast alle waren *Burial Mounds,* also Grabhügel, voll von Skeletten. Weiter südlich aber finden wir jene Mounds, die wir kühn als eine Art von Pyramiden zu bezeichnen wagten: Von St. Louis bis zum Golf von Mexiko erheben sich diese quadratisch oder rechteckig angelegten Hügel, oben meist abgeflacht. Noch heute können wir erkennen, daß eine hochstufige Treppe hinaufführte oder eine Rampe – wozu, wohin? Höchstwahrscheinlich zu einem Tempel, der auf der Höhe stand. So ergab sich für diese Hügel der Name «Tempel-Mound».

Besonders schwierig für die archäologische Einordnung aber waren jene Mounds, die in der Form von tierischen Umrissen angelegt waren. Den *Great Serpent Mound* haben wir schon beschrieben. Die meisten können wir heute in Wisconsin besichtigen, aber auch in Ohio. Sie erscheinen in der Form von auf dem Boden ausgebreiteten Adlern, Schildkröten, Bären, Füchsen, Elchen, Bisons, selbst Menschen – soweit ich weiß, sind solche Erdbauwerke *einmalig in der Welt.*

Diese hügeligen Gebilde aus Erde nennt der Archäologe *Effigy Mounds.* Das Wort *effigy* ist in der englischen Sprache vieldeutig: Es kann die vollständige oder teilweise Nachbildung eines menschlichen Körpers, zum Beispiel in Stein auf einem Sarkophag, bezeichnen, aber auch das königliche Porträt auf einer Münze, oder schließlich die Puppe, die in Ermangelung der echten Person verbrannt oder gehenkt wird. Der nordamerikanische *Effigy Mound* ist allemal die aus Erde geformte Nachbildung einer meist tierischen Gestalt, jedoch in gewaltigen Ausmaßen, so daß sie von der Höhe des menschlichen Auges aus oft nicht überblickt werden kann.

Die größte Schwierigkeit für die Archäologen war wieder einmal die Datierung. Bemerkenswert ist, daß die Baumring-Datierung hier ziemlich versagte. 1937 kam eine Schülerin des Dr. Douglass ins mittlere Mississippi-Tal und verbrachte vier Jahre damit, geeignete Objekte für ihre Datierungsmethoden zu finden. Jahre später arbeitete Robert E. Bell in Kincaid, Illinois. Er konnte zwar 500 Holzproben sammeln, aber davon erwiesen sich schließlich nur 20 Stücke als geeignet für eine Analyse. Die Ergebnisse waren denkbar dürftig.[3]

In den *Woodlands,* den Waldgegenden und Flußtälern des Ostens herrschte ein anderes Klima als im staubtrockenen Südwesten. Erstens hatten Feuer oder die Feuchtigkeit des Bodens nur wenige Holzkonstruktionen unzerstört gelassen, zweitens aber waren die Wetterschwankungen über die Jahrhunderte hinweg so gering gewesen, daß die Baumringe so wenig Unterschiede aufwiesen, daß ein *overlapping* (siehe 9. Kapitel) kaum möglich war.

Wir geben hier eine abgerundete Übersicht nach Gordon R. Willey:[4]

1000 bis 300 vor Chr.	= Burial Mound Periode I
300 vor Chr. bis 700 nach Chr.	= Burial Mound Periode II
700 bis 1200 nach Chr.	= Temple Mound Periode I
1200 bis 1700 nach Chr.	= Temple Mound Periode II

Natürlich gab es Leben vor den Mound Builders in diesen gewaltigen Räumen. Die sogenannten Paläo-Indianer, reine Nomaden, die vor 10 000 Jahren die Großtiere jagten, dann die der sogenannten Archaischen Perioden bis zum Jahre 1000 v. Chr., die teilweise schon seßhaft wurden – aber diese frühen Perioden interessieren uns erst später.

Willey macht Unterschiede zwischen diesen «Perioden», die eine reine Zeiteinteilung darstellen, den «Traditionen», die eine übergeordnete allgemeine Lebensweise bezeichnen, und den «Kulturen», die wir einmal als mehr oder weniger geschlossene soziale Gruppen betrachten wollen, die eigenständige kulturelle Ausdrucksformen entwickelten.

Tatsächlich sind hier zahlreiche weitere Unterteilungen möglich und auch im Schwange, die jedoch dem, der einen Überblick sucht, durchaus den Blick verstellen. (Noch einmal sei hier der näher Interessierte auf Silverberg hingewiesen, der kaum einen Blickpunkt der Forschung zu referieren vergißt.)

Wisconsin River

Eine typische Effigy Mound-Gruppe, die Lower Dells-Gruppe in Sauk County, Wisconsin. Der unterste der drei Vögel hat eine Flügelbreite von 73 Metern. Bei all diesen Erdbauten ist die geistige Konzeption das erstaunlichste – denn nur aus der Luft, also niemals, war ja das Kunstwerk wirklich zu überblicken.

Überwältigend klar aber schälten sich bald, nach unendlicher Detailarbeit, zwei «Kulturen» heraus, die Adena- und die Hopewell-Kultur – und besonders die letztere ist in vieler Hinsicht erstaunlich. Bei der Ausgrabung eines Hopewell Burial Mound, eines Begräbnis-Mounds also, geschah es, daß ein Archäologe selber begraben wurde ...

Erst wollen wir eine Antwort auf die immer wiederkehrende Frage geben, die jeder stellt, der zum erstenmal von den nordamerikanischen «Pyramiden», den Mounds, hört: Welcher ist der Größte?

Das aber ist nicht mit einem einzigen Namen zu beantworten, weil es darauf ankommt, ob man mit der «Größe» die Höhe meint oder die Ausdehnung an der Basis oder die gesamte Anlage (oft) mit Erdwällen und Neben-Mounds.

Meistens wird als «größter» der Cahokia Mound bezeichnet, der in Illinois liegt. Auch Mönch-Mound (*Monk-Mound*) wird er manchmal genannt, weil einst Trappisten-Mönche auf einer seiner Terrassen Gemüse züchteten. Die abgeflachte Pyramide ist über 30 Meter hoch, 330 Meter lang und 216 Meter breit. Die größte *ägyptische* Pyramide, die des Pharao Cheops bei Gizeh, ist 146 Meter hoch, die vier regelmäßigen Seiten sind je 230 Meter lang. Das bedeutet, daß die *Grundfläche* der nordamerikanischen Pyramide mehr als 18 000 Quadratmeter *größer ist als die größte ägyptische*. Beide stehen in Gruppen. Aber die Gruppe um die *amerikanische* Pyramide ist *unvergleichlich viel größer*. Der Cahokia Mound war einst Mittelpunkt von mehr als 100 kleineren, ebenfalls abgeflachten Mounds, und im weiteren Bereich, im Umkreis von 11 Kilometern, befinden sich noch einmal weitere 300!

Der Miamisburg Mound bei der Stadt gleichen Namens in Ohio ist immerhin noch 23 Meter hoch. Und der Grave Creek Mound in Moundsville, Ohio, 15 Meter, mit einem Basisdurchmesser von mehr als 97 Metern.

Betrachtet man die Größe der *Anlagen*, die langen Boulevards (*Avenues*), die die Mound-Gruppen oft verbanden, oder die Erdwall-Konstruktionen zu Verteidigungszwecken, mit einst langen Palisaden-Reihen, so sind Größenvergleiche schwer möglich.

Einer der *interessantesten* Grabhügel war der Seip Mound im Ross County, Ohio, benannt nach den Brüdern Seip, den «Besitzern» – man setzt dies Wort unwillkürlich in Anführungsstriche, ebenso wie es einem gegen den Strich gehen würde, zu hören, daß vielleicht irgendein Mohammed «Besitzer» der Cheops-Pyramide sein könnte oder der Kölner Dom einem Herrn Krause gehören könne. Dieser Mound ist gut 9 Meter hoch, 76 Meter lang und fast 46 Meter breit. Die angehäuften Erdmassen schätzt man auf kaum weniger als 20 000 Kubikmeter. Hier war es, wo ein Archäologe einen erstaunlichen Schatz fand – und sich selber begrub.

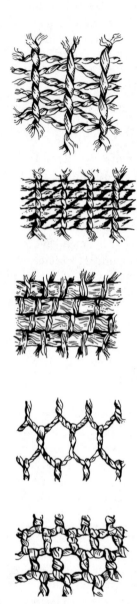

Henry Clyde Shetrone arbeitete am Seip Mound drei Sommer lang, von 1926 bis 1928. Seinen Unfall berichtet er mit wissenschaftlicher Bescheidenheit nebenbei: «Es mag den Leser interessieren zu erfahren, daß sich bei der Erforschung dieses Mounds ein ernsthafter Unfall ereignete».[5] Er hatte den Mound angestochen, wobei ein neun Meter hoher Wall entstand. Als er ihn ausmessen und fotografieren wollte, geriet der obere Teil ins Rutschen, gewaltige Erdmassen stürzten herab und begruben den Ausgräber. Die Helfer, einen Augenblick von Entsetzen gelähmt, stürzten sich im nächsten Moment mit Hacken und Schaufeln auf die Unfallstelle. Als sie Shetrone ausgruben, schien er tot, aber er war nur bewußtlos. Nach seinem Erwachen schaffte man ihn ins nächste Krankenhaus, wo man feststellte, daß er mehrere Knochen gebrochen hatte! Aber – er war mit dem Leben davongekommen und «genas vollkommen».

Dieser Mound nun war nicht nur das Grab von 99 Skeletten, sondern auch ein außerordentliches *Schatz-Grab!* Shetrone berichtet: «Das eindrucksvollste bei der näheren Untersuchung war das Auffinden einer aus Stämmen und Balken errichteten inneren Grabkammer, eines Gewölbes, in dem nebeneinander vier Erwachsene ausgestreckt auf dem Rücken lagen, während die Skelette zweier Säuglinge quer zu ihren Häuptern lagen. Ob nun dies ein Familiengrab war oder nicht, oder eine Gruft, die den ‹Herrschern› der Gemeinschaft vorbehalten war, auf keinen Fall kann bezweifelt werden, daß die darin befindlichen Toten zur Elite gehörten. Den hier Bestatteten war eine imponierende Menge von Gegenständen beigegeben, von denen einige einmalig waren. Es fanden sich *Tausende von Perlen*; daher bezeichneten die Zeitungsberichte jener Zeit diese letzte Ruhestätte als das ‹Große Perlengrab›. Werkzeuge und Schmuck aus Kupfer, Glimmer, Schildpatt und Silber wurden in großen Mengen gefunden.»[6]

Besonders die Unmassen von Perlen (Flußperlen von unterschiedlicher Größe) reizen immer wieder den Touristen oder Museumsbesucher, nach dem Wert zu fragen.

Das ist schwierig zu beantworten.

Wie soll der Wert einer nicht weniger als achtund-

Textilien der Hopewell Mound Builders vor 500 nach Chr.

zwanzig Pfund schweren Kupferaxt bemessen werden (die am gleichen Ort gefunden wurde) – sicher einst Kultgegenstand für einen Häuptling oder Medizinmann? Solche Stücke verbleiben zu Recht den Museen und geraten nicht in den Handel und damit in keine Preisliste. Was nun aber besonders die Perlen betrifft, so hat Professor Frank C. Hibben von der University of New Mexico eine Schätzung gewagt. Sie seien, so sagt er, nach modernen Maßstäben, *zwei Millionen Dollar oder mehr wert!* [7]

Doch zurück zu den beiden «Kulturen», die man heute als die eindrucksvollsten kennt – zur Adena- und zur Hopewell-Kultur. Von Beginn an gerieten die Gelehrten in Streit um die Datierung. Relativ schnell war man sich einig, daß die Adena-Kultur die frühere sei, weil einfach die Hopewell-Kultur Verfeinerungen gewisser Künste zeigte, die die Adena-Menschen nur vorgebildet hatten. Anfangs dachte man sie sich als Zeitgenossen der Pueblo-Erbauer, doch gab es frühzeitig einige Stimmen, die sie für wesentlich älter erklärten – ganz abgesehen von einigen Crackpots, die in ihnen immer noch eine mythische Urrasse annahmen oder sie zu den direkten Nachkommen des walisischen Prinzen Madoc erklärten, der im 12. Jahrhundert nach Amerika gesegelt sein soll, und abgesehen auch von allen poetischen Verklärungen, die alle Mound Builders erfuhren. Jedenfalls – selbst die wissenschaftliche Diskussion noch Ende der dreißiger Jahre «endete in nichts als einer Folge enttäuschender Schätzungen und hitziger Streitgespräche», wie Frederick Johnson bemerkt.[8]

Das wurde schlagartig anders, als Libby mit seinen Radiocarbon-Datierungen zu Hilfe kam. Das heißt: Zuerst verwirrte er mehr als er klärte. Die ersten, wenigen, viel zu voreilig interpretierten Messungen schienen zu beweisen, daß die bisherige Meinung aller Archäologen auf den Kopf gestellt werden müsse – daß nämlich Hopewell *früher* als Adena anzusetzen sei. Statt hier auf Einzelheiten einzugehen, auch um vorsichtig zu sein, wie die Forscher selber vorsichtig sein müssen, zitieren wir als vorläufig letztes Wort hierzu noch einmal Frederick Johnson von der Peabody Foundation, der 1967 schreibt:

«... die Gesamtzahl der zur Verfügung stehenden Daten genügt nicht, um diese Kulturen zeitlich einzuordnen, [Kulturen], welche über den größten Teil des östlichen Nordamerika verteilt waren und mehr als 1000 oder 1500 Jahre kultureller Entwicklung und kulturellen Verfalls widerspiegeln. Die Zuordnung der Daten zu der einen oder anderen Kultur variiert und ist jeweils abhängig von der speziellen Klassifizierung durch die verschiedenen Verfasser, die untereinander nicht immer in der Zuordnung der Merkmale zu der einen oder anderen Kultur übereinstimmen. Ganz allgemein gesprochen

währte jedoch ›Adena zwischen 500 und 900 nach Chr. und *Hopewell, besonders im Norden, existierte von etwa 900 bis etwa 1150 nach Chr.*»[9]

Heut herrscht kaum Zweifel, daß Adena vor Hopewell kam. Aber noch
längst nicht sind wir in der Lage, bei jedem Mound exakt anzugeben, wann
er erbaut wurde – wie wir das bei den südwestlichen Pueblos oft aufs Jahr genau zu sagen wissen. Nicht genug damit – wir haben zahlreiche Theorien,
aber noch keine Gewißheit, *woher* die *rundköpfigen* Adena-Menschen gekommen sind, und warum und wohin sie eines Tages das Gebiet, vor allem
das Ohio-Tal, verließen. Und dasselbe gilt für die dort einströmenden *lang-
schädeligen* Hopewell-Menschen – das Woher und Wohin unterliegt nach wie
vor wissenschaftlicher Diskussion. Doch können wir beide Kulturgruppen aus
den unermeßlich reichen Funden, die uns die Mounds spendeten, recht
gut charakterisieren. Die Adena Mounds sind nach dem Besitz eines ehemaligen Gouverneurs von Ohio, Thomas Worthington, nahe Chillicothe, benannt. William C. Mills grub dort 1901 – er entdeckte unter anderem die berühmte «Adena-Pfeife» in Form einer menschlichen Figur – und gab der Kultur ihren Namen. Aber noch 1930 konnte Shetrone dieser Kultur in seinem großen Werk lediglich die Seiten 167 bis 169 widmen, mit noch fünf weiteren kurzen Erwähnungen – so wenig war noch bekannt. Zwei Jahre später allerdings identifizierte Emerson F. Greenman schon 70 Adena Mounds, und wieder dreizehn Jahre später,

---

William Cullen Bryant (1794–1878)

Poet, Journalist, Rechtsanwalt; veröffentlichte mit vierzehn Jahren sein erstes Buch. Heute höchst puritanisch
anmutend, war er hochgeschätzt zu seiner Zeit. Mehrfach
beflügelten die Mounds seine Phantasie. Die folgenden
Verse sind Teil des Gedichtes ‹The Prairies›, veröffentlicht in ‹Poems›, 1832.

Wie den Hengst ich durch die grüne Steppe lenke,
Und die hohen Halme seine Flanken streifen,
Will des Hufschlags hohl gedämpfter Ton mir klingen
Wie ein Frevel, wenn ich dabei jener denke,
Über deren Stätten er nun munter hintrab.
Sind sie hier, die Toten längst vergangner Tage,
Füllt mit Leben sich der Staub der schönen Wildnis,
Leidenschaften, haben sie dereinst gebrannt hier?
Laß die mächt'gen Mounds, die Flüsse überblickend,
Tief im Eichenwald verborgen, Antwort geben.
Ach, ein Volk, das längst vergangen, hat gebaut sie,
Ja, ein großes Volk, das zahlreich und besonnen,
Häufte diese Erde auf, als schon die Griechen
Meißelten des Pentelicus edle Formen
Streng symmetrisch und auf ihrem Felsen bauten
Den erhabnen Parthenon.

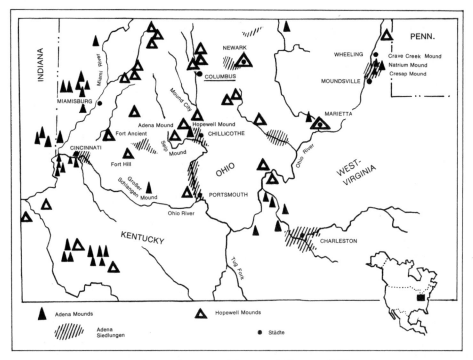

Die Karte zeigt die Lage der wichtigsten Adena und Hopewell Mounds,
die zwischen 800 vor Chr. und 500 nach Chr. erbaut wurden. 1957 waren schon
222 Adena Mounds lokalisiert. Von beiden Typen gibt es Tausende.

1945, erschien der inhaltsreiche Bericht von William S. Webb (der einer der
Leiter der archäologischen Rettungsaktion war, Teil der sogenannten «Salvage-
Archäologie», die nötig geworden war, als die großen Dammbauten die Rui-
nen mit Überschwemmung bedrohten) und Charles E. Snow: ‹The Adena
People›.[10] Sie fügten Greenmans Liste noch weitere 103 Adena-Bauten hinzu;
1957 waren es bereits 222!

Das Adena-Volk war das erste im östlichen Amerika, das drei wichtige
Dinge zusammenbrachte, die eine Kultur ermöglichen: Mais-Anbau, Herstellung von Keramik und organisierte Gemeinschaftsarbeit. Kam die Idee ihres
Mound-Bauens aus Mexiko? Vielleicht, aber es ist nicht zu beweisen. Ihre
Mounds waren *Burial* Mounds, also Begräbnis-Hügel, während die mexikanischen Völker vorwiegend *Temple* Mounds errichtet hatten. Deutlich war,
daß sie offensichtlich eine gesellschaftliche Hierarchie kannten – man kann
bereits deutlich zwischen den Gräbern der Vornehmen und jenen der unbe-
deutenden Personen unterscheiden, die meist verbrannt wurden. An einigen

*Eine aus Stein geschnittene
Pfeife aus einem
Adena Mound.
Der Pfeifenkopf befindet sich
unter den Füßen der Figur,
das Mundstück im Schädel.
Länge etwa 20 Zentimeter.*

*Mutter und Kind –
eine Skulptur aus einem
Hopewell Mound in Illinois
(vor 500 nach Chr.)*

der gefundenen Skelette zeigte sich etwas sehr Merkwürdiges. Wir zitieren Willey:

«Die Körper waren in ausgestreckter Haltung auf den Rücken gelegt, augenscheinlich als das Fleisch noch an den Knochen hing ... Viele Knochen waren, als sie geborgen wurden, von rotem Ocker gefärbt. Entweder wurde das Skelett vom Fleisch befreit, bevor man das rote Farbpulver darüber streute, oder man ließ es eine Zeitlang ungeschützt, damit es zerfiel, und tat erst danach das Ocker auf die Knochen. Diese zuletzt genannte Möglichkeit würde bedeuten, daß zwischen dem Zeitpunkt, an dem der Körper in das Grab gelegt wurde, und dem Verschließen der Gruft einige Zeit verging.»[11]

Das alles deutet auf den Beginn eines Totenkults, für den das Volk eine ganz außerordentliche Arbeitslast auf sich nehmen mußte. Sonderbarerweise lebten diese Menschen in sehr kleinen Dorfgemeinschaften von kaum mehr als fünf Häusern. Wenn man die Schätzung akzeptiert, daß für die größeren Mounds tausend Indianer mindestens fünf Jahre zu arbeiten hatten, ergibt sich das organisatorische Problem, wie man die Menschen zusammentrommelte, und sie verpflegte. Dabei hatten sie noch Zeit für die Ausübung mannigfacher Kunstfertigkeiten, besonders der Schmuckherstellung. Einiges Rätselraten verursachten kleine, bequem in einer Hand zu haltende, nur wenig mehr als einen Zentimeter dicke Stein- oder Tontafeln, in die phantasiereiche Muster eingegraben waren, zum Beispiel stilisierte Vögel, aber auch reine Ornamente. Die einzige einleuchtende Erklärung, die bis heute geliefert wurde: Es waren Druckplatten für ihre «Textilien»!

Doch all dies zeigt uns in größerer Vollendung die Hopewell-Kultur. Dieser Name geht auf das Besitztum eines Captain Hopewell zurück, auf dessen Farm sich mehr als dreißig Mounds erhoben. Als auf der Chicagoer Weltausstellung von 1893 Amerika auch sein Altertum präsentieren wollte, grub Warren K. Moorehead auf Hopewells Farm und förderte die schönsten Artefakten zutage – so blieb der Name.

Die Hopewells, die «Langschädel», strömten ins Gebiet der Adena-Menschen ein. Überwältigten sie sie? Vertrieben sie sie? Vermischten sie sich mit ihnen? Übernahmen sie deren Begräbnis-Rituale oder brachten sie eigene Vorstellungen mit? – So viele Fragen, so wenige Antworten.

Silverberg faßt in vier Absätzen über ihre Bestattungsmethoden zusammen, was wir heute darüber wissen:

«Die Hopewell Mounds sind das sichtbarste Zeugnis des komplizierten Totenkultes, den dieses Volk beobachtete. Hier wurden die heiligen Riten und Zeremonien vollführt; hier wurden die angesehensten Persönlichkeiten des Stammes mit offenbar bemerkenswertem Pomp und Prunk zur Ruhe gebettet. Etwa Dreiviertel der Hopewell-Toten wurden verbrannt; fleischliche Bestattung in einer Gruft dürfte das ausschließliche Privileg einer hohen Kaste gewesen sein.

Im Mittelpunkt der Bestattungshandlungen der Hopewells standen Totenhäuser, die an besonders vorbereiteten Plätzen errichtet waren. Zuerst wurden alle Bäume und alles Unterholz aus dem Bereiche entfernt, in dem der Mound errichtet werden sollte; die lockere obere Bodenkrume wurde entfernt und die darunterliegende Schicht gewöhnlich mit festem Ton bedeckt. Danach streute man eine Schicht aus Sand oder feinem Kies in einer Stärke von ein oder mehr Zoll über den Tonboden und errichtete darauf ein großes hölzernes Gebäude. Die Wände dieser Totenhäuser wurden aus je einer Reihe aufrecht stehender Baumstämme gebildet. Einige der Gebäude waren so groß, daß sie wahrscheinlich keine Dächer hatten, sondern gegen den Himmel geöffnete Einfriedigungen waren; schmale, überdachte Räume waren oft entlang der Innenseite der Hauptwand angelegt.

Bestattungen verschiedener Art fanden in dem gleichen Totenhaus statt. Verbrennungen führte man in rechteckigen, mit Ton ausgekleideten Verbrennungsgruben aus, die in den vorbereiteten Boden gegraben waren; die Körper hatte man zunächst vom Fleisch befreit, indem man sie entweder ungeschützt liegen und zerfallen ließ oder indem man sie säuberte. Nach dem Verbrennen wurden Asche und Knochenfragmente aufgesammelt und in Grabkammern aus Baumstämmen, die auf Plattformen nahe der Verbrennungsgrube standen, niedergelegt oder auch in den Gruben selbst belassen.

In einer anschließenden Kammer wurde eine fleischliche Bestattung vorbereitet. Ein rechteckiges Grabgewölbe aus Baumstämmen wurde auf einer niedrigen Tonplattform auf dem Boden des Totenhauses errichtet; darin lag der völlig ausgestreckte Tote inmitten der Beigaben, die zeremoniell ‹getötet› oder zerbrochen worden waren, vermutlich um ihre Geistwesen freizusetzen, damit sie den Verstorbenen in das Jenseits begleiten konnten. Diese Grabkammern aus Baumstämmen glichen denen des Adena-Volkes; der Hauptunterschied zwischen den Adena- und Hopewell-Gräbern liegt nicht in der Errichtung der Grüfte, sondern in dem größeren Reichtum und der besseren Qualität der Beigaben der Hopewells.»[12]

Das ist eine sachliche Beschreibung. Um uns die vielleicht unvergleichlich farbigen *Zeremonien* vorzustellen, die diese Begräbnisse begleiteten, müssen wir unsere Phantasie zu Hilfe nehmen. Doch welche Bilder können wir beschwören? Die Farben sind verblaßt, die Rufe und Klänge verweht, kein Bericht ist überliefert von den Ritualen, die vor anderthalb Jahrtausenden die Medizinmänner auf den Mounds vollzogen.

Die Eigenart ihrer Kultur scheint sich zuerst in Illinois herausgebildet zu haben – von dort breitete sie sich aus nach Ohio und Indiana, nach Michigan, Wisconsin, Iowa und Missouri; alles in den ersten Jahrhunderten der christlichen Ära.

Was die Hopewell-Menschen besonders auszeichnet, ist ihr Schmucktrieb. Sie schmückten tatsächlich den ganzen Körper von Kopf bis Fuß, selbst den Skeletten setzten sie oft noch kupferne Nasen ein.

Sie spannten, um seltenes Material herbeizuschaffen, ein Beschaffungsnetz (wieweit es dabei um «Handel» ging, können wir nicht beurteilen) über das ganze östliche Amerika, im Westen bis zu den Rocky Mountains. Kupfer hatten sie vom Oberen See an der kanadischen Grenze, Muscheln, Alligator- und Haifisch-Zähne vom Golf von Mexiko. Aus dem Fernen Westen führten sie Obsidian ein, das schwarze vulkanische Glas, aus dem sie ihre Kult-Messer machten. Aus den Rocky Mountains bezogen sie die Zähne und Krallen des gefährlichen Grizzly-Bären; weitere Muscheln von der atlantischen Küste und die silbern glitzernden Glimmerscheiben aus Carolina.

Ihr wertvollster Schmuck waren die sanft schimmernden Flußperlen. Nicht nur im Seip-Mound wurden sie gefunden. Trotz ihrer Seltenheit fanden sie sich *gallonenweise* in anderen Gräbern der Vornehmen. Einzelne Perlenketten werden heute auf mehrere tausend Dollar geschätzt, wahrhaft königlicher Schmuck, zumal manche Skelette nicht mit einer, sondern mit zahlreichen Ketten behängt waren.

Gold und Silber verwendeten sie kaum – ihr Metall war Kupfer, das sie schlugen und hämmerten zu Werkzeugen, zu Schmuck- und Schutz-Platten. Wohlgemerkt: sie kannten *nicht* den Schmelzprozeß und damit nicht das Gießen von Metall; allenfalls das, was der Techniker «Tempern» nennt. Gänzlich entgegen diesem archäologischen Befund verstieg sich im Jahre 1951 der Ingenieur Arlington H. Mallery zu einer phantastischen Theorie, als er, wie der Untertitel seines Buches besagt, eine ‹Geschichte des präkolumbischen Eisenzeitalters› veröffentlichte.[13] Ein Buch von 238 Seiten, auf denen er mit unzähligen Bildern, Radiocarbon-Daten, mikroskopischen und metallurgischen Analysen scheinbar unwiderleglich bewies, daß Nordamerika ein Eisenzeitalter gehabt habe. Seine «Beweis»fülle war im ersten Augenblick so umwerfend, sogar für einige Archäologen, daß ihm kein Geringerer als Matthew W. Sterling, Direktor des Bureau of American Ethnology of the Smithsonian Institution, ein Vorwort schrieb:

«Es wird schwierig sein, amerikanische Archäologen davon zu überzeugen, daß es eine präkolumbische Eisenzeit in Amerika gab. Diese erstaunliche Tatsache sollte jedoch nicht länger in Zweifel gezogen werden. Die detaillierten Untersuchungen der Metallurgen und die neue C^{14}-Datierungsmethode sollten ausreichen, eine Antwort auf diese Frage zu geben.» Schwer zu begreifen. Haury sagt dazu: «Ich bin sicher, daß Sterling, als er das Vorwort für das Buch schrieb, damit den Inhalt nicht befürworten wollte; wahrscheinlich sollte es eine Anerkennung der Tatsache sein, daß Gehirnen von Männern wie Mallery eine neue und herausfordernde Idee auszubrüten vermochten.» Zum Buch bemerkt er lakonisch: «Mallerys Buch ist natürlich völliger Unsinn, wie Sie dargelegt haben.»[14]

Hopewell-Krieger mit einer Halskette aus flachen Muschelschalen und menschlichen Kieferhälften als Anhänger, mit einer Speerspitze, kleinen Muschelringen und Falkenklauen. Die anderen Gegenstände sind rekonstruiert oder beruhen auf Hypothesen, wie die Anordnung der Falkenklauen und Muschelringe auf dem Lendenschurz. Rekonstruktion des wichtigsten Skeletts (Nr. 4), Log-Tomb 2, Whitnah Mound 54.

Wie sah der Hopewell-Mensch aus? Nun, besonders dank den Arbeiten des Direktors des Illinois State Museum, Thorne Deuel, der die Verpflichtung fühlte, den eingehenden Fragen seiner Besucher anschauliche Antworten zu geben, haben wir heute zahlreiche Rekonstruktionen, wesentlich auf Grabungen in Illinois basierend. Dabei wird nicht ein imaginärer Hopewell-Mensch gezeigt, sondern Mann und Frau bei den verschiedensten «gesellschaftlichen» Gelegenheiten; sogar die Haarmode erwies sich als rekonstruierbar.[15] Wir zeigen einige Bilder, die besser erklären als Worte. Doch der prächtigste Mensch der Hopewell-Zeit war zweifellos der Krieger in Ohio. Überall in der Welt zeigen Offiziere pfauenhafte Tendenzen. Wie einen Harnisch trug der Hopewell-Krieger seine aus Kupfer gehämmerten Brustplatten; ein oft mit Hörnern oder anderem Schmuck bestückter Helm zierte sein stolzes Haupt; Glimmerplättchen brachen das Licht der Sonne; sicher trug er Ohrringe, Armbänder und Halsketten. Gewiß hatte er ständig eine Pfeife bei sich, die oft außerordentlich kunstvoll geschnitzt war – in Form von Hasen, Eichhörnchen, Enten; eine besonders schöne zeigt eine Ente, auf dem Rücken eines Fisches hockend. Die Pfeifenfabrikation war nicht nur kunstvoll, sondern muß auch sehr groß gewesen sein: Allein im Tremper Mound in Ohio fand man 136 aus Stein geschnitzte Pfeifen.

Und doch verschwand auch dieses Volk, das vielleicht noch näher als die Pueblo-Völker an der Schwelle zu einer Hochkultur gestanden hatte, innerhalb einer relativ kurzen Zeitspanne. Es muß eine stark hierarchische Struktur gehabt haben, mit einer herrschenden Schicht von geistlicher und weltlicher Machtfülle, wie sie es bei den Pueblo-Völkern nie gegeben hat (auf deren stark demokratische, vor allem friedliebende Gesellschaftsstruktur wir immer wieder hingewiesen haben). Ja, es gibt sogar eine kühne Theorie, die eine erbliche Monarchie auf Grund anthropologischen Befunds vertritt. Silverberg beschreibt sie so: «Man hat kürzlich herausgefunden, daß viele der Ohio-Hopewell-Schädel, die man in den reichsten Begräbnisstätten gefunden hatte, eine knöcherne Wucherung, die als Exostosis bekannt ist, entlang der inneren Ohrkanäle aufwiesen. Dieses ist ein sehr seltenes menschliches Merkmal und es wird genetisch übermittelt; daher kann man annehmen, daß die Hopewell-Häuptlinge, um deren Gräber es sich hier handelt, alle zur gleichen Familie gehörten – im Kern eine erbliche Aristokratie.»[16]

Trotz zweifellos fortgeschrittener Organisation überlebte dieses Volk nicht lange das fünfte Jahrhundert nach Chr. Wir wissen nicht, warum. Dennoch brauchen sich die Archäologen ihrer Unwissenheit nicht zu schämen, denn noch heute hat unter den Historikern der Streit darüber nicht aufgehört, warum eigentlich das Römische Reich untergegangen sei – und diesen Histori-

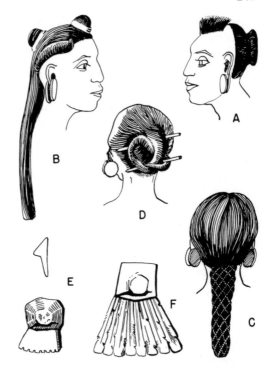

*Männliche (A) und weibliche
(B und D) Haartracht der
Hopewell-Menschen. C zeigt
die Tracht einer stillenden
Mutter, E und F sind Turnüren,
indianische Vorläufer eines
Cul de Paris, aus den
Schwanzfedern des Truthahns.*

kern stehen unendlich viele *schriftliche* Quellen, *Berichte* zahlloser Zeitgenossen dieses Untergangs zur Verfügung, während die Relikte der Hopewell-Kultur nur stumme Zeugen sind.

Jedenfalls – ein neues Volk betrat die geschichtliche Szene. Und wieder waren es Mound Builders. Doch sie bauten nicht sofort neben und zwischen den Werken ihrer Vorgänger, wie das die Hopewells getan hatten, als sie in das Ohio-Tal der Adena-Menschen einbrachen, sondern sie errichteten ihre Bauten weiter südlich, entlang des mächtigen Mississippi-Stromes, angefangen vom Delta, sich dann erst die nördlicheren Provinzen erobernd.

Dieses Volk nennen wir die *Temple* Mound Builders. Denn ihre Bauten waren nicht mehr vornehmlich Begräbnis-Hügel, sondern die oft gewaltigen Fundamente für Gotteshäuser. Es sind abgeflachte Pyramiden, doch in ihrer Funktion als weithin sichtbare Götterthrone mehr den mesopotamischen Ziggurahs als den ägyptischen Pharaonen-Gräbern zu vergleichen, denn die ägyptischen Pyramiden waren ja wirklich nichts als Gräber für einen Pharao, was man vor ihrer Monumentalität immer wieder vergißt. Aber ganz gewiß sind sie den mexikanischen und zentralamerikanischen Tempel-Pyramiden der Mayas und Azteken zu vergleichen, obwohl sie nicht aus Stein, sondern nur aus Erde errichtet sind. Sind die mittelamerikanischen Einflüsse auf die Adena- und Hopewell-Kultur durchaus umstritten und gewiß beschränkt – hier sind sie offensichtlich. Ihre *Funktion* ist die gleiche. Und genau wie in Mexiko erscheinen sie kaum einzeln, sondern immer zu mehreren, zusammengefaßt zu Gruppen von bis zu vierzig Mounds, zu Kultzentren mit großen Aufmarsch- oder Versammlungsplätzen in der Mitte. Und noch eine Ähnlichkeit: Sie wurden nicht von einem «Architekten» von vornherein in bestimmter Gestalt und Größe konzipiert, sondern sie entstanden schichtweise; bis zu einem Dutzend solcher Schichten hat man gezählt. Wie lange mag das gedauert haben? Haben sie sich wie die Mayas nach einem zweiundfünfzigjährigen Kalender gerichtet, hatten sie einen Kalender? Was war der Anlaß, wer gab den Befehl, eine neue Schicht zu häufen, neue Sklavenarbeit für Jahre zu leisten?

Rampen oder Treppen führten zur Spitze, zum Tempel – manchmal waren die Seiten so steil, daß, wie ein Reisender um 1790 bemerkt, die Kühe nicht emporklettern konnten. Unglücklicherweise ist uns keiner der Tempel erhalten, in denen die Priester eine heilige Flamme unterhielten (dafür sind Beweise vorhanden), wo sie sich dem Volke zeigten und wo sie vielleicht Menschenopfer brachten wie in Mexiko. Die Tempel waren aus Holz und sind längst zerstört, verweht.

Selten wurde in diesen Mounds eine Beisetzung vorgenommen, das Normale war die Bestattung auf Friedhöfen rund um die Kultzentren. Und hier

Schädel eines Hopewell-Menschen,
geschmückt mit kupfernem Helm,
imitiertem Hirschgeweih.
Außerdem fanden sich dabei
kostbare Flußperlen-Schnüre
und kupferne Brustplatten.

wurden auch die Funde gemacht, die erstens die hohe handwerkliche und künstlerische Fertigkeit dieses Volkes beweisen, die der der Hopewells kaum nachstand, zweitens aber dartun, wie stark das religiöse Empfinden jetzt das Leben und Denken bestimmte. Sie schnitten ihre Zeichnungen ebenfalls in Kupfer, Muscheln, Stein, ritzten oder preßten sie in ihre Keramik – aber diese Darstellungen sind weit mehr als Ausdruck reinen Schmucktriebs, sie zeigen fast alle religiöse Motive, vielleicht Hinweise auf schauerliche Zeremonien: Nicht nur den Priester mit phantastischem Federschmuck, sondern abgeschnittene Hände, menschliche Schädel, Arme mit noch vorstehenden Knochen und menschliche Herzen. All dies, auch die zahllosen offenbar rein kultischen Zwecken dienenden Gefäße und Geräte und Messer, hat die Archäologen veranlaßt, von einem ausgesprochenen *Totenkult* zu sprechen, von dem dieses Volk fasziniert gewesen sein muß. Die erste klare Herausarbeitung dieses Gedankens ist A. J. Waring jr. und Preston Holder, dann James A. Ford und Gordon R. Willey zu verdanken.[17]

Obwohl die ersten Beschreibungen der Tempel-Mounds von den Spaniern stammen, obwohl aus den Nachrichten der Reisenden, die aus dem Norden kamen, schon Ende des 17. Jahrhunderts einiges bekannt wurde, begann doch die wissenschaftliche Erforschung sehr viel später als im Norden. Strenggenommen eigentlich erst mit der Ausgrabung der Ocmulgee-Gruppe, östlich vom heutigen Macon in Georgia, von 1933 an. Diese Grabung währte acht Jahre. 1938 publizierte ihr erster Direktor, A. R. Kelly, eine vorläufige Beschreibung.[18] Nicht weniger als sechs aufeinanderfolgende Okkupationen dieses Ortes konnten nachgewiesen werden. Doch erst zwischen 2000 und 1500 vor Chr. erscheint die erste primitive, undekorierte Keramik, und der erste wirkliche Tempel-Mound datiert erst aus der Zeit von ungefähr 900 nach Chr. Drei große und vier kleine Mounds bilden schließlich die Tempelstätte.

Eine längere Geschichte hat die Ausgrabung der Etowah-Gruppe in der Nähe von Carterville im nördlichen Georgia. Die Spanier sahen sie bereits zerstört, überwuchert. Einen guten Bericht lieferte der Priester Elias Cornelius 1819. 1871 begannen archäologische Untersuchungen (nicht zu vergleichen mit der systematischen Arbeit fünfzig Jahre später in Ocmulgee); Cyrus Thomas arbeitete dort, W. H. Holmes vom Bureau of Ethnology folgte ihm 1890, und seit 1925 verbrachte der inzwischen alt gewordene, verdiente Veteran der Moundforschung, Warren K. Moorehead (*er hatte 34 Jahre vorher den* originalen *Hopewell Mound ausgegraben*), drei Winter dort. Er war es, der nach zahlreichen Funden am entschiedensten die Theorie vertrat, daß die Tempel-Mound-Builders nicht nur von Mexiko her beeinflußt, sondern auch

Eine Muschel-Halsplakette aus einem Mound in Missouri, 11,5 Zentimeter im Durchmesser. Ein Krieger oder Priester zwingt eine andere Person zu Boden. Die Symbolik der Gegenstände, die der aufrecht stehende Mensch in Mund und Hand hält, ist noch nicht einwandfrei gedeutet.

daß sie von dort eingewandert waren (was vorläufig nicht zu beweisen ist).

Und eines Tages war alles zu Ende. Um 1500 nach Chr. scheint der Totenkult extreme, vielleicht barbarische Formen angenommen zu haben. Vielleicht führte Priester-Hybris zum Aufstand der geplagten Massen; vielleicht kam es durch Kriege zu Einflüssen von außen; vielleicht traten Seuchen auf; vielleicht – wir wissen auch diesmal nicht, warum die Kultur erlosch. Jedenfalls als die ersten weißen Männer kamen, war die *große* Zeit der Tempelbauer vorbei. Doch da und dort wurden alte Rituale noch einige Zeit beibehalten, bei den (nun schon nach schriftlichen Quellen faßbaren) Stämmen der Chocktaw, Chicasaw, Creeks und Natchez. Und zu diesem Volk und seiner sozialen Struktur müssen wir noch einiges bemerken, weil diese Struktur erstens völlig einmalig ist unter allen nordamerikanischen Indianern zwischen beiden Meeren, und zweitens eine offenbar direkte Bindung an die Traditionen der letzten Tempel-Mound-Builders zu verraten scheint.

Über die Natchez haben wir ganz ausgezeichnete Berichte von Franzosen, die von 1698 bis 1732 unter ihnen lebten – in den sieben kleinen Dörfern entlang des St. Catherine Creek, nahe der heutigen Stadt Natchez, Mississippi. Zentrum war der sogenannte Emerald Mound, mehr als 10 Meter hoch, aber jedes Dorf hatte außerdem seinen eigenen kleinen Mound und – das ist schon ungewöhnlich – einen besonderen Wohn-Mound für den Häuptling.

Das Natchez-Volk lebte in einer Vier-Klassen-Gesellschaft unter einem *absoluten Monarchen*. Der Herrscher hieß «Die Große Sonne» und genoß göttliche Ehren. Er war zu erhaben, um einen anderen seines Volkes auch nur zu berühren (wollte er etwas überreichen, stieß er es mit dem Fuße zu), und zu edel, um jemals einen Weg, auch den kürzesten, zu Fuß zu tun – er wurde, geschmückt mit der Königskrone aus Schwanenfedern, stets in einer Sänfte getragen; ließ es sich nicht vermeiden auszusteigen, wurden Matten unter seine Füße gebreitet. Er war unumschränkter Gebieter über Leben und Tod seiner Untertanen und machte despotischen Gebrauch davon.

Die Angehörigen der obersten Klasse hießen ebenfalls noch «Sonnen» und genossen aristokratische Vorrechte als die einzigen Vertrauten des Königs. Die nächste Klasse waren die «Edelleute». Unter ihnen stand die größere Gruppe der «Ehrenmänner», Honoratioren könnte man sagen. Und dann kam das Volk.

Und wohl nirgendwo in der Welt (außer in Indien mit der Kaste der Unberührbaren) hat eine herrschende Klasse allein durch den Namen ihre abgrundtiefe Verachtung für das arbeitende Volk so definiert wie die «Sonnen» der Natchez: Sie nannten das Volk ganz einfach «Die Stinkenden» (*Stinker* oder *Stinkards*; zoologisch bedeutet das Wort auch «Stinktiere»). Die waren vogelfrei und jeglicher Willkür unterworfen.

Wir müssen hier bemerken, daß die Klassengesellschaft das Charakteristikum jeder Hochkultur in der Geschichte der Menschheit ist. Daß es so sein *muß*, wird eigentlich erst seit Rousseau und Marx bestritten. So nimmt es nicht wunder, daß in der ersten zusammenfassenden ‹*Archäologie der Vereinigten Staaten*›, geschrieben im Jahre 1856, mit entwaffnender Simplizität der Satz steht, daß die Natchez «die am höchsten zivilisierten Ureinwohner Nordamerikas» waren.[19]

Das Merkwürdige an der Gesellschaftsordnung der Natchez war, und das unterscheidet sie durchaus von allen Feudal-Ordnungen Europas, daß sie eine systematische Blutsmischung zwischen den Klassen vorsah. So war jede «Große Sonne» traditionsgemäß gezwungen, eine «Stinkende» zu heiraten. Königliche Erbfolge gab es nicht – ein Sohn der «Großen Sonne» konnte niemals selbst «Große Sonne» werden, er erhielt nur den Rang eines Edelmanns. Die Kinder dieser Edelleute waren nun ebenfalls gezwungen, Stinkende zu heiraten. Hatte eine Edelfrau einen Stinkenden geheiratet, so wurden die Kinder ebenfalls Edelleute; war aber der Vater ein Edelmann, der eine Stinkende geheiratet hatte, so rutschten die Kinder eine Klasse tiefer, wurden Ehrenmänner. Heiratete eine weibliche Sonne einen Stinkenden, was möglich war, so hatte der Mann weniger Rechte als ein europäischer Prinzgemahl – er durfte mit seinem Weibe nicht gemeinsam tafeln und hatte in ihrer Gegenwart stets zu stehen –, wie eben ein Stinker, der er blieb. Und paßte er seiner Frau nicht mehr recht, so konnte sie ihn töten lassen und sich einen anderen

Stinker nehmen. Das war natürlich in weiteren Verästelungen eine äußerst komplizierte Ordnung, die indessen offenbar mühelos gemeistert wurde. Als große Linie zeichnet sich in dieser Gesellschaftsstruktur ab, daß zwar der Mann regierte, daß aber die Rangordnung allein durch die Abstammung von der Frau bestimmt wurde; die *weiblichen* Sonnen auch wählten die neue «Große Sonne».

Inwieweit diese Gesellschaftsordnung jene der früheren Tempel-Mound-Builders widerspiegelt, ist umstritten. Ich halte sie für ein Extrem der Spätzeit – es scheint nicht wahrscheinlich, daß sich solche Ordnung rund tausend Jahre lang behauptet haben kann, was nicht ausschließt, daß die frühen Tempelbauer-Gesellschaften tatsächlich schon Monarchien waren.

Schon die ersten genauen Beobachter, Franzosen, bemerkten den «natürlichen» Verfall der Natchez, bemühten zur Erklärung Gottes Wille, übersahen aber auch nicht die verheerenden Wirkungen der von den Weißen eingeschleppten Krankheiten wie Pocken und Masern, die für die Indianer tödlich waren. Wie immer ist es auch im Falle der Natchez unmöglich, *einen* Grund für ihr Dahinschwinden zu geben – ein Beobachter will sogar bemerkt haben, daß die Mädchen und Frauen schwangerschaftsverhütende Mittel gebrauchten. Ein gewisser de la Vente, der 1704 unter den Natchez lebte, schreibt:

«... Ich kann nicht umgehen, Ihnen gegenüber zu bemerken, daß es allem Anschein nach so aussieht, als wünschte Gott, daß sie ihren Platz neuen Völkern überlassen», und noch deutlicher: «Fest steht, daß unser Volk in den sechs Jahren, in denen es den Fluß heruntergekommen ist, um ein Drittel abgenommen hat, und das auch weiß; so trifft es wohl zu, daß Gott selber wünscht, daß sie anderen weichen.»[20]

Nun, den Franzosen mahlten Gottes Mühlen offenbar zu langsam. Im Jahre 1729 rebellierten die Natchez gegen die französische Ausbeutung. Die

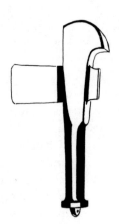

Besonders schönes Beispiel einer polierten Steinaxt (nach 1200 nach Chr.) aus Moundsville, Alabama.

Franzosen schlugen den Aufstand so blutig nieder, daß nur wenige Familien zu anderen Stämmen entkommen konnten, wo sie, wie es heißt, mit ehrfürchtiger Scheu aufgenommen und behandelt wurden.

So endeten die letzten Mound Builders, die Pyramidenbauer Nordamerikas, nach zweitausendsiebenhundertjähriger Geschichte (wenn man zurückblickt bis auf die ersten Burial Mound Builders) – jene Völkergruppe, die seit Jeffersons Tagen wie keine andere die Phantasie beflügelt, die Spekulation gefördert, die Wissenschaft herausgefordert hatte.

17. Der Amerikanische Goliath

Mit diesem Kapitel beschließen wir den Teil unseres Buches, der sich mit den nordamerikanischen Kulturen beschäftigte, und treten in eine ältere, eine völlig andere Welt ein, von der die meisten Anthropologen und Archäologen bis zum Jahre 1926 nicht glaubten, daß sie in Amerika überhaupt existiert habe.

Wie immer man das Wort «Kultur» in bezug auf prähistorische Völker interpretieren mag: Es hat durchaus Sinn, von einer Basket Maker-Kultur, einer Kultur der Pueblo-Völker, der Hohokam, der verschiedenen Mound Builders zu sprechen, da man sie sich als entwickelte, bereits differenzierte Gesellschaftsformen, basierend auf der Domestikation des Maises, vorstellen muß; ganz im Gegensatz zu der Welt der schweifenden Jäger, die Tausende von Jahren früher lebten, kleine Gruppen im Kampf ums bloße Überleben, im Kampf mit Tieren, die vor 10 000 Jahren ausgestorben sind wie das gewaltige «wollige» Mammut, der Bison antiquus und das Ground Sloth, ein Riesenfaultier.

Wie gesagt: Daß man jemals in der Neuen Welt Fossilien dieser ausgestorbenen Tiere (deren Existenz in Amerika durch Funde belegt war) zusammen mit Spuren *menschlicher* Tätigkeit finden würde, galt lange als ausgeschlossen; die Alte Welt schien hier die Priorität zu haben.

Wir haben in diesem Buch immer wieder auch auf die Irrwege der Wissenschaft hingewiesen, weil sie lehren, daß Wissenschaft ein ständiger *Kampf* um Erkenntnis ist. So wollen wir mit diesem Kapitel zwar einen Teil der nordamerikanischen Prähistorie abschließen, aber zu den neuen Funden und Erkenntnissen dadurch überleiten, daß wir «Die wahre, moralische und ergötzliche Geschichte» des sogenannten Cardiff-Giganten, auch «Amerikanischer Goliath» genannt, erzählen. Sie entbehrt nicht des Humors (es ist die Geschichte einer gigantischen Fälschung, aber, da sie in Amerika geschah, der *gigantischsten* Fossilienfälschung überhaupt), und sie erhellt gut die unsichere Haltung allen menschlichen Fossilien gegenüber, die vor rund hundert Jahren in der Wissenschaft noch herrschte.[1]

Doppelgrab in einem Mound der Hopewell-Gruppe, Ohio. Der Mann trägt eine Kupferplatte auf dem Schädel, und eine Kupferaxt liegt zwischen beider Füße. Mann und Frau tragen kupferne Armbänder.

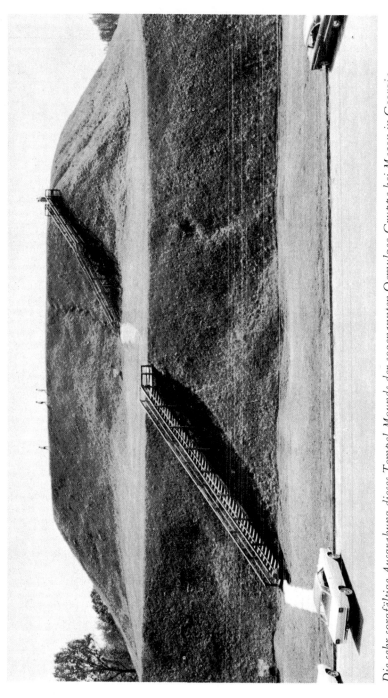

Die sehr sorgfältige Ausgrabung dieses Tempel-Mounds der sogenannten Ocmulgee-Gruppe bei Macon in Georgia begann 1930. Der Tempel, der einst die oberste Plattform gekrönt hat, ist seit Jahrhunderten zerstört. Die Pyramide ist mehr als 12 Meter hoch, und es wird geschätzt, daß eine Million Körbe mit Erde herbeigeschleppt werden mußten, um sie zu errichten.

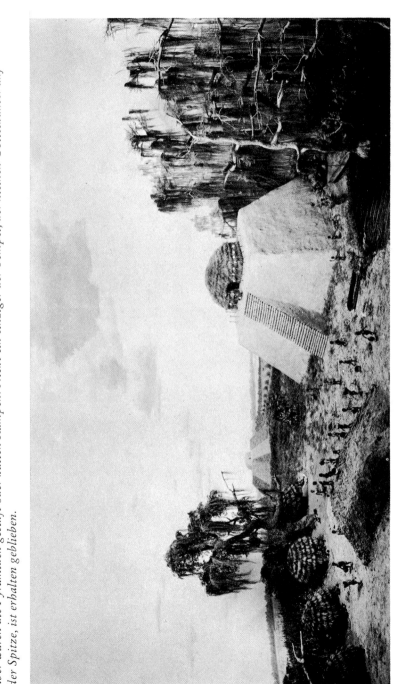

Nachbildung eines Tempel-Mounds aus dem Mississippi-Tal. Die «Pyramide» war kultisches Zentrum, war auch einzige «Architektur» dieser Völker – denn ihre Unterkünfte waren nur primitive Hütten. Hier führt eine Holzleiter zum Gipfel. Oft aber waren die Pyramiden gestuft oder hatten Rampen. Nicht ein einziger der Tempel, der kleinen Gotteshäuser auf der Spitze, ist erhalten geblieben.

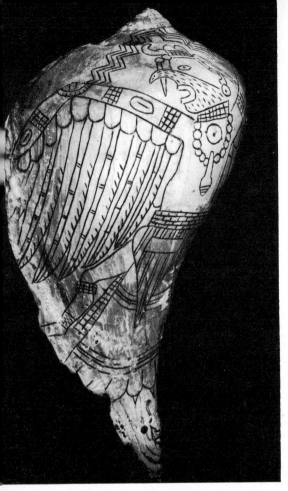

Beispiel der Kleinkunst der Tempel-Mound-Builders: eine kunstvoll verzierte
Muschel aus einem Mound im Le Flore County, Oklahoma. Die Zeichnung gibt,
abgerollt, die ganze Gravierung wieder.

Die Geschichte beginnt im Jahre 1866 merkwürdigerweise als theologischer Streit zwischen einem Tabakpflanzer und einem Pfarrer in einem kleinen Städtchen im Staate Iowa. Der Pfarrer Turk behauptete steif und fest, daß es in alten Zeiten Riesen gegeben habe – denn es stünde in der Bibel (Riesen werden tatsächlich viermal erwähnt), und was dort stünde, sei buchstäblich wahr. Diese Behauptung, ebenso wie die Begründung, hielt der Pflanzer und Zigarrenfabrikant George Hull für baren Unsinn. Man könnte die beiden in heutiger Terminologie einen Fundamentalisten und einen Agnostiker nennen – Begriffe, die ihnen fremd waren; Hulls Ansicht wurde erst 1870 von T. H. Huxley als «Agnostizismus» gekennzeichnet, und der Fundamentalismus als Weltanschauung gewann erst nach dem Ersten Weltkrieg in den USA wieder bedeutenden Anhang.

Wie dem auch sei, den Agnostiker Hull packte derart die Wut über den «unverbesserlichen» Pfarrer, daß er etwas ganz Unglaubliches beschloß: Wenn der Reverend auf Riesen bestand, so sollte er einen haben!

Hull ließ sich Zeit. Erst seit dem Juni 1868 wurden er und ein Freund in den Gipsbrüchen bei Fort Dodge in Iowa gesehen, wo sie einen gigantischen Block herausschlugen und unter den größten Vorsichts- und Sicherheitsmaßnahmen wegtransportierten. Um diesen monströsen Gipsblock von fünf Tonnen Gewicht zu transportieren (unterwegs gab er ihn abwechselnd als ein Lincoln-Denkmal aus oder als Probestück des «besten Bausteins der Welt» für eine Washingtoner Ausstellung), nahm Hull schwerste Strapazen auf sich: Allein auf den vierzig schlechten Wegmeilen zur nächsten Eisenbahnstation zerbrach der Gipskoloß mehrere Wagen, und eine Brücke stürzte unter ihm zusammen. Auf der Eisenbahn gab es weitere Schwierigkeiten, doch Hull brachte den Block in heilem Zustand nach Chicago, wo der Steinmetz Edward Burckhardt unverzüglich an die Bearbeitung ging. Das Resultat war ein liegender Riese von 3,17 Meter Länge, der immer noch nicht weniger als 2719 Pfund wog.

Hull «behandelte» ihn. Mit einem Spezialhammer, der mit Nägeln bespickt war, hämmerte er dem Riesenleib «Poren» ein, dann wusch er ihn in Säuren, um ihm ein «ehrwürdiges Alter» zu verleihen, und dann transportierte er ihn in eisenbeschlagener Kiste per Bahn und per Wagen, via Detroit und Syracuse bis in das Städtchen Cardiff, südlich von Syracuse im Staat New York, auf die Farm seines Verwandten William C. Newell, der sein Komplice war. Dort wurde der Gigant begraben. Diese ganze Geschichte, eingeleitet durch den streitbaren Pfarrer Turk, hatte Hull bis zu diesem Zeitpunkt 2200 Dollar gekostet!

Und nun geschah es:

Am Morgen des 16. Oktober 1869, ein Jahr nach der «Beerdigung», befahl

Mr. Newell zweien seiner Arbeiter beiläufig, ihm hinter der Scheune einen Brunnen zu graben. In einem Meter Tiefe stießen die Arbeiter auf einen menschlichen Fuß und rannten voller Schrecken ins Haus. In wenigen Stunden wußte die Nachbarschaft von dem Fund, in wenigen Tagen strömten Tausende (tatsächlich: Tausende) herbei, um den Giganten zu sehen, der sich nun, wohl ausgegraben, in all seiner Größe und blassen Schönheit offenbarte.

Vom ersten Augenblick an waren die Meinungen geteilt. Doch dominierte anfangs die etwas vage Ansicht eines angesehenen Geschäftsmannes: «Das hat kein Sterblicher geschaffen, sondern dies ist das wahrhaftige Abbild und Kind Gottes, wie es einst auf Erden wandelte.» Ein anderer indessen erklärte es als vergessenes Denkmal von George Washington, ein Dritter als Standbild, das die ersten eingewanderten Jesuiten errichtet hätten, um die Indianer zu schrecken. Doch die Stimmen mehrten sich, die behaupteten, es handle sich zweifellos um die jahrtausendealte Versteinerung eines riesigen Urmenschen – was Hull ja bezweckt hatte. Der Gelehrtenstreit brach aus, als James Hall, der geachtete Direktor des New York State Museums, erklärte: «... das bemerkenswerteste Objekt, das bisher in diesem Land zutage gefördert wurde», womit er nicht Unrecht hatte. Doch zwei Yale-Professoren erklärten kategorisch: «Humbug!» Für die Zeitungen war das Für und Wider eine Sensation. Und für Hull und Newell buchstäblich über Nacht ein Geschäft; sie nahmen Eintritt für die Besichtigung des «Amerikanischen Goliath», Buden entstanden um die Farm, und von Syracuse mußte ein Extra-Pferdeomnibus-Dienst zum Transport der Neugierigen eingerichtet werden. An einem Tag kamen dreitausend Menschen! Ein Mann aus New York bot 100 Dollar «für ein ganz kleines Stückchen vom Giganten». Nach wenigen Wochen wurden zwei neue Restaurants eröffnet, «The Giant Saloon» und «The Goliath House», wo nicht weniger als drei verschiedene «*einzig* authentische und zuverlässige» Beschreibungen des Riesen verkauft wurden.

Um die lange Geschichte kurz zu machen: Man kann nicht sagen, daß sich die junge amerikanische Forschung an dem Giganten nur blamiert hätte. Zu scharf war von Beginn an Kritik geübt worden, und nach relativ kurzer Zeit bestand unter ernsthaften Männern kein Zweifel mehr, daß der Gigant ein gigantischer Humbug war. Erstaunlich ist nur folgendes: Als Hull unter Druck der Kritik die Katze aus dem Sack lassen mußte und die ganze Vorgeschichte des Falles aufdeckte, da verstummten die Stimmen, die in dem Riesen partout einen versteinerten Urmenschen sehen wollten, keineswegs! Kein geringerer als Oliver Wendell Holmes, der große Arzt und Essayist, bohrte dem Gipskörper ein Loch hinters Ohr und erklärte, er sei von wundervoller anatomischer Beschaffenheit. Und der kritische Philosoph Ralph Waldo Emerson gab bekannt: «Über jedes Begreifen hinaus sehr wundervoll und unzweifelhaft alt.» Vielleicht hatten beide nichts von Hulls öffentlichem Bekenntnis gehört, ebenso wie der Yale-Student, der in einem 17-Seiten-Referat den Riesen zu einem uralten Abbild des phönizischen Gottes Baal erklärte und zwischen Ellbogen und Schulter sogar Hieroglyphen entdeckte, «die allerdings niemand außer ihm sah».

Die Geschichte hat ein Ende, das aus einer Commedia dell'arte stammen könnte. Der große Phineas T. Barnum, der Zirkusgigant, offerierte für den Gipsgiganten 60 000 Dollar. Nach einigem Hin und Her gewann das Rennen ein anderer Schausteller, brachte den Riesen nach New York und stellte ihn am Broadway aus – nur, um nach wenigen Tagen zu entdecken, daß der fixe Barnum ein paar Häuserblocks weiter, im Wood's Museum, die Stirn hatte, eine genaue Kopie des Riesen vorzuzeigen, eine Fälschung der Fälschung, mit der unverschämten Anpreisung: «Das Original aller Cardiff-Riesen.» Natürlich strengte der Besitzer der *ersten* Fälschung einen Prozeß an. Aber unter den Anwürfen des empörten Publikums, die sich nun gegen *beide* Riesen richteten, wurde das New Yorker Pflaster zu heiß – und für den «echten» Giganten begann seine Reisezeit. Er wurde ausgestellt, bis das Interesse erlahmte, dann jahrzehntelang vergessen, noch einmal für einen Film ‹*The Mighty Barnum*› 1934 «ausgegraben» und fand schließlich seine wohlverdiente Ruhe in The Farmer's Museum in Cooperstown im Staat New York.

Wer ihn heute dort ruhen sieht (vor ein paar Jahren brauchte man einen Traktor und zehn Mann, um ihn in einen anderen Raum zu schaffen), diese wirklich ansprechende, fast rührende Gestalt, hat leicht lachen. Doch als er ausgegraben wurde, war die wissenschaftliche Fossilien-Kunde selbst in Europa nur an die dreißig Jahre alt und hatte in Amerika kaum kompetente Vertreter.

So nimmt es nicht wunder, daß noch andere Fälle dieser Art geschehen konnten; zwar nicht so dramatische, doch interessant genug, um noch von einem zu berichten. Es handelt sich um den sogenannten «Calaveras-Schädel», über den eine Tageszeitung im Jahre 1866 schrieb: «Ein menschlicher Schädel ist in Kalifornien in der pliozänen Schicht gefunden worden. Dieser Schädel ist der Überrest nicht nur des frühesten Pioniers dieses Staates, sondern auch *das älteste bekannte menschliche Wesen* ... Der Schädel wurde in einem 46 Meter tiefen Schacht zwei Meilen von Angels im Calaveras County von einem Bergmanne namens James Watson gefunden, der ihn Mr. Scribner, einem Kaufmanne gab, der ihn weiterreichte an Dr. Jones, der ihn schließlich dem State Geological Survey übergab ... Der veröffentlichte Band des State Survey of the Geology of California berichtet, daß der Mensch hier Zeitgenosse des

Der erste Amerikaner

Mastodons war, daß aber *dieses Fossil beweist*, daß *er* sogar schon hier *war*, *bevor das Mastodon überhaupt existierte.*

Tatsächlich bestätigte Professor Josiah D. Whitney von jenem Institut diese Meinung im Jahre 1880. Nach seiner Ansicht – aber er prüfte die Fundumstände eben als Geologe und nicht wie ein Archäologe – hatte sich der Schädel einwandfrei in geologischen Schichten aus der jüngsten Epoche des Tertiärs, dem Pliozän, befunden, war also älter als die Eiszeiten, nämlich mehrere Millionen Jahre alt. Wenn das stimmte, lebte tatsächlich der Mensch *früher in Amerika als in Asien, Afrika oder Europa!* Bemerkenswerterweise war es nicht ein Wissenschaftler, sondern ein Dichter, der sich als erster über dieses sagenhafte Alter lustig machte, Bret Harte, damals schon weltberühmt als Meister der Kurzgeschichte.

Bret Harte (1839–1902):

An den pliozänen Schädel
(Eine geologische Ansprache)

Sprich, du fragmentarisches Fossil, Mensch, rede,
Früher Pionier du aus dem Pliozäne,
Tief verborgen du in jenen frühen Schichten
des Vulkangesteines,
Älter als das Tier, als ältestes Paläotherium,
Als die Bäume und die Kryptogamen,
Als die Hügel, infantile Eruptionen
dieser Erdenhaut nur.
Eo – Mio – Plio – ja welch «Zän» auch immer
Diese Augenhöhlen füllte einst mit Staunen,
Im Devon sei's oder sei es im Silure,
Komm, erzähl von damals!
Oder ist dein Antritt auf dem Erdplaneten
Tausend Jahre vordatiert von 'nem Professor,
Der versessen drauf dich auszuweisen als ein
Wesen kalten Blutes?

Das Gedicht hat noch acht weitere Strophen, ist hier zitiert nach der Ausgabe von 1899, und erschien in dem Band ‹Poems and two Men of Sandy Bar› in der Abteilung «Parodien».

Lange nach ihm, erst 1907, nun mit sehr viel mehr Wissen ausgerüstet als seine Vorgänger, veröffentlichte der Anthropologe Aleš Hrdlička die Wahrheit über den Calaveras-Mann. Es konnte nichts anderes als ein Scherz gewesen sein: Freunde des Entdeckers hatten diesen Schädel in eine geologische Schicht manipuliert, wo er nie und nimmer herstammen konnte.[2]

Die europäische Gelehrtenwelt hat keinen Grund, sich hier etwa über die Rückständigkeit einer amerikanischen Wissenschaft zu mokieren. Sie hat eher Grund, den Skandal um den Piltdown-Schädel nicht zu vergessen, der sich weit später abspielte, in *unserem* Jahrhundert, zu einer Zeit, da bereits eine höchst qualifizierte anthropologische Wissenschaft etabliert war – und der doch erst 1953 abgeschlossen wurde. Da hatte im Jahre

1908 der Rechtsanwalt Charles Dawson in Hastings in England Bruchstücke eines Schädels gefunden und zusammengesetzt, die – in dieser Zusammensetzung – eine Sensation für die Wissenschaft wurden und im Laufe von fast fünf Jahrzehnten fast alle europäischen Anthropologen von Rang in die heftigsten Kontroversen stürzten. Denn der Schädel repräsentierte eine Spezies, die überhaupt nicht in die Evolutionstheorie paßte. Und das konnte er auch nicht. 1953 bewiesen chemische Tests, daß der Schädel äußerst kunstvoll aus *zwei* Schädeln zusammengesetzt war – die menschliche Schädeldecke war alt, der Kiefer aber gehörte einem Orang-Utan unserer Tage! Mit diesem Piltdown-Skandal beschäftigte sich sogar das Britische Unterhaus. Nie wurde geklärt, wer diese geniale Fälschung angefertigt hatte!

Doch zurück zu Amerika: Wenige Hinweise, geringe Funde, die nicht sicher zu deuten waren, nährten dennoch jahrzehntelang die Hoffnung einiger weniger Forscher, auch in der Neuen Welt auf die Spuren eines Menschen zu stoßen, der als «Ahn» jener Völker anzusprechen wäre, die im ersten Jahrtausend vor Chr. plötzlich als organisierte Gesellschaften auf der geschichtlichen Bühne erschienen. Die allgemeine Meinung jedoch war, daß der «Erste Amerikaner» kaum früher als vor drei- oder viertausend Jahren gelebt hatte. Der Baron de Cuvier, der große französische Zoologe und Paläontologe, hatte für Europa im Jahre 1810 kategorisch erklärt: «Der fossile Mensch existiert nicht!» Und kategorisch erklärten namhafte Wissenschaftler in den USA bis in die zwanziger Jahre unseres Jahrhunderts: Einen amerikanischen Eiszeitmenschen hat es nie gegeben! Beide Parteien irrten. Aber wenn es anders war: Wo waren die Spuren?

Ein schwarzer Cowboy gab die erste Antwort. Und mit ihm treten wir ein in die wirklich *vor*geschichtliche, fremde, wilde Welt der frühen Jäger.

Fünftes Buch

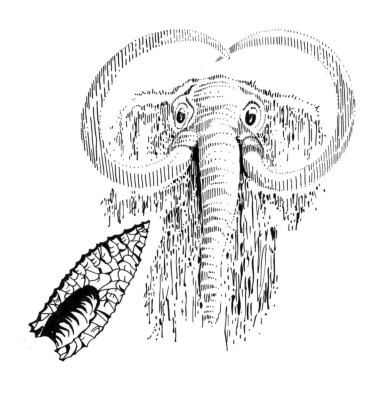

18. Der Folsom-Mensch

Eines Nachmittags, im Frühling des Jahres 1925, trabte der schwarze Cowboy George McJunkin gemächlich am Rande eines der zahllosen Arroyos dahin, der ausgetrockneten Bachbetten in der Nordostecke New Mexicos, nicht weit von dem kleinen Ort Folsom.

Obwohl er seine Augen meist zu Boden gerichtet hielt, denn er folgte den Spuren eines verlorenen Rindes, ließ er hin und wieder seinen Blick umherschweifen, hinüber zum andern Rand des Bachbettes. Und plötzlich sah er in der Sonne etwas Weißes aufleuchten, Knochen offenbar, die aus der Wand herausragten. Das war höchst merkwürdig. Er hielt an und betrachtete das Phänomen. In diesem Augenblick, sagt Hibben, «hing ein bedeutender Teil unserer Frühgeschichte in der Schwebe».[1] Wenn dieser einfache Cowboy nicht neugierig gewesen wäre, wenn er nicht abgestiegen wäre, um sich diese Knochen aus der Nähe zu besehen, hätte es noch wer weiß wie lange dauern können, bis die Existenz eines Eiszeit-Jägers in Nordamerika entdeckt worden wäre.

Aber er *war* neugierig. Er kletterte hinüber, zog sein Messer und begann, in den Knochen herumzustochern. Was ihm sofort entgegenfiel, war eine Feuerstein-Spitze, so lang und so sorgfältig bearbeitet, wie er zuvor noch keine gesehen hatte – und mit indianischen Pfeilspitzen war er durchaus vertraut, viele davon lagen auf seinem Farmland. Was ihn weiter stutzig machte, und was er erst bemerkte, als sich unter seinem Messer ein ganzer Knochen aus der harten Wand löste, war, daß er auch solchen Knochen noch nie gesehen hatte – er schien vom Rind zu sein, aber das war nicht möglich, denn er war bedeutend kräftiger als jeder Rinderknochen. Sah bereits der Cowboy einen Zusammenhang zwischen dieser Flintspitze und dem gebleichten Knochen? Sicher ahnte er nicht, daß er die bedeutendste Entdeckung der nordamerikanischen Vorgeschichte gemacht hatte. Er arbeitete eine Weile weiter, dann stopfte er sich einige Stücke seines Fundes in die Tasche, suchte noch vergeblich nach seinem verlorenen Rind und ritt schließlich heimwärts, denn es begann kühl zu werden.

Wie sich die Kunde von seinem Fund verbreitete, liegt im dunkel. Jedenfalls: noch im selben Sommer hörte J. D. Figgins, der Direktor des Colorado Museum of Natural History in Denver, davon. Knochenstücke, die ihm übersandt worden waren, konnten identifiziert werden. Der Cowboy hatte recht gehabt, sie als ungewöhnlich anzusehen: Es waren Knochen eines vor rund 10 000 Jahren ausgestorbenen Bisons, der im Gegensatz zum Büffel, den «Buffalo Bill» jagte, lange, gestreckte Hörner hatte und wesentlich größer war, des *Bison taylori*, oder, wie die Zoologen heute sagen, des *Bison antiquus figginsi*.

Und zusammen mit diesem Knochen sollte eine Feuersteinspitze gefunden worden sein, wirklich *zusammen* mit ihm, in der *gleichen* Schicht? Die Hoffnung war so erregend, daß schon im Sommer 1926 unter Leitung von Figgins die erste systematische Ausgrabung unternommen wurde. Es fanden sich zwei Spitzen, und nicht weit davon, dicht bei einem Knochen des *Bison antiquus*, eine abgebrochene Spitze. War das Beweis genug? Noch nicht für die Skeptiker...

Als Figgins mit seinem Fund voll Stolz zu mehreren Museen reiste, um ihn Fachleuten zu zeigen, stieß er auf Ablehnung. Die alten – gar nicht unberechtigten – Argumente wurden vorgebracht: Durch äußere Einflüsse konnten Waffe und Knochen *zufällig* in der gleichen Schicht zusammengekommen sein. Nur vom American Museum of Natural History wurde er ermuntert, noch einmal zu graben. Und im Sommer 1927 hatte er wieder Glück, mehr Glück noch als zuvor.

Er fand den *Beweis*, daß Waffe und Skelett des ausgestorbenen Tieres zusammengehörten. Er beließ die Feuersteinspitze an ihrem Platz, ohne sie auch nur einen Zentimeter zu verrücken – «in situ», wie der Archäologe das nennt – und rief Kollegen herbei, um ihnen das Indiz vorzuführen. Und sie strömten herbei, keiner wollte diese einzigartige Entdeckung missen. Unter ihnen war auch Frank H. H. Roberts jr., ein Anthropologe von Ruf. Er war gerade mit Kidder auf der jährlichen Pecos-Konferenz, als ihn das Telegramm erreichte. Jetzt sah er, war sofort überzeugt, holte Kidder herbei, der ebenfalls überzeugt wurde, und berichtete später:

«Bei der Ankunft an der Fossiliengrube fand er Direktor Figgins, mehrere Mitglieder des Colorado Museum Board und Dr. Barnum Brown vom American Museum of Natural History, New York, vor. Die Spitze, die von nun an dem Typ seinen Namen geben sollte, Folsom-Spitze, war gerade von Dr. Brown freigelegt worden. Es war keine Frage, daß *hier der Beweis für tatsächlichen Zusammenhang vorlag*. Die Spitze war immer noch *zwischen zwei Rippen des Tierskelettes* eingebettet.»[2]

Und zum Typ der Waffe fügt er hinzu: «Ferner war festzustellen, *daß die*

Spitze sich von den bekannten Typen unterschied, die in diesem Teil des Süd-westens verstreut gefunden worden waren.»

Im nächsten Jahr wurden unter Leitung von Dr. Barnum Brown weitere Funde gemacht. Neunzehn «Folsom-Points» fanden sich, wie man sie jetzt be-reits nannte, um sie eindeutig von allen anderen früheren Waffen zu unter-scheiden. Über das Jahr 1928 konnte Roberts berichten:

«Einige der skeptischsten Kritiker des Vorjahres wurden begeisterte Be-kehrte. Der Folsom-Fund wurde als ein verläßlicher Beweis dafür angesehen, daß der Mensch zu einer weit früheren Zeit im Südwesten lebte, als man bis-her angenommen hatte.»

Selten hat eine archäologische Nachricht solche publizistischen Wellen ge-schlagen wie die von der Entdeckung der Folsom-Spitze. Sie nährte Amerikas Stolz auf seine Vergangenheit. Zeitungen sprachen von der Entdeckung eines amerikanischen Neandertalers (was anthropologisch ein unsinniger Vergleich ist), und erst langsam meldete sich nach der Begeisterung der ersten Tage die entscheidende Frage: Wo war der *Mensch*, der diese Waffe geschleudert hat-te? Geschleudert oder geworfen – denn bei 2,5 bis 8 Zentimeter Länge konnte es sich nur um Speerspitzen, nicht um Pfeilspitzen handeln (außerdem war man 1928 schon ziemlich sicher, daß Pfeil und Bogen erst eine Erfindung der späten Basket Makers war).

Kein einziger Menschenknochen wurde bei Folsom gefunden!

Und es kann hier gleich hinzugefügt werden, daß bis heute kein Knochen, kein Schädel, geschweige denn ein Skelett in *direkter* Verbindung mit einem Folsom-Point gefunden worden ist!

Aber die nunmehr unumstößliche Tatsache, daß hier vernunftbegabte Menschen am Werk gewesen waren, Angehörige der Spezies *Homo sapiens*, wurde durch weitere Anzeichen bestätigt, und nicht allein durch die kunstvoll bearbeitete Spitze. Den Bisonskeletten fehlten nämlich samt und sonders die Schwanzwirbel!

Dafür gab es nur eine Erklärung:

Die Bisons waren gehäutet worden, denn bei dieser Prozedur bleibt der Schwanz am Fell. Die Frage nach dem Zweck des Abhäutens läßt ebenfalls nur wenige Antworten zu: Die urzeitlichen Bisonjäger gebrauchten das Fell als Kleidung oder als Windschutz oder als komfortable Unterlage, wahrschein-lich aber diente es *all* diesen Zwecken. Dicht bei den Speerspitzen wurden in der Tat ein paar behauene, stumpfnasige Steine gefunden, zweifellos Schaber, Werkzeuge also, mit denen der Folsom-Mensch Fleisch und Fett von der Haut gekratzt hatte.

Einige der Knochen zeigten Kerben, die nur von einem Messer herrühren

konnten, einem Steinmesser natürlich. Hier war klar, daß der Jäger sich seine
Mahlzeit heruntergeschnitten hatte. Merkwürdigerweise waren die meisten
Skelette im Ganzen erhalten, nur da und dort fehlte etwas, zum Beispiel ein
Bein. Hatten diese frühen Menschen nur an Ort und Stelle getafelt, hatten sie
von den gigantischen Fleischbergen, Nahrung für Wochen, nichts wegge-
schleppt, hatten sie gar kein festes Lager?

Nach und nach wurden weitere Umstände klar. Hier, wo die Bisons gefallen waren, mußte ein kleiner See oder zumindest ein großer Tümpel gewesen
sein. Hier, in dem jetzt ausgetrockneten Landstrich, wuchs einst saftiges Gras
– dunkle Humusstreifen in der Wand, wo der Cowboy die ersten Knochen gesehen hatte, bewiesen es. Die riesigen Tiere waren zur Tränke gekommen,
waren umzingelt und in einer wahren Orgie niedergeschlachtet worden.

Wieder fragt man sich: Wieso ist bei diesem Gemetzel keiner der Jäger zu
Schaden gekommen, keiner getötet worden? Mit nichts als Speeren gegen die
Bisons vorzugehen, muß ein gefährliches Unternehmen gewesen sein. Aber
der Folsom-Mensch scheint es vortrefflich gemeistert zu haben...

Wann hatten diese Jagdabenteuer stattgefunden? Wir sagten schon: vor
rund 10 000 Jahren. Das war 1928 eine Schätzung, die allein auf der geologischen Stratigraphie beruhte. Doch die Messungen der Geologie sind grob. So
wurden im Lauf der Zeit andere Schätzungen laut. Bis zu 15 000 Jahren kon-
zedierte man dem Folsom-Bison-Grab – manche Forscher aber gaben ihm
höchstens 7000 Jahre. Dem machte Libbys Radiocarbon-Datierung ein Ende.
Seine Daten können nicht auf Anhieb sagen, *wie lange* der Folsom-Mensch
durch Nordamerika schweifte – wir werden hören, an wie vielen anderen
Stellen er noch seine Waffen hinterließ –, aber sie können *einzelne* Fundstätten zeitlich fixieren. So ergab zum Beispiel die Untersuchung einer Gra-
bungsstätte in Colorado das Alter von 10 000 ± 375 Jahren!

Der erste Amerikaner schien gefunden zu sein. Doch andere Funde sollten
dem Folsom-Menschen die Priorität streitig machen. Eines der Argumente,
mit denen einige Wissenschaftler gegen jede Annahme eines Eiszeit-Menschen
in der Neuen Welt gewettert hatten, war, daß man in den zahlreichen *Höhlen* Amerikas keine Spuren so früher Menschen gefunden hatte – und gerade
das Höhlendasein zeichne, wie die Alte Welt beweise, die Lebensform des Eiszeit-Menschen aus.

Nun, der nächste Waffenfund, der wie kein anderer, bis in unsere Jahre
hinein, die Priorität des Folsom-Menschen bedrohte, wurde tatsächlich in einer Höhle gemacht.

19. Der Sandia-Mensch

Zur selben Zeit, als der Folsom-Mensch entdeckt wurde, begab sich eine Gruppe von Pfadfindern, Trupp Nummer 13 aus Albuquerque in New Mexico, auf romantische Schatzsuche hoch oben in den nahegelegenen Sandia-Bergen. Die Jungen bewegten sich in dünner Luft, über dem mächtigen Rio Grande, in 2210 Meter Höhe.

Besonders eine Höhle, die durch ihre Unzugänglichkeit reizte, hatte es ihnen angetan. Aber beim Eindringen, beim Graben durch Staubschichten, stießen sie schnell auf herabgefallene Felsen, so daß sie entmutigt heimkehrten. Hätten sie ausgeharrt, dann hätten sie einen Schatz gefunden, aber einen Schatz besonderer Art: Sie versäumten eine bedeutende Entdeckung der amerikanischen Vorgeschichte.

Als fast zehn Jahre später, im Frühling 1936 (der Folsom-Mensch war längst als der früheste Amerikaner anerkannt, und keiner wagte zu hoffen, einen älteren zu finden), ein Student der University of New Mexico in Albuquerque, Kenneth Davis (heute ist eine der anderen Höhlen dort nach ihm benannt), noch die Spuren der Pfadfinder fand, Streichhölzer und anderes, die Stelle also, wo die Pfadfinder aufgegeben hatten, ließ *er* sich nicht entmutigen weiterzuforschen. Er sammelte zunächst das, was er in der oberen Staubschicht leicht finden konnte. Es war für diese Gegend nichts Außerordentliches: eine Pfeilspitze, ein werkzeugartig bearbeitetes Teil eines Hirschgeweihs, Reste prähistorischen Flechtwerks und ein paar Stücke Keramik. In einer Zigarrenkiste trug er alles hinunter in seine Universität. Der damalige Doktor der Anthropologie (der auch Zoologie studiert hatte, was sich als nützlich erweisen sollte), Frank C. Hibben, beschloß dennoch, der Sache buchstäblich «auf den Grund» zu gehen.

Fünf Jahre später, 1941, schrieb er seinen wissenschaftlichen Bericht. Nach zwei weiteren Jahren, als er Leutnant bei der Marine war, verfaßte er aus der Erinnerung einen farbigen, populären Artikel für die *Saturday Evening Post*. Die Redaktion, in der schnoddrigen Art der Illustrierten, schrieb als Einleitung:

«Bis vor kurzem dachten wir, der Folsom-Mensch von vor 10 000 Jahren sei unser frühester Bürger gewesen. Jetzt haben wir den Beweis für einen anderen Ahn, einen mächtigen Jäger, der den Folsom-Burschen wie einen Bummelanten erscheinen läßt.»[1]

Legt man strenge wissenschaftliche Maßstäbe an, so ist die Frage nach dem Alter des Sandia-Menschen, dessen Entdeckung Hibben damals ankündigte, bis heute nicht einwandfrei geklärt. Man muß sich vergegenwärtigen, daß es Ende der dreißiger Jahre noch keine Radiocarbon-Datierung gab, die zuverlässig das Alter der in verschiedenen Schichten gefundenen Relikte hätte angeben können. Hibben war bei seiner erstaunlichen Entdeckung zunächst auf nichts anderes angewiesen, als auf die relative Datierung der Schichten zueinander (denn er *fand* sofort mehrere klare Schichten), wobei die keramischen Funde an der Oberfläche das einzige absolute Datum ungefähr gaben: Er erkannte sie als Pueblo-typisch und schätzte ihr Alter auf etwa 500 Jahre. Schon dieses Alter war durchaus interessant, aber die weitere Grabung wurde noch interessanter und spannender, je tiefer man drang.

Die Grabung war gar nicht einfach. Die Höhle, die Hibben wegen ihrer Anlage am interessantesten erschien, war nämlich mehr ein Tunnel als eine Höhle, und dieser Tunnel erstreckte sich 138 Meter in die Felsen hinein, dabei rund 22 Meter abfallend. Obwohl die natürliche Weite etwa drei Meter betrug, war das Vordringen durch große Haufen Staubes, Trümmeransammlungen und ganze Wagenladungen herabgefallener Felsbrocken erschwert, die oft bis zur Decke reichten. Die Ausgräber unter Leitung Hibbens, meist Studenten, konnten lediglich die üblichen Kleinwerkzeuge benutzen: Spaten, Schaufeln, Kellen, Hacken; und damit mußten sie zeitweise auf dem Bauche kriechend arbeiten. Das Schlimmste aber war der Staub — bei der leisesten Berührung des Bodens wolkte er empor, bei einem Spatenstich erhob er sich in so dichten Schwaden, daß die Taschenlampen nur noch als glühende Punkte sichtbar blieben und den Arbeitenden das Atmen so schwer wurde, daß sie sich in immer kürzeren Fristen ablösen mußten. Wahrscheinlich hätten sie unter diesen immer schwieriger werdenden Umständen aufgegeben, hätten sie nicht ungefähr 135 Meter vom Eingang entfernt eine überraschende Entdeckung gemacht.

Sie war einem Zufall zu verdanken: Einer der Ausgräber störte einen Schwarm von Fledermäusen auf, die aufgeregt flatternd ihm so um die Ohren stoben, daß er, um ihnen auszuweichen, gegen einen Haufen Felsbrocken stolperte, hinfiel, und dabei etwas in die Hände bekam, das ihm, obwohl er nahezu im Dunkeln tappte, sofort bemerkenswert erschien. Er stopfte es schnell in seine Sammeltasche und kroch zum Ausgang. Hibben berichtet:

«Im Lichte eines New Mexico-Nachmittages versammelte sich eine Gruppe von Männern, um zu sehen, was sie da hatten. Selbst bei Lichte jedoch waren sie ihrer Sache nicht sicher. Der Gegenstand war ein Stück Knochen, aber sicherlich war es kein gewöhnlicher Knochen von irgendeinem gewöhnlichen Tier. Er war wie die kurze gebogene Klinge eines türkischen Dolches geformt. Er kam ihnen irgendwie bekannt vor. Es war ein Stück von der Klaue irgendeines sehr großen Tieres, und nur ein Tier hatte Klauen dieser Größe. Das war's! Es war die Klaue eines Riesenfaultiers (Giant Ground Sloth), das wenigstens seit 10 000 Jahren ausgestorben war.»[2]

Nun war von anderen Ausgrabungen her das ausgestorbene Riesenfaultier wohl bekannt, das die mehrfache Größe der heute lebenden Exemplare erreichte (heute stehen in mehreren amerikanischen Museen Rekonstruktionen dieser gigantischen Tiere). Es muß in seiner schmutziggelben Farbe, seinen träge-drohenden Bewegungen unheimlich anzusehen gewesen sein, zumal es sich seltsam krüppelhaft bewegte: Es muß nämlich wegen der außerordentlichen Länge seiner Klauen auf der Rückseite seiner Hände gelaufen sein. Dabei war es ein Pflanzenfresser und mit seinem schwerfällig-rumpelnden Gang eine relativ leichte Beute für den prähistorischen Jäger: rund fünfzehn Zentner eßbaren Fleisches! Denn daß die frühen Indianer dieses Tier jagten und aßen, das war schon dadurch bewiesen, daß man wie in Folsom Tiergebein und Waffe zusammen gefunden hatte.

Da nun mit dem Auslauf der letzten Eiszeit, vor etwa 10 000 Jahren, diese Tiere ausgestorben waren, konnte man guten Gewissens dieses Stück einer Klaue «mehr als 10 000 Jahre alt» nennen.

Das war nun, obgleich es nicht der erste Fund solcher Art war, doch von höchstem Interesse. Es zeigte, daß diese Höhle vor 10 000 Jahren zumindest dem Riesenfaultier als zeitweiliger Unterschlupf gedient hatte. Oder aber: Sollten vielleicht Stücke eines Faultiers *hereingebracht* worden sein? Denn keineswegs fand sich ja das ganze Skelett, wie es der Fall hätte sein müssen, wenn ein Tier hier einsam, krank, in letztem Unterschlupf verendet war. Sollten sich nicht dann – und das war jetzt die spannendste Frage – Spuren eines gleichzeitigen *Menschen* finden lassen? Eines *gleichzeitigen*, wohlgemerkt, denn daß zu irgendeiner anderen, jüngeren Zeit auch Menschen hier gewesen waren, das hatten ja bereits die ersten Funde des Studenten Davis bewiesen: Pfeilspitzen und Keramik.

«Hier bot sich», sagt Hibben, «die goldene Gelegenheit, eine Entdeckung von weittragender Bedeutung zu machen.»[3]

Jetzt wurde die Ausgrabung erst richtig organisiert. Am Fuße des Cañons wurde ein Camp errichtet, und zu den vorhandenen Werkzeugen kamen vor allem Staubmasken. Doch selbst diese Masken boten nicht genug Schutz gegen die wirbelnden Schwaden, die sich so auf die Lungen legten, daß es bei einigen zu ernstlichen Erkrankungen der Atemwege gekommen ist. Nach Monaten erst gelang es, ein wirksames Schutzmittel zu finden: Eine Maschinerie nach Art eines gigantischen Staubsaugers wurde installiert; lange Gummischläuche schlängelten sich tief in die Höhle hinein und leiteten jetzt die abgesaugten Staubmassen ins Freie.

Unter diesen Umständen konnte die erste Grube in den Boden der Höhle, hinab durch die deckende Staubschicht, gegraben werden. Hierbei nun befanden sich die Ausgräber in einer günstigen Lage. Anders als bei den meisten Folsom-Grabungen entlang den Flußbetten, wo die Strata durch Abwaschungen, Einstürze, Verschiebungen oft schwierig zu erkennen waren, befand sich in der Sandia-Höhle alles in höchst ordentlicher Schichtung. Wie Hibben es ausdrückt:

«Die Gruppierung der Schichten in der Höhle ist hauptsächlich solchen Perioden zuzuordnen, die durch Vorgänge gekennzeichnet sind, die sich innerhalb der Höhle ereigneten. Jedoch ist das Problem der äußeren Einwirkungen, wie Flußerosion oder zufälliges Hineinwaschen praktisch ausgeschlossen. Alle Materie in der Höhle scheint dort ursprünglich abgelagert

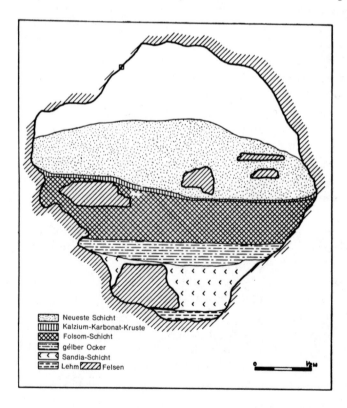

Neueste Schicht
Kalzium-Karbonat-Kruste
Folsom-Schicht
gelber Ocker
Sandia-Schicht
Lehm Felsen

Querschnitt der Sandia-Höhle, New Mexico, in zehn Meter Tiefe.

worden zu sein. Diese Ablagerungen können daher als primär angesehen und nach ihrer relativen Lage beurteilt werden.»[4]

Um die Schichten kurz aufzuzählen (die beigegebene Zeichnung macht sie deutlich): Es waren sechs. Obenauf lag die Staubschicht, stark durchsetzt mit Fledermaus-Exkrementen von mehreren hundert Jahren. Dann folgte eine dünne Kruste von Kalzium-Karbonat, an deren Härte seinerzeit die Pfadfinder von Albuquerque bei ihrer Schatzsuche gescheitert waren und der Hibbens Ausgräber mit Vorschlaghämmern zu Leibe gehen mußten.

Dann folgte als dritte die Schicht, die sie nach den Funden das «Folsom-Depot» nannten. Dann eine Schicht von gelbem Ocker. Darunter die wichtigste, in der die eigentliche Entdeckung gemacht wurde, nämlich das «Sandia-Depot», die früheste Kulturschicht. Darunter befanden sich nur noch Lehm und schließlich der solide Fels des Berges.

Diese nüchterne Aufzählung nun, das Grabungsergebnis von vier Jahren harter Arbeit, sagt nicht das geringste aus über die Erregungen des Entdeckens, die die Bloßlegung jeder neuen Schicht und vor allem die Auffindung immer neuer Relikte, die immer weiter in die Jahrtausende amerikanischer Vergangenheit zurückwiesen, hervorriefen. Wieder Hibben:

«Das erste Grabungsloch mußten wir wegen des Staubes, der Blätter und anderer Reste nahe dem Höhleneingang anlegen. Einige Fuß unter der Oberfläche stießen wir auf Knochenfragmente, Zähne und sogar Teile von Hufen und Hörnern, die zu Tieren gehörten, von denen wir wußten, daß sie ausgestorben waren. Die dickwandigen Knochen von Mammut und Mastodon konnten wir auf den ersten Blick identifizieren. Und da lag der Huf eines Kamels und dort der Unterkiefer eines großen Bison. Es war viele Jahrtausende her, seit Mammut und Mastodon die Vorberge und Cañons der Sandia Mountains durchstreiften.»[5]

Und dann kam der große Moment der ersten wirklich bedeutungsvollen Entdeckung: «Und dann fanden wir es! Da war es, wie einzementiert in ein Magma von Kamel- und Bisonknochen: *Eine Feuersteinspitze unzweifelhaft von Menschen angefertigt.* Die Spitze bedeutete, daß der Mensch hier gewesen war, diese Tiere gesehen, getötet und in die Höhle geschleppt hatte. Hier lag wirklich ein Beweis vor.

Die Feuersteinspitze erinnerte an die menschliche Hand, die sie schuf und danach an den Menschen selber. Es war nicht schwer, sich diesen Menschen vorzustellen, den ursprünglichen Höhlenmenschen von Amerika. Er muß auf diesem gleichen Stein am Höhleneingang gesessen und die Herden der Bison und Kamele im Cañon unter sich beobachtet haben. Wie sah er aus? Wir hatten die Feuersteinspitze, die er gemacht hatte; *jetzt galt es, den Jäger selbst zu jagen!*»[6]

Die Speerspitze, die sie in der Folsom-Schicht fanden, war so eindeutig vom bekannten Folsom-Typ, daß kein Zweifel daran aufkommen konnte. Auch über das Alter bestand Gewißheit. Aber: Zusammen mit den Tieren, die der Folsom-Mensch jagte, scheint auch er selber ausgestorben zu sein. Die irrige, aber verständliche Hoffnung der Ausgräber in der Sandia-Höhle war nun zunächst, daß sie vielleicht eine kulturelle Zwischenform finden könnten, Spuren eines Menschen, der *nach* dem Folsom-Mann lebte und die Verbindung zu den sehr viel später auftauchenden sogenannten «Korbflechtern» herstellen würde. Diese Hoffnung war, wie sich *glücklicherweise* herausstellte, viel zu bescheiden; sie fanden unglaublicherweise nicht die Spuren eines jüngeren, sondern die eines *älteren* Menschen!

Unter der Folsom-Schicht befand sich eine halb so dicke Schicht von gelbem Ocker. Und als sie die durchstießen, fanden sie in der fünften Schicht nicht weniger als neunzehn Lanzenspitzen, zusammen mit zwar arg verkrusteten, doch meist durch die erhaltenen Zähne einwandfei identifizierbaren Knochenresten: vom ausgestorbenen Pferd (*Equus excelsus*), Bison, Kamel, Mastodon, Mammut.

Diese Entdeckung der Spuren eines Menschen, der einwandfrei *vor* dem Folsom-Mann gelebt hatte (die Ocker-Schicht trennte seine Waffen so klar von der Folsom-Schicht, daß kein Zweifel auftauchen konnte, wie er an anderen Plätzen auftauchte – jedenfalls zur Zeit der Ausgrabung nicht), war eine wissenschaftliche Sensation, die beinahe das Aufsehen machte wie 1925 der Fund bei Folsom. Hinzu kam, daß die Sandia-Spitzen sich eindeutig von den Folsom-Spitzen unterschieden. Sie waren im Durchschnitt länger, waren bei weitem nicht so fein und elegant bearbeitet und deuteten damit eine primitivere Stufe an.

Die Ausgräber stellten unverzüglich kühne Spekulationen an: «Wenn wir den Höhlenstaub am Ende eines Grabungstages abgewaschen hatten, spekulierten wir am Lagerfeuer viele Abende lang bis zur Schlafenszeit über den Sandia-Menschen. Gewöhnlich beendeten wir diese Spekulationen mit der Feststellung, daß der Sandia-Mensch wahrscheinlich genauso aussah wie wir selber. Wenn er mit einem Homburger und einem modernen Anzug bekleidet wäre, hätte man sich wahrscheinlich nicht nach ihm umgedreht, wenn er auf der Straße an einem vorbeigegangen wäre.»[7]

Solche Spekulationen zeigen jene Imagination, der sich ein Ausgräber durchaus hingeben sollte. Doch hier scheint sie zu weit zu gehen. Denn hier geschah genau, was beim Folsom-Fund passiert war: Man fand die Waffen dieses Menschen und man fand die Tiere, die er getötet hatte, um sich zu ernähren, ja, sogar zwei Feuerstellen, um die er gewißlich gehockt hatte – kein Zweifel an seiner Existenz also – *aber man fand keine Spur des Mannes selbst*, keinen Knochenrest, nicht die Spur eines seiner Zähne, die in das Mammutfleisch gebissen hatten!

Trotzdem: die Entdeckung war außerordentlich. Die Kulturgeschichte des nordamerikanischen Menschen begann also *noch* früher, als man bis dahin angenommen hatte. Aber wieviel früher? Welche Zeitspanne repräsentierte die Ockerschicht, die die Folsom-Schicht von der darunterliegenden Sandia-Schicht trennte?

Diese nun eminent wichtige Frage konnte damals, ohne Radiocarbon-Datierung, nur von einer einzigen anderen Wissenschaft annähernd beantwortet werden: von der Geologie. Besser ausgedrückt, ein Geologe konnte *versuchen*, hier Aufschlüsse zu geben. Dieser Mann war der Professor Kirk Bryan von der Harvard University.

Der Bericht, den Bryan nach genauer Untersuchung der Sandia-Höhle machte, umfaßt 19 Seiten und trägt den bereits für die Methode bezeichnenden Titel: ‹*Correlation of the Deposits of Sandia Cave, New Mexico, with the Glacial Chronology*› und erschien als Anhang zu Hibbens Bericht 1941.

«*Glacial Chronology*» – die Wissenschaft von der Abfolge der Eiszeiten. Seit langem ist bekannt, daß über Nordamerika ebenso Eiszeiten hinweggegangen sind wie über Europa und Asien. Und zwar in Wellen, vor- und zurückflutend. Kirk Bryan nun, nachdem er 1939 und 1940 die Höhle im letzten Stadium ihrer Ausgrabung besichtigt hatte, erkannte in der Schichtung abwechselnd feuchte und trockene Perioden – Widerspiegelungen der flutenden Eiszeit und des damit wechselnden Klimas – das Eis selber reichte niemals in die Nähe oder gar Höhe der Sandia-Berge.

Der Korrektheit wegen sei hier ein wesentliches Zitat aus Bryans Beurteilung gegeben, das er als Ergebnis schon auf der ersten Seite vorwegnimmt:

«Der Ausgräber der Höhle, Dr. Frank C. Hibben, hat die kulturellen und tierischen Überreste und ihre archäologischen Beziehungen diskutiert. Daher beschäftigt sich der nachfolgende Aufsatz hauptsächlich mit den geologischen Erscheinungen der Höhle und einem Versuch, die Ablagerungen mit der eiszeitlichen Chronologie in Verbindung zu bringen.

Diese Verbindung führt zu dem Schluß, daß die Artefakte enthaltenden Höhlenschichten während einer Zeit größerer Feuchtigkeit abgelagert wurden, die dem letzten Eisvorstoß der Wisconsin-Stufe der Vereisung entspricht. Der Höhepunkt dieses Abschnittes wird durch die sterilen ockergelben Ablagerungen wiedergegeben, welche daher in der akzeptierten Chronologie ein nominales Alter von mehr oder weniger 25 000 Jahren haben. Die Menschen der Folsom-Kultur lebten in der Höhle kurz nach diesem Zeitpunkt und jene der Sandia-Kultur kurz vor ihm.»[8]

Um diese Methode der Datierung ganz klarzumachen, sie unterlag inzwischen vielfacher Kritik, sei noch Hibbens kurze Zusammenfassung zitiert:

«Wir hatten jedoch unzweifelhafte Beweise, daß der Sandia-Mensch vor dem Folsom-Menschen lebte. Nicht nur das, es gab auch zusätzliche Beweise, daß die Höhle zuerst trocken gewesen ist, dann feucht, dann wieder trocken, erneut feucht und wieder trocken – wie sie war, als die Ausgrabung gemacht wurde. Professor Bryan hat bereitwillig das Warum dieser Aufeinanderfolge feuchter und trockener Perioden erklärt.

Während der Zeit der letzten großen Kontinentalvereisung bewegte sich das Eis, wie man weiß, in aufeinanderfolgenden Zungen vorwärts. Während einer Zeit von mehreren tausend Jahren bewegten sich diese ungeheuren Kontinentaleismassen also mehrere Male vorwärts und schmolzen dann zurück oder zogen sich zurück. Wenn das Kontinentaleis vorrückte, war das Klima feucht, regnerisch und naß sowie auch kalt. Wenn sich das Eis zurückzog, gab es Trockenheit und weniger Regen als zuvor. Es folgt (daraus), daß die feuchten und trockenen Abschnitte der Sandia-Höhle zeitgleich sind mit den Vorstößen und Rückzügen der Kontinentalgletscher im Norden.»[9]

Auf alle Fälle: der Sandia-Mensch sollte vor 25 000 Jahren gelebt, gejagt und in dieser Höhle gehaust haben!

Das war eine Zeitangabe, die alle bis dahin gültigen Hypothesen vom Auftauchen der ersten Menschen in Amerika vollkommen über den Haufen warf, zumindest die Annahmen der Archäologen. Aber Bryan vertrat eine andere Wissenschaft, und so war die Kritik an seinen Behauptungen vorsichtig, obwohl, das muß hervorgehoben werden, Bryan selber keineswegs apodiktisch sprach, sondern durchaus mit der ganzen Vorsicht eines Spezialisten, der seine Erkenntnisse nur zögernd auf eine andere Wissenschaft anwendet. Gleich nach seiner Datierung auf die Zeit vor 25 000 Jahren schreibt er nämlich:

«Eine solche Beweisführung hat offensichtliche und unvermeidliche Fehler. Wenn die Folge der Ereignisse in der Höhle, die auf den Höhlenablagerungen basiert, auch unangreifbar ist, so kann doch die Deutung der Ablagerung vom Klima her falsch sein. Wenn das richtig ist, ist es immer möglich, daß die Korrelation mit dem allgemeinen klimatischen Rhythmus falsch ist. Darüber hinaus sind unsere Kenntnisse über den klimatischen Rhythmus, Zahl, Länge und Größe seiner Fluktuationen noch unvollständig.»

Und er schiebt eine endgültige Klärung des Problems in die Zukunft: «Wenn in Zukunft neue Fundplätze eine vollständige archäologische Abfolge ergeben, werden erst dann die Korrelationen, die sich auf die allgemeine Chronologie der Klimaschwankungen gründen, einen ausreichenden Beziehungsrahmen abgeben.»[10]

Tatsächlich erhoben namhafte Archäologen sehr bald ihre Zweifel, die auch nicht verstummten, als Hibben sich später auf Radiocarbon-Datierungen berief, die das Alter von 25 000 Jahren beweisen sollten. Ich hatte Gelegenheit, ihn im Herbst 1965 persönlich zu befragen, und er beharrte ausdrücklich auf dieser Datierung. Aus welchem Grund auch immer: Einige Archäologen bezweifelten sogar diese Radiocarbon-Datierungen. Gordon R. Willey von der Harvard University schreibt 1966 [11]: «Bisher sind keine verläßlichen Radiocarbon-Daten sowohl für die Folsom- als auch für die Sandia-Schicht der Sandia-Höhle aufgestellt worden...», und er bezieht sich auf neuere Untersuchungen durch G. A. Agogino, der sogar die so überzeugende Trennung der beiden Schichten durch die Ocker-Schicht bezweifelt und es nicht für ausgeschlossen hält, daß die Folsom-Spitzen und die Sandia-Spitzen ursprünglich in derselben Schicht gelagert waren.

Hinzu kommt, daß in den dreißiger Jahren die sogenannten Clovis-Spitzen gefunden wurden (nach dem Fundort so genannt), gekehlte Spitzen wie die Folsom-Spitzen, aber beträchtlich größer, tatsächlich die größten aller gefundenen, bis zu 12,3 Zentimeter lang. Durch einwandfreie Radiocarbon-Datierungen der Nebenfunde sind die Clovis-Spitzen auf 9200 vor Chr., die Folsom-Spitzen auf 9000–8000 vor Chr. datiert.

Mit Vorsicht faßt Frederick Johnson das Sandia-Problem zusammen [12]:
«Die Sandia-Spitzen in Nordamerika sind, so scheint mir, alt, möglicherweise so alt oder älter als die Clovis-Folsom-Spitzen, aber das genaue Alter ist noch nicht gesichert. Das besagt aber nicht, daß sie die ältesten Spitzen auf dem Kontinent sind oder daß sie zu den Werkzeugen des Ersten Amerikaners gehörten. Kürzliche Entdeckungen in Washington, Oregon, British Columbia und den Northwest Territorien bezeugen mit größter Wahrscheinlichkeit, daß der nordamerikanische Mensch älter als Sandia und Folsom ist.»

Tatsächlich gibt heute kaum ein Archäologe außer Hibben der Sandia-Spitze ein Alter von mehr als 12 000–13 000 Jahren. Wie aber steht es mit den anderen Spitzen, die man fand?

20. Die Welt der Frühen Jäger

Der Frühe Jäger in Nordamerika hat etwas Gespenstisches. Sein Geist weht durch die Wälder des Ostens, die Prärien und Wüsten des Westens, vom Norden Alaskas bis zum südlichen Texas. Überall hat er Spuren hinterlassen, seine Waffen vor allem, aber auch die behauenen Knochen der Riesentiere, die er tötete und schlachtete, und die Feuerplätze, an denen er ihr Fleisch röstete.

Aber wo ist er selber?

Genausowenig wie vom Folsom-Menschen hat man vom Sandia-Menschen die Hand, den Arm gefunden, der die tödlichen Waffen schleuderte. Immer wenn man glaubte, nun den *Menschen* dieser Vorzeit, seinen Schädel oder sein Skelett gefaßt zu haben, stellten sich bei einer zeitlichen Zuordnung zu einer bestimmten Waffe so viele Zweifel ein, daß keine Einigkeit erzielt werden konnte. Doch immerhin – im nächsten Kapitel können wir einiges enthüllen.

Wir müssen uns noch einmal erinnern, daß bis zum Folsom-Fund 1925 (der Leser wird in der Fachliteratur dafür oft auch die Daten 1926 oder 1927 finden; es kommt darauf an, ob der Verfasser die eigentliche Entdeckung des Negercowboys, die erste Besichtigung oder die erste Ausgrabung bezeichnet) – daß also, sagen wir, bis 1927 die Ansicht allgemein geherrscht hatte, der erste Amerikaner sei kaum älter als 4000 Jahre gewesen, und an einen Eiszeitmenschen in Amerika sei gar nicht zu denken.

Ein Mann speziell, Aleš Hrdlička vom Bureau of Ethnology in Washington, hat eine Generation lang jeder Erforschung der frühen Vergangenheit im Wege gestanden. Ein Mann mit Meriten auf vielen Gebieten, war er in diesem Fall von einer Verbohrtheit ohnegleichen. Er war auch sonst ein merkwürdiger Kauz – so verlangte er von allen seinen Mitarbeitern, daß sie nach dem Tode ihre Schädel der Wissenschaft zur Verfügung stellen müßten, aber er selbst ließ sich gemäß seinem Letzten Willen verbrennen, seine Asche mit der seiner ersten Frau vermischen und die Urne in der Smithsonian Institution aufstellen.

Seinen Einfluß auf Jüngere nutzte er rücksichtslos aus. Kirk Bryan, der

Geologe, sagte während Hrdličkas «Regierungsperiode» zu seinen Studenten: «Wenn Sie je Beweise für menschliches Leben in einem Zusammenhang finden, der sehr alt ist, dann begraben Sie sie sorgfältig, aber vergessen Sie sie nicht!»[1]

Die praktische Bedeutung von Hrdličkas Einfluß umreißt noch 1940 Frank H. H. Roberts jr., indem er sagt, daß jeder junge Anthropologe, Geologe oder Paläontologe jener Zeit seine Karriere riskierte, wenn er auch nur im geringsten gegen diesen Papst aufmuckte.[2] Noch 1928, als die Bedeutung des Folsom-Fundes jedermann klar war, hatte Hrdlička die Stirn, auf einem Treffen der New York Academy of Medicine die Existenz eines Paläo-Indianers (wie wir die Menschen nennen, die noch inzwischen ausgestorbene Tiere jagten) glatt zu bestreiten. «Mit dem Rücken gegen die Wand leugnete Hrdlička alles, um seine Auffassung zu verteidigen, daß der Mensch alles, aber auch alles in Amerika sein konnte, nur nicht alt», sagte Wilmsen.[3]

Doch schließlich häuften sich die Funde derart, daß alle Zweifler verstummen mußten.

Als H. Marie Wormington vom Denver Museum of Natural History im Jahre 1939 ihren ersten Versuch publizierte, alles damalige Wissen um die Frühen Jäger übersichtlich zu kompilieren, genügten ihr 80 Seiten mit 92 Literaturangaben. Als sie achtzehn Jahre später, 1957, ihr inzwischen berühmt gewordenes Nachschlagewerk ‹Ancient Man in North America› neu herausbrachte und sich bemühte, das neu entdeckte Material einzuarbeiten, mußte sie sich beschränken, zusammenfassen, und dennoch wurde ein Buch von 322 Seiten daraus mit diesmal 586 Literaturverweisen!

Was aber *bis heute* zum Problemkreis der nordamerikanischen Paläo-Indianer geschrieben wurde, gestützt auf unzählige Ausgrabungen, ist unübersehbar geworden. Eine wissenschaftliche Darstellung, die *alles* berücksichtigt, ist nicht mehr möglich – die Zeit der Zusammenfassungen ist gekommen, der großen Überblicke, und es ist bezeichnend, daß der erste, der eine solche generelle, dabei vorzüglich lesbare Kompilation mit kühnem Griff wagte, wieder einmal ein Außenseiter war: Kenneth Macgowan, Theatermann vom Broadway, Filmproduzent in Hollywood, Verfasser einer ausgezeichneten Geschichte des Films – und leidenschaftlicher Amateurarchäologe. Sein zuerst sehr kritisch betrachtetes Buch ‹Early Man in the New World› erhielt den Segen der Fachwelt erst, als es 1962, kurz vor seinem Tode, in einer revidierten Ausgabe von einem der Kuratoren des American Museum of Natural History mit einem Vorwort versehen und von dem Anthropologen Joseph A. Hester neu und für jedermann erschwinglich herausgebracht wurde.

Was die Funde bei Folsom vor allen anderen auszeichnet, ist, daß sie in

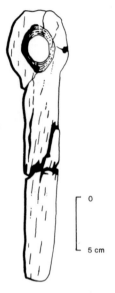

*Ein merkwürdiges
Knochenwerkzeug, das 1967 bei
Murray Springs, Arizona,
zusammen mit Mammut-Knochen
gefunden wurde – aus der Zeit der
Clovis-Jäger. Wahrscheinlich
diente es dazu, Speerschäfte
zu glätten.*

0

5 cm

kurzer Zeit durch zahlreiche analoge Funde bestätigt wurden. Der größte Glücksfall für die Archäologen war die Entdeckung der *Lindenmeier Site* (site heißt Platz, Stelle, Fundort) im Norden Colorados, genannt nach dem Besitzer des Geländes. Zwei Brüder meldeten 1934 der Smithsonian Institution ihre Entdeckung eines prähistorischen *Lagers*. Frank H. H. Roberts jr., der seit seiner Beteiligung an der ursprünglichen Folsom-Grabung als Spezialist gelten durfte, eilte zu der Stelle. Und hier war nun wirklich mehr zu sehen als in Folsom.

Hier hatten tatsächlich Folsom-Menschen gelagert, offenbar für Jahre. Als direkte Spur ihrer Taten hatten sie wieder eine Speerspitze hinterlassen, die noch in der Wirbelsäule eines *Bison antiquus* stak. Aber hier lag ungeheuer viel mehr. In fünf Jahren Arbeit förderte Roberts nicht weniger als 6000 Steinwerkzeuge und andere Reste zutage.

Wenn man heut über diese trostlos-trockene Landschaft schaut, erscheint es unsinnig, daß ausgerechnet hier Menschen ihr Lager aufgeschlagen haben sollen. Aber erstens lebten sie nicht ständig an diesem Platz – sie waren nomadisierende Jäger und kamen wahrscheinlich nur zu bestimmten Jahreszeiten hier zusammen –, und zweitens beweisen uns die Geologen, daß dieses Land vor 10 000 Jahren feucht und fruchtbar war. Es fanden sich Feuersteinmesser und glasscharfe Klingen, Hackmesser, feine zu Nadelschärfe geschliffene Knochenspitzen und schwere Steinhämmer. Dazu Ahlen aus Knochen, zweifellos zum Durchbohren der erbeuteten Häute, und sorgfältig abgeschnittene Knochenscheiben. Da diese Scheiben keine Löcher haben, durch die sie hätten aufgefädelt werden können, um etwa als Halskette zu dienen, kann man in ihnen *vielleicht* die ersten *Spielmarken* Amerikas vermuten! [4]

Als man lange nach der Entdeckung die ersten Radiocarbon-Messungen vornehmen konnte, zeigten sie das Alter von 8820 vor Chr. an, glänzende Bestätigung der rein geologisch-stratigraphisch gewonnenen Annahme der ersten Folsom-Ausgräber.

Inzwischen war aber ein Fund gemacht worden, der einen *anderen* Menschen ans Licht gebracht hatte, genauer gesagt, wiederum nur die Waffen dieses Menschen, die sich aber, ebenfalls Speerspitzen, deutlich von den Folsom-Spitzen unterschieden. Die ersten Exemplare waren schon 1931 aufgetaucht, aber zu dem entscheidenden Fund kam es 1932 bei Clovis in New Mexico, nahe der texanischen Grenze.

Es ist allmählich ermüdend, immer wieder berichten zu müssen, daß es Amateure waren, die die ersten Spuren fanden. Aber wie schon öfter andere, müssen auch diese Außenseiter gelobt werden, denn sie meldeten ihre Entdeckung sofort einem Fachmann, diesmal Edgar B. Howard vom University of Pennsylvania Museum. Vier Jahre lang forschte erst Howard, dann John L. Cotter entlang den Ufern längst ausgetrockneter Seen. Hier mußten sich einst Herden von Riesentieren, aber auch die ebenso lange ausgestorbenen amerikanischen Urformen der Kamele und Pferde getummelt haben. Hier lagen, über Meilen verstreut, die Waffen der Frühen Jäger. Und auch hier steckten einige Spitzen derart zwischen den Rippen der Tiere, daß an der Gleichzeitigkeit von Mensch und Tier kein Zweifel aufkommen konnte. Die Spitzen waren länger als die von Folsom: zwischen 5 und 12,5 Zentimeter.[5]

In drei Arbeitsperioden wurden die Ausgrabungen von E. H. Sellards 1949–51 wiederaufgenommen. Hier trat nun als Wichtigstes, jetzt einwand-

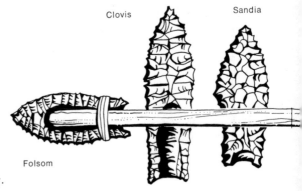

Die Speerspitzen des Frühen Jägers. Die elegant gekehlte Folsom-Spitze gab 1925 die erste Kunde von ihm, dann folgte die Entdeckung der Clovis- und Sandia-Spitzen. Die Größen sind hier im rechten Verhältnis gezeichnet: die Folsom-Spitzen sind 2,5 bis 8 cm lang.

frei, zutage, daß der Clovis-Point *älter* sein mußte als der Folsom-Point. In stratigraphisch deutlich abgrenzbaren Schichten fanden sich in den beiden *obersten* Lagen eindeutig Folsom-Spuren, die *tiefste* Lage aber war ebenso eindeutig «Clovis». Nicht weniger als vier Mammute hatten die Clovis-Jäger an dieser Stelle zur Strecke gebracht; die Skelette waren vollständig erhalten.

Die Geologen gaben dieser Clovis-Schicht ein maximales Alter von rund 13 000 Jahren. Damit schob sich die Clovis-«Kultur» zwischen Sandia und Folsom. Doch muß vorläufig die Ansicht einiger Archäologen als wahrscheinlich bestehen bleiben, daß die drei Kulturen sich zeitlich überlappt haben. Und damit beginnt der Streit um die Daten, der bis heute nicht abgeschlossen ist.

Karte der bedeutendsten Raststätten des Frühen Jägers, der vor mehr als 10 000 Jahren Bison und Mammut jagte.

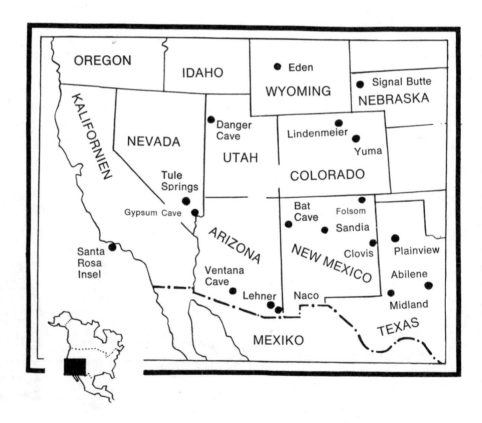

Anfang der fünfziger Jahre luden Arbeiter vor der University of Arizona in Tucson unter Aufsicht Emil W. Haurys eine ungewöhnliche Last ab. Es war ein Gipsblock von einem Kubikmeter Größe. In diesem Block eingebettet lagen Rippen, Rückenwirbel und Schulterblatt eines Mammuts, dazwischen fünf der Speerspitzen, die das Riesentier getötet hatten. Der Block war dadurch entstanden, daß man am Fundort diese Skelettreste und Waffen so lange mit gipsgetränkter Leinwand umwickelt hatte, bis sie als Block transportabel wurden.

Der Fund stammte von der *Naco Site* (nach einem Ort in Arizona nahe der mexikanischen Grenze benannt), war 1951 entdeckt worden (wieder von Laien, wie auch der nächste Fund, den wir beschreiben werden) und seit 1952 von Haury systematisch erforscht worden.

Und hier trat die Uneinigkeit der Geologen und Physiker zutage. Der Geologe Ernst Antevs schätzte das Alter der Knochen nach ihrer Schichtlage am Fundort auf 10 000 bis 11 000 Jahre oder mehr; andere Schätzungen gingen bis zu 13 000 Jahren. Das Radiocarbon-Laboratorium der Universität aber sagte später: 9250 Jahre!

Haury konnte sich mit beiden Daten nicht recht befreunden, aber er prophezeite 1953, daß in dieser Gegend noch andere Mammute gefunden werden würden – und er behielt recht.[6]

Schon 1955 entdeckte Edward F. Lehner 18 Kilometer nordwestlich von der Naco Site, am San Pedro River, als er das Land besichtigte, das er kaufen wollte, riesige Knochen. Er meldete es Haury, der später aufs höchste die Gastfreundschaft und Hilfsbereitschaft des aufgeschlossenen Ehepaares Lehner rühmte, das inzwischen die Farm gekauft hatte. 1955/56 ergaben die Ausgrabungen an der *Lehner Site* 13 Clovis Points (einige nicht ganz eindeutig), 8 Steinwerkzeuge, die offenbar zum Schlachten gedient hatten, zwei Feuerstellen mit Holzkohlenresten (also mit dem besten Material zur Radiocarbon-Datierung) und die Skelette von neun Mammut-Kälbern; dazu Reste vom Bison, Pferd und Tapir. Haury hatte Glück: Schwere Regenfälle im Jahre 1955 legten die Stätte weitgehend bloß; dennoch war das nicht genügend – Haury mußte mit einem Bulldozer Tausende von Tonnen Erde bewegen, um das ganze Areal zu klären.

Und wie stand es *hier* mit der Datierung?

Wieder hatten zuerst die Geologen das Wort. Und wieder kam Antev auf ein sehr hohes Alter: zwischen 10 000 und 15 000 Jahren. Seine endgültige Schlußfolgerung: «Den Mammut-Jagden der Lehner- und Naco-Fundstellen muß ein Alter von 13 000 oder mehr Jahren gegeben werden.»[7] Aber was sagten die Physiker? An nicht weniger als drei Universitäten, denen von Arizona und Michigan sowie der in Kopenhagen, wurden Radiocarbon-Datie-

rungen vorgenommen: an den Resten der in *derselben* Schicht *dicht beieinan-
derliegenden* Feuerstellen. Und die Ergebnisse waren frappierend.

Haury schreibt kurz und knapp: «... wenigstens drei Daten aus dem Arizona Laboratorium, 7205 ± 450 für Feuerstelle 1, und 7022 ± 450 und
8330 ± 450 für Feuerstelle 2 sind nicht akzeptabel ... Hier ist offensichtlich
irgend etwas falsch.»[8]

Was aber?

Sehr einfach: Die beiden ersten Daten beweisen die relative Gleichzeitig-
keit der Feuerstellen; die zweite Feuerstelle aber liefert zwei Daten, die *1308
Jahre auseinanderliegen!* Unmöglich kann *eine* Feuerstelle eine derart lange
Zeit in Betrieb gewesen sein! Nicht genug damit. Jetzt kamen die Daten aus
Kopenhagen und Michigan. Und Kopenhagen meldete ein Alter von 11 180,
Michigan von 11 290 Jahren!

Die ersten Arizona-Datierer hatten – das ist die einzige Erklärung – in zumindest einem Fall durch irgendwelche Einflüsse verschmutztes Material bearbeitet. Sie entwickelten eine Methode, diese Verschmutzungen zu entfernen,
und unternahmen neue Tests. Jetzt ergab sich ein Alter von einmal 10 900 und
ein andermal von 12 000 Jahren!

Hier haben wir es mit einem geradezu exemplarischen Fall zu tun, der die
Schwierigkeiten der C[14]-Datierung verdeutlicht, wie wir sie in unserem Kapitel *Die Tickende Zeit* schon aufgezeigt hatten. In solchem Fall entscheidet die
aus Erfahrung und Wissen gespeiste archäologische Interpolation. Und so
faßt Haury schließlich zusammen, bleibt aber vorsichtig:

«Eine Datierung von vor 11 000 bis 12 000 Jahren für die Zeit dieses
Mammut-Massakers ist wahrscheinlich nicht weit von der Wahrheit entfernt,
obwohl diese Angabe die von Antevs Schätzung einschränkt.»[9]

All diese Daten um die Frühen Jäger pendeln zwischen einem Alter von
9000 und von 13 000 Jahren. Es erhebt sich die Frage: Gab es *noch* frühere
Jäger? Und wie steht es mit der Zeit, die zwischen diesen Frühen Jägern und
den späteren, uns näherliegenden Kulturen liegt, die den Ackerbau kannten,
das dauerhafte Haus, später die Pueblos und die Mounds? Also um die Über-
brückung von immerhin einigen Jahrtausenden?

Es gibt einige Antworten.

Schon gegen Ende unseres Sandia-Kapitels hatten wir Frederick Johnson das
Wort gegeben, der auf ein möglicherweise höheres Alter des Steinzeitmenschen in Amerika hinwies. 1933 fand Fenley Hunter, der für das American
Museum of Natural History forschte, im südlichen Nevada bei Tule Springs
vielversprechende Knochen. «Zusammen mit den Knochen wurde ein Obsi-
dian-Abschlag gefunden, vom Menschen hergestellt mit Schrammen, die so

aussehen, als seien sie durch Gebrauch von Werkzeug entstanden.»[10] Zwischen 1933 und 1955 untersuchte Mark R. Harrington diese Stätte mehrmals. Holzkohlenreste wurden von Libby, dem Erfinder der C^{14}-Methode, 1955 auf mehr als 23 000 Jahre datiert – auf *wieviel* mehr war nicht zu sagen. Eine Feuerstelle wurde gefunden, wo Anzeichen dafür sprachen, daß dort ein Kamel in Steaks zerlegt und gebraten worden war. Ein paar Jahre später ergab eine neue Radiocarbon-Datierung dieser Feuerstelle ein *noch* höheres Alter: 26 000 bis 28 000 Jahre!

Das war natürlich sensationell und ging dementsprechend durch die ganze amerikanische Presse. Wir wollen hier gleich erklären, daß solche Meldungen neuerdings fast jedes Jahr durch die Presse gehen – höchst voreilig. Es wäre gut, solche Daten beiseite zu legen, auf Bestätigung durch neue Untersuchungen zu warten, die dann leider oft so ausfallen, wie im Fall von Tule Springs, in dem die erste Datierung selbst von der vorsichtigen H. M. Wormington anfangs gläubig akzeptiert wurde. 1962/63 nämlich wurden von Richard Shutler jr. mit einem Team von Spezialisten anderer Disziplinen neue Ausgrabungen gemacht und die alten überprüft. Und Wormington berichtigt sich:

«Es zeigte sich, daß die Proben, die für die früheren Radiocarbon-Untersuchungen verwendet worden waren, aus einer Mischung von Materialien bestanden, die aus zwei Ablagerungen von sehr verschiedenem Alter gesammelt worden waren, obwohl auf Grund der ersten unzulänglichen Grabungen die Ansicht völlig berechtigt war, daß nur eine einzige Ablagerung vertreten war. *Daten, die aus solchen Mischungen erlangt werden, sind natürlich sinnlos.*» Das neue Ergebnis? «An einem Fundort, der zwischen 9200 und 8000 vor Chr. datiert, wurde der einzige unumstößliche Beweis für menschliche Anwesenheit gefunden. Der Fund bestand aus einem Schaber und einigen Abschlägen.»[11]

Damit war eine Hoffnung begraben, aber vorher war eine andere aufgetaucht.

Eine neue wissenschaftlich aufregende Entdeckung wurde merkwürdigerweise auf seiner Insel gemacht, auf Santa Rosa Island, 72 Kilometer vor der südkalifornischen Küste. Merkwürdig deshalb, weil anfangs schwer zu erklären war, wie der frühe Mensch das Große Wasser bewältigt haben sollte. Aber die Geologen bewiesen inzwischen, daß während der letzten Eiszeit der Meeresspiegel sehr viel tiefer gelegen hat. Wenn auch keine Landbrücke bestand, so schrumpfte doch damals die Distanz zum Festland auf wahrscheinlich weniger als 3 Kilometer, die sich durchaus schon auf einem Baumstamm überqueren lassen (wobei wir allerdings eine unbezähmbare Neugier beim frühen Menschen voraussetzen müssen). Die Reste von Hunderten kleiner Mammute wurden gefunden, einer Art von Zwerg-Mammut offenbar, leicht jagdbar, und wieder sprachen zahlreiche Anzeichen dafür, daß der Mensch sie regelrecht geschlachtet hatte – Köpfe waren zerschmettert worden, offenbar um den Leckerbissen, das Gehirn, zu schlürfen. 1956 und 1960 berichtete Phil C. Orr darüber.[12] Die Datierung ergab: 29 650 Jahre mit dem allerdings sehr hohen Unsicherheitsfaktor von ± 2500 Jahren. Aber: Ein Stück verrotteten Zypressenholzes, das *unter* zwei Mammut-Skeletten lag, zeigte nur 15 820 Jahre an!

Der Datentanz geht weiter. Viele Archäologen sind noch äußerst skeptisch, was all diese hohen Datierungen betrifft, die über 20 000 Jahre hinaus gehen. Aber die Waagschale mit Beweisen für eine derart frühe Existenz der alten Amerikaner wird schwerer und schwerer, wie wir besonders im nächsten Kapitel sehen werden.

Wahrscheinlich muß es der kommenden Archäologen-Generation vorbehalten bleiben, eine *wirklich lückenlose* Kontinuität vom Paläo-Indianer, vom Großwild jagenden Eiszeitmenschen bis zu den Pueblo-Indianern und Mound Builders herzustellen. Aber einiges ist getan.

Als die Eismassen auf dem nordamerikanischen Kontinent immer mehr nach Norden zurückwichen, als sich das Klima änderte, als die Großtiere auszusterben begannen, kann es mehrere neue Immigrationswellen aus Asien gegeben haben – was nicht ausschließt, daß sich Gruppen der ersten Einwanderer den veränderten Bedingungen anpaßten. Sicher hatten schon die Großwildjäger nicht *nur* von der Jagd gelebt – gewiß aßen sie Früchte, Beeren, Nüsse, Wurzeln. «Der Mensch vereint in der Tat die beiden äußersten Veranlagungen des Säugetiers, und deshalb ist er sich auch sein Leben lang im unklaren, ob er ein Schaf oder ein Tiger ist», bemerkt in seiner mokanten Manier Ortega y Gasset.[13] Doch ebenso gewiß bekam in den folgenden Jahrtausenden das Sammeln eine immer größere Bedeutung. Diese Völker wurden seßhafter, immer mehr Höhlen wurden jetzt zu festen Wohnplätzen, zumindest zu immer gleichen «Buen retiros» während der schlechten Jahreszeiten. G. C. Baldwin zählt schon 1962 auf: «Danger Cave [cave = Höhle], Gypsum Cave, Fort Rock Cave, Roaring Springs Cave, Ventana Cave, Bat Cave, Catlow Cave, Deadman Cave, Promontory Cave, Black Rock Cave, Paisley Cave, Fishbone Cave, Lovelock Cave, Raven Cave, Juke Box Cave» – und wir kennen noch zahlreiche andere.[14] Und in diesen Höhlen und vor ihren Eingängen türmte sich der Abfall, Schicht auf Schicht – Fundgruben für die Stratigraphen; und daneben die Holzkohlenreste der Feuerstellen – Informationsspeicher für die Radiocarbon-Datierer.

Solche günstigen Bedingungen zeigte zum Beispiel die Danger Cave (Gefahren-Höhle) im westlichen Utah, so genannt, weil 1941 ein plötzlich herabstürzender Riesenstein die ersten Ausgräber beinahe erschlagen hätte. Hier ließ sich an den Funden die Benutzung der Höhle seit 11 000 Jahren bis *hin zur christlichen Ära* nachweisen. Der frühe Mensch rückte uns näher. Schon sehr früh tauchen hier die ersten Flechtwerke auf, geschmeidige Körbe, die ersten Leder-Mokassins. Im Fort Rock Cave fand L. S. Cressman so viele, aus Streifen der Sagebrush-Rinde geflochtene Sandalen (beinahe 100 Stück, 9000 Jahre alt), so daß die Archäologen von der «ältesten Schuhfabrik der Welt» sprechen. Und er und vor allem Jesse D. Jennings von der University of Utah fanden schließlich kontinuierliche Schichtungen, die bis 1400 vor Chr. reichten – schon aus Pflanzenfasern gefertigte Schnüre, Seile, Netze, Körbe. Emil W. Haury fand in der Ventana Cave im südlichen Arizona eine kontinuierliche Okkupation von 10 000 Jahren, die einen direkten Anschluß an die Cochise-Kultur anzuzeigen scheint, die, wie wir in Kapitel 12 gelernt haben, überleitet zu Mogollon und, vielleicht, zu Hohokam. Und vor 7000 bis 6000 Jahren taucht hier überall endlich das Tier auf, das in der Alten Welt schon 3000 Jahre früher, als erstes domestiziertes Tier überhaupt, den Menschen als «sein bester Kamerad» nun ständig begleitet: der Hund.

Es ist ein etwas unglücklich gewähltes Wort, wenn man diese Lebensformen, deren Spuren sich hauptsächlich in und um Höhlen fanden, «Wüsten-Kulturen» nennt.

Es war ein ungewöhnlicher Mann, der besonders helles Licht in diese Höhlen warf. Mark R. Harrington, 1882 geboren, war am modernen Indianer ebenso interessiert wie am alten; er lebte unter dreiundzwanzig Indianerstämmen und grub nach Altertümern fast in ganz Amerika. Er ließ einige Untersuchungen unvollendet. Erst 1970 wurde die von ihm zuerst bearbeitete Borax Lake Site endgültig gedeutet und datiert.[15] Eine seiner wissenschaftlich interessantesten Grabungen unternahm er in der Gypsum Cave, einer, wie der Name sagt, Gipshöhle in Nevada, 26 Kilometer von Las Vegas entfernt, der heute weltberühmten Stadt der Spieler.

«Die Geschichte dieser Entdeckung veranschaulicht in ausgezeichneter Weise die Detektivmethoden, die von Archäologen angewandt werden», bemerkt H. M. Wormington.[16]

Schon 1924 hatte Harrington die Gypsum Cave zum erstenmal besucht, aber erst ab 1929 grub er systematisch. Schon oft erwähnten wir, daß für den Archäologen *jedes* Überbleibsel von Wert ist – in diesem Fall war das erste, was Harringtons Neugier erregte, eine merkwürdige Masse, deren Herkunft schließlich nur auf eine Weise gedeutet werden konnte: Es waren Fäkalien, Kothaufen von solcher Größe, daß sie nur von einem kolossalen Tier stammen konnten, einem Tier, das es nicht mehr gab. Analysen ergaben, daß der Kot von einem Pflanzenfresser stammte. Nun war aber die Beschaffenheit der

Höhle so – sie war 91 Meter lang und hatte fünf ineinandergehende Kammern –, daß nur ein Tier in Frage kam, das auf allen vieren *kriechen* konnte. Die detektivische Deduktion war: Hier konnte nur ein *Riesenfaultier* gehaust haben!

Die Deduktion war richtig. Harrington fand Reste des Faultiers. Nicht nur seinen Schädel, sondern – und das war ein Schatz für die Paläontologen – auch seine wohlerhaltenen Klauen, und Reste seiner strähnigen, noch immer rötlichen Haare!

Und daneben fand er wieder die Waffen des Menschen, der hier getötet hatte. «Der nächste Schritt wäre natürlich, zu beweisen, daß hier tatsächlich getötet wurde, aber wenn wir zeigen können, daß Mister Mensch Mister Faultier getroffen hat, so ist kein weiterer Beweis notwendig, tatsächlich, denn der Mensch hat immer schon in dem schlechten Ruf gestanden, daß er seine Nachbarn, seien es Menschen oder Tiere, gerne ins Jenseits beförderte», bemerkt Harrington.[17] Die Speerspitzen, mit denen hier getötet worden war, waren von ganz anderer Art als alle bis dahin gefundenen; sie waren rhombisch und hatten einen kurzen, spitz zulaufenden Stiel. Wie üblich, gab man ihnen den Namen des Fundorts: Gypsum Points.

Aber das Bedeutendste an dieser Höhle war wohl, daß sie bewohnt, zumindest *besucht* wurde bis in historische, ja bis in unsere Zeiten. Der älteste Faultier-Dung zeigte im Radiocarbon-Laboratorium ein Alter von 10 445 ± 250 Jahren, der jüngere, in höherer Schicht gelegene 8527 ± 250 Jahren. Hier lagen die Waffen der Paläo-Indianer, darüber aber Relikte der Basket Makers und der Pueblo-Indianer, schließlich Zeugnisse, die auf noch lebende Paiute-Indianer deuteten. Und die Krönung der Schichtungen, das, was zuoberst prangte, war eine Konservendose! Eine Blechbüchse, die Bohnen enthalten hatte! Wahrhaftig – eine erstaunliche Kontinuität vom streifenden Höhlenjäger bis zum rastenden Cowboy!

Schmunzelnde Arbeiter betten ihn zur letzten Ruhe im «Farmer's Museum» in Cooperstown, New York – diese größte Fälschung in der Geschichte der nordamerikanischen Archäologie, diesen falschen «vorsintflutlichen Riesen» bekannt als «Cardiff Giant» oder «Amerikanischer Goliath», der vor hundert Jahren Schlagzeilen in der Presse machte und selbst gelehrte Männer einige Zeit düpierte.

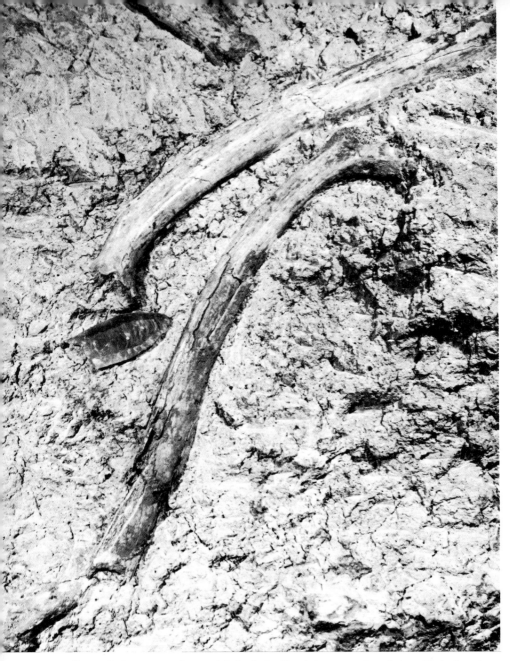

*Der aufsehenerregendste archäologische Fund der zwanziger Jahre: Zwischen den
Rippen eines seit 10 000 Jahren ausgestorbenen «Bison antiquus» fand
ein Cowboy eine Speerspitze. Beweis dafür, daß es einen nordamerikanischen
Eiszeitmenschen gegeben hat, daß der «Erste Amerikaner» viel älter war, als alle
Fachleute bis dahin angenommen hatten. Die seitdem immer zahlreicher gefundene
«Folsom-Spitze» (nach dem Fundort, einem kleinen Ort in New Mexico) ist die
bewundernswert elegant geformte Waffe des frühgeschichtlichen Jägers.*

Diese acht Spitzen vom Clovis-Typ töteten vor etwa 12 000 Jahren ein Mammut. Sie wurden 1951 von Emil W. Haury in Naco, Arizona, ausgegraben. Zwei Spitzen steckten noch zwischen den Rippen des gewaltigen, längst ausgestorbenen Tiers; eine, wahrscheinlich die tödliche, im Rückgrat.

Sorgfältige Freilegung eines Mammut-Skeletts in New Mexico. Gegen Tiere von diesen Ausmaßen zog der frühe Jäger mit nur zwei Waffen zu Felde: mit Speer und Feuer.

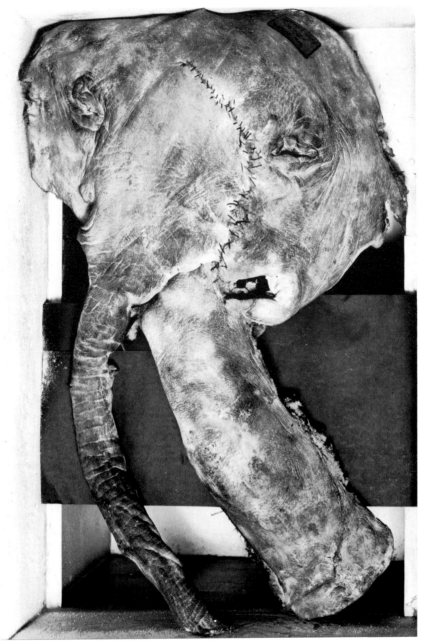

Ein wohlerhaltenes, junges Mammut, ausgegraben aus der gefrorenen Erde Alaskas.

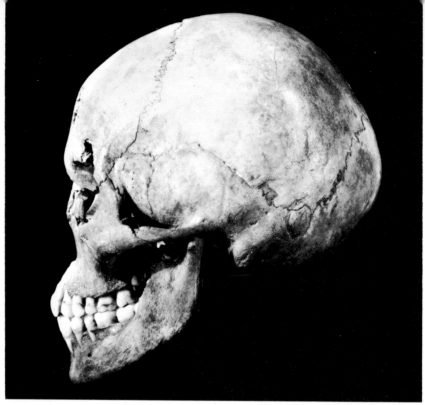

Zwei Schädel, die wie keine anderen die nordamerikanischen Archäologen und Anthropologen zu Auseinandersetzungen hinrissen. Noch heute ist ihr Alter nicht befriedigend geklärt (siehe Kapitel 23). Obwohl beide «Man» genannt werden, handelt es sich um zwei Mädchen-Schädel: oben die spaßhaft so genannte «Minnesota-Minnie», unten das aus sechzig Stücken zusammengesetzte Midland-Mädchen.

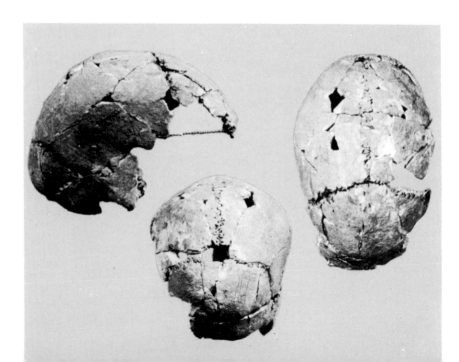

Ishi, der letzte Steinzeitmensch Nordamerikas, kurz nachdem er 1911 in Kalifornien fast verhungert aufgefunden worden war.

*Ishi ist inzwischen Museumsdiener geworden und spricht 400 Wörter Englisch.
Hier zeigt er in der Wildnis seinen Freunden, den Anthropologen Alfred L. Kroeber
und T. T. Waterman, wie ein Steinzeitmensch eine Harpune anfertigt.*

21. Das Sterben der Großen Tiere

«Um eine Antwort zu finden, muß man zunächst genügend Kenntnisse haben, um die Frage zu formulieren», sagt H. M. Wormington im letzten Satz ihres Buches ‹Ancient Man in North America›.

Das Wissen hatte Halvor L. Skavlem. Seit vielen Jahren war er über die Felder seines Sommersitzes bei Kaw-Ray-Kaw-Saw-Kaw's gelaufen (allgemeiner bekannt als White Crow am Ufer des Koshkonong-Sees in Wisconsin) und hatte nach Pfeilspitzen, Steinwerkzeugen und anderen indianischen Relikten gespäht, um sie in seine Sammlung einzuordnen. Aber erst im Jahre 1912, er war schon 67 Jahre alt damals, stellte sich ihm, als er ein zerbrochenes Steinwerkzeug fand, die entscheidende Frage: Wenn ich ein Indianer wäre, wie würde ich das Stück schärfen?

Aus dieser Frage erwuchs ihm eine siebzehn Jahre während Beschäftigung. Dabei erweiterte er die Frage: Wie stellten die Indianer ihre Waffen her? Wie machten sie und wie gebrauchten sie ihre Steinwerkzeuge?

Skavlem hatte einen intelligenten Jungen bei sich, der ihm half und später folgerichtig Archäologie studierte. Dieser Alonzo W. Pond publizierte 1930 zusammen mit dem nun schon Fünfundachtzigjährigen ein Buch, das zum erstenmal alle Methoden der Steinbearbeitung vom natürlichen Rohmaterial bis zur wohlgeformten Pfeilspitze beschrieb.[1] Aber schon 1923 war zum erstenmal ausführlich über ihn geschrieben worden, über diesen «charmanten alten Pfeilmacher vom Koshkonong-See», und zahllose Besucher durften ihm bei der Arbeit zusehen.

Sie sahen ihm zu, obwohl die meisten sicher nicht wußten, daß er mit jedem Schlag auf einen Feuerstein ein Vorurteil, das nachgerade zur Legende geworden war, zerstörte: daß nämlich die alten Indianer ein «Geheimnis des Steins», ein Geheimnis der Steinbearbeitung gekannt haben müßten, das der Weiße Mann seit Jahrtausenden verloren habe. Denn anders, argumentierten selbst einige Archäologen, sei die *ungeheure Anzahl* der Speerspitzen, der Pfeilspitzen, der Steinwerkzeuge, die sich nun immer zahlreicher fanden, nicht zu erklären. Ernsthaft wurde behauptet, es hätte Wochen oder Monate gedauert, bis ein paar Spitzen aus rohem Stein hergestellt waren, ja, zum

Schleifen einer wirklich «eleganten» Steinaxt hätte es mehrerer Generationen bedurft.

Nun hatte es vernünftigere Meinungen auch schon vor Skavlem gegeben. Aber dieser norwegische Amerikaner war der erste, der *alle* Aspekte der frühen Waffen- und Werkzeug-Herstellung erforschte, indem er jede Möglichkeit durchprobierte. So entdeckte er, daß keineswegs allein der härtere den weicheren Stein bearbeiten konnte, sondern daß es möglich war, durch *Pressen* mit abgerundeten Knochen oder Hölzern selbst vom stahlharten Flint schuppenartige Splitter abzusprengen. Er erforschte genau, wie der Stein zu halten war, wo Schlag, Stoß oder Pressung anzusetzen waren. Und das Wichtigste: Er zeigte, in wie unwahrscheinlich kurzer Zeit ein geübter Indianer der Steinzeit eine Pfeilspitze herstellen konnte – nicht in Tagen oder gar Wochen, sondern in wenigen Minuten! Selbst für eine sauber geschliffene Steinaxt brauchte er nicht mehr als ein paar Stunden. Er bewies auch gleich den Gebrauchswert solchen Werkzeugs: Zum Fällen eines Baumes von 7,5 Zentimeter Durchmesser, mit einer Steinaxt, brauchte er lediglich zehn Minuten!

Seine Experimente beantworteten auch die Frage, warum offenbar die Frühen Jäger so sorglos mit ihren Waffen umgingen, warum sie nicht beim Schlachten der Tiere die Speerspitzen herauszogen zum zweiten Gebrauch (oder herausschnitten, wenn der Schaft abgebrochen war): Sie hatten es nicht nötig; sie hatten Zeit genug, sich mit genügender Geschwindigkeit neue Spitzen herzustellen.

Wenn wir in den Museen diese frühen Spitzen betrachten (es gibt kein Museum in den Vereinigten Staaten, das nicht zahlreiche besäße), so finden wir oft die Bezeichnung *Projectile Points* – was man ganz allgemein mit «Geschoß-Spitze» übersetzen könnte – statt der klaren Definition: Speerspitze oder Pfeilspitze.

Das hat seinen guten Grund. Nur die ältesten Spitzen sind erstens ihrer Größe wegen als Speerspitzen zu identifizieren, zweitens dadurch, daß wir wissen: Pfeil und Bogen tauchten erst im ersten Jahrtausend vor Christi auf. Aber in der Übergangszeit vom Frühen Jäger zum Sammler und Häuserbauer wurden Spitzen von so verschiedener Größe und vor allem in so verschiedenen Formen hergestellt, daß es oft nicht möglich ist, ihren Zweck exakt zu bestimmen.

Was die Fülle der Formen betrifft: Sie erwiesen sich seit dem Folsom-Fund als so überwältigend, daß zwecks allgemeingültiger Klassifizierung mehrere archäologische Konferenzen einberufen werden mußten. Dabei geschah es, daß bereits eingeführte Begriffe, die allein vom Typ *einer* Spitze abgeleitet waren, als unzweckmäßig oder einfach als falsch wieder eliminiert werden mußten. So wird zum Beispiel das Wort Yuma-«Kultur», dem der Leser in älterer Literatur noch ganze Kapitel gewidmet findet, laut Beschluß vom Jahre 1948 nicht mehr von den Archäologen benutzt.

Es hat keinen Sinn, hier all die vielen Namen aufzuführen – von Eden bis Plainview – die, nach dem Fundort benannt, die verschiedenen Formen kennzeichnen. *Eine* Form aber muß hervorgehoben werden. Denn während alle Formen bei den Steinzeitmenschen der ganzen Welt ziemlich gleichförmig entwickelt wurden, liegt hier anscheinend eine rein *nordamerikanische* Erfindung vor. Es ist der *Fluted Point* – am besten und schönsten ausgeformt in der Folsom-Spitze.

Diese Speerspitze ist – und das bedeutet *fluted – gekehlt*. Ihre Form ist die eines langen Schilfblattes, das in der Mitte quer durchgeschnitten ist. Sie anzufassen, mit dem Finger die Kehlen auf beiden Seiten hinaufzugleiten, die häufig von der Basis bis zur Spitze führen, bereitet ästhetisches Vergnügen. Diese Spitzen sind die ersten kleinen Meisterwerke des frühen Menschen. Er *muß* bei der Herstellung mehr als reine Zweckmäßigkeit im Auge gehabt haben. Natürlich leuchtet es ein, daß ein am Kopf gespaltener Speerschaft eine *gekehlte* Spitze sehr viel besser zu halten vermag als eine ungekehlte. Aber es scheint auch ebensogut ohne diese Kehle gegangen zu sein, wie die unendlich vielen Varianten der Spitzen aus früheren und späteren Zeiten beweisen. Was also bewog den Folsom-Menschen zu dieser zusätzlichen Arbeit?

Bevor Skavlem bewies, wie relativ leicht es ist, auch «elegante» Waffen herzustellen, staunte man besonders über die Kunstfertigkeit und die – wie man glaubte – unendliche Mühe, die speziell auf die Folsom-Spitzen verwandt worden war.

Aber Mühe oder nicht – die Erfindung der doppelt gekehlten Speerspitze, diesem elegantesten aller Steinwerkzeuge des frühen Menschen gebührt dem *nordamerikanischen Indianer*.

Sehr viel später erwies er erneut seine Kunstfertigkeit: In der Herstellung zahlreicher Typen von *Pfeil*-Spitzen. Einige sind in der Form so vollendet, daß man schwankt, ob man die Zweckmäßigkeit oder die Schönheit mehr bewundern soll – aber es gehört zu den Erkenntnissen des 20. Jahrhunderts, besonders des «Bauhauses», daß technische Vollkommenheit ästhetischen Reiz bewirken kann.

Ich wies in diesem Buch schon mehrfach auf die Bedeutung autonomer Erfindung hin. Die *poetische* Erklärung für die Erfindung von Pfeil und Bogen (noch einmal sei es gesagt: in Nordamerika erst im ersten Jahrtausend vor Christi) gibt wohl der berühmte spanische Philosoph Ortega y Gasset:

«Es ist nicht unwahrscheinlich und würde sehr gut zu der geistigen Lebensform des ersten Menschen passen, daß der Pfeil eine *materialisierte Metapher* darstellt. Als der Jäger das Tier unerreichbar dahineilen sah, dachte er, ein Vogel könnte es mit seinem leichten Flügel einholen. Da er kein Vogel ist und auch keinen zur Hand hat – es ist überraschend, wie wenig sich der ganz primitive Mensch um die Vögel gekümmert hat –, brachte er am Ende eines kleinen Stabes einen Schnabel an, am anderen Federn, das heißt, er schuf den *künstlichen Vogel*, den *Pfeil*, der blitzschnell durch den Raum fliegt und sich in die Flanke des großen flüchtigen Hirsches bohrt.»[2]

Kaum weniger ingeniös aber muß wohl die viel ältere Erfindung des Atlatl erscheinen. Das Atlatl war die entscheidende Waffe gegen die Riesentiere, die erste *Wunderwaffe* des Menschen.

Atlatl ist eine Speerschleuder. Den Namen haben uns Spanier von den Azteken überliefert: At'-latl. Es besteht aus einem kurzen, höchstens 60 Zentimeter langen Stück Hartholz, das an einem Ende eine Schlinge trägt, in die die Finger griffen; am anderen Ende aber eine tiefe Kerbe. In diese Kerbe wird der kurze Speer eingelegt. Dann wird das eigentliche Atlatl, das eine Verlängerung des Armes darstellt, vom Werfer im Bogen von hinten nach vorn geschleudert – und auf dem Höhepunkt der Bewegung löst sich der Speer, nun mit bedeutend mehr Antriebskraft versehen als ein normaler Wurfspeer. Es handelt sich hier um die Ausnutzung der Zentrifugalkraft, und wenn man das nicht eine bedeutende Erfindung des Steinzeitmenschen nennen will, so wüßte ich nicht, was Erfindung sonst sein sollte.

Natürlich kennen wir nicht den Namen dieses steinzeitlichen Edison. Wir wissen nicht einmal, *wo* das Atlatl erfunden wurde. Genauso wie Pfeil und Bogen ist es wahrscheinlich an mehreren Stellen der Welt ziemlich zur gleichen Zeit erfunden worden – auch Edison muß die Priorität an verschiedenen Erfindungen abgesprochen werden.

Und dennoch: Wenn wir diese schmalen Spitzen zur Hand nehmen, ist es schwer vorstellbar, daß der Frühe Jäger gegen Mammut und Bison Erfolg hatte. Es ist nicht wahr, daß uns die Spitzen so viel über die frühen Menschen erzählen wie die Keramik über die späteren. Wenn wir rein statistisch feststellen können, daß Folsom-Points hauptsächlich in Bison-Rippen, die älteren Clovis-Points aber hauptsächlich in Mammut-Rippen gefunden wurden, so ist das viel. Um das *Leben*, den täglichen Kampf ums *Überleben* dieser Frühen Jäger zu begreifen, bedarf es der Imagination.

Eine ganze Reihe von Archäologen hat es gewagt, solche frühen Jagdszenen bildhaft zu beschreiben. Man *muß* den Mut haben, hier die Phantasie zu Hilfe zu holen. Die Speerspitze im Museum sagt uns nichts, wenn wir uns nicht vorstellen können, wie sie sich mit tödlicher Wirkung zwischen die Rückenwirbel eines Mammuts oder Bisons bohrte. Deshalb zitieren wir hier die Darstellung einer Bison-Jagd, wie sie sich John M. Corbett vorstellt:

«Vor zehntausend Jahren näherten sich wandermüde, hungrige Jäger vorsichtig einigen Bisons, die sie mit viel Glück von der Hauptherde abgesprengt hatten. Die zehn Bisons hatten schließlich an einer kleinen Quelle, in einem Cañoneinschnitt, haltgemacht, um zu trinken und sich an dem dicken, hohen Gras zu delektieren. Anderthalb Tage waren die Jäger aufmerksam den großen haarigen Säugetieren in der Hoffnung gefolgt, daß die Tiere ihr Gefühl für die Gefahr verlieren und sich an einer Stelle einschließen lassen würden, an der die Jäger nahe genug an sie herankommen konnten, um sie zu erlegen.

Endlich war der Augenblick gekommen. Vorsichtig krochen zwei Jäger von entgegengesetzten Seiten am Hang der Cañonwand entlang, um eine Stelle zu finden, von der aus sie große Felsbrocken auf die Tiere werfen oder ihre Speere mit vernichtender Kraft herabschleudern konnten. Weiter unten warteten geduldig fünf weitere Jäger, im hohen Gras oder hinter Felsbrocken verborgen. Als die beiden ersten eine günstige Position gefunden hatten, gab der Anführer das Signal. Felsbrocken krachten auf die erschreckten Bisons herab, Speere pfiffen durch die Luft und schlugen dumpf in weiches Fleisch: ein oder zwei gingen fehl, aber die meisten fanden ihr Ziel. Rufe und Geschrei füllten die Luft. Die überraschten Bisons wirbelten und kreisten einen Augenblick um das Wasserloch, dann brachen mehrere in Richtung auf das offene Land aus. Einer war verwundet, der Speer in seiner Flanke tanzte auf und ab. Auf dieses Tier konzentrierten sich die Jäger: drei weitere Speere fanden ihr

Die erste «Wunderwaffe» des nordamerikanischen Menschen. Lange vor der Erfindung von Pfeil und Bogen benutzte der Frühe Jäger im Kampf gegen die Riesentiere diesen Schleuder-Speer, das Atlatl.

Ziel und wild um sich schlagend brach das große Tier zusammen. Zwei andere Tiere lagen gelähmt am Wasserloch; ein kleines Kalb versuchte schwer
humpelnd ins offene Land zu entkommen, aber es wurde schnell erlegt. Die
übrigen sechs Bisons verschwanden durch die Büsche und das hohe Gras in
westlicher Richtung.»³

Man kann sich diese prähistorische Szene ausmalen, kann sich vorstellen,
wie die Jäger schlachteten und rissen, wahrscheinlich Weichteile wie Herz,
Nieren, Leber sofort roh herunterschlangen: wie sie saftige Stücke auf die
Schultern luden, um sie zum Lagerplatz zu schleppen, während andere bereits die kostbaren Felle abzogen; kann sich die Begrüßung durch die Weiber
und Kinder vorstellen, wenn der Lagerplatz erreicht war...

Nicht viel anders wird es bei den Mammut-Jagden zugegangen sein. Der
Mensch, das weitgehend haarlose, relativ schwache, das anfälligste aller Säu-
getiere, hatte eine *entwickelte Hand* und in dieser Hand einen *Speer*.

Wir können kaum annehmen, daß eine kleine Horde von Jägern der Mam-
mutherde im offenen Feld gegenübertrat – es wäre Selbstmord gewesen.
Zweifellos haben sie natürliche Bodengegebenheiten ausgenutzt, um Fallen zu
bauen, Gruben, bedeckt mit leichten Büschen, die zusammenbrachen unter
dem Gewicht der Riesentiere. Öfter noch werden sie die Tiere an tiefgelege-
nen Quellen umzingelt haben, in den vielen feuchten Schluchten, wo der Eingang mit Stämmen und Steinen abgesperrt werden konnte und die Bestien aus
sicherer Entfernung attackiert werden konnten bis zum blutigen Ende. Und
wir haben Beispiele genug, daß sowohl Bisons wie auch Mammute über den
Rand von Klippen getrieben wurden, hinunterstürzten, hilflos mit gebroche-
nen Gliedern nun Lanze und Steinwurf ausgesetzt. Aber *wie* wurden sie getrieben?

Und damit kommen wir zu jener Waffe des Frühen Jägers, die wir bisher
noch nicht erwähnten. Der furchtbarsten Waffe des Menschen seit frühesten
Zeiten, vor der jedes Tier erbebte: dem Feuer!

Das leitet uns zu der Frage, die sicher den Leser, der hier immer wieder von
ausgestorbenen Tieren hörte, schon lange bewegt: *Warum* eigentlich starben
diese Tiere aus? Und warum nicht der Mensch *mit* ihnen?

Wir wollen gleich vorausschicken: Hierzu gibt es zahllose Theorien und noch
keine Lösung. 1965 widmete sich ein Kongreß von Spezialisten dieser Frage,
und die Ergebnisse wurden 1967 publiziert.⁴ Sie machten die Unterschiede in
den Auffassungen überaus deutlich.

Die Zeit, in der die Riesentiere zusammen mit dem Menschen lebten, nennen die Geologen das Pleistozän. Es war die Zeit der vor- und zurückfluten-
den Eismassen, Zeiten des Klimawechsels. So war die früheste Theorie, zu de-

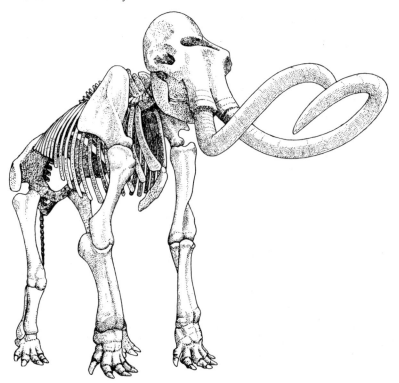

Alle amerikanischen Elefanten rechnet man zur Art der Mammute. *Zu ihnen gehörte das behaarte Mammut, das auch die Alte Welt durchstreifte, und das nur in Nordamerika auftretende Riesenmammut. Dieses Skelett eines Columbischen Mammuts, einer Unterart des Riesenmammuts, hat eine Schulterhöhe von 3,65 m.*

ren Gunsten sich tatsächlich eine Menge vorbringen läßt, die, daß die klimatischen Bedingungen das Überleben der Riesentiere, die enorme Mengen pflanzlicher Nahrung brauchten, ausschloß. Aber – nicht nur die Riesentiere, sondern auch das nur lamagroße Kamel und das Pferd starben – dazu einige ausgesprochen kleine Tiere, eine Hasen-Art, drei Antilopen-Arten. Dann nahm man Zuflucht zu einer Katastrophentheorie mit gewaltigen Bewegungen und Vulkanausbrüchen – hierzu muß man wissen, daß man noch vor einer Generation den Untergang der Tiere *dramatisch* sah – innerhalb kurzer Zeit, «vor 10 000 Jahren», sagte man ganz allgemein, habe er stattgefunden. Nun, 1968 stellte Jesse D. Jennings die verfügbaren Radiocarbon-Datierungen der Tierskelettfunde zusammen. Dabei zeigte sich, daß die Tiere keineswegs zur gleichen Zeit ausgestorben sind. Einige, das Mammut zum Beispiel, überlebte wahrscheinlich noch bis 4000 vor Chr., damit länger als das Pferd.

Und der *Bison antiquus* streifte noch über die Prärien, als der moderne Bison langsam von ihnen Besitz ergriff – um 6000 bis 5000 vor Chr.[5] Schließlich mußten geheimnisvolle Krankheiten, Tierseuchen, herhalten, die die Herden dezimierten – aber, fragt man da, warum nur eine bestimmte, relativ kleine Gruppe von Tieren? Sogar eine gigantische Selbstmordwelle der Tiere hat man angenommen – mit dem Hinweis auf die Lemminge, die das geheimnisvolle «natürliche Gleichgewicht» sozusagen in die eigenen Pfoten nehmen, indem sie sich in bestimmten Abständen zu Tausenden ins Meer stürzen. Hier liegt ein durchaus noch ungelöstes Problem vor (die Wissenschaft der Ökologie steckt noch in den Anfängen), wie sich das in der Ratlosigkeit und dem Schrecken zeigte, die im Januar 1970 die Bewohner einer Küste in Florida befielen, als plötzlich hundertfünfzig Wale auf den Strand schwammen –; als beherzte Männer sie mit Seilen in die Fluten zurückhievten, stürzten die Wale erneut auf die Küste los – in den sicheren Tod.[6]

All diese Theorien sind noch im Gespräch – jeder Prähistoriker betont die eine mehr, die andere weniger. Nur eine Gruppe, als deren entschiedenster Vertreter Paul S. Martin gelten darf, gibt einen ganz anderen Grund für das Aussterben der Großen Tiere an: *den Menschen!*

Und hier möchte ich auf etwas hinweisen, was meiner Meinung nach neu überdacht werden sollte. Der schon zweimal erwähnte spanische Kulturphilosoph Ortega y Gasset rührt an dieses Problem in seinem wohl brillantesten Essay ‹*Über die Jagd*›. Er sagt:

«Die Prähistoriker pflegen uns zu versichern, daß die verschiedenen Eiszeiten und Nacheiszeiten das Paradies des Jägers waren. Sie erweckten in uns den Eindruck, daß sich das köstliche Wild überall in traumhaften Mengen tummelte, und beim Lesen fühlt das Raubtier, das im Grunde eines jeden guten Jägers schlummert, wie ihm die Eckzähne schärfer werden und das Wasser im Munde zusammenläuft. Aber solche Äußerungen sind *ungenau und summarisch.*»[7]

Und mit Beweisen aus den verschiedensten Stadien der Menschheitsgeschichte zeigt Ortega y Gasset, daß die jagdbaren Tiere *immer selten* waren. Wenn das stimmt, erhöht sich natürlich die Wahrscheinlichkeit, daß der *Mensch* die Tiere ausrottete, ganz ungemein. Wenn ein amerikanischer Autor immer wieder damit operiert, daß Nordamerika vor 10 000 Jahren von 40 Millionen Großtieren belebt war, so ist das eine durch nichts bewiesene Zahl.

Andere Gründe für die Möglichkeit eines «*Eiszeitlichen Overkills*», wie Martin das große Töten nennt, sind ganz offensichtlich in den Jagd*methoden* der Eiszeitmenschen zu suchen. «Um *irgendein* Mitglied einer Bison- oder Elefantenherde zu fangen, war es notwendig, sie alle zu töten ... indem man sie über einen Steilhang trieb.»[8] (Das Wort «Elefant» kann sowohl auf das eigentliche Mammut als auch auf das kleinere Mastodon angewendet werden, die es *beide* in Nordamerika gab.) Und hier zweifellos nutzte dem Menschen seine furchtbarste Waffe: das Feuer! Wieweit er imstande war, es zu kontrollieren, wissen wir nicht. Aber wir dürfen uns gewiß brennende Wälder und Prärien vorstellen, in denen Tausende von Tieren umkamen, obwohl die jagende Horde nur zwei oder drei verwerten konnte. Und diese Massenmorde müssen sich ausgewirkt haben. Denn der Nachwuchs war gering. Damit, daß der Frühe Jäger höchstwahrscheinlich die Jagd auf Jungtiere bevorzugte (weil sie risikoloser und leichter war, und weil das Fleisch gewiß schmackhafter war), reduzierte er die Fortpflanzungschancen ganzer Arten, wobei noch hinzukommt, daß Elefanten eine Trächtigkeitsperiode von achtzehn bis zweiundzwanzig Monaten haben und stets nur *ein* Kalb zur Welt bringen.

Das Problem des Sterbens der Großen Tiere ist noch nicht gelöst. Warum überlebte der *Mensch*, der ja nicht nur Jäger, sondern auch Beute war: An der Quelle, an der er eine Bisonherde umzingelte, lauerte vielleicht schon ein Säbelzahntiger, kam auch der Riesenbär zur Tränke und strich vielleicht der «Dire»-Wolf beutelüstern umher. Der Mensch überlebte dank seiner Gehirnmasse, vermöge der Tatsache, daß er ein Allesfresser ist, und durch seine enorme Anpassungsfähigkeit an Klimaschwankungen. Er überlebte nicht nur, er entwickelte sich. Er hinterließ eine blutige Spur, bis er zum Ackerbauer und Hausbewohner wurde, bis er Zivilisation und Kultur schuf, bis zu jenen Tagen, da er *als Mensch* zu des Menschen größtem Feind wurde. –

Ich glaube, mit diesem Buch die besonders in Europa verbreitete Meinung, daß die nordamerikanische Archäologie nur eine «Archäologie des Feuersteins» sei, gründlich widerlegt zu haben. Aber um uns dennoch von den allzu vielen Feuersteinen der letzten Kapitel zu erholen, gebe ich hier, bevor wir uns von der Waffe zum Menschen hinwenden, von den Speerspitzen zu den *Skeletten* der *Ersten Amerikaner*, ein Intermezzo aus der romantischen Periode der amerikanischen Archäologie.

22. Intermezzo: Die Türme des Schweigens

Der wissenschaftliche Bericht war längst geschrieben und in der Fachzeitschrift *American Antiquity* erschienen, als der Autor, Frank C. Hibben von der University of New Mexico, im Zweiten Weltkrieg als Leutnant der Marine diente und im Rückblick auf eine seiner interessantesten archäologischen Entdeckungen schrieb: «Erst seit ich bei der Marine bin und lange einsame Stunden auf Wache stand, hatte ich die Zeit, über die menschlich-interessante Seite unserer damaligen Arbeit nachzudenken.»

In der Tat: es ist erstaunlich, daß es ihm nicht früher aufgefallen ist – aber schließlich publizierte er 1944 einen «menschlich-interessanten» Artikel über «Das Geheimnis der Steintürme»[1] in der Millionen-Zeitschrift *The Saturday Evening Post*.

Es scheint Hibbens Schicksal zu sein, daß seine Entdeckungen und seine Berichte darüber bei den Fachleuten Kontroversen auslösen. Ein Jahr zuvor hatte er, wie wir schon berichtet haben, in der gleichen *Post* einen populären Bericht über die Entdeckung der Sandia-Höhle veröffentlicht. Und genauso umstritten wie noch heute seine Meinungen über den sogenannten Sandia-Menschen sind, so unschlüssig sind sich auch heute noch seine Fachkollegen, was sie eigentlich mit der Gallina-Entdeckung anfangen sollen. Eine gewisse Einigkeit herrscht heute: Sie wird nicht besonders wichtig genommen. Aber sie ist so interessant, daß wir sie auf keinen Fall unterschlagen dürfen, denn «es ist eine Geschichte von Gewalt und Blutvergießen, der Anfang und Ende fehlen».

Wieder einmal war es ein Außenseiter, der die eigentliche Entdeckung machte. 1933 ritt Joe Areano, ein kleiner Rancher, auf Goldsuche in die äußerste Ecke des nördlichen New Mexico, entlang dem Gallina-Fluß. Plötzlich sah er zu seinem äußersten Erstaunen vor sich einen hohen viereckigen Steinturm; dann nicht nur diesen, sondern noch andere.

Man muß wissen, daß diese Gegend New Mexicos damals kaum bekannt, geschweige denn vermessen war; nur Navajo-Indianer streiften dort manchmal, und vielleicht hatte vor Areano wirklich noch nie ein Weißer Mann dorthin seinen Fuß gesetzt. Die Landschaft ist gottverlassen, sehr schwer zugänglich, aber grandios. Es ist Hochland, bedeckt mit bewaldeten Tafelbergen, zerrissen von tiefen, wilden Cañons, ein Land des glänzendsten Lichts und der schwärzesten Schatten, die Felsen glühend in den sattesten Farben von hellem Gelb bis zu tiefstem Blau und Purpur.

Nichts konnte unwahrscheinlicher anmuten, als in dieser weltfernen Wildnis sich plötzlich solchen klotzigen Steintürmen gegenüberzusehen, deren Höhe Areano auf siebeneinhalb bis neun Meter schätzte, und die er *torreónes* (Festungstürme) nannte. Da er in der Nähe ein paar uralte Schlackenhaufen fand, glaubte er, daß hier vielleicht irgendwann einmal Gold geschmolzen worden war. Aber das Glück war ihm nicht hold, darum begnügte er sich, acht offenbar sehr alte, doch noch wohlerhaltene bemalte Tonschalen vom Fuß des Turmes aufzupacken, weil sie ihm hübsch und vielleicht verkäuflich erschienen. Um die bescheidene Beute günstig loszuschlagen, begab er sich nach Santa Fé. Hier mußte er erfahren, daß er sich gegen ein Gesetz vergangen hatte – aus dem Gebiet, das dem Staat gehörte, durften keine Antiquitäten entführt oder gar verkauft werden. So nahm man ihm seine schönen Schalen für das Museum ab. Aber die Herren vom Museum hörten sich auch seine Geschichte von den *torreónes* an, und die nahmen sie ihm nicht gleich ab, sie klang zu unwahrscheinlich. Immer wieder fragte man ihn, ob es sich nicht um alte Pueblo-Ruinen handele – aber nein, er bestand darauf, daß er mit eigenen Augen nicht nur einen Steinturm, sondern mehrere gesehen hätte, die wie mittelalterliche Burgruinen aussahen, nie und nimmer wie ein Pueblo.

Es war klar, daß der Sache nachgegangen werden mußte. Eine Expedition unter Frank C. Hibben mit einer Schar von Studenten und Studentinnen machte sich noch 1933 auf den strapaziösen Weg. Mit ihrem schwer beladenen Auto kamen sie nur bis etwa zum Eingang des Gallina Canyons. Dann mußten sie sich von weit her ein Fuhrwerk beschaffen, um einzudringen in diese Felswildnis, die im Winter sogar völlig unzugänglich ist. Aber es war Mitte Juni, und so konnten sie im Bett des Gallina-Flusses vorankommen, denn er war schon völlig ausgetrocknet.

Sie sahen den ersten Turm, als sie sich durch den Gallina Canyon an einer Stelle zwängen mußten, die so eng war, daß die Radnaben ihres Wagens rechts und links an den Felsen knirschten. Hier öffnete sich plötzlich vor ihren Augen ein Becken, vielleicht anderthalb Kilometer lang und an die 200 bis 300 Meter breit. Hibben beschreibt es eindringlich und farbig:

«Die Felswände an beiden Seiten waren in eine Reihe langer, zackiger Spitzen zerschnitten, die von beiden Seiten des Beckens vorsprangen, wie die Bügel einer großen, weitgeöffneten Stahlfalle. Das Fuhrwerk wankte heraus [aus dem Cañon] auf eine niedrige Terrasse am oberen Ende des Beckens, und dort sahen wir unseren ersten torreón gegen einen blauen Himmel. Der Turm saß auf der Spitze einer dieser Felsnadeln, dicht an einer Felswand. Obwohl er hoch über uns stand, konnten wir ihn als ein künstliches Bauwerk erkennen, trotzdem er aus dem Felsen herauszuwachsen schien. Vom Grunde des Cañons aus betrachtet hob er sich scharf gegen den blendenden Himmel ab und sah wie ein mittelalterlicher Turm aus.»

Sie stoppten ihren Wagen, nahmen ihre Ferngläser und suchten die Ränder des Cañons ab. Sie sahen einen zweiten, einen dritten Turm, dann viele, einzelne oder in Gruppen, stets auf erhöhten Punkten. Tatsächlich, wie Areano erzählt hatte: «standen sie wie Burgen entlang einer Felskante.»

«Unsere Gedanken und Vermutungen», sagte Hibben, «überschlugen sich.»

Daß dies keine gewöhnlichen Pueblo-Bauten waren, lag auf der Hand. Aber was für Bauwerke waren es? Wer baute sie? Und wann? Die Forscher begannen eine umfassende Untersuchung, fotografierten, kartographierten, ritten Meilen um Meilen tief in die Cañons nach Süden und Norden, und sie fanden, es mag hier vorweggenommen werden, in einem Gebiet von vielleicht 56 mal 80 Kilometern nicht weniger als *fünfhundert torreónes*!

Das konnte nicht das Werk eines kleinen Stammes sein, hier mußte ein *Volk* gelebt haben (in Ermangelung eines authentischen Namens nannten die Expeditionsmitglieder es «das Gallina-Volk»). Und 500 Türme – das war mehr, als eine Generation errichten konnte.

Die Untersuchungen wurden mehrere Sommer hindurch fortgesetzt. Die wilde Schönheit der Berge war nach wie vor überwältigend, aber es gab einiges, was ungemein störend war. So zum Beispiel der Mangel an Wasser. Nur *eine* winzige Quelle gab es – und deren Wasser enthielt einen hohen Anteil von Gips, Alkali und Bitter-Salzen. Die Magen- und Darm-Effekte bei den Expeditionsteilnehmern waren verheerend. Ein Witzbold unter den Studenten stellte bei der Quelle ein Schild auf: «Vor den Tagen von Gin und Bier, Gallinamensch trank Wasser hier, mag Gott seiner Seele gnädig sein!» Dann war dort eine Art schwarzer Fliegen heimisch, die in Myriaden über sie herfielen. Ihre Bisse und Stiche führten zu Blasenbildungen und Geschwulsten, so daß die Haut aussah, als sei sie ständig von dem in Amerika so verbreiteten giftigen Efeu infiziert.

Doch nichts konnte die Arbeit an der Erforschung dieser Türme aufhalten. Es galt jetzt zu sehen, was *in* den Türmen war. Und sie wählten zur Untersuchung die Gruppe der acht Türme auf dem Felsenriff, die sie zuerst erblickt hatten. Der erste Turm, den sie in Angriff nahmen, erwies sich später zufällig als besonders typisch (die meisten waren viereckig, nur wenige hatten so stark gerundete Ecken, daß sie beinahe rund erschienen). Das Gebäude war zwischen siebeneinhalb und neun Metern hoch. Die Mauern waren aus Sandsteinen, roh viereckig behauen, zusammengefügt mit Adobe-Mörtel, also dem Lehm-Stroh-Gemisch, das die Pueblo-Indianer sonst zur Ziegelherstellung benutzten. An der Basis war die Mauer nicht weniger als 1,80 Meter dick.

Die Spitze glich wirklich der eines rheinischen Belfrieds – mit einer Brustwehr für die Verteidiger. Der Turm hatte keine Eingangstür; der einzige Weg, hineinzugelangen, war über eine Leiter aufs Dach, dann durch eine Luke auf einer anderen Leiter ins Innere. Reste solcher Leitern fanden die Forscher, als sie sich im Innern durch die herabgefallenen Dachbalken, Steine und den Schutt von Jahrhunderten hindurchgruben.

Hier erwartete sie eine Überraschung. Die so trotzig und roh, scheinbar nur zur Verteidigung erbauten Türme, erwiesen sich im Innern als reich geschmückt. Die Innenwände waren glatt verputzt und zeigten Zeichnungen: Pflanzen, Vögel, Blüten, dazu eine Art von Wimpeln, Siegeszeichen vielleicht.

Der Boden des Turms war an die sechs mal sechs Meter groß und bedeckt mit massiven, sorgfältig eingepaßten Sandsteinplatten. Ringsherum waren mehrere Stein- und Adobe-Bänke, die hohl waren, also als Kästen oder Lade gedient haben mußten. Die Ausgräber fanden auch die sorgfältig errichtete Feuerstelle und dazu noch, eingelassen in die starke Wand, einen Rauchfang nach oben. In den Kästen nun fanden sie die ersten Spuren des bisher so rätselhaften Volkes. Sie öffneten sie: «Der Hauch jahrhundertealter Luft, der herauskam, war wie der Atem aus einem ägyptischen Grabgewölbe.» Und sie blickten auf ganze Kollektionen von Gebrauchs- und Schmuckgegenständen, die dort ruhten, als hätte eine Hand sie gestern noch geordnet.

Da waren Wildlederbeutel mit den für Zeremonien gebrauchten Farbpudern, ornamentierte Muschelschalen, bunte hölzerne Gebetsstöcke, Amulette oder Glückssymbole, hirschlederne Kleidungsstücke, Federarbeiten, Rohrpfeile und Pfeilspitzen aus Feuerstein, Tanz-Masken und -Hörner. Dinge, die noch heute von Indianern benutzt werden, also kaum *uralt* sein konnten.

Aber was war das Überraschendste?

«Was uns wirklich nach Luft schnappen ließ, als wir sie sorgfältig freilegten, waren die Bewohner des Turmes selber. Sie waren immer noch da, und ihre Geschichte mit ihnen. Insgesamt waren sechzehn Menschen über den Turm in verschiedenen Stellungen und Haltungen verteilt!»

Ausgräber, durchaus angerührt vom Hauch der Vergangenheit, schützen sich oft durch Burschikosität gegen aufkommende Sentimentalität, so wie sich Medizinstudenten bei Leichenöffnungen gerne Witze erzählen. Die jungen Forscher hier fanden zu ihren Funden schnell ein intimes Verhältnis. Sie gaben den Körpern Namen. «Juckender Finger» nannten sie den einen,

«Großen Kraftmeier» den anderen, «Kühne Titania» den Körper einer Frau.

Und die wichtigste Entdeckung enthüllte ein Drama: Diese Menschen waren nicht eines natürlichen Todes gestorben, sondern sie waren vorm Feind gefallen. Genaue Untersuchung ergab einwandfrei: Mit Feuerpfeilen war die hölzerne Bedachung des Turms in Brand gesetzt worden, das Feuer hatte auf die Leitern und auf alles andere Entzündbare übergegriffen, die Dachbalken waren ins Innere hinabgestürzt, Teile der steinernen Brustwehr samt den daraufstehenden Verteidigern mit sich in die Tiefe reißend. Und das extrem trockene Klima des südwestlichen Hochlands zusammen mit der verkohlenden Macht der Hitze und dem Schutz, den der darauffallende Schutt verlieh, hatten die Körper teilweise so gut konserviert, daß sie besser erhalten waren als manche ägyptischen Mumien.

«Hier war der Körper einer Frau, die rückwärts hingestreckt über einem der Vorratsbehälter lag. Sie war von Steinen, die vom Mauerrand herabgefallen waren, zerdrückt worden, doch ihr Körper war bemerkenswert gut erhalten, man sah noch den Ausdruck des Todeskampfes auf ihrem eingedrückten Gesicht. Brust und Bauch waren mit den verkohlten Enden von sechzehn mit Feuersteinspitzen versehenen Rohrpfeilen durchbohrt. In ihrer linken Hand hielt sie noch einen Bogen, von dessen einem Ende noch ein Teil der Sehne herabhing. Es war ein kurzer, kräftig aussehender Bogen aus Eichenholz und doch hatte unzweifelhaft eine Frau ihn gespannt.

In der Mitte des Turmfußbodens, wohin sie augenscheinlich gefallen waren, als sie vom Dach niedergestreckt wurden, lagen zwei Männer, einer quer über dem anderen. Einer hielt noch drei Bogen in der Hand, zwei aus Eichenholz und einen aus Wacholder und in der anderen Hand ein Bündel von 27 Pfeilen. Augenscheinlich hatte dieser Mann Waffen und Munition weiterreichen wollen, als er niedergestreckt wurde.

Auch der andere Mann war ein Krieger, und ihn hatte das gleiche grausame Schicksal erreicht. Eine Steinaxt mit einer gezackten Schneide war über dem linken Auge in seinen Schädel gefahren, glatt bis zur Mitte der Klinge, und sie saß dort immer noch fest.

Eine andere Frau hatte augenscheinlich zur gleichen Zeit gekämpft. Sie waren bemerkenswerte Leute, diese Gallina-Krieger, die Frauen sowohl als die Männer. Diese Frau hatte einen Pfeil in ihrer Schulter und möglicherweise andere. Es war schwer zu entscheiden, da das herabfallende Dach sie zerquetscht hatte. Ihre Frisur war jedoch in einem erstklassigen Zustand und sah bemerkenswert modern aus. Sie hatte ihr Haar sehr sorgfältig in der Mitte geteilt und es an jeder Seite in drei Zöpfe fallen lassen. Diese drei Zöpfe waren wieder nach oben geschürzt und genau am Hinterkopf zu einem kleinen Kno-

ten gebunden. Die schlingenförmigen Zöpfe, welche bis zu ihren Schultern herabhingen, waren mit kleinen Stücken bemalten Hirschleders in einer sehr modernen Art befestigt. Die Kopfhaut war am Scheitel rot bemalt.»
Selbst ihre Kleidung war teilweise erhalten.

«Eine ganze Gruppe von Kriegern war augenscheinlich durch die Falltür gefallen oder hinuntergestürzt worden, dort, wo die Leiter vom Dach in das Hausinnere führte. Ihre Füße waren noch mit feingewobenen Sandalen aus Yuccafasern bekleidet, die mit Riemen um Spann und Knöchel befestigt waren. Sie sahen modernen Strandschuhen sehr ähnlich und hatten in ihren Sohlen sogar Muster mit einer Art Gleitschutzeffekt. Ein Mann hatte eine Art hirschledernen Durchziehschurz, der von einem geflochtenen Gürtel auf beiden Seiten seiner Hüfte herabhing. Ein anderer besaß hirschlederne Hosen, die seinen ganzen Unterkörper bedeckten und an deren steifem Leder noch die verkohlten Reste von Stachelschweinborstenstickerei hafteten, die sie einst verzierten.»

Doch das wohl dramatischste Ereignis, das sich dem Auge des Beschauers sofort verlebendigte, wurde sichtbar, als sie den Rauchfang untersuchten. Hier steckte die Leiche eines vielleicht fünfzehn oder sechzehn Jahre alten Knaben, auf dem Kopfe noch seine langen, dünnen Haarflechten. Er muß noch gelebt haben, als er mit dem einstürzenden Dach herunterfiel, denn mit letzter Kraft hatte er offenbar versucht, in den schmalen Schacht hineinzukriechen und war steckengeblieben. Das Feuer, das mit ihm herabfiel, hatte nur den unteren Teil des Körpers ankohlen können. Aber ein Pfeil, von hinten auf ihn abgeschossen, steckte noch in seiner Hüfte. «Man konnte in dem ausgetrockneten und mumifizierten Gesicht auch jetzt noch den Ausdruck von Schrecken und Furcht erkennen, Jahrhunderte, nachdem der Knabe sich in das Loch gezwängt und versucht hatte, der Hitze zu entkommen.»

Bis zum Ausbruch des letzten Weltkrieges forschten Hibben und seine Helfer weiter. Schließlich hatten sie das Innere von siebzehn Türmen freigelegt, und alle siebzehn erzählten dieselbe Geschichte. In einem waren fünf Verteidiger übriggeblieben, in einem anderen elf, darunter wieder eine Frau mit der Waffe in der Hand. Jeder Turm war durch Feuer zerstört worden, und in jedem hatten die Verteidiger bis zum letzten mit der Waffe in der Hand gekämpft. Die Frage wurde immer dringender: Wer hatte die Türme erbaut? Wer hatte sie verteidigt, wer hatte sie angegriffen und zerstört?

Eine vierte Frage, wohl die wichtigste, nämlich wie alt die Türme seien, konnte als einzige mit einiger Genauigkeit beantwortet werden. Die Dendrochronologie half, die Baumring-Datierung. Es waren genug Deckenbalken übriggeblieben, um Analysen zu machen. Danach wurden (immer Hibben zitiert) die Bäume zu diesen Balken zwischen 1143 und 1248 geschlagen. In

rund einem Jahrhundert also, vor fast 800 Jahren, 250 Jahre bevor die Spanier
ins Land kamen, wurden alle diese Gallina-Türme erbaut.

Wer aber dieses Volk war, ist rätselhaft. Alle Gebrauchsgegenstände und
Waffen, die man fand, ebenso auch die physische Konstitution der Skelette,
sind stark verschieden von denen aller Pueblo-Indianer. Keramik, die man
fand, zeigte Merkmale, die im Südwesten überhaupt nicht, in ähnlicher Ausführung dagegen in Nebraska und im Mississippi-Tal vorkam. Hibben stellte
weiter fest, daß das Turmvolk eine Art von Mais und eine spezielle Sorte von
Kürbis anbaute, die bisher nur aus Iowa und dem Missouri-Tal bekannt waren. Also sehr rätselhafte Verknüpfungen. Hibben faßt zusammen:

«Auf Grund vieler Details schlossen wir, daß das Gallina-Volk zu einem
sehr frühen Zeitpunkt in den Südwesten einfiel, wahrscheinlich mehrere hundert Jahre, bevor sie vernichtet wurden. Sie kamen von den Prärien, möglicherweise aus dem Mississippi-Tal ... Was sie veranlaßte, in den Südwesten
einzuwandern, wissen wir nicht, aber offenbar fanden sie ihn bereits von anderen besiedelt – das erklärt wahrscheinlich, warum sie sich das unwirtliche,
wenn auch schöne Gallina-Land zur Heimstätte wählten. Woher sie die Idee
des Turmbaus hatten, ist unbekannt. Vielleicht von anderen Menschen, die
Verteidigungstürme errichtet hatten; aber vielleicht haben sie diese Architektur auch selber erfunden, als es notwendig wurde, sich selber zu schützen.»

Damit ist aber noch nicht die Frage beantwortet, wer dieses wehrhafte und
so gut auf Verteidigung eingerichtete Volk überfiel und ausrottete – und dann
offenbar weiterdrängte oder sich wieder zurückzog, denn die Ruinen blieben
unbewohnt bis auf unsere Zeit. Auf ein höchst kriegerisches Nomadenvolk
deutet alles – aber die Stämme, auf die das zutreffen könnte, etwa die Navajos oder die Apachen, fielen, soviel wir wissen, erst zweihundert Jahre nach der
Mordorgie in diese Hochländer ein. Einen Hinweis gaben noch die Pfeile, die in
den Körpern der Opfer gefunden worden waren. Sie hinwiederum wiesen auf die
Pueblo-Indianer, die genau dieselbe Art von Pfeilen mit schmalen, dreieckigen
Feuerstein-Spitzen gebrauchten. Alles widerspruchsvoll und rätselhaft.

Unter den neueren Gesamtdarstellungen der nordamerikanischen Archäologie erwähnen einige das Gallina-Problem überhaupt nicht. John C. McGregor in seinem Standard-Werk ‹*Southwestern Archaeology*› von 1965 rühmt
lediglich die verschiedenartige Keramik einer «Gallina-Phase» und anerkennt
die Eigenart des Turmbaus. Aber auch er läßt offen alle Fragen nach dem
«Wer» und «Woher».

23. Der erste Amerikaner oder die Mädchen von Midland und Laguna

Der Leser mag sich oft gefragt haben – und genau dasselbe hat sich immer wieder der Wissenschaftler gefragt –, warum wir so unendlich viele Waffenreste des frühen Amerikaners gefunden haben, aber lange Zeit hindurch niemals Reste des Menschen selbst. Nun, einige sind inzwischen gefunden worden. Viele der «einwandfreien Entdeckungen» allerdings – jedes Jahr tauchen in der Presse voreilige Nachrichten auf – erwiesen sich unter der Lupe des Spezialisten als höchst fragwürdig.

So geschah es mit dem sogenannten Nebraska-Menschen, der einst mit aufgeregten Zeitungsschlagzeilen angekündigt worden war. Auf Grund eines Zahns schien sein hohes Alter unbestreitbar zu sein; bis sich herausstellte, daß es der Zahn eines ausgestorbenen Nabelschweins war.

Unklar ist bis heute der Fall der «Minnesota-Minnie» – Journalisten nannten das wahrscheinlich fünfzehnjährige Mädchen so, dessen Schädel 1931 in Minnesota aus der Erde «gerissen» wurde, von einem Bulldozer, wobei die drei Meter starken Schichten allerdings zerstört wurden. Es kann sein, daß tatsächlich dieses Mädchen vor vielleicht 8000 bis 10 000 Jahren in den glazialen Pelikan-See gefallen ist oder gestoßen wurde und dort ertrank. Es kann aber ebensogut sein, daß es sich um ein Sioux-Mädchen handelt, vielleicht aus dem vorigen Jahrhundert, dessen Leichnam aus irgendwelchen Gründen in so tiefe Erdschichten geriet.

Jedoch – immer mehr Skelettreste stehen heute zur Diskussion. *Kein* Zweifel besteht mehr daran, daß diese ersten Amerikaner Immigranten waren, kein Zweifel auch daran, daß sie bereits einwandfrei unseres Stammes waren, also zum *Endergebnis* der langen Entwicklung zum Menschen hin, zum sogenannten *Homo sapiens* gehörten, zu der Gruppe also, der wir selber angehören (lateinisch homo: Mensch, sapiens: vernünftig, klug, im rechten Zusammenhang kann sapiens auch «weise» heißen – aber dieser Zusammenhang ist auch heute, nach rund vierzigtausend Jahren Geschichte, nur selten gegeben).

Vor Jahren standen besonders zwei Skelettfunde in Konkurrenz um die Ehre des Ersten Amerikaners: der Midland-Mensch und der Tepexpan-

Mensch; aus Texas der eine, aus der Umgebung von Mexico City der andere. Diese beiden Funde und ihre Auswertung stellen extreme Gegensätze dar. Die Ausgrabung des Midland-Menschen gilt noch heute als Vorbild akkuratester Gemeinschaftsarbeit. Die Leiter: Fred Wendorf vom Laboratory of Anthropology, Santa Fé; Alex D. Krieger von der University of Texas, Austin; Claude C. Albritton von der Southern Methodist University, Dallas; T. D. Steward vom United States National Museum, Smithsonian Institution.[1]

Die Ausgrabung des Tepexpan-Menschen durch Helmut de Terra dagegen nennt Jesse D. Jennings von der University of Utah «ein Meisterstück ungenauen Berichtes».[2]

Der Midland-Mensch, eine Frau von etwa dreißig Jahren, 1953 von dem Amateur Keith Glasscock gefunden (der jedoch sofort die Spezialisten herbeiholte – Jennings lobt ihn dafür: «Möge Keiths Stamm sich vermehren!»), kann trotz aller Sorgfalt aber nur vage datiert werden: älter als 10 000 Jahre, *vielleicht* bis zu 20 000 Jahre alt.

Damit wäre das Midland-Mädchen – könnte man das höchste Datum akzeptieren – die älteste Amerikanerin; aber dieses höchste Datum ist eben zu unsicher.

Der Tepexpan-Mensch (ein Mann, und zwar ein sehr alter, mit Zähnen, die fast bis auf den Kiefer abgebissen waren), ist mit einiger Sicherheit «nur» 10 000 Jahre alt oder nur wenig älter.

Wie dem auch sei: Die Frage nach dem ältesten, nach dem ersten Amerikaner ist noch nicht eindeutig beantwortet. Das *vorläufig* letzte Wort wollen wir noch einmal Gordon R. Willey geben, der in einem Vortrag vor der American Philosophical Society in Philadelphia 1965 bemerkte:

«Heute besteht kein Zweifel darüber, daß die ersten Menschen, die die Neue Welt betraten, die Bering-Straße von Asien nach Alaska während der Eiszeit kreuzten. Es ist jedenfalls ziemlich sicher, daß diese ersten Amerikaner zum Genus *Homo sapiens* gehörten, und es ist sehr wahrscheinlich, daß sie zum Mongoliden Rassenkreis zu zählen sind. Über diese grundsätzlichen Übereinstimmungen hinaus, ist die genaue Zeit, zu der sie kamen, und das kulturelle Erbe, das sie mitbrachten, noch sehr strittig.

Die nackten Tatsachen in dieser Angelegenheit sind, daß der Mensch bestimmt um 10 000 vor Chr. in der Neuen Welt war. Zu dieser Zeit war er ein Jäger von großen, jetzt ausgestorbenen Säugetieren, einschließlich des Mammuts, und er verfolgte diese Tiere mit Lanzen oder Wurfspeeren mit fein gearbeiteten steinernen Projektilspitzen, die in charakteristischer Weise gekehlt waren.

Nach der derzeitigen Meinung einiger Archäologen betrat der Mensch erst kurz vor 10 000 vor Chr. zum erstenmal Amerika und brachte aus Asien jung-paläolithische Klingen und Projektilspitzenbearbeitungs-Techniken mit, aus denen er die typischen amerikanischen gekehlten Formen entwickelte.

Eine Gegenmeinung glaubt, daß der Mensch sehr viel früher in die Neue Welt kam, vielleicht schon vor 30 000 oder 40 000 oder noch mehr Jahren. Wenn er zu diesem Zeitpunkte kam, war seine Ausrüstung wesentlich primitiver. Sie enthielt weder Klingen noch Projektilspitzen, sondern stand mehr in der Tradition der alten alt- oder mittel-paläolithischen Hacker-Hackgerät-Industrie Südostasiens. Aus dieser Tradition heraus entwickelte er durch die Jahrtausende in der Neuen Welt und unabhängig von zusätzlichen altweltlichen Anregungen die lanzettförmigen gekehlten Projektilspitzen von 10 000 vor Chr.

Keine dieser Hypothesen ist völlig befriedigend – zumindest bei unserem gegenwärtigen Stand der Kenntnisse nicht.»[3]

Tatsächlich gelten im Grunde diese Worte auch heute noch, aber es sind ein paar neue Funde hinzugekommen, und vor allem ist die neue Datierung eines alten Fundes geglückt, die, wenn sie wirklich einwandfrei ist, mit Recht Anfang 1969 Balkenüberschriften in der Presse von Los Angeles bis New York gemacht hat: Die Datierung des sogenannten «Laguna-Mädchens».

Bevor wir auf diesen Fund eingehen, muß eins klargestellt werden: die Geschichte des *Menschen*, einschließlich seiner Vorgänger, der Ahnen des *Homo sapiens*, ist sehr viel älter als alle amerikanischen Daten uns zeigen können.

Der populärste Ahn, den wir haben, ist wohl der Neandertaler, dessen Skelett 1856 in einer Höhle bei Düsseldorf in Deutschland gefunden und als prähistorischer Mensch von I. C. Fuhlrott zuerst erkannt und beschrieben wurde (nachdem ihn andere Autoritäten entweder für einen verkrüppelten Idioten neuerer Zeit oder sogar für einen versprengten Kosaken der russischen Armee, die Napoleon verfolgte, gehalten hatten). Den Neandertaler hält man heute für rund 50 000 Jahre alt. Aber diese und alle folgenden Altersangaben sind ganz vage und unterliegen immer wieder neuem Gelehrtenstreit; auch umfaßt die Typenbezeichnung dieser frühen Menschen natürlich sehr große Zeiträume, so daß *eine* Zahl oft nichts als das ungefähre Alter des Fundstücks bezeichnet, womit aber nicht im geringsten bekanntgemacht wird, wie lange dieser Typus *vorher* und *nachher* gelebt hat. Im Fall des Neandertalers ist man sich außerdem ziemlich einig, daß er sozusagen eine Sackgasse der menschlichen Entwicklung war – er starb aus, und unser eigentlicher Ahn ist von anderem Stamm.

In sehr viel fernere Vergangenheit führte die Entdeckung des Java-Menschen, den man in die Zeit von 500 000 bis 1 000 000 Jahre zurückverweist.

Ähnlich steht es mit dem Heidelberg- und dem Peking-Menschen – den letzteren datiert man auf ein Alter zwischen 200 000 und 500 000 Jahren. 1959 erregten die afrikanischen Funde von Louis S. B. Leakey, Kurator des Corydon Museums in Nairobi (Kenia), Aufsehen. In der Oldovayschlucht am Südostrand der Serengeti fand er Menschenreste, die auf 600 000 Jahre beziffert werden müssen. Später andere Reste, die das phantastische Alter von 1 750 000 Jahren haben sollen.

Doch für unser Buch interessant ist erst die Entdeckung des sogenannten «Cro-Magnon-Menschen», der 1868 in einer Höhle der französischen Dordogne gefunden wurde: Neben Mammut- und Wildpferd-Resten lagen die Skelette dreier Männer, einer Frau und eines Fötus. Der sogenannte «Alte» von Cro-Magnon ist zweifellos unser nächster Ahn (man datiert die Cro-Magnon-Menschen in die Zeit vor 30 000 oder 40 000 Jahren); er hat einen Langschädel, eine schmale Nase, steile Stirn, große Schädelbreite, allerdings noch immer ein ziemlich niedriges Gesicht. Aber während man sich nicht einig ist, ob der Neandertaler (auch Prä-Neandertaler) schon ein *Homo sapiens* ist, nimmt man das von dem Cro-Magnon-Menschen jetzt zweifelsfrei an.

Der Unterschied zwischen beiden?

Im Gegensatz zu Oswald Spenglers zynischer Bemerkung, den Neandertaler träfe man noch heute auf jeder Volksversammlung, antwortete auf die Frage nach dem Unterschied zwischen den Funden von Neandertal und Cro-Magnon der französische Archäologe Henry de Lumley, als er anläßlich seiner Ausgrabung eines 200 000 Jahre alten menschlichen Lagerplatzes bei Nizza von einem Reporter darüber befragt wurde, recht witzig:

«Wenn Sie in einer Untergrundbahn führen und ein Cro-Magnon-Kerl käme herein, würden Sie ihn wahrscheinlich nicht weiter beachten. Wenn ein Prä-Neandertaler am nächsten Griff hinge, würden Sie wahrscheinlich zweimal hinsehen!» – «Und wahrscheinlich an der nächsten Station aussteigen», vermutete der Reporter.[4]

Der Mensch, der vorzeiten nach Amerika emigrierte, war ein *Mensch* im vollsten Sinne des Wortes – ein *Homo sapiens* mit Feuer, Waffe und Werkzeug, neugierig und eroberungssüchtig.

Nun zu dem sonderbaren Laguna-Mädchen, das Jahrtausende nach seinem Tode mehr und weiter gereist ist als je zu Lebzeiten.

Im Jahre 1933 gingen der siebzehnjährige Howard Wilson und sein Freund auf Schatzsuche – Wilson hatte bereits eine hübsche Sammlung von Speerspitzen, Pfeilspitzen und anderem. Sie buddelten nicht weit von ihrem Wohnort, dem heutigen St. Ann's Drive, Laguna Beach in Kalifornien. Wo die Erde weich und sandig war, stocherten sie mit einem Schraubenzieher, und fanden einen Knochen, den sie sofort als Menschenknochen ansahen. Das versetzte sie in höchste Spannung. Aber die nächste Erdschicht war hart, die übernächste noch härter. Einer lief zurück und holte eine Spitzhacke. Nun schlugen sie drauflos. Ein Schädel kam zum Vorschein. Jetzt überfiel sie der Eifer – sie schlugen heftiger, unvorsichtiger, und einer der Schläge traf den Schädel. Glücklicherweise barst er nicht, aber er trug fortan die deutliche Markierung einer Amateurausgrabung (was sich später als wichtig erweisen sollte).

Wilson trug den Fund heim und zeigte ihn seiner Mutter. Sie sagte kurz, er solle das Zeug schleunigst in den Müllkasten werfen. Aber Wilson, gepriesen sei sein Ungehorsam, packte den Schädel in einen Schuhkarton – und dort blieb er erst einmal.

Aber zwei Jahre später, Wilson war immer noch sehr interessiert an indianischen Relikten, betrachtete er ihn und fand, daß dieser Schädel durchaus anders aussah als jene, die er bei seinen Museumsbesuchen bisher gesehen hatte. Er schrieb an das Southwest Museum in Highland Park (Kalifornien) und legte eine sorgfältige Zeichnung bei. Die Antwort war: Das sei zweifellos ein prähistorisches Stück, «aber kein ausgesprochen primitiver Typ».[5]

Wilson ließ nicht locker, und nun begann des Schädels Wanderung. Er gelangte in die Hände des Dr. D. B. Rogers vom Museum of Natural History in Santa Barbara (Kalifornien), der ihn tatsächlich als «ziemlich» alt erkannte und annahm, daß man ihn dem sogenannten Oak-Grove-Volk zurechnen könne, den ältesten bekannten Indianern Kaliforniens.

Die Wahrheit ahnte noch keiner.

Nach mehrmonatiger Prüfung in der University of Southern California erhielt Wilson 1937 einen Brief von Ivan A. Lopatin, der noch weiter fehlschoß: «Nach meiner eingehenden äußerlichen Untersuchung und [einem] Vergleich mit anderen Schädeln in unserem Laboratorium kann ich nur sagen, daß der zur Diskussion stehende Schädel *nicht verschieden von dem eines normalen kalifornischen Indianers* ist.»[6]

Der Schädel wanderte zurück in den Schuhkarton. Und nur der Amateur glaubte nach wie vor an die Außergewöhnlichkeit seines Fundes. Nach sechzehn Jahren stellte er ihn dem Bildhauer George Stromer als Modell zur Verfügung – Stromer verfertigte Plastiken prähistorischer Menschen für ein Museum.

Es klingt ganz unwahrscheinlich, aber die nächste Schätzung des Schädels schlug nach der anderen Seite aus. Stromer zeigte ihn einem Dr. J. J. Markey, der ihn nach Paris in die europäische Hochburg der Anthropologen mitnahm, ins berühmte Musée de l'Homme. Dort glaubte man zu entdecken, daß Muschel-Fossilien, die in dem Schädel eingebettet lagen, seit *hunderttausend Jahren*

ausgestorben waren! War also auch der Schädel 100 000 Jahre alt? Das
schien völlig unsinnig.

Dr. Markey, den das Rätsel dieses Schädels jetzt faszinierte, schleppte ihn
nach Rom, Madrid, Brüssel und nach London ins British Museum. Es kann
also nicht gesagt werden, daß der Schädel keine Beachtung fand, aber was die
führenden Anthropologen äußerten, war in keiner Hinsicht definitiv (die Radiocarbon-Datierung gibt es ja erst seit 1947!) Nach achtjähriger Reise wanderte der Kopf heim zu seinem Finder.

Nun aber, nach weiteren Jahren, trat ein Glücksumstand ein, der die Situation jäh änderte. Anfang 1967 befand sich der weltberühmte Louis S. B. Leakey, der Ausgräber der ältesten Menschheitsfunde in der Oldovayschlucht
(die wir einige Seiten zuvor erwähnten), auf einer Vortragsreise in Kalifornien. Durch Vermittlung Dritter gelang es dem hartnäckigen Wilson, der inzwischen wohlbestallter Baumeister in South Laguna war, aber nach wie vor
archäologische Ambitionen hatte und an die besonderen Qualitäten seines
Fundes glaubte, ein Treffen mit Leakey zu arrangieren. Der berühmte Mann
gab dem Amateur zehn Minuten Sprechzeit. Aber als Leakey den Schädel in
der Hand hatte und von Wilson die Fundumstände hörte, dauerte die Unter-
redung fünfundvierzig Minuten. Und dann entschied Leakey, der Schädel
müsse sofort zu Dr. Berger in die University of California zwecks eingehender Radiocarbon-Datierung!

Nun nahm sich Rainer Berger, der früher Assistent Libbys, des Erfinders
der C[14]-Datierung, gewesen war und jetzt im Institute of Geophysics and
Planetary Physics arbeitete, dieses so lange ungelösten Problems an.

Das ganz erstaunliche Ergebnis nun, das nach genauester Untersuchung
mit neuesten Methoden herauskam und, wie wir schon berichteten, Schlagzeilen machte, faßte Berger in folgenden nüchternen Sätzen zusammen:

«Radiocarbon-Datum des Schädels: Teile des Schädels, Scheitelbein- und
Schläfenknochen wurden wie folgt durch die Kollagen-Methode datiert: 78,5 g
Knochen wurden mehrere Tage lang mit Äther ausgelaugt, um jegliche organische Substanz, die durch das Anfassen des Schädels hineingekommen sein
konnte, zu entfernen. Dann wurde die mineralische Grundmasse der Knochen durch Behandlung mit verdünnter kalter Salzsäure zerstört. Schließlich
wurden Humussäuren verschiedener spezifischer Wirksamkeit durch ver-
dünntes kaltes Natriumhydroxyd ausgelaugt. Der restliche organische Teil
wurde datiert und man fand, daß er einem Alter von 17 150 ± 1470 Jahren
entsprach.»[7]

Dieses Plus-Minus ist außergewöhnlich groß, es läßt Vorsicht erkennen. Ist
die Messung richtig, so bedeutet es, daß der lange Zeit meist unterschätzte La-
guna-Schädel zwischen 18 620 und 15 680 Jahre alt ist.

Ein erstaunliches Alter!

Berger gab sich nicht zufrieden mit den ersten Ergebnissen. Zuerst klärte er noch einmal die Authentizität des Schädels. War, was er im Labor hatte, wirklich noch der Kopf, den Wilson gefunden hatte – nach so vielen Reisen durch so viele Museen? Glücklicherweise fand sich ein Beweis: Eine lokale Zeitung hatte damals, als der Fund neu war, eine Abbildung gebracht. Und auf diesem Bilde war deutlich die Kerbe zu erkennen, die der allzu eifrige Wilson damals geschlagen hatte und die auch der Schädel im Labor noch deutlich sichtbar trug.

Andere Analysen schlossen sich an, besonders die des Knochens, den Wilson seinerzeit noch vor dem Schädel gefunden hatte; auch eine rein anthropologische durch den Experten der Smithsonian Institution, D. Stewart, der erklärte (was wir schon vorweggenommen haben), daß der Schädel höchstwahrscheinlich einem Weibe gehört habe.

Nicht nur das: Wilson wurde examiniert, ob er den Fundort zeigen könne. Er konnte es, und zwar genau. Während des Jahres 1968 wurde eine umfangreiche Ausgrabung im St. Ann's Drive vorgenommen. Sollte sich nicht noch mehr finden lassen?

Und hier nun meldete sich Enttäuschung, und Zweifel tauchte auf. Die Ausgrabung förderte ein paar Tierknochen und Muschelschalen zutage, aber keinerlei Menschenreste mehr. Ja, was verwirrend war: In etwa 60 Zentimeter Tiefe fanden sich Muschelschalen, die mit der C^{14}-Methode auf ein Alter von 8950 ± 70 Jahren datiert wurden. Und in etwa 180 Zentimeter Tiefe fanden sich weitere Schalen, diesmal datierbar auf die Zeit vor 8300 ± 80 Jahren.

Eine höchst verwirrende Geschichte. Nicht nur, daß die jüngeren Muscheln gegen alle stratigraphischen Regeln tiefer lagen als die älteren, nein, *zwischen* ihnen sollte nach Wilsons Angaben der Schädel geruht haben!

Wie kann ein siebzehntausend Jahre alter Schädel zwischen eine acht- und eine neuntausend Jahre alte Schicht geraten sein?

Hier nun erklärt Berger zusammen mit dem Archäologen J. R. Sacket, daß dieser verworrene Tatbestand gar nicht so verwirrend sei, wenn man die besonderen geologischen Verhältnisse dieser Gegend berücksichtigte. Ohne hier auf die Details einzugehen: Erdverschiebungen, die zu den sonderbarsten stratigraphischen Verhältnissen führen können, sind dort gang und gäbe, wie die Cañon-Bewohner in der Umgebung von Los Angeles am besten wissen, von denen viele erst 1968 wieder aus ihren Fenstern springen mußten, weil riesige Erdmassen sich plötzlich in Bewegung gesetzt hatten und ihre Häuser vor sich herzuschieben drohten.

Aber es bleibt hier der Zweifel der übervorsichtigen Archäologen (vorsich-

tig geworden durch viel Erfahrung), die *eine* Datierung nicht mehr als aus-
reichend ansehen, die vielmehr doppelte und dreifache Beweise fordern und
besonders auf die Wichtigkeit der ältesten Beweisführung pochen: die stratigraphische.

Indessen: «L. S. B. Leakey ist mit dem Aussehen und dem C^{14}-Alter des
Schädels zufrieden ...» schreibt Berger und fügt hinzu: «Er ist daher der älteste direkte Beweis für die Existenz des Menschen in den beiden Amerikas.»[8]

Es gäbe noch andere Fundstätten zu erwähnen; überlassen wir das dem Spezialisten. Außerdem ist nicht zu verkennen, daß die nordamerikanische Archäologie in den letzten zehn Jahren riesige Fortschritte gemacht hat; nicht nur in
ihren Methoden, auch durch die Fülle der Funde, die früher so selten waren
(Leakey hatte in Afrika dreißig Jahre lang geforscht und doch nur drei Stellen
von Bedeutung entdeckt).

Es ist eine alte Erfahrung aus der Historie aller Wissenschaften, daß jede
neue Entdeckung eine Kettenreaktion auslöst. Plötzlich schärft sich das Auge
und erkennt, was es vorher einfach übersah. So glaube ich, daß wir eine Vielzahl weiterer Entdeckungen erwarten dürfen. Und vielleicht kann Leakey eines Tages beweisen (oder andere können es), was er jetzt nur mit unzulänglichen Funden zu belegen vermag: daß der amerikanische Mensch doch noch
viel, viel älter ist als bisher angenommen.[9] (Leakey legte 1968 äußerst primitive Steinwerkzeuge aus einer kalifornischen Grabung vor, die er in einem In-
terview auf 40 000 bis 50 000 Jahre, aber vielleicht sogar auf 80 000 bis
100 000 Jahre datierte; aber die meisten Archäologen bezweifeln, daß seine
Funde überhaupt Werkzeuge sind, sie halten sie für zufällige Naturspiele.)
1965 wettete Emil W. Haury mit ihm um 100 Dollar, daß er innerhalb der
nächsten fünfzehn Jahre nicht wirklich *beweisen* könne, daß der nordamerikanische Mensch 50 000 bis 100 000 Jahre alt ist. Bis jetzt ist Haury noch der
Gewinner.

24. Der Weg über die Bering-Straße

Dunst, Nebel, treibende Eisschollen – nichts anderes sah der Mann im Ausguck des kleinen Schiffes, das sich eines Tages im August 1728 durch jene Meeresstraße mühsam nach Norden kämpfte, die später seinen Namen tragen sollte: Bering-Straße. Im Auftrag des Zaren Peter II. war der dänische Seefahrer Vitus Bering aufgebrochen, die nördlichen Grenzen des riesigen russischen Reichs zu erforschen. Als er die «Bering»-Straße durchfuhr, wußte er nicht mit Gewißheit, daß er zwischen zwei Kontinenten hindurchfuhr, obwohl sie, wäre der Tag klar gewesen, deutlich sichtbar gewesen wären – denn die Straße ist an der engsten Stelle nur 85 Kilometer breit. Aber er nahm es an, er war sicher, daß die Straße Sibirien und Alaska trennte, und er hatte recht damit – nur: es war nicht immer so!

Heute ist die Bering-Straße 45 Meter tief. Sie bietet sich dem Schiffer, dem Walfänger, dem Seehundjäger so unfreundlich dar wie seit Tausenden von Jahren. Die Lufttemperatur steigt den größten Teil des Jahres nicht über den Gefrierpunkt, die des Wassers nie über 9 Grad. Der Gezeitenhub ist nicht nennenswert; die totale Blockierung durch Polareis wird durch eine ständige Nordströmung aus dem Pazifik verhindert. In der Mitte dieser trostlosen Wasserstraße liegen zwei ebenso trostlose winzige Eilande, die Diomeden-Inseln. Da, wie schon gesagt, die Straße an der engsten Stelle nur 85 Kilometer breit ist, können Eskimos in ihren Kajaks sie kreuzen – und sie tun das auch hin und wieder, wie die Straße seit jeher gekreuzt wurde – nur:
Die Menschen, die *vor mehr als zehntausend Jahren* von Sibirien nach Alaska treckten, folgten den Großen Tieren, und ebenso wie die Tiere machten sie diesen Weg *trockenen Fußes!*
William Howells von Harvard faßt zusammen: «Sie wußten nicht, daß gerade diese Landenge überflutet werden würde, wenn das Meer anstieg, viel später, wenn die Gletscher schmelzen würden. Sie wußten nicht, daß sie eine ganz neue Welt betraten, reich an jagdbarem Wild: Mastodonten, Mammute, Pferden, Kamelen, langhörnigen Bisons, Moschusochsen und solchen Seltsamkeiten wie dem Riesenfaultier, ganz abgesehen von Wapiti, Elch, Rentier

Die Einwanderung der Frühen Jäger über die Bering-Straße.

und Hirsch. Sie wußten nicht, *daß sie die ersten Amerikaner waren.*»[1]

Und sie brachen in den neuen Kontinent auch nicht in hellen Scharen ein; keine gewaltige Völkerwanderung fand hier jemals statt, wie sie sich mehrmals in Asien und Europa ereignete. «Völker», die von Sibirien nach Alaska auswandern konnten, waren gar nicht vorhanden. Es waren die frühen sibirischen Jäger, zum mongoliden Rassenkreis gehörig, die in kleinen Horden lebten, immer den Spuren der Riesentiere folgend, die ihnen die einzige Nahrung boten. Sie *sickerten ein* in Nordamerika. Und noch einmal müssen wir, jetzt am Schluß unseres Buches, auf die Frage nach dem *wann* eingehen.

Über Nordamerika sind, wie wir schon mehrfach sagten, genau wie über

Europa und Asien mehrere Eiszeiten hinweggegangen. Mehr als der halbe amerikanische Kontinent war bedeckt mit gewaltigen Eisschichten – aber viermal schob sich das Eis vor, und viermal zog es sich zurück, was jedesmal von bedeutenden Klimaänderungen begleitet wurde. Der Vorgang ist nicht dramatisch zu sehen. Erdbeben sind dramatisch, die Eiszeiten sind jedoch von «epischer» Länge, über Zeiträume sich erstreckend, die jedem menschlichen Maß entrückt sind. Wichtig ist, daß die Geologen heute mit einiger Sicherheit behaupten, dadurch, daß die Gletscher ungeheure Wassermengen banden, sei der Meeresspiegel der Bering-See und des Polar-Meeres so weit gesunken, daß die Bering-Straße zur Landbrücke wurde. Mit aller Vorsicht sagen sie weiter, daß für die sibirischen Jäger zweimal die Bedingungen, den amerikanischen Kontinent zu erobern, besonders günstig waren: vor 40 000 bis 20 000 Jahren und vor 13 000 bis 12 000 Jahren.

Im Jahre 1967 schrieb David M. Hopkins, der viele Jahre der Erforschung der Bering-Straße widmete:

«Als ich vor achtzehn Jahren durch den Sturm im Dorf Wales festgehalten wurde, beobachtete ich aufmerksam den feinen Nebel, der wie ein Rauch über einer stürmischen Bering-Straße hing, und machte mir Gedanken, wer, an diesem heftigen Tage, sich seinen Weg durch den Wind an der asiatischen Küste bahnen möge, um an meiner Suche nach der Vergangenheit teilzunehmen. Nahe bei mir erhob sich ein torfiger Hügel, der Abfallhaufen, den Generation auf Generation von Eskimos hinterlassen hatten, die an der Westspitze Nordamerikas lebten; hinter mir erhob sich der Cape Mountain, von alten Gletschern zerfurcht, von ewigem Wellenschlag zerschnitten. Vielleicht schützte in diesem Augenblick jemand seine Kyrillischen Notizen vor dem feuchten Nebel, als er auf einer Terrasse am Ostkap kauerte, der Ostspitze Sibiriens – oder auf einer Eskimo-Begräbnisstätte bei Uelen, dem östlichsten Dorfe in Sibirien.»[2]

Hopkins schreibt das als Herausgeber der zahlreichen Referate, die 1965 von siebenundzwanzig Autoren aus sechs Nationen (und darunter zum erstenmal eben auch Gelehrte aus der Sowjetunion) auf dem VII. Congress of International Quaternary Association gehalten wurden. Diese Referate (das einzige deutsche stammte von dem Freiburger Professor Hansjürgen Müller-Beck) hatten nur ein Thema: Die Bering-Landbrücke.

Und es ist bezeichnend, daß alle Forscher über die Frage, ob die ersten Amerikaner aus Sibirien gekommen sind, gar nicht mehr diskutierten – das wird heute als absolut sicher angesehen. Aber diese Sicherheit, die seit den dreißiger Jahren unseres Jahrhunderts besteht (der allererste Hinweis auf eine Immigration aus Asien stammt wohl von dem Mönch José de Akosta aus dem Jahre 1590), ist sozusagen durch eine indirekte Beweisführung gewonnen worden. Dadurch daß man alle anderen Theorien als falsch oder – wie zum Beispiel die Theorien von den Zehn verlorenen Stämmen Israels, von Atlantis und MU – als einfach unsinnig eliminierte.

Selbst wenn man – wie man es heute tut – mehrere Immigrationswellen annimmt und auch nicht mehr gänzlich ausschließt, daß vielleicht vor Kolumbus, vielleicht sogar vor den Wikingern *zufällige* Einwanderungen auf Schiffen oder Flößen über den Pazifik oder den nördlichen Atlantik stattgefunden haben (womit man die Vielfalt der Indianersprachen und die rassischen Unterschiede erklärt), so blieb doch lange die Frage unbeantwortet, ob es wirklich möglich gewesen sei, daß ein paar Horden in relativ wenigen Tausenden von Jahren sich zu Millionen vermehrten und tatsächlich von der Bering-Straße den Weg bis zur Südspitze Südamerikas fanden.

Wirklich ist der Drang nach Süden, der sie beseelt haben muß, etwas rätselhaft. Man hat lange ganz einfach «den natürlichen Drang zur Sonne» als simpelste Erklärung angenommen, ein prähistorisches «Southward Ho!» sozusagen, wie es in den nordamerikanischen Pioniertagen ein «Westward Ho!» gegeben hat.

Aber: Wieso sind dann die asiatischen Stämme nach Norden, in die kalte Finsternis, gewandert? Und warum sind dann die Eskimos, die jüngsten prähistorischen Einwanderer in Amerika, nicht dem Drang zur Sonne gefolgt, sondern haben sich unter den härtesten Bedingungen, die Menschen gerade noch ertragen können, in Eis und Schnee akklimatisiert?

Was nun die Vermehrung der ersten Immigranten betrifft, so sind äußerst scharfsinnige Rechnungen aufgestellt worden, die C. Vance Haynes jr. 1966 zusammenfaßte.[3] Nach ihm kann sich tatsächlich eine Horde von nur dreißig Mammutjägern in 500 Jahren auf 800 bis 12 500 Menschen vermehrt haben, was 26 bis 425 Jägerhorden entspricht. Haynes geht hier von den Clovis-Jägern aus, die vor 12 000 oder 13 000 Jahren einwanderten und deren charakteristische Speerspitzen weit über den Kontinent verstreut liegen, und er errechnet, daß diese Horden durchaus in der Lage waren, in derselben Zeitspanne 2 bis 14 Millionen Speerspitzen anzufertigen!

Bleibt die Geschwindigkeit ihrer Ausbreitung: Haynes errechnete, daß die Clovis-Jäger, wenn sie sich pro Jahr nur vier Meilen nach Süden bewegten, in 500 Jahren durchaus von der Bering-Landbrücke bis zu ihren südlichsten Jagdgründen in New Mexico gelangen konnten. Das ist realistisch. Eine unrealistische Rechnung besagt: «Wenn eine einzige nomadische Jagdgruppe, die von der Bering-Straße ausging, ihr Lager jede Woche nur drei Meilen nach Süden verlegte [und das] Woche für Woche, Monat für Monat, konnte das südlichste Ende Südamerikas in nur siebzig Jahren erreicht werden.»[4] Das ist unrealistisch, weil für ein Jägervolk, das ständig kreuz und quer seinen großen Tieren folgen muß, eine solche kontinuierliche Reise nach Süden ganz ausgeschlossen ist. Aber wie dem auch sei: *Diese ersten Jäger eroberten Nord- und Südamerika!*

Und an dieser Tatsache ändert auch die Diffusionstheorie nichts mehr, deren Vertreter, gestützt auf Sprachähnlichkeiten, den Pyramidenbau, bestimmte mythologische Vorstellungen und andere Anzeichen, den Nachweis zu erbringen suchen, daß mehrere Male kulturelle Invasionen – vielleicht von Ägypten her, von Mesopotamien, von China sogar – stattgefunden haben. Zur Ähnlichkeit der Indianersprachen mit Sprachen der Alten Welt sagt Willey 1966 kurz und bündig: «Gegenwärtig sind keine solchen Verwandtschaften jemals befriedigend dargelegt worden»[5] Aber er, wie auch andere moderne Archäologen halten kulturelle Einflüsse der Alten Welt für möglich, besonders auf Mittel- und Südamerika – aber erst in *geschichtlicher* Zeit, als schon seit Jahrtausenden die Frühen Jäger durch die einsamen Hochländer des nordamerikanischen Südwestens streiften, auf den Spuren der inzwischen ausgestorbenen Tiere.

Und die Frühen Jäger, die *wirklich ersten Amerikaner*, kamen über die Bering-Landbrücke, mutig, neugierig, bis zu gewissen Graden erfindungsreich. Warum sie es nicht zu solchen Hochkulturen brachten wie die Mayas, Azteken und Inkas weiter im Süden – das wird wohl ewig ein Rätsel bleiben.

Nachspiel:
Der letzte Steinzeitmensch der USA

Die Geschichte beginnt in Kalifornien, vorm Zaun eines Schlachthauses, in der frühen Dämmerung des 29. August 1911.

Die Hunde begannen derart zu kläffen, daß ein paar verschlafene Schlächter ins Freie kamen, um nachzusehen, was es gebe. Sie fanden, zusammengesunken am Zaun, eine Gestalt, die sie zuerst für einen betrunkenen Tramp hielten. Dann sahen sie, daß die Gestalt fast nackt war, nur um die Schultern hing ihr ein Fetzen Stoff gleich einem Poncho. Und das Gesicht war offenbar das eines Indianers, doch von einer Art, wie sie es noch nie gesehen hatten. In den schwarzen Augen des Geschöpfes stand Furcht, ja geradezu Entsetzen.

Die etwas ratlosen Schlächter wußten nichts Besseres, als den Sheriff des nächsten Städtchens anzurufen, das war Oroville, etwa 113 Kilometer nordöstlich von Sacramento. Der Sheriff kam, näherte sich dem Geschöpf mit gezogener Waffe und forderte zum Mitkommen auf. Die Antwort waren unverständliche Laute. Da der Sheriff sichergehen wollte, legte er dem seltsamen Mann – der alles, nur unter Zeichen größter Furcht, widerstandslos mit sich geschehen ließ – Handschellen an und nahm ihn im Wagen mit nach Oroville, wo er ihn in die Zelle sperrte, die normalerweise für Geisteskranke vorgesehen war.

Jetzt sah er, daß sein Gefangener zu Tode erschöpft war. Ja, er war zweifellos ein Indianer, aber seine Haut war etwas heller als die aller Stämme, die der Sheriff kannte. Jede Verständigung erwies sich als unmöglich, auch als man einen Mexikaner, der es auf spanisch versuchte, dann schließlich ein paar Indianer herbeigeholt hatte, die mehrere Dialekte sprachen.

Dem Sheriff war nicht ganz wohl in seiner Haut, denn inzwischen hatte sich die Ankunft eines «wilden Mannes» herumgesprochen, und es kamen immer mehr Neugierige, um ihn zu besichtigen, zuletzt der Reporter des lokalen Blattes. Der «wilde Mann» erschien mit Bild am nächsten Tag in der Zeitung, am übernächsten machte er Schlagzeilen in der Presse von San Francisco. Dort aber befand sich das Anthropologische Museum der University of California, wo zwei sofort interessierte Anthropologen arbeiteten, Alfred L. Kroeber, von dem hier schon die Rede war, und Thomas T. Waterman.

Es war ein Glück für Ishi, wie wir den wilden Mann bei seinem Namen nun nennen wollen, und ein Glück für die Wissenschaft, daß Kroeber und Waterman nicht nur die Zeitungsartikel zu Gesicht bekamen, sondern sofort ahnten, daß hier vielleicht ein einzigartiger Fall vorlag: Wenn das seltsame Geschöpf wirklich eine unbekannte Sprache sprach, konnte es dann nicht einer der letzten Überlebenden eines Stammes sein, den man untergegangen glaubte? Das war eine ganz und gar phantastische Hoffnung zweier Anthropologen, aber Kroeber sandte am 31. August, zwei Tage, nachdem Ishi aufgetaucht war, folgendes Telegramm nach Oroville:

«Sheriff, Butte County. Zeitungen berichten Gefangennahme wilden Indianers, der anderen Stämmen völlig unverständliche Sprache spricht. Bitte bestätigen oder verneinen Sie durch bezahltes Rücktelegramm, und wenn Geschichte richtig, festhalten Indianer bis Ankunft Professor Staatsuniversität, der übernehmen und für ihn verantwortlich sein wird. Angelegenheit wichtig für Darstellung Geschichte der Eingeborenen.»[1] Die Antwort kam prompt und noch am selben Tag war Waterman auf dem Weg zu Ishi.

Die Hoffnung der Anthropologen hatte nur eine schwache Stütze. Es war bekannt, daß das Land um Oroville früher zum Territorium der Yana-Indianer gehört hatte, die verschiedene Dialekte gesprochen hatten. Von den beiden nördlichen Stämmen hatte man sprachliche Aufzeichnungen; letzte Überlebende, ein Mann Batwi, Sam genannt, und eine Frau Chidaimiya, als Betty Brown christianisiert, hatten ein reichhaltiges Vokabular gestiftet. Vom südlichen Stamm allerdings, den Yahi, fehlte jede Wortüberlieferung, der Stamm galt als ausgestorben. Sollte also Ishi ein Yahi sein, würde es fürs erste schlecht stehen um die Verständigung, aber es wäre eine Sensation für die Wissenschaft.

Wir können nachfühlen, mit welcher Spannung sich Waterman zum erstenmal, sein Yana-Vokabular in der Hand, Ishi in der Zelle gegenübersetzte. Er schlug sein «Wörterbuch» auf, deutete auf Dinge, prononcierte die Wörter, wiederholte sie in anderer Betonung, weil er der Richtigkeit seiner Aussprache nicht trauen konnte. Ohne Erfolg. Ishi, zusammengefallen (er hatte das Essen verweigert, weil er, wie später herauskam, geglaubt hatte, man wolle ihn vergiften), starrte ihn nur unergründlich an. Waterman wurde immer hoffnungsloser, er näherte sich dem Ende seiner Liste, deutete mit dem Finger auf das Holz des Feldbetts, sagte: «Siwini», was Gelbfichte heißt. Und da richtete sich Ishi auf. «Siwini», wiederholte er. Und dann überkam es beide: Wie besessen klopften sie immer wieder auf das Holz und riefen: «Siwini! Siwini!» – strahlend, sie verstanden sich.

Es dauerte Stunden, bis Waterman andere korrespondierende Wörter ge-

funden hatte, bis er erkannte, daß Ishi zweifellos ein Yahi war und daß die
Sprache dieses südlichen Stammes durchaus verwandt war mit den teilweise
bekannten Sprachen im Norden; bis er Verbindungen, Ähnlichkeiten schon
im Aussprechen zu deuten wußte; bis sich Sätze formten, bis plötzlich der
Augenblick kam, da Ishi die erste Frage stellte, eine Frage, das erkannte Waterman sofort, an deren richtiger oder falscher Beantwortung sich entscheiden
würde, ob er das Vertrauen des wilden Mannes erringen konnte. Die Frage
kam: «I ne ma Yahi?» (Bist du von unserem Volk?) Und Waterman blickte
in die schwarzen Augen und sagte: «Ja!»

Von diesem Augenblick an trat Ishi aus der Steinzeitwelt in die Umwelt des
modernen Mannes. Doch zuvor ergaben sich einige technische Probleme. Der
Sheriff wußte nicht, was zu tun sei. Ishi war offenkundig weder verrückt
noch gefährlich; welchen Grund also gab es, ihn im Gefängnis zu halten? Andererseits – was würde aus ihm werden, wenn er ihn freiließe in eine Welt, die
er nur als feindlich und erschreckend sehen konnte?
    Der Sheriff wälzte die Verantwortung auf Waterman ab, und der über-
nahm sie. Telegramme gingen hin und her zwischen Oroville und Kroeber in
San Francisco; doch der Fall war ohne Beispiel, das Indian Bureau in Washington mußte eingeschaltet werden. Nach achtundvierzig Stunden war der
Fall geklärt. Der Sheriff unterzeichnete ein wohl einzigartiges Dokument:
Ein Gefangener wurde direkt einem Museum überstellt.
    Und damit begann Ishis zweites Leben. –
    Wir müssen hier zurückgreifen in die Geschichte, um genau zu verstehen,
welcher Welt Ishi entstammte und warum sein Fall ein solches Glück für die
Wissenschaft war. Ishis Leben verlief nämlich nach den Gesetzen einer antiken Tragödie; einer Untergangstragödie.
    Nach archäologischen Funden läßt sich (natürlich nur höchst ungenau)
schätzen, daß vor der weißen Einwanderung in Kalifornien vielleicht
150 000 Indianer lebten. Sie gliederten sich in einundzwanzig Volksgruppen,
die sich wiederum aufspalteten in mehr als zweihundertfünfzig Untergrup-
pen, Stämme, Familien, in denen hundertdreizehn verschiedene Idiome gesprochen wurden; einige davon unterschieden sich nur wenig, so wie das Bo-
stoner Englisch von dem von New Orleans, viele aber waren einander so
fremd wie Französisch und Englisch.
    Eine beachtliche Gruppe waren die Yanas, östlich des Sacramento-Flusses
bis hin zum Mount Lassen, vielleicht zweitausend bis dreitausend Menschen,
die sich vor etwa 1000 Jahren ins Hochland zurückgezogen und zu einem
raublustigen Volk entwickelt hatten. Eigentlich waren es vier Stämme, von
denen die Yahi der südlichste waren, in der Gegend des Mill Creek und Deer

Creek. Sprachlich gehörten sie zur Hokam-Familie. Ein Kuriosum war, daß Männer und Frauen einen verschiedenen Dialekt sprachen. Die Knaben, die von den Frauen großgezogen wurden, lernten die Männer-Sprache erst um das zehnte Lebensjahr herum; und Bruder und Schwester redeten sich in der zweiten Person Mehrzahl an, machten also den respektvollen Unterschied, den die Franzosen mit *tu* und *vous* ausdrücken.

Sie lebten das Leben von Jägern, Fischern, Sammlern von Früchten und Wurzeln (Ernährungsbasis war das Eichelmehl) — kannten keine Tonwaren, dafür flochten sie Körbe für jeden Zweck.

Ihre Tragödie begann im Jahre 1849 mit dem kalifornischen Goldrausch.

Das Land hatte unter mexikanischer Regierung schlecht und recht gelebt, wurde 1848 von den Vereinigten Staaten annektiert und geriet durch den Goldrausch in eine Periode totaler Gesetzlosigkeit. Allein 1849 strömten von der See und vom Land her 80 000 Goldsucher in die Flußtäler und Berge, harte Männer, stark durchsetzt mit Gesindel. Schiffe im Hafen wurden verlassen, Farmen veröraten und ganze Dörfer entvölkerten sich — dagegen schossen ohne Zahl aus dem Boden die gesetzlosen schnellebigen Goldgräbersiedlungen. Nur acht Prozent der Bevölkerung waren weiblich, in den Minengebieten nur zwei Prozent. In den zehn Jahren bis 1860 wuchs die weiße Bevölkerung auf 390 000. Nur als Arabeske sei hier erwähnt, daß sich unter diesen Männern auch einer befand, der als berühmtester Archäologe seiner Zeit, als der spätere Ausgräber von Troja, in die Geschichte eingehen sollte: der Deutsche Heinrich Schliemann; er hielt es jedoch nicht lange aus, die Sitten waren ihm zu rauh. Die Taten und Untaten dieser Jahre sind romantisch verklärt, sind legendär geworden; sie zeigten den amerikanischen Charakter, sagte man später, von der besten und von der schlechtesten Seite. Die Bevölkerungsgruppe, die am meisten zu leiden hatte, waren die Indianer.

Sie wurden Schritt für Schritt zurückgedrängt. Als sie sich mit ihren schlechten Waffen wehrten, als sie, von Hunger getrieben, Transporte überfielen, Ranchos plünderten, wurden schreckliche Vergeltungsfeldzüge gegen sie geführt. Anfang der sechziger Jahre geriet das Land östlich des Sacramento in Furcht und Aufregung, als Indianer, wahrscheinlich Yahi, fünf weiße Kinder umgebracht hatten; aber in den Jahren 1852–67 hatten die Weißen drei- bis vier*tausend* Indianer getötet. Mit welch sinnloser Grausamkeit der Kampf geführt wurde, erhellt daraus, daß die Weißen in Kalifornien *das Skalpieren einführten*, das den kalifornischen Stämmen unbekannt war. Waterman berichtet:

«Nach einer guten Quelle kann ich von dem Fall eines alten Goldsucher-Pionier-Bergmann-Fallenstellers dieser Gegend berichten, der selbst in jüngstvergangenen Jahren auf seinem Bett eine Decke hatte, die mit Indianerskal-

pen eingefaßt war. Diese waren Jahre vorher erbeutet worden. Er war niemals ein Regierungspfadfinder (government scout), Soldat oder Polizeibeam-
ter gewesen. Die Indianer hatte er völlig aus eigenem Antrieb getötet. Er ist
zu keiner Zeit dafür zur Rechenschaft gezogen worden.»

In dieser Zeit wuchs Ishi auf. Er muß, nach allem, was von ihm zu erfahren
war, um 1862 geboren sein. Es kann sein, daß er nie einen Weißen Mann aus
der Nähe gesehen hat, denn seine Gruppe befand sich stets auf der Flucht.
Und Furcht vor dem Weißen Mann war es, was sich ihm in frühester Kindheit einbrannte – als er von den letzten Massakern erzählen hörte, denen die
Reste seines Stammes zum Opfer gefallen waren. Einmal noch hatten die Yahis zurückgeschlagen. Beraubt des Landes, das ihnen Nahrung gegeben hatte,
vom Hunger aus der ausgedörrten Wildnis herabgetrieben, hatten sie im August 1865 eine Ranch überfallen und dabei drei Weiße getötet. Unter Führung zweier legendärer Indianertöter, Anderson und Good, beide schon reich
an Skalpen, umzingelten in mondloser Nacht siebzehn Männer das kleine
Yahi-Dorf am Mill Creek und machten Männer, Frauen und Kinder nieder –
«viele Leichen schwammen die reißende Strömung hinab». Solche Metzeleien
wiederholten sich 1867 und 1868 und fanden ihre «Krönung» nördlich des
Mill Creek, wo in einer Höhle zu Campo Seco dreiunddreißig Indianer einge-
schlossen, getötet und skalpiert wurden – von nur vier Weißen, schwerbe-
waffneten allerdings, die während des Massakers die großkalibrigen Gewehre
gegen ihre Revolver austauschten, denn die Gewehre, wie der beteiligte Weiße Norman Kingsley später bemerkte, «zerrissen sie zu sehr» – besonders die
Säuglinge.

Nach dieser Hinmetzelung glaubten die weißen Siedler, die Yahis ein für
allemal ausgerottet zu haben. Aber es geschah etwas ganz Gespenstisches: Als
nach wenigen Tagen ein paar Cowboys die Höhle besuchten, waren die dreiunddreißig Leichen spurlos verschwunden. Es war klar: Es mußte noch Überlebende geben, die ihren Toten die letzte Ehre der Bestattung (wie wir wissen:
der Feuer-Bestattung) gewährt hatten. Aber diese letzten Überlebenden
tauchten nicht mehr auf – genau gesagt: Sie blieben spurlos verschluckt von
der Wildnis, zwölf Jahre lang, von 1872 bis 1884!

Theodora Kroeber, die Frau des großen Anthropologen, gibt eine so ein-
fühlsame Beschreibung dieser Zeit des verborgenen Daseins unter tödlicher
Bedrohung, daß wir etwas unterschlagen würden, zitierten wir sie nicht.

«In den zwölf Jahren zwischen 1872 und 1884 geschah nichts Besonderes.
Die Indianer hielten sich in diesen zwölf Jahren gut verborgen. Weder Pferde
noch Rinder wurden gejagt, keine Hütten geplündert, kein Getreide gestohlen; kein Fußabdruck, kein verräterisches Stückchen Asche, kein Rauchwölk-
chen eines Feuers konnte gesehen werden; kein einziger abgebrochener Pfeil-

schaft oder eine verlorene Speerspitze oder der Rest einer Schlinge aus Wolfs-
milch-Schnur wurde in einem Wald oder auf einem Wiesengrund als Zeichen
indianischer Anwesenheit gefunden ...

Den größten Teil seines Lebens war Ishi völlig von der Geschichte getrennt. Eine lange Stille. Vergeblich bemühen wir uns zu verstehen, wie die
Tage und die Nächte in jener Zeit verrannen, und wenn Ishi auch nicht ihre
Traumata und Tragödien für uns aufhellen konnte, so konnte er uns doch einiges aus ihrem täglichen Leben beschreiben, und das tat er auch.

Die im Verborgenen Lebenden fischten mit Harpunen und Netzen, jagten
mit Pfeil und Bogen und durch Fallenstellen – alles lautlose Waffen. Sie sam-
melten Eicheln im Herbst, wenn möglich genug, um sich durch den Winter zu
bringen. Sie aßen grünen Klee im April und Zwiebeln im Frühsommer.
Im Mittsommer wanderten sie auf einer Reise, die vier Nächte dauerte,
nach Waganupa, mit seiner kühleren Luft, den tieferen Schatten und dem
zahlreichen Jagdwild. Die übrige Zeit lebten sie am oberen Mill Creek in kleinen Hütten, die so getarnt waren, daß von oben, der einzigen Richtung, aus
der sie gesehen werden könnten, die gebogenen Zweige, die sie bedeckten, wie
ein Werk der Natur aussahen. Nahebei waren die Vorratsplätze in der gleichen Weise getarnt; sie enthielten Trockenrahmen, Körbe voll gedörrtem
Fleisch und Fisch und Eicheln, dazu Tragekörbe, Werkzeuge und Häute. Sie
wanderten manchmal über weite Entfernungen, indem sie von Felsblock zu
Felsblock sprangen, wobei ihre bloßen Füße keinen Abdruck hinterließen;
oder sie gingen flußauf oder flußab und machten die Bäche zu ihrer Straße.
Jeder Fußabdruck im Boden wurde mit toten Blättern überdeckt, unkenntlich
gemacht. Ihre Pfade liefen unter dem dichten Chaparral dahin, sie krochen
auf allen vieren hindurch. Rinder konnten solche Pfade nicht finden; selbst
Hirsche suchten leichtere Wege. Wenn ein Zweig im Weg war, so wurde er
langsam weiter und weiter zurückgebogen und, wenn es nicht anders ging,
durch Verkohlen und Durchreiben mit einem rohen Steinwerkzeug durch-
trennt, ein langsamer, aber geräuschloser Vorgang. Sie hackten niemals, denn
das Geräusch des Hackens verrät die Anwesenheit des Menschen. Sie hielten
ihre Feuer klein, so daß der Rauch sich harmlos durch den Busch verteilte,
ohne sich wie ein Signal über den Baldachin aus Lorbeerbäumen zu erheben,
und sofort nachdem das Feuer erloschen war, bedeckten sie die Brandstelle
mit Felsbrocken. Sie kletterten die senkrechten Felswände des Mill Creek Canyon an Seilen aus Wolfsmilchfasern hinauf und hinab – ein schneller und sicherer Weg, da der Cañon gut durch Bäume, die über seinen Rand hingen,
verdeckt war. Sie konnten so leicht und schnell einen Fang Fische oder einen
Korb Wasser herausbringen oder sich selbst zum Schwimmen hinunterlassen.
Schwieriger war es, die kleinen, sich verzweigenden Pfade hinunter- oder her-

aufzukriechen, die zum Rande des Wassers führten. Auch benutzten sie diese Pfade nur selten, damit sie sich nicht zu klar markierten, sondern weiterhin nichts mehr als Wechsel von Kaninchen oder Wieseln zu sein schienen. Sie mahlten ihre Eicheln auf glatten Steinen zu Mehl und machten daraus ihren täglichen Brei, den sie in Körben kochten. Sie trugen Umhänge aus Hirschleder und Wildkatzenfellen, gelegentlich aus Bärenfell. Und sie schliefen unter Decken aus Kaninchenfell. *Völkerkundler stimmen darin überein, daß sie der ursprünglichsten und einfachsten Art des Lebens folgten, die sich auf dem Kontinent anbot, zumindest seit Ankunft des weißen Mannes in Amerika.*»

Unter diesen Umständen wuchs Ishi zum Mann. Aus uns unbekannten Umständen fanden sich plötzlich wieder Nachrichten über die letzten Yahis ab 1884. Spärlich nur; Gerüchte gingen um. Da und dort war ein Indianer gesehen worden, wie ein Schatten war er verschwunden; da und dort war ein Vorratslager der Cowboys geplündert worden, aber nur Spuren von nackten Füßen gaben Zeugnis. Die Beobachtungen gelangten in die Zeitungen, aufgebauscht, mit viel journalistischem Rätselraten. Heut wissen wir: Ishi lebte noch mit vieren von seinem Stamm. Ihre letzte Wohnstatt war *Wowunupo mu tetna*, das «Grislybären-Versteck».

«Wowunupo ist ein schmaler Felsvorsprung, 150 Meter oder mehr über dem Bach, nur hier ließ sich an der steilen Cañonwand auch nur das einfachste Schutzdach errichten. Bäume wuchsen hoch entlang dieses Felsgesimses, überschatteten und verdeckten es gegen Einsicht von unten und von der anderen Seite. Von dem Gesims bis zum oberen Rande des Cañons stieg nackter Fels senkrecht und unpassierbar 60 Meter steil empor, der dem Versteck eine geschützte Rückwand und vollkommenen Schutz gegen Entdeckungen von oben bot.»

Und doch nicht sicher genug. Die Weißen rückten näher. Erst zwei, dann ein einzelner entdeckten einen Indianer – ein Pfeilschuß trieb ihn zurück. Im Jahre 1908 wurde Wowunupo entdeckt. Was die Weißen fanden, war eine uralte kranke Indianerin, bedeckt mit Matten, so als ob ihre Verwandten beim Nahen der Weißen noch versucht hatten, sie zu verbergen. Nahrungsmittel und Decken wurden gefunden. Als die Weißen am nächsten Tag wiederkamen, war auch die Alte verschwunden. Später stellte sich heraus: Dort hatte Ishi gelebt mit seiner Mutter, seiner Schwester, einem alten und einem jungen Mann. Als das Lager gefunden wurde, war der jüngere schon tot, die andern verstreuten sich vor Angst und kamen in der Wildnis um. Nur Ishi überlebte. Der Letzte seines Stammes jagte noch drei Jahre einsam in den Wäldern, bis er keine Nahrung mehr fand und halb verhungert zum erstenmal in seinem Leben auf die Wohnungen der Weißen zukroch, wo er an jenem Morgen vor dem Zaun eines Schlachthauses gefunden wurde.

Am Labor Day, dem 4. September 1911, traf Ishi im Museum ein und wurde am nächsten Vormittag Kroeber vorgeführt. Ishis Status war nicht ganz klar. War er zum Beispiel amerikanischer Bürger mit Wahlrecht? Die Frage wurde von Washington tatsächlich offiziell angeschnitten, aber dann stillschweigend fallengelassen. Wer sollte Ishis Unterhalt bezahlen? Kroeber fand den Ausweg, indem er den wilden Mann als Hilfspförtner in die Gehaltsliste aufnahm, und zum Erstaunen aller stellte sich schnell heraus, daß Ishi seinen Aufgaben voll gewachsen war: Er putzte und fegte mit Hingabe und Sorgfalt.

Der Ansturm von Neugierigen übertraf jede Erwartung. Dazu kamen Reporter und Fotografen, Zirkus-Direktoren und Vaudeville-Manager, die Ishi unter Vertrag nehmen wollten, und von denen einer die Stirn hatte, Kroeber zu bitten, mitzumachen und in einer Zwei-Mann-Show aufzutreten. Schallplatten-Gesellschaften wollten, daß er für sie sänge, und Filmfirmen (in diesem Jahr 1911 entstand die Filmstadt Hollywood) wollten ihn in Dokumentar- und Spielfilmen auftreten lassen; sogar ein Heiratsantrag wurde ihm gestellt.

Zweierlei war nun für die Anthropologen interessant. Erstens, wie verhielt sich ein Steinzeitmensch der Zivilisationswelt des 20. Jahrhunderts gegenüber, zweitens, was hatte er aus seiner eigenen Umwelt zu berichten?

Die «Zivilisierung» Ishis ging schnell vonstatten und zeitigte ein paar erstaunliche Resultate. Er akzeptierte sofort die Kleidung – bis auf die Schuhe, die er nur bei besonderen Gelegenheiten anzog; er, der zeit seines Lebens nackt gelaufen war, weigerte sich jetzt durchaus, ohne Kleider fotografiert zu werden (erst später, auf einem Ausflug in die Wildnis, erlaubte er das wieder). Er war ungemein sauber und ordnungsliebend, er nahm täglich ein Bad; das hatte er aber in der Natur auch getan, also wahrscheinlich öfter als die gewöhnlichen weißen Bewohner des damaligen amerikanischen Westens. Man nahm ihn ins Restaurant und ins Theater mit. Er war scheu, lernte aber sofort den Gebrauch von Messer und Gabel und «fiel nicht auf». Im Theater faszinierte ihn das Auditorium, nicht die Bühne, nicht die Akteure, selbst nicht Akrobaten. Das irritierte anfangs seine Betreuer, bis sie ihn an den Ozean führten, der zu ihrer Überraschung ebenfalls keinen Eindruck auf Ishi machte, wohl aber wieder das «Auditorium», nämlich die Unmassen der Menschen am Strand. Ishi hatte die meiste Zeit seines Lebens nicht mehr als ein Dutzend Menschen gekannt, er hatte nur nach den Raubzügen der späten Jahre von der Existenz weißer Männer gewußt, hatte aber keine Vorstellungen von ihrer Zahl, die ihn nun überwältigte. Zählen übrigens konnte Ishi von 1 bis 10, und als man ihm sein Gehalt in Halbdollarmünzen auszahlte, kannte er sehr wohl den Unterschied etwa zwischen 40 und 20. Um seinen Scheck einlösen zu können, mußte er eine Unterschrift leisten: Er lernte es.

Auf den ersten Spaziergängen imponierten ihm nicht die Autos (obwohl doch allein schon das Rad ihm völlig fremd war), sondern die Eisenbahn, die er nun sah, nachdem er sie auf seinen Streifzügen oft in der Ferne gehört und für einen bösen Dämon gehalten hatte. Er nahm jetzt keinen Anstand, sie in Begleitung zu benutzen, und auf der Straßenbahn fuhr er bald sogar allein. Die hohen Häuser beeindruckten ihn nicht – die Kliffe im Cañon wären höher gewesen, bemerkte er. Ja, er «bemerkte», denn im Lauf der Zeit lernte er Englisch bis zu einem Sprachschatz von etwa 500 bis 600 Wörtern, kaum weniger als zahlreiche europäische Einwanderer der ersten Generation; nur einmal reagierte er mit blankem Entsetzen, als er im benachbarten Krankenhaus, wo er Freundschaft mit Dr. Saxton Pope geschlossen hatte, der ihn regelmäßig untersuchte und seine oft auftretenden Erkältungen kurierte, zufällig in die Leichenhalle geriet; im Anblick des Todes verfiel er in Panik und fürchtete Geister und böse Dämonen.

Es wurden regelmäßige Besuchszeiten für ihn angesetzt, sonntags von 14 Uhr bis 16.30 Uhr. Zu einem der ersten Empfänge erschienen etwa tausend Personen. Ishi bewahrte vorbildliche, würdige Haltung, drückte jedem freundlich lächelnd die Hand. Er bemühte sich sehr, Personen wiederzuerkennen. Einen Chinesen nannte er mit *seinem* Stammnamen «Yana», während die Weißen für ihn «Saltu» blieben, die «Anderen», was als hübscher Hinweis auf die asiatische Abstammung aller Indianer betrachtet werden, aber natürlich auch ganz äußerliche Gründe haben kann; immerhin ist noch bemerkenswert, daß Ishi, wie die Chinesen, das amerikanische «r» nicht aussprechen konnte und statt dessen «l» benutzte.

All seine Freunde, Kroeber, Waterman und Pope, hatten den Eindruck, daß Ishi sich im Museum «zu Hause» fühlte. Aber keiner ahnte im entferntesten, wie stark das wirklich der Fall war. Als nämlich der Plan auftauchte, mit Ishi eine lange Erkundungsfahrt ins Yana-Land zu machen, in sein Heimatland, da geriet er in größte Bestürzung. Es grenzte ans Groteske: Er bestürmte die Freunde mit den Schilderungen der Beschwernisse, die sie erwarteten, Unwetter würden drohen, Schlangen und Bergkatzen wären lebensgefährlich, Hunger und Durst waren zu erwarten, kein weiches Bett würde sie des Abends empfangen – und all das wollten sie auf sich nehmen, nur um seine Wildnis kennenzulernen? Er wies aufs Bad, auf die Heizung, auf die Stühle und Kommoden – es erschien ihm wahnwitzig, all das aufzugeben, sei es auch nur für Wochen!

Hier nun ist's an der Zeit, aufzuzählen, was Ishi *lehrte*, nicht was er lernte. Er lehrte seine Freunde *alles*, was er konnte und wußte. Es fing mit seiner Sprache an, in der er allmählich seinen ganzen Wortschatz diktierte; aber er trug auch seine Gesänge vor und die unzähligen Rufe der wilden Tiere und

Vögel, seine Lockrufe auf der Jagd. Er zeigte all seine Handfertigkeiten, die dem Steinzeitmenschen das Überleben in der Wildnis ermöglichen. Er erzählte Dr. Pope an die vierzig verschiedene Geschichten, Erzählungen aus der Welt des Waldes, durchwoben von Träumen und Geistern, von Furcht und Liebe. Im Garten des Museums baute er eine Hütte, wie er sie im Yana-Land gehabt hatte. Körbe flocht er nicht, er konnte es nicht oder wollte es nicht, denn das war Frauenarbeit. Dem Manne geziemte es, Geräte für die Jagd zu beschaffen. Hier nun zeigte er Fähigkeiten, die von höchstem Wert für die Wissenschaftler waren. Sie konnten *zusehen*, wie ein Mensch vor 1000 oder 10 000 Jahren eine Speerspitze aus einem Obsidian-Brocken schlug. Ishi brauchte dreißig Minuten für eine vollendet geformte, haarscharf-tödliche Spitze. Er fertigte vor ihren Augen Harpunen, Angelzeug, Schlingen und flocht Seile aus den Fasern der Wolfsmilch-Pflanze oder den Sehnen der Hirsche. Und er schuf, die Krönung seiner Kunstfertigkeit, Pfeil und Bogen, eine langwierige Arbeit, da das Holz in den verschiedenen Stadien der Bearbeitung immer wieder trocknen mußte und außerdem gewisse mystische Riten beachtet werden mußten. Dr. Pope war sein eifrigster Schüler und veröffentlichte später mehrere Abhandlungen über die Kunst des Bogenschießens. Weniger glücklich war Waterman, der aufmerksam beobachtete, wie Ishi mit Hilfe eines hölzernen Drillbohrers aus einem weichen Holzstück Funken erzeugte und Feuer entfachte. Waterman war so voreilig, später von all seinen Anthropologie-Studenten zu verlangen, daß sie vor dem Examen lernen müßten, wie Ishi Feuer zu drehen. Er wolle, so sagte er, es ihnen das erste Mal vormachen – und er drehte und drehte und brachte nicht den leisesten Funken aus seinem Holz!

Im Mai 1914 rüstete Kroeber zur Expedition ins Yana-Land, trotz Ishis Sträuben. Und nun lernten sie ihn in seiner Welt kennen. Sie suchten all die Orte auf, an die er sich erinnerte, weil sie einmal wichtig für ihn gewesen waren – den eines Massakers während seiner Kindheit, den einer Feuerbestattung, den eines glücklichen Schusses oder des Zweikampfs mit einem Cinnamon-Bären. Und in Wowunupo, dem «Grislybären-Versteck», erlebten sie noch einmal das Ende der Letzten seines Stammes.

Jetzt sahen sie ihn seinen wunderbaren Bogen gebrauchen; er schoß einen Vogel im Flug, Kaninchen auf fünf, Hirsche auf 35 Meter Entfernung. Sie beobachteten sein völlig geräuschloses Gleiten durchs Dickicht, was sie nie nachzuahmen vermochten, und seine akrobatische Gewandtheit, wenn er sich am selbstgemachten Seil über die Kliffe des Cañons schwang. Sie waren begierig zu lernen, als er ihnen nach und nach mehr als zweihundert Pflanzen und Kräuter beim Namen nannte und ihre Eignung als Nahrung oder Medizin erläuterte. Sie verzweifelten an seiner stoischen Geduld, mit der er,

wenn nötig, viele Stunden lang völlig unbeweglich auf das Hervortreten eines
Wildes lauerte, dessen Vorhandensein er mit völliger Gewißheit erkannt hatte.

Die Wissenschaftler warteten die ganze Zeit auf ein Zeichen, daß Ishi, ihr
Freund, sich ihnen wieder entfremden würde, daß er bleiben wolle, wo er
großgeworden. Er wollte nicht. Er drängte zur Heimkehr, und sein «Heim»
war seine Stube im Museum. Als vom Bureau of Indian Affairs noch einmal
die Frage aufgeworfen worden war, ob man Ishi nicht doch in eine Reserva-
tion zu seinesgleichen schicken solle, und als Kroeber gezwungen war, ihm
das vorzutragen, da antwortete er: «Ich möchte für den Rest meiner Tage
wie ein weißer Mann leben. Ich möchte hier bleiben, wo ich jetzt bin. Ich
möchte in diesem Hause alt werden und hier ist es, wo ich sterben möchte.»

Und so geschah es.

Im Jahre 1916 wurde Ishi immer kränker. Bald war kein Zweifel, daß er
Tuberkulose hatte. Er verbrachte lange Zeit im Hospital unter der Pflege seines Freundes Pope. Dann bat er, zum Sterben «heimgebracht» zu werden,
und wieder meinte er sein Museum. Man willfahrte ihm. Und dort starb er
am 15. März 1916, der letzte wilde Indianer Nordamerikas.

Ishi erhielt ein würdiges Begräbnis, das die im besten Sinne sentimentale
Bindung zeigt, die seine Freunde, anfangs nur interessierte Wissenschaftler,
im Lauf der Jahre zu ihm gewonnen hatten. Als Stimmen laut wurden, seinen
Körper wissenschaftlicher Zwecke wegen zur Autopsie freizugeben, telegra-
fierte Kroeber, der gerade in New York war:

«Die Wissenschaft soll zur Hölle fahren», und fügte hinzu: «Wir haben
Hunderte von Indianerskeletten, mit denen sich niemand beschäftigt. Das Interesse in diesem Falle wäre nichts als morbid und romantisch!» Doch da
Kroeber nicht zur Stelle war, wurde ein Kompromiß zwischen «Wissenschaft
und Sentiment» geschlossen. Dann wurde Ishis Körper verbrannt wie die seiner Vorfahren, die Asche in einer indianischen Urne beigesetzt, und beigegeben wurden ihm sein Bogen, fünf Pfeile, ein Korb mit Eichelmehl, einige Ob-
sidiane und andere Kleinigkeiten.

Kroeber, später befragt, wie er Ishi kurz charakterisieren würde, antwortete: «Er war der geduldigste Mensch, den ich kannte. Ich meine damit, er übte
die Philosophie der Geduld, ohne daß eine Spur von Selbstbemitleidung oder
von Bitterkeit die Reinheit seines weiteren Daseins trübte.»

Und Dr. Pope gab ihm diesen Nachruf: «Und so, stoisch und ohne Furcht,
ging der letzte wilde Indianer Amerikas dahin. *Er schließt ein Kapitel der Geschichte.* Er betrachtete uns als zivilisierte Kinder — schlau, aber nicht weise.
Wir wußten viele Dinge und vieles, was falsch ist. Er kannte die Natur, die immer
wahr ist. Er besaß Charaktereigenschaften, die immer gültig sein werden. Er
war gütig; er hatte Mut und Selbstdisziplin, und obwohl ihm alles genommen

war, war keine Bitterkeit in seinem Herzen. Seine Seele war die eines Kindes; sein Geist der eines Philosophen.»

Nicht von seinen Freunden, doch von der Welt wurde Ishi bald vergessen. Aber viele Aufzeichnungen über ihn waren gemacht worden und sind erhalten. Als man allerdings in spät erwachtem Interesse im Jahre 1957 die Kästen öffnete, in denen die Wachsrollen aufbewahrt waren, auf denen man Ishis Stimme, Gesang und Vokabular aufgenommen hatte, da zeigte sich, daß die meisten zerbrochen waren und daß darüber hinaus kein einziger der alten Vorführapparate mehr in Gang zu bringen war. Erst einem findigen Studenten gelang es, aus mehreren Apparaten einen brauchbaren zusammenzubasteln und so einen Teil der Rollen wieder zum Klang zu erwecken. Doch Schlimmeres zeigte sich, als man die alten Filmkassetten öffnete, die vier Jahrzehnte ausgerechnet in einem den Heizröhren benachbarten Raum aufbewahrt worden waren. 1500 Meter Film hatte die California Motion Picture Corporation damals nur für Museumszwecke aufgenommen. Die Büchsen, als man sie gewaltsam öffnete, enthielten eine undefinierbare, zusammengebackene Masse!

Anhang

Anmerkungen

WOVON DIE REDE IST

1 In einem Vortrag vor der William Marsh Rice University 1962, publiziert in Jesse D. Jennings und Edward Norbeck (Herausgeber): ‹Prehistoric Man in the New World› unter dem Titel ‹Early Man in the New World›; University of Chicago Press. Chicago 1964.
2 John McGregor: ‹Southwestern Archaeology›, Second Edition, University of Illinois Press, Urbana 1965.
3 Sir Mortimer Wheeler: ‹Moderne Archäologie, Methoden und Technik der Ausgrabung›, rowohlts deutsche enzyklopädie Nr. 111/112, Reinbek bei Hamburg 1960.
4 Gordon C. Baldwin: ‹America's Buried Past›, G. P. Putnam's Sons, New York 1962.
5 H. M. Wormington: ‹Ancient Man in North America›, The Denver Museum of Natural History, Popular Series No. 4, Denver 1964.

VORSPIEL: Der Präsident und die seltsamen Hügel

1 Sir Mortimer Wheeler: ‹Archaeology from the Earth›, London 1954; dt. Ausgabe: ‹Moderne Archäologie. Methoden und Technik der Ausgrabung›, rowohlts deutsche enzyklopädie Nr. 111/112, Reinbek bei Hamburg 1960.
2 William B. Parker und Jonas Viles (Herausgeber): ‹Letters and Addresses of Thomas Jefferson›, New York 1905.
3 Alle folgenden Zitate aus den ‹Notes› sind entnommen der Ausgabe von Saul K. Padover: ‹The Complete Jefferson›, New York 1943.
4 Wheeler ibid.

ERSTES BUCH
1. Kolumbus, die Wikinger und die Skrälinger

1 Zitiert nach Margaret Mead und Ruth L. Bunzel (Herausgeber): ‹The Golden Age of American Anthropology›, New York 1960.
2 R. A. Skelton, Thomas E. Marston und George D. Painter: ‹The Vinland Map and the ‚Tartar Relation'›, New Haven und London 1965; auch die folgenden drei Zitate sind aus diesem Werk.
3 Lawrence Steefel, Besprechung des Buches ‹The Kensington Stone: A Mystery Solved› in: The Minnesota Archaeologist, Vol. XXVII, No. 3, 1965. Diese Besprechung reicht weit über das Besprochene hinaus und ist die beste Kurzdarstellung des gesamten Kensington-Problems.
4 Eric Graf Oxenstierna: ‹Die wahren Entdecker Amerikas›, in: Die Welt der Literatur, Hamburg, 19. Januar 1967.
5 Helge Ingstad: ‹Die erste Entdeckung Amerikas›, Berlin 1966.

6 Dieser Text und die folgenden Zitate aus Sagas stammen aus: Thule – Altnordische Dichtung und Prosa, Band 13: *‹Grönländer und Färinger Geschichten›*, übertragen von Felix
  Niedner; Eugen Diederichs Verlag, Düsseldorf/Köln 1965.
7 Oxenstierna ibid.

2. Die Sieben Städte von Cibola

1 Alle Zitate nach der deutschen Übersetzung von Las Casas' *‹Brevísima relación de la de-
  strucción de las Indias occidentales›* von Andreä, 1790, neu herausgegeben von Hans Magnus Enzensberger: *‹Kurzgefaßter Bericht von der Verwüstung der Westindischen Länder›*, Sammlung Insel, 23, Frankfurt am Main 1966.
2 Vgl. die neueren Entdeckungsgeschichten von A. Grove Day: *‹Coronado's Quest›*, Los
  Angeles 1964, und von Herbert Eugene Bolton: *‹Coronado›*, Albuquerque 1964.
3 *‹The Seven Cities of Cibola›* von Lewis Henry Morgan, 1869 in: *North American Review*,
  CVIII, veröffentlicht, ist nicht damit zu vergleichen.
4 John Upton Terrell: *‹Journey into Darkness›*, New York 1962.
5 *‹The Journey of Alvar Nuñez Cabeza de Vaca . . ., translated from his own narrative by
  Fanny Bandelier›*, New York 1922.
6 Fanny Bandelier ibid.
7 John Upton Terrell: *‹Journey into Darkness›*, New York 1962.
8 John Upton Terrell ibid.
9 Fanny Bandelier ibid.
10 Wilhelm Wundt: *‹Völkerpsychologie›*, 1911–20, Vol. 1.
11 Adolph F. Bandelier: *‹Fray Marcos of Nizza›*, Papers of the Archaeological Institute of
   America, American Series V, Cambridge 1890.
12 Bandelier ibid.
13 Bandelier ibid.
14 Bandelier ibid.
15 Bandelier ibid.
16 Bandelier ibid.
17 Paul Horgan: *‹Conquistadors in North American History›*, Greenwich, Conn., 1965
18 Horgan ibid.
19 Horgan ibid.
20 A. Grove Day: *‹Coronado's Quest›*, Berkeley 1964.
21 Day ibid.
22 Day ibid.

3. Hymnus auf den Südwesten – von Bandelier bis Kidder

1 Charles F. Lummis: *‹In Memory›*, in: Adolph F. Bandelier: *‹The Delight Makers›*, 3. Auflage, New York 1918.
2 Zum hundertjährigen Jubiläum erschien über diese Reise zahlreiche Literatur. Die Biographie von John Upton Terrell *‹The Man who Re-Discovered America›*, New York 1969,
  ist lesenswert, weil sie besonders die Verdienste des unentwegten Indianerfreundes, des
  Verfechters ihrer letzten und wenigen Rechte, hervorhebt.
3 E. DeGolyer (Herausgeber) in: Frank Hamilton Cushing: *‹My Adventures in Zuñi›*, The
  Peripatetic Press, Santa Fé 1941; zuerst publiziert 1882–83.
4 Joseph Wood Krutch: *‹The Desert Year›*, New York 1964; *‹The Voice of the Desert›*, New
  York 1955. Hier steht der Aufsatz *‹He was there before Coronado›*; wer hinter diesem Titel einen Beitrag zu unserm Buch vermutet, geht fehl: Krutch spricht darin vom Skorpion,
  der etwas länger noch als unsere Indianer den Südwesten bevölkert – rund 2 Millionen Jahre.
5 Charles F. Lummis: *‹Death of Bandelier an irreparable loss›*, El Palacio, Santa Fé, April
  und Mai 1914.

6 Leslie A. White (Herausgeber): ‹*Pioniers in American Anthropology, The Bandelier-Morgan Letters 1873–1883*›, 2 Vol., University of New Mexico Press, Albuquerque 1940.
7 Lummis ibid.
8 Alfred V. Kidder: ‹*Sylvanus Griswold Morley, 1883–1948*›, El Palacio, Vol. 55, Santa Fé 1948.
9 Kidder-Zitat nach Robert E. Greengo: ‹*Alfred Vincent Kidder, 1885–1963*›, Nachruf in *American Anthropologist*, Vol. 70, No. 2, April 1968.
10 John Witthoft: ‹*Continuity and Change in American Archaeology*› in: *Bulletin of the American Anthropological Association*, Abstracts of Paper, Vol. 1, No. 3. In seiner Zusammenfassung geht er soweit, zu sagen: Kidder und einige andere «waren die ersten, die das anti-intellektuelle Vorurteil der frühen Archäologie in Frage stellten. Die Methoden dieser Wegbereiter führten zu einer Erschließung der kulturellen Entwicklung des Landes, die im Gegensatz zur Tradition der ‹frontier›, der amerikanischen Siedlungsgrenze, und zur bisherigen Einschätzung der Eingeborenen stand. Die amerikanische Gesellschaftstheorie, die von den ökonomischen Bedingungen der amerikanischen Szenerie bestimmt war, hatte bewirkt, daß die Anthropologie den Wilden in eine einfache entwicklungsunfähige, geschichtslose Kulturepoche verbannte. So war es dazu gekommen, daß die frühe akademische Archäologie Amerikas das Vorurteil über den weißen ‹frontiersman› teilte und es verteidigte. Jeffersons Ideen und Ideale konnten im amerikanischen Denken erst wieder zur Zeit der archäologischen Pioniere Oberhand gewinnen, und das auch nur deshalb, weil die ‹Grenze› verschwunden, die Indianer vergessen und wirtschaftlich bedeutungslos geworden waren. Es dauerte lange, bis die wissenschaftliche Archäologie von den zuerst erschlossenen Gebieten in die Randbezirke vordrang … Die Widerstände der rückschrittlichen Kräfte gegen die Entwicklung einer wissenschaftlichen Archäologie sind Bestandteil des amerikanischen ‹frontier›-Mythos. Jetzt, da die Eingeborenen verdrängt sind und wir über die wirtschaftlichen Grundlagen ihrer Existenz verfügen, ist es leicht, in Mitleid zu schwelgen und sich um ihre kulturelle Entwicklung und Lebensweise zu bemühen. Nur ein Mann wie Jefferson war dazu auch schon früher imstande.»
11 Greengo ibid.
12 Zitiert nach einem Brief General Lindberghs an den Autor vom 13. Juli 1970.
13 Dieses Zitat und die vier nächsten aus Alfred Vincent Kidder: ‹*An Introduction to the Study of Southwestern Archaeology, with an Introduction on Southwestern Archaeology Today by Irving Rouse*›, New Haven und London 1963.
14 Kidder ibid.
Es stellte sich schließlich heraus, daß in Pecos *sechs* «Städte» aufeinandergebaut worden waren; Kidder sagt «Stadt» (town), gemeint sind Gebäudekomplexe.
15 Basket Maker I fällt in der Modifikation weg, weil diese Epoche rein hypothetisch ist. «Modified», verändert, heißt Kidders III. Basket Maker-Gruppe in nicht ganz glücklicher Wortwahl, weil sie nicht bloß *verändert*, sondern *höherstehend* ist und bereits deutlich den Übergang zur ersten Pueblo-Epoche erkennen läßt. «Developmental», sich entwickelnd, sind Kidders Pueblo I- und II-Periode, auf die die «Great Pueblo»-Periode folgt, die man auch die «Klassische» nennt oder sogar als das «Goldene Zeitalter» der Pueblos bezeichnet hat, das, wir wollen hier einmal eine Jahreszahl vorwegnehmen, bis zu einer der großen Dürre-Zeiten gedauert hat, die von 1276 bis 1298 nach Chr. den Südwesten wie eine Gottesgeißel geschlagen haben muß. Pueblo IV «regressiv» zu nennen, scheint wiederum nicht recht glücklich; Irving Rouse zum Beispiel, der Kidders klassisches Werk so vortrefflich kommentiert hat, will auch dieser Periode noch den Abglanz des «Goldenen Zeitalter» zubilligen.
Es liegt in der Natur schnell fortschreitender Forschung, daß sie dauernd gezwungen ist, ihre Konzeptionen zu modifizieren. Besonders für den Leser, der sich dem Thema als Außenseiter nähert, ist das äußerst verwirrend. Deshalb werden wir hier, besonders wenn wir später eine gewisse Charakterisierung der verschiedenen Epochen zu geben versuchen, der bewährten Kidderschen Klassifikation folgen. Das tut 1965 auch McGregor noch in

seiner gerühmten ‹Southwestern Archaeology› überall da, wo er ins Detail geht; obwohl er seinerseits wiederum das Netz einer eigenen Klassifikation über die Historie des ganzen Südwestens wirft.

4. Aufstieg und Fall des Pueblo Aztec

1 Sherman S. Howe: ‹My Story of the Aztec Ruins›, The Basin Spokesman, Farmington, New Mexico 1955.
2 John M. Corbett: ‹Aztec Ruins›, National Park Service Historical Handbooks Series No. 36, Washington D. C. 1962.
3 Joe Ben Wheat: ‹Introduction to the Earl Morris Papers›, University of Colorado Studies, Series in Anthropology No. 8, Boulder, Colorado, Juni 1963.
4 Florence C. Lister und Robert H. Lister: ‹Earl Morris and Southwestern Archaeology›, The University of New Mexico Press, Albuquerque 1968.
5 Corbett ibid.

5. Mumien, Mumien ...

1 Ann Axtell Morris: ‹Digging in the Southwest›, New York 1933.
2 Ann Axtell Morris ibid.
3 Ann Axtell Morris ibid.
4 Ann Axtell Morris ibid.

ZWEITES BUCH
6. Was heißt und zu welchem Ende studiert man Archäologie

1 Hortense Powdermaker: ‹Hollywood, The Dream Factory. An Anthropologist looks at the Movie-Makers›, Boston 1951.
2 Robert Ascher: ‹Teaching Archaeology in the University›, in: Archaeology, Vol. 21, No. 4, Okt. 1968.
3 Douglas W. Schwartz: ‹Conceptions of Kentucky Prehistory; A Case in Study in the History of Archaeology›, in: Studies in Anthropology, No. 6 University Press, Lexington 1967.
4 A. L. Kroeber und C. Kluckhohn: ‹Culture: A Critical Review of Concepts and Definitions›, Papers of the Peabody Museum of American Archaeology and Ethnology, Vol. 47, No. 1, Cambridge 1951.
5 Mortimer Wheeler: ‹Moderne Archäologie, Methoden und Technik der Ausgrabung›, rowohlts deutsche enzyklopädie Nr. 111/112, Reinbek bei Hamburg 1960.
6 Paul S. Martin: ‹Digging into History, A Brief Account of Fifteen Years of Archaeological Work in New Mexico›, Chicago Natural History Museum, Popular Series, Anthropology, No. 38. Chicago 1959.

7. Schichten und Scherben

1 Wörtlich berichtet nach Ann Axtell Morris ibid.
2 Mortimer Wheeler ibid.
3 Haury im Vorwort der Neuausgabe des ersten Berichts; Gladwin/Haury/Sayles/Gladwin: ‹Excavations at Snaketown›, The University of Arizona Press, Tucson 1965; erste Ausgabe 1938.
4 Waldo R. Wedel, Wildfred M. Husted und John H. Moss: ‹Mummy Cave: Prehistoric Record from Rocky Mountains of Wyoming›, in: Science, Vol. 160, No. 3824, 12. April 1968.

5 Stuart Piggot: ‹*The Dawn of Civilization*›, Thames and Hudson, London 1961.
6 Gordon R. Willey: ‹*New World Prehistory* in *New Roads to Yesterday*›, herausgegeben von Joseph R. Caldwell, Basic Books, New York 1966.
7 Siehe Carl E. Guthe: ‹*Pueblo Pottery Making: A Study at the Village of San Ildefonso*›, Papers of the Phillips Academy, Southwestern Expedition, No. 2, New Haven 1925. Die obigen Zeitangaben sind entnommen: Paul S. Martin, George I. Quimby und Donald Collier: ‹*Indians before Columbus*›, The University of Chicago Press, Chicago 1947.
8 Johan Huizinga: ‹*Homo Ludens. Vom Ursprung der Kultur im Spiel*›, rowohlts deutsche enzyklopädie Nr. 21, Hamburg 1956.
9 E. T. Hall: ‹*Dating Pottery by Thermoluminescense*›, in: ‹*Science in Archaeology*›, herausgegeben von Don Brothwell, Eric Higgs, Thames and Hudson, London 1970.
10 Ann Axtell Morris ibid.
11 Anna O. Shepard: ‹*Ceramics for the Archaeologists*›, Carnegie Institution of Washington, Washington D. C., 1956.

8. Die Tickende Zeit

1 Froelich Rainey: ‹*New Techniques in Archaeology*›, Proceedings of the American Philosophical Society, Vol. 110, No. 2, Philadelphia 1966.
2 Frederick E. Zeuner: ‹*Dating the Past, An Introduction to Geochronology*›, 3. Ausgabe, London 1952.
3 Don Brothwell, Eric Higgs (Hg.): ‹*Science in Archeology*›, Thames and Hudson, London 1963.
4 Nach einer mündlichen Mitteilung von Dr. Rainer Berger, einst Assistent von Libby.

9. Der Endlose Baum

1 Frederick E. Zeuner: ‹*Dating the Past, An Introduction to Geochronology*›, 3. Ausgabe, London 1952.
2 Andrew Ellicott Douglass: ‹*The Secret of the Southwest solved by Talkative Tree Rings*›, in: *National Geographic*, Vol. 46, No. 12, Dezember 1929.
3 Ann Axtell Morris: ‹*Digging in the Southwest*›, Doubleday, Doran & Co., Garden City, N. Y. 1953.
4 Bryant Bannister: ‹*Tree-Ring Dating of the Archaeological sites in the Chaco Canyon Region, New Mexico*›, Southwestern Monument Association, Technical Series, Vol. 6, Part 2.
5 Hans E. Suess: ‹*Die Eichung der Radiokarbonuhr*›, in: *Bild der Wissenschaft*, Nr. 2, Februar 1969

DRITTES BUCH
10. Entlang der Straße . . .

1 Zitiert nach John McGregor: ‹*Southwestern Archeology*›, Second Edition, University of Illinois Press, Urbana 1965. Er gibt die gerafftesten Darstellungen der einzelnen Phasen, die besten Überblicke. Diese «Summa», die er indes nur als «Einführung» bezeichnet, hat immerhin fast 500 Seiten; seit 1965 aber ist das Forschungsmaterial sprunghaft weiter angestiegen und kaum noch für einen einzelnen übersehbar. Im Gegensatz zu ihm fasse ich nicht Pueblo II und III, sondern I und II zusammen.
2 McGregor ibid.
3 Man kann diese Informationsbroschüren normalerweise nicht im Buchhandel erwerben, kann sie jedoch bestellen beim Superintendent of Documents, Washington D. C.; Mesa Verde z. B. hat eine eigene Publikationsreihe, denn dort befindet sich eine permanente archäologische Station, besetzt mit mehreren Wissenschaftlern.

4 Harold S. Colton: ‹Black Sand›, University of New Mexico Press, Albuquerque 1960.
5 Stanley A. Stubbs: ‹Bird's-Eye View of the Pueblos, Ground plans of the Indian villages of New Mexico and Arizona, with aerial photographs and scale drawings›, University of Oklahoma Press, Norman 1950.
6 C. G. Jung: ‹Erinnerungen, Träume, Gedanken›, Aufgezeichnet und herausgegeben von Aniela Jaffé, Zürich–Stuttgart 1963.
7 D. H. Lawrence: ‹Mexikanischer Morgen und Italienische Dämmerung›, Rowohlt, Reinbek bei Hamburg 1963.
8 Richard Erdoes: ‹The Pueblo Indians›, New York 1967.
9 Kidder ibid.
10 J. B. Priestley und Jacquetta Hawkes: ‹Journey Down a Rainbow›, Harper & Brothers, New York 1955.
11 Lawrence ibid.
12 Ann Axtell Morris ibid.

11. Die neugierigen Brüder von Mesa Verde

1 Priestley und Hawkes ibid.
2 Don Watson: ‹Indians of the Mesa Verde›, Mesa Verde Museum Association, Colorado 1961.
3 T. Mitchel Prudden: ‹An Elder Brother to the Cliff-Dweller›, in: *Harper's Monthly*, XCV, No. 565, Juni 1897.
4 Frank McNitt, Richard Wetherill: ‹Anasazi›, Revised Edition, University of New Mexico Press, Albuquerque 1966.
5 William Henry Jackson: ‹Time Exposure›, Autobiography, G. P. Putnam's Sons, New York 1940; ein typischer Text von Jackson findet sich in der ausgezeichneten Anthologie von Leo Deuel: ‹Conquistadors without Swords, Archaeologists in the Americas›, St. Martin's Press, New York 1967.
6 Carroll A. Burroughs: ‹Searching for Cliff Dweller's Secrets›, in: *The National Geographic Magazine*, Vol. CXVI, No. 5, Nov. 1959; und Douglas Osborne: ‹Solving the Riddles of Wetherill Mesa›, in: *The National Geographic Magazine*, Vol. CXXV, No. 2, Febr. 1964.
7 Robert H. Lister: ‹Archaeology for Layman and Scientist at Mesa Verde›, in: *Science*, Vol. CXL No. 3827, 3. Mai 1968.
8 Das geschah im Cañon del Muerto, aber auch anderswo, auch im Mesa Verde: *New York Times*, 12. Jan. 1967.
9 McNitt ibid.

12. Cochise, Mogollon – und die Hohokam, «das Volk, das spurlos verschwand»

1 McGregor ibid.
2 Emil W. Haury: ‹A Possible Cochise-Mogollon-Hohokam Sequence›, in: *Proceedings of the American Philosophical Society*, Vol. 86, No. 2, Philadelphia 1943.
3 Paul S. Martin ibid.
4 Kenneth F. Weaver: ‹Magnetic Clues Help Date the Past›, in: *The National Geographic Magazine*, Vol. CXXXI No. 5, Mai 1967.
5 Gordon R. Willey: ‹New World Prehistory in New Roads to Yesterday›, herausgegeben von J. R. Caldwell, Basic Books, New York 1966.
6 Allerdings sagt Haury zu der Namengebung: «‹Die, die spurlos verschwanden› ist die romantisierte Übersetzung des Wortes, denn eigentlich bedeutet ‹Hohokam› etwas, das ‹völlig aufgebraucht› ist. Ein geplatzter Autoreifen ist ‹Hohokam›. Ein altes verlassenes Dorf ist ebenfalls ‹Hohokam› oder aufgebraucht.» (Zitiert nach einem Brief von Emil W. Haury an den Verfasser.)

7 Harold S. Gladwin: ‹*Approach to the Problem*›, in: Gladwin/Haury/Sayles/Gladwin: ‹*Excavations at Snaketown*›, Reprint der University of Arizona Press, Tucson 1965.
8 Paul S. Martin: ‹*Digging into History*›, Chicago 1963.
9 Gladwin/Haury/Sayles/Gladwin ibid.
10 Emil W. Haury: ‹*First Masters of the American Desert: The Hohokam*›, in: *The National Geographic Magazine*, Vol. CXXXI, No. 5, Mai 1967.
11 Haury ibid.
12 Text aus dem Album des Weiditz, das sich im Germanischen Museum in Nürnberg befindet; siehe Ceram: ‹*Götter, Gräber und Gelehrte im Bild*›, Hamburg 1957, S. 283.
13 B. H. McLeod von der Inspiration Copper Company hat in genauer Analyse nachgewiesen, daß diese Glöckchen *gegossen* sind, wozu eine Schmelztemperatur von 1130 Grad Celsius nötig ist. Haben die Hohokam auch *dies* gekonnt? Siehe Appendix III in Gladwin/Haury/Sayles/Gladwin ibid.
14 Haury ibid.
15 Haury ibid.

13. Die Geschichte vom Mais

1 Jerome S. Meyer: ‹*World Book of Great Inventions*›, World Publ. Company, Cleveland und New York 1956.
2 Jean M. Pinkley: ‹*The Pueblos and the Turkey: Who domesticated whom?*›, in: *Memoirs of the Society for American Archaeology*, No. 19, American Antiquity, Vol. 31, No. 2, Part 2, Okt. 1965.
3 Pinkley ibid.
4 Pinkley ibid.
5 Pinkley ibid.
6 Lyndon L. Hargrave: ‹*Turkey Bones from Wetherill Mesa*›, in: *Memoirs of the Society for American Archaeology*, No. 19, American Antiquity, Vol. 31, No. 2, Part 2, Okt. 1965.
7 Pinkley ibid.
8 Victor R. Boswell: ‹*Our Vegetable Travellers*›, in: *The National Geographic Magazine*, Vol. XCVI, No. 2, August 1949.
9 ‹*Six Thousand Years of Bread*›, New York 1944.
10 Frank C. Hibben: ‹*Digging up America*›, Hill & Wang, New York 1965.
11 Mangelsdorf/MacNeish/Galinat, Paul C., Richard S. und Walton C.: ‹*Domestication of Corn*›, Bericht in: *Science*, nachgedruckt in: ‹*New Roads to Yesterday*›, editiert von Joseph R. Caldwell, Basic Books, New York 1966.

VIERTES BUCH
14. Die Mounds werden entdeckt

1 James A. Ford und Charles H. Webb: ‹*Poverty Point: A Late Archaic Site in Louisiana, American Museum of Natural History*›, in: Anthropological Papers, Vol. 46, No. 1.
2 ‹*Walt Whitmans Werk.*› Ausgewählt, aus dem Amerikanischen übertragen, neu durchgesehen und eingeleitet von Hans Reisiger, Rowohlt 1956, S. 250.
3 Zitiert nach Cyrus Thomas: ‹*The Problem of the Ohio Mounds*›, Smithsonian Institution, Bureau of Ethnology, Washington 1889.
4 1845 erschien bereits die fünfte Auflage: Geo. Catlin: ‹*Illustrations of the Manners, Customs, and Conditions of the North American Indians: In a Series of Letters and Notes written during eight years of Travel and Adventure among the wildest and most remarkable Tribes now existing. With three hundred and sixty Engravings, from the Author's Original Paintings*›, Henry G. Bohn, London MDCCCXLV.
5 Caleb Atwater: ‹*Description of the Antiquities Discovered in the State of Ohio and Other*

Western States, American Antiquarian Society, Archaeologia Americana, Transactions and Collections, Vol. 1, 1819.

6 Frank C. Hibben: *Digging up America*, Hill and Wang, New York 1965.

7 Maurice Robbins with Mary B. Irving: *The Amateur Archaeologist's Handbook, A Complete Guide for Digging into America's Past*, Thomas Y. Crowell Company, New York 1965.

15. Die wilden Theorien von Atlantis bis MU

1 1970 ging immer wieder die Beschreibung eines Fundes durch die Presse, der angeblich einwandfrei beweisen soll, daß Gruppen jüdischer Flüchtlinge nach den großen Niederlagen durch die Römer 70 und 135 nach Chr. Amerika erreichten. Die Theorie, die besonders von Cyrus H. Gordon von der Brandeis University verfochten wird, beruht auf einer Schrifttafel, die 1885 in einem Begräbnis-Mound, unter einem Skelett, in Tennessee gefunden wurde. Gordon liest den Satz heraus: «Für das Land Juda». Die Geschichte des Fundes ist ein wenig merkwürdig. 1894 wurde die Tafel in der Smithsonian Institution fotografiert, aber unglücklicherweise verkehrt herum publiziert, so daß niemand ihre mögliche Bedeutung erkannte; erst im August 1970 kam die Inschrift zu Gordons Kenntnis. Um die Wahrscheinlichkeit seiner Theorie zu stützen, weist er auf den merkwürdigen Stamm der Melungeons im östlichen Tennessee hin, die «weder Indianer noch Neger sind, sondern von kaukasischer Rasse, aber nicht angelsächsisch». (Zitiert nach *Credits Jews for Discovery of America*, Chicago Tribune, 19. Oktober 1970.) Inwieweit Gordons Behauptung wissenschaftlich akzeptiert werden kann, muß der Zukunft vorbehalten bleiben. Doch herrscht kaum noch Zweifel, daß *nach* der Eroberung der amerikanischen Kontinente durch sibirisch-mongoloide Nomaden Landungen europäischer, afrikanischer und vorderasiatischer, vielleicht auch chinesischer oder japanischer Volksgruppen *möglich* gewesen sind. Die jüngste Generation amerikanischer Archäologen trägt immer mehr Material zusammen, das diese Theorie wahrscheinlich macht. Vom kunsthistorischen Material her sockelte diese Meinung erst kürzlich Alexander von Wuthenau von der University of the Americas in Mexico City mit seinem Buch *The Art of Terra-cotta-Pottery in Pre-Columbian Central and South America* (Crown 1970). Daß dann gewisse kulturelle Einflüsse, geschwächt durch Jahrhunderte, bis nach Nordamerika ausstrahlten, wäre akzeptabel.

2 *Book of Mormon*, erste englische Ausgabe 1830 in Palmyra, New York.

3 James Adair: *History of the American Indians . . .*, London 1775. Von Atwater und Adair sind die hier wichtigen Stellen abgedruckt in: *The Golden Age of American Anthropology* herausgegeben von Margaret Mead und Ruth L. Bunzel, New York 1960.

4 Thomas Jefferson: *Notes on Virginia*, 1782.

5 James Ussher: *Annales Veteris et Novi Testamenti*, 1650–1654.

6 L. Sprague de Camp: *The End of the Monkey War*, in: *Scientific American*, Febr. 1969, Vol. 220, No. 2.

7 Jürgen Spanuth: *Atlantis*, Grabert Verlag, Tübingen 1965.

8 James W. Mavor jr.: *Voyage to Atlantis*, Putnam's Sons, New York 1969.

9 James Churchward: *The Lost Continent of MU*, Crown Publishers, New York 1931; er veröffentlichte außerdem *The Children of Mu and The Sacred Symbols of Mu*.

10 Robert Wauchope: *Lost Tribes and Sunken Continents*, University of Chicago Press, Chicago und London 1962.

11 Wauchope ibid.

12 Harold S. Gladwin: *Men out of Asia*, McGraw Book Comp., New York 1947.

13 Leo Wiener: *Mayan and Mexicans Origins*, Cambridge, Privatausgabe 1926.

16. Die Mounds werden enträtselt

1 E. G. Squier und E. H. Davis: ‹Ancient Monuments of the Mississippi Valley›, City of Washington 1848.
2 Squier/Davis ibid.
3 Florence Hawley: ‹Tree Ring Analysis and Dating in the Mississippi Drainage›, University of Chicago Publications in: *Anthropology*, Occasional Paper, No. 2, 1941; sowie Robert E. Bell: ‹Dendrochronology in the Mississippi Valley› in: James B. Griffin (Herausgeber): ‹Archaeology of Eastern United States›, The University of Chicago Press, 3. edition, Chicago 1964.
4 Gordon R. Willey: ‹An Introduction to American Archaeology›, Vol. I, Prentice Hall, Englewood Cliffs, New Jersey 1966.
5 H. C. Shetrone: ‹The Mound-Builders›, Appleton, New York 1930.
6 Shetrone ibid.
7 Frank C. Hibben: ‹Digging up America›, Hill and Wang, New York 1960.
8 Frederick Johnson: ‹Radiocarbon Dating and Archaeology in North America›, in: *Science*, Vol. 155, 13. Jan. 1967.
9 Johnson ibid.
10 William S. Webb und Charles E. Snow: ‹The Adena People›, University of Kentucky Reports in: *Anthropology and Archaeology*, Vol. 6, Lexington 1945.
11 Willey ibid.
12 Silverberg ibid.
13 Arlington H. Mallery: ‹Lost America›, The Overlook Company, Columbus, Ohio 1951.
14 Emil W. Haury in einem Brief an den Verfasser vom 10. November 1969.
15 Thorne Deuel: ‹Hopewellian Dress in Illinois›, in: Griffin ibid.
16 Silverberg ibid.
17 James A. Ford und Gordon R. Willey: ‹An Interpretation of the Prehistory of the Eastern United States›, in: *American Anthropologist*, Vol. 43, No. 3, 1941.
18 A. R. Kelly: ‹A Preliminary Report on Archaeological Explorations at Macon, Ga.›, Smithsonian Institution Bureau of American Ethnology, Bulletin 119, Washington D. C. 1938.
19 Samuel F. Haven: ‹Archaeology of the United States›, Smithsonian Contribution to Knowledge, Washington D. C. 1856.
20 John R. Swanton: ‹Indian Tribes of the Lower Mississippi Valley›, Smithsonian Institution Bureau of Ethnology, Bulletin 43, Washington D. C. 1911.

17. Der amerikanische Goliath

1 Alle Zitate zum «Goliath» aus James Taylor Dunn: ‹The True, Moral and Diverting Tale of the Cardiff Giant or The American Goliath›, New York History, Juli 1948.
2 Aleš Hrdlička: ‹Skeletal Remains Suggesting or Attributed to Early Man in North America›, Bureau of American Ethnology, Bulletin No. 33, 1907.

FÜNFTES BUCH
18. Der Folsom-Mensch

1 Frank C. Hibben: ‹The Lost Americans›, New York 1968.
2 Frank H. H. Roberts jr.: ‹A Folsom Complex›, Smithsonian Miscellaneous Collections, Vol. 94, No. 4, Washington D. C. 1935.

19. Der Sandia-Mensch

1 *The Saturday Evening Post*, 17. April 1943.
2 Frank C. Hibben: ‹*We found the Home of the First American*›, in: *The Saturday Evening Post*, 17. April 1943.
3 Hibben ibid.
4 Frank C. Hibben: ‹*Evidences of early occupation in Sandia cave, New Mexico, and other sites in the Sandia-Manzano region*›, Smithsonian Miscellaneous Collections, Vol. 99, No. 23, Washington D. C. 1941.
5 Frank C. Hibben: ‹*We found the Home of the First American*›, in: *The Saturday Evening Post*, 17. April 1943.
6 Hibben ibid.
7 Hibben ibid.
8 Kirk Bryan: ‹*Correlation of the Deposits of Sandia Cave, New Mexico, with the Glacial Chronology, Appendix to Hibben: Evidences of Early Occupation in Sandia Cave*›, Smithsonian Miscellaneous Collections, Vol. 99, No. 23, Washington D. C. 1941.
9 Hibben ibid.
10 Bryan ibid.
11 Gordon R. Willey: ‹*An Introduction to American Archaeology*›, Vol. I., Prentice-Hall, Englewood Cliffs, New Jersey 1966.
12 Am 5. November 1968, in einem Brief an den Autor, den er freundlicherweise zur Veröffentlichung freigab.

20. Die Welt der Frühen Jäger

1 Nach privater Mitteilung zitiert von Frederick Johnson in: ‹*Radiocarbon Dating and Archaeology in North America*›, in: *Science*, Vol. 155, 13. Jan. 1967.
2 Andere Beispiele gibt Edwin N. Wilmsen: ‹*An Outline of Early Man Studies in the United States*›, in: *American Antiquity*, Vol. 31, No. 2, Part 1, Okt. 1965.
3 Diese Bemerkung bezieht sich auf die Auseinandersetzung zwischen Hrdlička und Albert E. Jenks 1936–1938 über die «Minnesota-Minnie». Wilmsen ibid.
4 Doch ist bei diesen Deutungen Vorsicht geboten. Es gibt eine ganze Reihe von Funden, die nicht erklärt werden können. Zum Beispiel die sogenannten «Cogged stones», regelrechte Zahnräder aus Stein geschnitten, die man im Orange County in Kalifornien fand. Sie haben einen Durchmesser von 6 Zentimetern bis zu mehr als 15 Zentimetern mit bis zu 22 Zähnen, die mit maschinenmäßiger Präzision herausgearbeitet sind. Es ist völlig rätselhaft, was die Menschen vor 8000 Jahren (so konnte man sie datieren) damit gemacht haben. Waffe oder Werkzeug können sie kaum gewesen sein, denn mehrere sind aus so weichem Stein geschnitten, daß jeder robuste Gebrauch sich verbietet. Vielleicht Spielzeuge? Vielleicht Kultgegenstände? Nichts ist bewiesen.
5 Wie schon im Text bemerkt, gibt die beste Liste aller «Points», nach Fundorten geordnet, H. M. Wormington in: ‹*Ancient Man in North America*›, The Denver Museum of Natural History, Denver 1957. Neuere Forschungen berücksichtigt sie in einem kurzen Überblick neun Jahre später in: ‹*When did Man come to North America?*› in: James S. Copley (Herausgeber): ‹*Ancient Hunters of the Far West*›, The Union-Tribune Publishing Comp., San Diego 1966.
6 Emil W. Haury: ‹*Artifacts with Mammoth Remains, Naco, Arizona*›, in: *American Antiquity*, Vol. 19, No. 1, 1953.
7 Ernst Antevs: *Geological Age of the Lehner Mammoth Site*›, in: *American Antiquity*, Vol. 25, No. 1, Juli 1959.
8 Emil W. Haury: ‹*The Lehner Mammoth Site*›, in: *American Antiquity*, Vol. 25, No. 1, Juli 1959.
9 Haury ibid.

10 H. M. Wormington: ‹*Ancient Man in North America*›, Denver Museum of Natural History, Denver 1957.

11 H. M. Wormington: ‹*A Summary of what we know today*›, in: James S. Copley (Herausgeber): ‹*Ancient Hunters of the Far West*›, The Union-Tribune Publishing Comp., San Diego 1966.

12 Phil C. Orr: ‹*Radiocarbon Dates from Santa Rosa Island I.*›, Santa Barbara Museum of Natural History, Anthropological Bulletin, No. 2, 1956, und ‹*Radiocarbon Dates from Santa Rosa Island II*›, Santa Barbara Museum of Natural History, in: *Anthropological Bulletin*, No. 3, 1960.

13 José Ortega y Gasset: ‹*Über die Jagd*›, rowohlts deutsche enzyklopädie Nr. 42, Hamburg 1957.

14 Gordon C. Baldwin: ‹*America's Buried Past*›, G. P. Putnam's Sons, New York 1962.

15 Clement W. Meighan und C. Vance Haynes: ‹*The Borax Lake Site Revisited*›, in: *Science*, Vol. 167, No. 3922, 27. Febr. 1970.

16 H. M. Wormington: ‹*Ancient Man in North America*›, Denver Museum of Natural History, Denver 1957.

17 Mark R. Harrington: ‹*Gypsum Cave, Nevada*›, in: Leo Deuel: ‹*Conquistadors without Swords*›, St. Martin's Press, New York 1967.

21. Das Sterben der Großen Tiere

1 Alonzo W. Pond: ‹*Primitive Methods of Working Stone Based on Experiments of Halvor L. Skavlem*›, The Logan Museum, Beloit College, Beloit, Wisconsin 1930.

2 Ortega y Gasset ibid.

3 John M. Corbett: ‹*Aztec Ruins*›, National Park Service Historical Handbook Series, No. 36, Washington D. C. 1962.

4 P. S. Martin und H. E. Wright jr. (Herausgeber): ‹*Pleistocene Extinctions, The Search for a Cause*›, Proceedings of the 7th Congress of the International Association for Quaternary Research, Vol. 6, Yale University Press, New Haven 1967.

5 Jesse D. Jennings: ‹*Prehistory of North America*›, McGraw-Hill Book Comp., New York 1968.

6 ‹*A Place to Die*›, in: *Time*, Vol. 25, No. 4, Jan. 26, 1970.

7 Ortega y Gasset ibid.

8 Paul S. Martin: ‹*Pleistocene Overkill*›, in: *Natural History*, Dezember 1967.

22. Intermezzo: Die Türme des Schweigens

1 Frank C. Hibben: ‹*The Mystery of the Stone Towers*› in: *The Saturday Evening Post*, 9. Dez. 1944. Auch alle weiteren Zitate in diesem Kapitel entstammen diesem Aufsatz.

23. Der erste Amerikaner oder die Mädchen von Midland und Laguna

1 Fred Wendorf, Alex D. Krieger, Claude C. Albritton, T. D. Stewart: ‹*The Midland Discovery*›, University of Texas Press, Austin 1955. Helmut de Terra: *Urmensch und Mammut*›, Brockhaus, Wiesbaden 1954.

2 Jesse D. Jennings: ‹*Prehistory of North America*›, McGraw-Hill, New York 1968.

3 Gordon R. Willey: ‹*New World Archaeology in 1965*›, Proceedings of the American Philosophical Society, Vol. 110, No. 2, Philadelphia 1966.

4 Paul Evan Ress: ‹*Beach Boys on the Riviera, 200 000 B. C.*›, in: *Life*, 2. Mai 1966.

5 Rainer Berger und James R. Sackett: ‹*Final Report on the Laguna Beach, Excavation of the Isotope Foundation*›, Publikation der University of California, Los Angeles, 10. Febr. 1969.

6 Berger ibid.

7 Berger ibid.
8 Berger ibid.
9 L. S. B. Leakey und andere: ‹Archaeological Excavations in the Calico Mountains›, California: Preliminary Report, in: Science, 31. Mai 1968, Vol. 160.

24. Der Weg über die Bering-Straße

1 William Howells: ‹Back of History›, The Natural History Library, New York 1954.
2 David M. Hopkins (Herausgeber): ‹The Bering Land Bridge›, Stanford University Press, Stanford, California 1967.
3 C. Vance Haynes jr.: ‹Elephant-Hunting in North America›, in: Scientific American, Vol. 214, No. 6, Juni 1966.
4 Gordon C. Baldwin: ‹America's Buried Past›, G. P. Putnam's Sons, New York 1962.
5 Gordon R. Willey: ‹An Introduction to American Archaeology›, Vol. I., Prentice Hall, Englewood Cliffs, New Jersey 1966.

NACHSPIEL: Der letzte Steinzeitmensch der USA

1 Dieses und alle anderen Zitate dieses Kapitels aus Theodora Kroeber: ‹Ishi in Two Worlds›, Los Angeles.

Ausgewählte Literaturhinweise

Diese Liste enthält alle wesentlichen wissenschaftlichen Bücher und Artikel, die für dieses Buch herangezogen wurden; darunter aber auch eine ganze Reihe, die in den Bibliographien der Fachliteratur fehlen, Werke zum Beispiel, die feuilletonistischen Charakter tragen, aber gerade deshalb für unser Buch von Wert waren.

Einführungen, allgemeine Übersichtswerke, die besonders geeignet sind, dem Leser weiteren Überblick zu verschaffen, sind durch einen Stern* gekennzeichnet (womit kein Werturteil gegeben wird). Wo es nur möglich war, wurden stets die neuesten Ausgaben der Werke zitiert, wie zum Beispiel im Fall Kidder: «Introduction...», wo die erste Ausgabe von 1924 kaum noch aufzutreiben ist, wogegen die Paperback-Ausgabe von 1962 nicht nur erhältlich, sondern durch die neue Einführung von Irving Rouse von größerem Wert ist. Ebenso gebe ich für verschiedene Originalartikel ihre spätere Publikation in Anthologien an – denn dort sind sie heute noch mit Hilfe jeder besseren Bibliothek greifbar. Was dokumentarische Filme über indianische Kulturen betrifft, die ausgeliehen oder sogar gekauft werden können, siehe Owen/Deetz/Fisher weiter unten; dort sind die Quellen für 251 Filme angegeben, die sich allerdings fast alle mit dem Indianer des 20. Jahrhunderts befassen.

Andrews, Ralph W.: «Indian Primitive», Bonanza Books, New York 1960.
Antevs, Ernst: «Geological Age of the Lehner Mammoth Site», American Antiquity, Vol. 25, No. 1, Juli 1959.
«Archaeology in American Colleges», Archaeological Institute of America, New York 1967.
Ascher, Robert: «Teaching Archaeology in the University», Archaeology, Vol. 21, No. 4, Oktober 1968.
Assall, Friedrich Wilhelm: «Nachrichten über die frühen Einwohner von Nordamerika und ihre Denkmäler», hrsg. mit einem Vorbericht von Franz Joseph Mone, Heidelberg 1827.
Atwater, Caleb: «Description of the Antiquities discovered in the State of Ohio and other Western States», Archeologia Americana, Transactions of the American Antiquarian Society, Vol. I, Worcester 1820.

* *Bakeless, John:* «The Eyes of Discovery», The Pageant of North America as seen by the first Explorers», Dover Publications, New York 1961.
* *Baldwin, Gordon C.:* «America's Buried Past», The Story of North American Archaeology, G. P. Putnam's Sons, New York 1962.
Bandelier, Adolph F.: «Historical Introduction to Studies among the Sedentary Indians of New Mexico, Report on the Ruins of the Pueblo of Pecos», Papers of The Archaeological Institute of America, American Series I., Boston 1881.
–, «The Romantic School in American Archaeology», Read before the New York Historical Society, Febr. 3, 1885, Trow's Printing and Bookbinding Comp., New York 1885.

—, «Cibola», Sonntagsausgabe Mai, Juni, Juli, Oktober 1885 und Januar, Februar, März 1886 der deutschsprachigen «Staatszeitung», New York.

—, «Contributions to the History of the Southwestern Portion of the United States», Hemenway Southwestern Archaeological Expedition, Papers of the Archaeological Institute of America, American Series V., Cambridge 1890.

—, «Final Report of Investigations among the Indians of the Southwestern United States, Carries on mainly in the years from 1880 to 1885», Papers of the Archaeological Institute of America, American Series No. III, Part I, Cambridge 1890; No. IV, Part II, Cambridge 1892.

—, «The Delight Makers», Dodd, Mead & Company, New York 1918.

Bandelier, Fanny: «The Journey of Alvar Nuñez Cabeza de Vaca», translated from his own narrative, Allerton Book Comp., New York 1922.

Bandi, Hans-Georg: «Eskimo Prehistory», University of Alaska Press, College 1969.

Bannister, Bryant: «The Interpretation of Tree-Ring Dates», American Antiquity, Vol. 27, 1962.

—, «Tree-Ring Dating of the Archaeological Sites in the Chaco Canyon Region, New Mexico», Southwestern Monuments Association, Technical Series, Vol. 6, Part 2.

Belknap jr., William: «20th-century Indians Preserve Customs of the Cliff Dwellers», National Geographic, Vol. 125, No. 2, Febr. 1964.

* *Benedict, Ruth:* «Urformen der Kultur», rowohlts deutsche enzyklopädie Bd. 7, Hamburg 1955.

Benfer, Robert A.: «A Design for the Study of Archaeological Characteristics», American Anthropologist, Vol. 69, No. 6, Dez. 1967.

Berger/Sackett, Rainer und James R.: «Final Report on the Laguna Beach Excavation of the Isotope Foundation», Publication of the University of California, 10. Febr. 1969.

Biek, Leo: «Archaeology and the Microscope», The scientific examination of archaeological evidence, Frederick A. Praeger, New York und London 1963.

Binford, Lewis R.: «Archaeological Systematics and the study of culture process», American Antiquity, Vol. 31, No. 2, Part 1, Oktober 1965.

Binford/Binford, Sally R. und Lewis R.: «New Perspectives in Archaeology», Aldine Publishing Company, Chicago 1938.

Birdsell, Joseph B.: «The Problem of the Early Peopling of the Americas as Viewed from Asia», Papers on the Physical Anthropology of the American Indian, Wenner-Gren Foundation for Anthropological Research, New York 1951.

Bolton, Herbert Eugene: «Coronado, Knight of Pueblos and Plains», The University of New Mexico Press, Albuquerque 1964.

«Book of Mormon», An Account Written by The Hand of Mormon Upon Plates taken from the Plates of Nephi, Published by The Church of Jesus Christ of Latter-day Saints, Salt Lake City, Utah 1950 (Erste englische Ausgabe in Palmyra, New York 1830).

Boswell, Victor R.: «Our Vegetable Travellers», National Geographic, Vol. XCVI, No. 2, August 1949.

Braunschweig, Johann Dan. von: «Ueber die Alt-Americanischen Denkmäler», Reimer, Berlin 1840.

Brew, J. O. (Herausgeber): «One Hundred Years of Anthropology», Harvard University Press, Cambridge 1968.

* *Brothwell/Higgs, Don und Eric (Herausgeber):* «Science in Archaeology», A Comprehensive Survey of Progress and Research, Thames & Hudson, London 1963. 2. Ausg. New York 1970.

Bryan, Kirk: «Correlation of the Deposits of Sandia Cave, New Mexico, with the Glacial Chronology», in *Frank C. Hibben:* «Evidences of Early Occupation in Sandia Cave, New Mexico, and other Sites in the Sandia-Manzano Region», Smithsonian Institution, City of Washington, 15. Oktober 1941.

Bryant, William Cullen: «Poems», Oxford University Press, New York 1914.

Burland, Cotty: «North American Indian Mythology», Paul Hamlyn, London 1965.

Burroughs, Carroll A.: «Searching for Cliff Dweller's Secrets», National Geographic, Vol. CXVI, No. 5, November 1959.

* *Bushnell, G. H. S.:* «The first Americans», The Pre-Columbian Civilizations, McGraw-Hill, New York 1968.

Butcher, Devereux: «Exploring our Prehistoric Indian Ruins», The National Archaeological Monuments of the United States, National Parks Association, Washington 1965.

Butzer, Karl W.: «Environment and Archeology», An Introduction to Pleistocene Geography, Aldine Publishing Company, Chicago 1964.

* *Caldwell, Joseph R. (Herausgeber):* «New Roads to Yesterday», Essays in Archaeology, Basic Books, New York 1966.

Campbell, Bernard G.: «Human Evolution», An Introduction to Man's Adaptations, Aldine Publishing Company, Chicago 1966.

Carlson, Roy L.: «Basket Maker III Sites near Durango, Colorado», University of Colorado Studies, Series in Anthropology, No. 8, Boulder, Juni 1963.

Cartier, Raymond: «Europa erobert Amerika», Deutscher Taschenbuch Verlag, München 1962.

Catlin, Geo.: «Illustrations of the Manners, Customs, and Condition of the North American Indians: In a Series of Letters and Notes written during eight years of Travel and Adventure among the wildest and most remarkable Tribes now existing, with three hundred and sixty Engravings, from the Author's Original Paintings», Henry G. Bohn, London MDCCCXLV.

Chapman, Kenneth M.: «The Pottery of Santo Domingo Pueblo», A Detailed Study of its Decoration, Memoirs of the Laboratory of Anthropology, Vol. 1, Santa Fé 1953.

Childe, V. Gordon: «A Short Introduction to Archaeology», Collier Books, New York 1962.

Churchward, Colonel James: «The Lost Continent of Mu», Crown Publ., New York 1961.

Collier, John: «Indians of the Americas», The New American Library, New York 1947.

Colton, Harold S.: «The Sinagua: A Summary of the Archaeology of the Region of Flagstaff, Arizona», Bulletin 22, Museum of Northern Arizona, Flagstaff 1946.

—, «Black Sand», Prehistory in Northern Arizona, University of New Mexico Press, Albuquerque 1960.

Cone/Pelto, Cynthia A. und Pertti J.: «Guide to Cultural Anthropology», Scott, Foresman and Comp., Glenview, Illinois 1969.

Coon, Carleton, S.: «The Story of Man», Alfred A. Knopf, New York 1965.

Coon/Hunt, Carleton S. und Edward E. (Herausgeber): «Anthropology A–Z», Grosset und Dunlap, New York 1963.

Corbett, John M.: «Aztec Ruins», National Park Service Historical Handbook Series No. 36, Washington D. C. 1962.

Coze, Paul: «Kachinas: Masked Dancers of the Southwest», National Geographic, Vol. CXII, No. 2, August 1957.

Cummings, B.: «The ancient inhabitants of the San Juan Valley», Bulletin of the University of Utah, Vol. 3., No. 3, Part 2, Salt Lake City 1910.

Cushing, Frank Hamilton: «My Adventures in Zuñi», The Peripatetic Press, Santa Fé 1941 (das Original ist 1882–83 erschienen). Der Band enthält auch: E. DeGolyer: «Zuñi and Cushing» und Sylvester Baxter: «An Aboriginal Pilgrimage».

* *Daniel, Glyn:* «The Idea of Prehistory», The origins and development of the study of man's past – before the recorded word; The World Publishing Company, Cleveland und New York 1963.

—, «Archaeology and the origins of civilizations», The Listener, London, 1. Dez. 1966.

Darwin, Charles: «On the Origin of Species by Means of Natural Selection, or the Preservation of Favoured Races in the Struggle for Life», London 1859.

Day, A. Grove: «Coronado's Quest», The Discovery of the Southwestern States, University of California Press, Berkeley und Los Angeles 1964.

* *Deetz, James:* «Invitation to Archaeology», The Natural History Press, Garden City, New York 1967.

* *Deuel, Leo (Herausgeber):* «Conquistadors without Swords», Archaeologists in the Americas, An account with original narratives, St. Martin's Press, New York 1967.

Deuel, Leo: «Flights into Yesterday», The story of aerial archaeology, St. Martin's Press, New York 1969.

Dittert/Eddy, Alfred E. und Frank W.: «Pueblo Period Sites in the Piedra River Section, Navajo Reservoir District, Museum of New Mexico Papers in Anthropology, Museum of New Mexico Press, Santa Fé 1963.

Dockstader, Frederick J.: «Indian Art in America», The Arts and Crafts of the North American Indian, New York Graphic Society, Greenwich, Connecticut 1967.

Dodge/Zim, Natt N. und Herbert S.: «The Southwest», A Guide to the wide open Spaces, Golden Press, New York 1960.

Douglass, Andrew Ellicott: «The Secret of the Southwest solved by talkative Tree-Rings», National Geographic, Vol. 46, No. 12, Dez. 1929.

Driver, Harold E.: «Indians of North America», The University of Chicago Press, Chicago 1961

Dubos, René: «So Human an Animal», Charles Scribner's Sons, New York 1968.

Ducrocq, Albert: «Atomwissenschaft und Urgeschichte», rowohlts deutsche enzyklopädie Nr. 49, Hamburg 1957.

Dunn, James Taylor: «The True, Moral and Diverting Tale of the Cardiff Giant or the American Goliath», Reprint from New York History, Juli 1948.

Dutton, Bertha P. (Herausgeberin): «Indians of the Southwest», Southwestern Association on Indian Affaire, Santa Fé 1963.

Eggan, Fred: «Social Organization of the Western Pueblos», The University of Chicago Press, Chicago und London 1963.

—, «The American Indian», Perspectives for the Study of Social Change, Aldine Publishing Company, Chicago 1966.

Eiseley, Loren: «The Unexpected Universe», Harcourt, Brace and World, New York 1969.

Elting/Folsom, Mary und Michael: «The Mysterious Grain, Science in Search of the Origin of Corn», Evans & Comp., New York 1967.

Erdmann/Douglas/Marr, James A., Charles L. und John W.: «Environment of Mesa Verde, Colorado», Archaeological Research Series, 7-B, Wetherill Mesa Studies, Washington D. C., National Park Service, U.S. Department of the Interior 1969.

Erdoes, Richard: «The Pueblo Indians», Funk & Wagnalls, New York 1967.

Every, Dale Van: «Disinherited», The lost birthright of the American Indian, William Morrow & Comp., New York 1966.

Fagan, Brian: «Introductory Readings in Archaeology», Little, Brown and Company, Boston 1970.

Farb, Peter: «Man's Rise to Civilization as shown by the Indians of North America from Primeval Times to the Coming of the Industrial State», Dutton & Co., New York 1968.

Fergusson, Erna: «New Mexico», A Pageant of three Peoples, New York 1951.

Fewkes, J. W.: «A report on the present condition of a ruin in Arizona called Casa Grande», Journal of American Ethnology and Archaelogy, Vol. 2, Cambridge 1892.

Fisher, Reginald G.: «Some geographic factors that influenced the ancient populations of the Chaco Canyon, New Mexico», The University of New Mexico Bulletin, Archaeological Series, Vol. 3, No. 1, 15. Mai 1934.

Ford, James A.: «A Comparison of Formative Cultures in the Americas», Diffusion or the

Psychic Unity of Man. Smithsonian Contributions to Anthropology, Vol. 11, Smithsonian Institution Press, Washington D. C. 1969.

Ford/Webb, James A. und Charles H.: «Poverty Point: A Late Archaic Site in Louisiana», American Museum of Natural History, Anthropological Papers, Vol. 46, No. 1.

Ford/Willey, James A. und Gordon R.: «An Interpretation of the Prehistory of the Eastern United States», American Anthropologist, Vol. 43, No. 3, 1941.

Freneau, Philip: «Poems», Princeton University Press, Princeton 1902.

Gardin, Jean-Claude: «Probleme der Dokumentation», Diogenes, Bd. 11–12, Köln 1956.

* *Gehlen, Arnold:* «Urmensch und Spätkultur», Athenäum-Verlag, Bonn 1956.

—, «Anthropologische Forschung», rowohlts deutsche enzyklopädie Nr. 138, Hamburg 1966.

Giddings, J. Louis: «Ancient Man of the Arctic», Alfred A. Knopf, New York 1967.

Gilbert/Hammel, John P. und E. A.: «Computer Simulation and Analysis of Problems in Kinship and Social Structure», American Anthropologist, Vol. 68, No. 1, Febr. 1966.

Gillmore/Wetherill, Frances und Louisa Wade: «Traders to the Navajos», The Story of the Wetherills of Kayenta, The University of New Mexico Press, Albuquerque 1965.

Gladwin, Harold S.: «Men out of Asia», McGraw Hill Book Comp., New York 1947.

* *Gladwin/Haury/Sayles/Gladwin, Harold S., Emil W., E. B. und Nora:* «Excavations at Snaketown», Material Culture, The University of Arizona Press, Tucson 1965 (Reprint).

Gould, Richard A.: «Chipping Stones in the Outback», Natural History, Vol. LXXVII, No. 2, Febr. 1968.

Grahmann/Müller-Beck, Rudolf und Hansjürgen: «Urgeschichte der Menschheit», Kohlhammer, Stuttgart 1966.

Grant, Bruce: «American Indians Yesterday and Today», A Profusely Illustrated Encyclopedia of the American Indian; W. P. Dutton & Co., New York 1958.

Greengo, Robert E.: «Obituary: Alfred Vincent Kidder 1885–1963», American Anthropologist, Vol. 70, No. 2, April 1968.

* *Griffin, James B. (Herausgeber):* «Archeology of Eastern United States», The University of Chicago Press, Chicago and London 1964.

Griffin, James B.: «Eastern North America Archaeology: A Summary», Prehistoric Cultures changed from small hunting bands to well-organized agricultural towns and tribes, Science, Vol. 156, No. 3772, 14. April 1967.

Guernsey, Samuel J.: «Exploration in Northeastern Arizona», Papers of the Peabody Museum of American Archaeology and Ethnology, Vol. 12, No. 1, Harvard University, Cambridge 1931.

«Guide to Departments of Anthropology 1969–70», Bulletins of the American Anthropological Association, Washington D. C. 1970.

Guthe, Carl E.: «Pueblo Pottery Making: A Study at the Village of San Ildefonso», Papers of the Phillips Academy, Southwestern Expedition, No. 2, New Haven 1925.

Hampton, Jim: «On the Anasazi Trail», The National Observer, 5. Juni 1967.

Hargrave, Lyndon L.: «Oraibi: A brief history of the oldest inhabited town in the United States», Museum Notes, Museum of Northern Arizona, Vol. 4, No. 7., Jan. 1932.

—, «Turkey Bones from Wetherill Mesa», Memoirs of the Society for American Archaeology, No. 19, American Antiquity, Vol. 31, No. 2, Part 2, Okt. 1965.

Harrington, Mark R.: «Gypsum Cave, Nevada», in *Leo Deuel:* «Conquistadors without Swords», St. Martin's Press, New York 1967.

Harris/Morren, Marvin und George E. B.: «The Limitations of the Principle of Limited Possibilities», American Anthropologist, Vol. 68, No. 1, Febr. 1966.

Harte, Bret: «Poetical Works», Houghton Mifflin Company, Boston 1899.

Haury, Emil W.: «A Possible Cochise-Mogollon-Hohokam Sequence», Proceedings of the American Philosophical Society, Vol. 86, No. 2, Philadelphia 1943.

—, «The Stratigraphy and Archaeology of Ventana Cave, Arizona», The University of New Mexico Press, Albuquerque 1950.

—, «Artifacts with Mammoth Remains, Naco, Arizona», American Antiquity, Vol. 19., No. 1, 1953.

Haury, Emil W. (Herausgeber): «American Anthropologist, Southwest Issue», Vol. 56, No. 4, August 1954.

Haury, Emil W.: «Post-Pleistocene Human Occupation of the Southwest», University of Arizona Press, Tucson, Arizona 1958.

—, «The Lehner Mammoth Site», American Antiquity, Vol. 25, No. 1, Juli 1959.

—, «Snaketown: 1964–1965», The Kiva, Journal of the Arizona Archaeological and Historical Society, Vol. 31, No. 1, 1. Okt. 1965.

—, «The Hohokam, First Masters of the American Desert», National Geographic, Vol. 131, No. 5, Mai 1967.

Haury/Sayles/Wasley, Emil W., E. B. und William W.: «The Lehner Mammoth Site», American Antiquity, Vol. 25, No. 1, 1. Juli 1959.

Haven, Samuel F.: «Archaeology of the United States», or Scetches, Historical and Bibliographical, of the Progress of Information and Opinion respecting Vestiges of Antiquity in the United States, Smithsonian Contribution to Knowledge, Washington 1856.

Hawkes, Jacquetta (Herausgeberin): «The World of the Past», I.–II., Alfred A. Knopf, New York 1963.

Hawley, Florence: «Tree Ring Analysis and Dating in the Mississippi Drainage», University of Chicago Publications in Anthropology, Occasional Paper, No. 2, 1941.

Hayes, Alden C.: «The Archaeological Survey of Wetherill Mesa», Archaeological Research Series, No. 7 A, National Park Service, Washington 1964.

Haynes jr., C. Vance: «Elephant-hunting in North America», Scientific American, Vol. 214, No. 6, Juni 1966.

Haynes/Agogino, C. Vance und George: «Geologic Significance of a new Radiocarbon Date from the Lindenmeier Site», Denver Museum of Natural History, Proceedings, No. 9, 1960.

* *Heizer, Robert F. (Herausgeber):* «The Archaeologist at Work», A Source Book in Archaeological Method and Interpretation, Harper & Brothers, New York 1959.

Helm, June (Herausgeberin): «Pioneers of American Anthropology», The Uses of Biography, University of Washington Press, Seattle 1966.

Heydecker, J.: «Die Phönizier waren schon vor 3000 Jahren in Amerika», Die Tat, Zürich, 1. Juni 1968.

Hibben, Frank C.: «The Gallina Phase», American Antiquity, Vol. IV., No. 2, 1938.

—, «Evidences of early occupation in Sandia Cave, New Mexico, and other sites in the Sandia-Manzano Region», with appendix on «Correlation of the Deposits of Sandia Cave, New Mexico, with the glacial chronology» by *Kirk Bryan;* Smithsonian Miscellaneous Collections, Vol. 99, No. 23, City of Washington 1941.

—, «We found the Home of the First American», The Saturday Evening Post, 17. April 1943.

—, «The Mystery of the Stone Towers», The Saturday Evening Post, 9. Dez. 1944.

—, «Treasure in the Dust», Exploring Ancient North America, J. B. Lippincott Company, Philadelphia und New York 1951.

—, «Digging up America», Hill and Wang, New York 1960.

* —, «The Lost Americans», Thomas Y. Crowell Company, New York 1968.

Hodges, Henry: «Artifacts, An Introduction to Primitive Technology», Frederick A. Praeger, New York und London 1964.

Holand, Hjalmar Rued: «A Pre-Columbian Crusade to America», New York 1962.

Hole/Heizer, Frank und Robert F.: «An Introduction to Prehistoric Archeology», Holt, Rinehart and Winston, New York 1966.

Holmes, W. H.: «Report on the ancient ruins of southwestern Colorado, examined during the summers of 1875 and 1876», Tenth Annual Report of the U.S. Geological and Geographical Survey of the Territories, 1876, Washington 1878.

—, «Biographical Memoir of Lewis Henry Morgan, 1818–1881», National Academy of Science, Biographical Memoirs, VI., 1909.

* *Hopkins, David M. (Herausgeber):* «The Bering Land Bridge», based on a symposium held at the Seventh Congress of the International Association for Quaternary Research, Boulder, Colorado, August-September 1965; Stanford University Press, Stanford, California 1967.

Horgan, Paul: «Conquistadors in North American History», Fawcett, Greenwich, Connecticut 1965.

Howe, Sherman S.: «My Story of the Aztec Ruins», The Basin Spokesman, Farmington, New Mexico 1955.

Howells, William: «Back of History», The Story of our own Origins, Revised edition in The Natural History Library, New York 1963.

Hrdlička, Aleš: «Skeletal Remains Suggesting or Attributed to Early Man in North America», Bureau of American Ethnology, Bulletin 33, Washington D. C. 1907.

—, «Recent Discoveries Attributed to Early Man in America», Bureau of American Ethnology, Bulletin 66, Washington D. C. 1918.

Huddleston, Lee Eldridge: «Origins of the American Indians: European Concepts, 1492–1729», Institute of Latin American Studies, Latin American Monographs, 11, The University of Texas Press, Austin und London 1967.

Huizinga, Johan: «Homo ludens», Vom Ursprung der Kultur im Spiel, rowohlts deutsche enzyklopädie Nr. 21, Hamburg 1956.

Hulbert, Archer Butler: «Paths of the Mound-Building Indians and Great Game Animals», Historic Highways of America, Vol. 1, Frontier Press, Cleveland, Ohio 1967 (Neudruck der Ausgabe von 1902).

Ingstad, Helge: «Die erste Entdeckung Amerikas», Auf den Spuren der Wikinger, Ullstein, Berlin 1966.

Jackson, William Henry: «Time Exposure», Autobiography, G. O. Putnams Sons, New York 1940.

Jacob, Heinrich Eduard: «6000 Jahre Brot», Rowohlt, Hamburg 1954.

Jefferson, Thomas: «Notes on the state of Virginia»; written in the year 1781, somewhat corrected and enlarged in the winter of 1782, for the use of a Foreigner of distinction, in Answer to certain queries proposed by him respecting, Philadelphia 1788; vorher und nachher zahlreiche andere Ausgaben.

Jennings, Jesse D.: «Danger Cave», Anthropological Papers, No. 27, University of Utah 1957.

* —, «Prehistory of North America», McGraw-Hill, New York 1968.

Jennings/Norbeck, Jesse D. und Edward (Herausgeber): «Prehistoric Man in the New World», University of Chicago Press, Chicago und London 1964.

Johnson, Frederick: «Radiocarbon Dates from Sandia Cave, Correction», Science, Vol. 125, No. 3241, 1957.

—, «Archeology in an Emergency», The federal government's Inter-Agency Archaeological Salvage Program is 20 years old; Science, Vol. 152, No. 3729, 17. Juni 1966.

—, «Radiocarbon Dating and Archaeology in North America, Science, Vol. 155, 13. Jan. 1967.

Jones, Evan: «Dig-It-Yourself› Archaeologists», The New York Times Magazine, 16. Febr. 1958.

Jones, Gwyn: «The North Atlantic Saga», Being the North Voyages of Discovery and Settlement to Iceland, Greenland, America; Oxford University Press, London 1964.

Joseph jr., Alvin M.: «The Patriot Chiefs», A Chronicle of American Indian Leadership, The Viking Press, New York 1961.

* —, «The Indian Heritage of America», Alfred A. Knopf, New York 1968.

Judd, Neil M.: «The Bureau of American Ethnology: A Partial History», University of Oklahoma Press, 1967.

–, «Men Met Along the Trail: Adventures in Archaeology», University of Oklahoma Press, Norman 1968.

Jung, C. G.: «Erinnerungen, Träume, Gedanken», aufgezeichnet und herausgegeben von Aniela Jaffé, Zürich-Stuttgart 1963.

Kelly, A. R.: «A Preliminary Report on Archaeological Explorations at Macon, Ga.», Smithsonian Institution Bureau of American Ethnology, Bulletin 119, Washington D. C. 1938.

Kidder, Alfred Vincent: «The Pueblo of Pecos», Archaeological Institute of America, Papers of the School of American Archaeology, No. 33, Santa Fé 1916.

* –, «An Introduction of the Study of Southwestern Archaeology with a preliminary account of the excavations at Pecos, and a summary of Southwestern archaeology today by Irving Rouse», Yale University Press, New Haven und London 1962 (zuerst erschienen 1924).

–, «Sylvanus Griswold Morley, 1883–1948», El Palacio, Vol. 55, Santa Fé 1948.

Kidder/Guernsey, Alfred Vincent und Samuel J.: «Archaeological explorations in Northeastern Arizona», Bureau of American Ethnology, Bulletin 65, Washington D. C. 1919.

Klein/Icolari, Bernard und Daniel: «Reference Encyclopedia of the American Indian», B. Klein and Comp., New York 1967.

Krieger, Alex D.: «Early Man in the New World», in *Jennings/Norbeck, Jesse D. und Edward (Herausgeber):* «Prehistoric Man in the New World», University of Chicago Press, Chicago and London 1964.

* –, «A Roster of Civilizations and Culture», Aldine Publishing Company, Chicago 1962.

–, «Anthropology: Biology and Race», A Harbinger Book, Harcourt, Brace and World, New York 1963.

* –, «Anthropology: Culture Patterns and Processes», A Harbinger Book, Harcourt, Brace and World, New York 1963.

–, «An Anthropologist looks at History», University of California Press, Berkeley und Los Angeles 1963.

Kroeber, Theodora: «Ishi in two Worlds», A Biography of the Last Wild Indian in North America, University of California Press, Berkeley and Los Angeles 1965.

Krutch, Joseph Wood: «The Voice of the Desert», A Naturalist's Interpretation, William Sloane Associates, New York 1954.

–, «The Desert Year», The Viking Press, New York, 1964.

* *La Farge, Oliver:* «A Pictorial History of the American Indian», Grown Publishers, New York 1956.

Lamb, Charles: «Eine Abhandlung über Schweinebraten», in «Essays», Winkler-Verlag, München 1965.

Lange/Riley, Charles H. und Carroll L. (Herausgeber): «The Southwestern Journals of Adolph F. Bandelier 1880–1882», The University of New Mexico Press, Santa Fé 1966.

Las Casas, Bartolomé de: «Kurzgefaßter Bericht von der Verwüstung der Westindischen Länder», herausgegeben von Hans Magnus Enzensberger, Insel Verlag, Frankfurt 1966.

Lawrence, D. H.: «Mexikanischer Morgen und Italienische Dämmerung», Rowohlt, Hamburg 1963.

Leakey, L. S. B.: «Finding the Worlds Earliest Man», National Geographic, Vol. 118, No. 3, Sept. 1960.

–, «Exploring 1 750 000 Years into Man's Past», National Geographic, Vol. 120, No. 4, Okt. 1961.

Leakey/Simpson/Clements, L. S. B., Ruth de Ette und Thomas: «Archaeological Excavations in the Calico Mountains, California: Preliminary Report», Science, Vol. 160, 31. Mai 1968.

Lee/DeVore, Richard B. und Irven (Herausgeber): «Man the Hunter», Aldine Publishing Company, Chicago 1969.

Lehner, Ernst und Johanna: «How they saw the New World», A most Revealing and Wonderful collection of over 200 Rare Woodcuts and Engravings of Olde Maps, the Natives, Plants, Views, Towns and Curious Animals of the Newly Discovered Land, Tudor Publishing Company, New York 1966.

Lévy-Strauss, Claude: «Strukturale Anthropologie», Suhrkamp Verlag, Frankfurt 1967.

Lewis, John: «Anthropology made simple», Doubleday and Comp., Garden City, New York 1961.

Libby, Willard F.: «Radiocarbon Dating», The University of Chicago Press, Chicago und London, 1955.

Lister, Robert H.: «Contributions to Mesa Verde Archaeology: I Site 499, Mesa Verde National Park, Colorado» (with a chapter on pottery by *Florence C. Lister*), University of Colorado Studies, Series in Anthropology, No. 9, University of Colorado Press, Boulder, Sept. 1964.

–, «Archaeology for Layman and Scientist at Mesa Verde», Science, Vol. 160, No. 3827, 3. Mai 1968.

Lister/Lister, Florence C. und Robert H.: «Earl Morris and Southwestern Archaeology», The University of New Mexico Press, Albuquerque 1968.

Lommel, Andreas: «Die Welt der Frühen Jäger», Medizinmänner, Schamanen, Künstler; Callwey, München 1965.

London, Jack: «Before Adam», Macmillan Company, New York 1907.

–, «The Star Rover», Macmillan Company, New York 1915.

Longfellow, Henry Wadsworth: «The Complete Poetical Works», Boston, Houghton Mifflin Company, 1922.

Lummis, C. F.: «A hero in Science», The Land of Sunshine, Vol. XIII., August 1900.

–, «Bandelier's Death an Irreparable Loss», El Palacio, Vol. I., 6–7, Santa Fé April-Mai 1914.

–, «In Memory», in *Adolph F. Bandelier:* «The Delight Makers», 3. Auflage, Dodd, Mead & Company, New York 1918.

Lyons, Richard D.: «How Man came to the Americas», The New York Times, 23. April 1967.

* *Macgowan/Hester jr., Kenneth und Joseph A.:* «Early Man in the New World», The Natural History Library, New York 1962.

Mallery, Arlington H.: «Lost America», The Story of the Pre-Columbian Iron Age in America, The Overlook Company, Washington D. C. 1951.

Mangelsdorf/MacNeish/Galinat, Paul C., Richard S. und Walton C.: «Domestication of Corn» in *Joseph R. Caldwell (Herausgeber):* «New Roads to Yesterday», Basic Books, New York 1966.

Mangelsdorf/Reeves, Paul C. und R. G.: «The Origin of Maize: Present Status of the Problem», American Anthropologist, Vol. XLVII, No. 2, 1945.

Manley, Frank: «Horseleg Mountain, A Transitional Palaeo-Indian Site», Archaeology, Vol. 21, No. 1, Jan. 1968.

Manners/Kaplan, Robert O. und David: «Theory in Anthropology», A Sourcebook, Aldine Publishing Company, Chicago 1968.

Martin, Paul S.: «Digging into History», A Brief Account of Fifteen Years of Archaeological Work in New Mexico, Chicago Natural History Museum, Popular Series, Anthropology, No. 38, Chicago 1963.

–, «The Last 10 000 Years», A Fossil Pollen Record of the Southwest, The University of Arizona Press, Tucson 1970.

–, «Pleistocene Overkill», Natural History, Dez. 1967.

* *Martin/Quimby/Collier, Paul S., George I. und Donald:* «Indians before Columbus», Twenty Thousand Years of North American History Revealed by Archaeology, The University of Chicago Press, Chicago 1962.

Martin/Wright, Paul S. und H. E.: «Pleistocene Extinctions: The Search for a Cause», Proceedings of the VII. Congress of the International Association for Quaternary Research, No. 6, New Haven und London, Yale University Press 1967.

Matson, Frederick R. (Herausgeber): «Ceramics and Man», Aldine Publ. Comp., Chicago 1965.

Matthews, William H.: «Fossils», An Introduction to Prehistoric Life, Barnes & Noble, New York 1962.

Mavor, James W.: «Voyage to Atlantis», Putnam's Sons, New York 1969.

Mazess/Zimmerman, Richard B. und D. W.: «Pottery Dating from Thermoluminescence», Science, Vol. 152, No. 3720, 15. April 1966.

McGregor, John C.: «The Pool and Irving Villages», A study of Hopewell occupation in the Illinois River Valley, University of Illinois Press, Urbana 1958.

* —, «Southwestern Archaeology», University of Illinois Press, Urbana 1965.

McNitt, Frank: «Richard Wetherill Anasazi», University of New Mexico Press, Albuquerque 1966.

* *Mead/Bunzel, Margaret und Ruth L. (Herausgeber):* «The Golden Age of American Anthropology», George Braziller, New York 1960.

Meighan, Clement W.: «Archaeology: An Introduction», University of California, Los Angeles 1966.

Merve, Nikolaas J. van der: «The Carbon-14 Dating of Iron», University of Chicago Press, Chicago 1969.

Meyer, Jerome S.: «World Book of Great Inventions», World Publ. Comp. Cleveland and New York 1956.

Michels, Joseph W.: «Archaeology and Dating by Hydration of Obsidian», Science, Vol. 158, No. 3798, 13. Okt. 1967.

Mindeleff, Victor: «A Study of Pueblo Architecture in Tusayan and Cibola», Eighth Annual Report of the Bureau of Ethnology, 1886–87, Washington 1891.

Moore, Ruth: «Menschen, Zeiten und Fossilien», Rowohlt, Hamburg 1955.

Moorehead/Taylor, W. K. und J. L. B.: «The Cahokia Mounds», University of Illinois, Bulletin Vol. XXVI, No. 4, Urbana Sept. 1928.

Morris, Ann Axtell: «Digging in the Southwest», Doubleday, Doran & Co., Garden City, New York 1933.

Morris, Earl H.: «The excavation of a ruin near Aztec, San Juan County, New Mexico», American Anthropologist, Vol. 17, No. 4, 1915.

—, «Discoveries at the Aztec Ruin», American Museum Journal, Vol. 17, No. 3, New York 1917.

—, «The Aztec Ruin», Anthropological Papers of the American Museum of Natural History, Vol. 26, Part 1, New York 1919.

—, «Mummy Cave», Natural History, Vol. XLII, No. 2, New York, Sept. 1938.

Mühlmann, Wilhelm E.: «Geschichte der Anthropologie», Universitäts-Verlag, Bonn 1948.

Müller-Beck, Hansjürgen: «Paleohunters in America: Origins and Diffusion», Science, Vol. 152, No. 3726, 27. Mai 1966.

—, «On Migrations of Hunters across the Bering Land Bridge in the Upper Pleistocene», in: *David M. Hopkins (Herausgeber):* «The Bering Land Bridge», Stanford University Press, Stanford, California 1967.

Oakley, Kenneth P.: «Man the Tool-maker», University of Chicago Press, Chicago 1964.

—, «Frameworks for Dating Fossil Man», Aldine Publishing Company, Chicago 1968.

Orr, Phil C.: «Radiocarbon Dates from Santa Rosa Island, I.», Santa Barbara Museum of Natural History, Anthropological Bulletin, No. 2, 1956, und «Radiocarbon Dates from Santa Rosa Island, II.», Santa Barbara Museum of Natural History, Anthropological Bulletin, No. 3, 1960.

Orr/Berger, Phil C. und Rainer: «The Fire Areas on Santa Rosa Island, California», Proceedings of the National Academy of Sciences, Vol. 56, No. 5–6, Nov./Dez. 1966.

Ortega y Gasset, José: «Über die Jagd», rowohlts deutsche enzyklopädie Nr. 42, Hamburg 1957.

Osborne, Douglas: «Solving the Riddles of Wetherill Mesa», National Geographic, Vol. 125, No. 2, Febr. 1964.

* *Owen/Deetz/Fisher, Roger C., James J. F., Anthony D.:* «The North American Indian», A Sourcebook, The Macmillan Comp., New York 1967.

Oxenstierna, Eric: «The Vikings», Scientific American, Vol. 216, No. 5, Mai 1967.

Padover, Saul K.: «The Complete Jefferson», New York 1943.

Peckham, Stewart: «Prehistoric Weapons in the Southwest», Museum of Mexico Press, Santa Fé 1965.

Pfeiffer, John: «When Homo Erectus Tamed Fire, He Tamed Himself», New York Times Magazine, 11. Dez. 1966.

Piggot, Stuart: «The Dawn of Civilization», Thames & Hudson, London 1961.

Pinkley, Jean M.: «The Pueblos and the Turkey: Who domesticated Whom?», Memoirs of the Society for American Archaeology, No. 19, American Antiquity, Vol. 31, No. 2, Part 2, Okt. 1965.

Poggie jr., John J.: «A Note on Lewis Henry Morgan», American Anthropologist, Vol. 68, No. 2, Part 1, April 1966.

Pond, Alonzo W.: «Primitive Methods of Working Stone, Based on Experiments of Halvor L. Skavlem, The Logan Museum, Beloit, Wisconsin 1930.

Poole, Lynn und Gray: «Carbon-14 and other science methods that date the past», McGraw-Hill, New York 1961.

Pope jr., G. D.: «Ocmulgee, National Monument, Georgia», National Park Service Historical Handbook Series, No. 24, Washington D. C. 1961.

Pourade/Rogers, Richard F. und Malcolm J. (Herausgeber): «Ancient Hunters of the Far West», Union-Tribune Publishing Comp., San Diego 1966.

Pratt, Harry Noyes: «The Seventh City of Cibola», in: «The Music Makers», compiled by Stanton A. Coblentz, Bernard Ackermann, New York 1945.

Priestley/Hawkes, J. B. und Jacquetta: «Journey down a Rainbow», New York 1955.

Prudden, T. Mitchel: «An Elder Brother to the Cliff-Dweller», Harper's Monthly, XCV, No. 565, Juni 1897.

Prufer, Olaf H.: «Ohio Hopewell Ceramics: An Analysis of the Extant Collections», Museum of Anthropology, Anthropological Papers No. 33, The University of Michigan, Ann Arbor 1968.

Rainey, Froelich: «New Techniques in Archaeology», Proceedings of the American Philosophical Society, Vol. 110, No. 2, 22. April 1966, Philadelphia 1966.

Ress, Paul Evans: «Beach Boys on the Riviera, 200 000 B. C.», Life, 2. Mai 1966.

Robbins/Jones, Roland Wells u. Evan: «Hidden America», Alfred A. Knopf, New York 1959.

Robbins, Maurice (mit Mary B. Irving): «The Amateur Archaeologist's Handbook», Thomas Y. Crowell Company, New York 1965.

Roberts jr., Frank H. H.: «A Folsom Complex, Smithsonian Miscellaneous Collections, Vol. 94, No. 4., Washington D. C. 1935.

Rust, Alfred: «Über Waffen- und Wergzeugtechnik des Altmenschen», Karl Wachholtz Verlag, Neumünster 1965.

Sanders/Marino, William T. und Joseph P.: «New World Prehistory: Archaeology of the American Indian», Prentice-Hall, Englewood Cliffs, New Jersey 1970.

Sapir, E.: «Time perspective in aboriginal American culture; a study in method», Geological Survey of Canada, Anthropological Series, No. 13, Ottawa 1916.

Scheele, William E.: «Prehistoric Man and the Primates», The World Publishing Company, Cleveland und New York 1957.

Schmeck jr., Harold M.: «The Oldest American», New York Times, 4. Juni 1967.

Scholte, Bob: «Epistemic Paradigms: Some Problems in Cross-Cultural Research on Social Anthropological History and Theory», American Anthropologist, Vol. 68, No. 5, Okt. 1966.

Schwartz, Douglas W.: «Conceptions of Kentucky Prehistory: A Case Study in the History of Archaeology», Studies in Anthropology, No. 6, University of Kentucky Press, Lexington 1967.

Schwarz, Georg Theodor: «Archäologen an der Arbeit», Neue Wege zur Erforschung der Antike, Francke Verlag, Bern und München 1965.

Sellards, E. H.: «Early Man in America: A Study in Prehistory», University of Texas Press, Austin 1952.

Shepard, Anna O.: «Ceramics for the Archaeologists», Carnegie Institution of Washington, Washington D. C. 1956.

Shetrone, Henry Clyde: «The Mound-Builders», A Reconstruction of the life of a prehistoric American race, through exploration and interpretation of their earth mounds, their burials, and their cultural remains, Kennikat Press, Port Washington 1930.

Silverberg, Robert: «Home of the Red Man», Indian North America before Columbus, New York Graphic Society, Greenwich, Connecticut 1963.

— , «Mound Builders of Ancient America», The Archaeology of a Myth, New York Graphic Society, Greenwich, Connecticut 1968.

Skelton/Marston/Painter, R. A., Thomas E. und George D.: «The Vinland Map and the Tartar Relation», Yale University Press, New Haven und London 1965.

Slotkin, J. S. (Herausgeber): «Readings in Early Anthropology», Aldine Publishing Company, Chicago 1965.

Spanuth, Jürgen: «Atlantis», Grabert Verlag, Tübingen 1965.

Sprague de Camp, L.: «The Great Monkey Trial», Doubleday & Co., New York 1967.
— , «The End of the Monkey War», Scientific American, Vol. 220, No. 2, Febr. 1969.

Squier/Davis, E. G. und E. H.: «Ancient Monuments of the Mississippi Valley: Comprising the Results of Extensive Original Surveys and Explorations», Smithsonian Contributions to Knowledge, Vol. I, City of Washington 1848.

Stallings jr., W. S.: «Dating Prehistoric Ruins by Tree-Rings», University of Arizona, Tucson 1960.

Steefel, Lawrence: Besprechung des Buches von Erik Wahlgren: «The Kensington Stone: A Mystery solved», Madison, Wisconsin 1958, in: The Minnesota Archaeologist, Vol. XXVIII, No. 3, 1965.

Steiner, Rudolf: «Unsere atlantischen Vorfahren», Berlin 1918.

Stirling, Matthew W. (Herausgeber): «National Geographic on Indians of the Americas», The National Geographic Society, Washington D. C. 1965.

Stoutenburgh jr., John L.: «Dictionary of the American Indian», Philosophical Library, New York 1960.

Stuart/Stuart, George E. und Gene S.: «Discovering Man's Past in the Americas», National Geographic Society, Washington D. C. 1969.

Stubbs, Stanley A.: «Bird's-Eye View of the Pueblos», Ground Plans of the Indian Villages of New Mexico and Arizona, with aerial photographs and scale drawings, The University of Oklahoma Press, Norman, Oklahoma 1950.

Suess, Hans E.: «Die Eichung der Radiokarbonuhr», Bild der Wissenschaft, Nr. 2, Febr. 1969.

Swanton, John R.: «Indian Tribes of the Lower Mississippi Valley, Smithsonian Institution Bureau of Ethnology, Bulletin 43, Washington D. C. 1911.

Taylor, Walter W.: «A Study of Archaeology», American Anthropological Association Memoir, No. 69, Menasha, Wisconsin 1948.

Terra, Helmut de: «Urmensch und Mammut», Alte Kulturen im Boden Mittelamerikas,

Brockhaus, Wiesbaden 1954.

Terrell, John Upton: «Journey into Darkness», A true account of Cabeza de Vaca's remarkable expedition across the North American continent, 1528–1536, William Morrow and Company, New York 1962.

–, «The Man Who Rediscovered America», A Biography of John Wesley Powell, Weybright & Talley, New York 1969.

«The American Heritage Pictorial Atlas of United States History», by the editors of ‹American Heritage›, American Heritage Publishing Company, New York 1966.

«The Smithsonian Institution», Published by the Smithsonian Institution, City of Washington 1964.

Thorowgood, Thomas: «Jews in America, or probabilities that the Americans are of that race», 1650.

Ucko/Dimbleby, Peter J. und G. W. (Herausgeber): «The domestication and exploitation of plants and animals», Proceedings of a meeting of the Research Seminar in Archaeology and Related Subjects held at the Institute of Archaeology, London University, Aldine Publishing Company, Chicago 1969.

* *Underhill, Ruth M.:* «Red Man's Religion», Beliefs and Practices of the Indians North of Mexico, The University of Chicago Press, Chicago and London 1965.

Ussher, James: «Annalis Veteris et Novi Testamenti», 1650–1654.

Verrill/Verrill, A. Hyatt und Ruth: «America's Ancient Civilizations», G. P. Putnam's Sons, New York 1953.

Wahlgren, Erik: «The Kensington Stone: A Mystery solved», Madison, Wisconsin 1958.

Washburn, Sherwood L. (Herausgeber): «Social Life of Early Man», Aldine Publishing Company, Chicago 1961.

Watson, Don: «Cliff Dwellings of the Mesa Verde», A Story in Pictures, Mesa Verde Museum Association, ohne Ort und Jahr.

–, «Indians of the Mesa Verde», Mesa Verde Museum Association, Colorado 1961.

Watson, Patty Jo: «Prehistoric Miners of Salts Cave, Kentucky», Archaeology, Vol. 19, No. 4, Okt. 1966.

Wauchope, Robert: «Lost Tribes and Sunken Continents», Myth and Method in the Study of American Indians, University of Chicago Press, Chicago und London 1962.

–, «Alfred Vincent Kidder, 1885–1963», American Antiquity, Vol. 31, No. 2, Part 1, Okt. 1965.

Weaver, Kenneth F.: «Magnetic Clues help date the Past», National Geographic, Vol. 131, No. 5, Mai 1967.

Webb/Snow, William S. und Charles E.: «The Adena People», University of Kentucky Reports in Anthropology and Archaeology, Vol. 6, Lexington 1945.

Wedel/Husted/Moss, Waldo R., Wilfred M. und John H.: «Mummy Cave: Prehistoric Record from Rocky Mountains of Wyoming», Science, Vol. 160, No. 3824, 12. April 1968.

Wells, Calvin: «Bones, Bodies and Disease», Evidence of Disease and Abnormality in Early Man; Thames & Hudson, London 1964.

Wendorf/Krieger/Albritton, Fred, Alex D. und Claude C.: «The Midland Discovery, A Report on the Pleistocene Human Remains from Midland, Texas», University of Texas Press, Austin 1955.

Wendt, Herbert: «Es begann in Babel», Die Entdeckung der Völker, Grote, Rastatt 1958.

Wheat, Joe Ben: «Introduction to the Earl Morris Papers», University of Colorado Studies, Series in Anthropology No. 8, Boulder, Colorado, Juni 1963.

–, «Prehistoric People of the Northern Southwest», Grand Canyon Natural History Association, Bulletin No. 12, Grand Canyon 1963.

* *Wheeler, Sir Mortimer:* «Archaeology from the Earth», Penguin Books, London 1956

(Deutsche Ausgabe: «Moderne Archäologie», rowohlts deutsche enzyklopädie Nr. 111, Hamburg 1960).

White, Leslie A. (Herausgeber): «Pioneers in American Anthropology», The Bandelier-Morgan-Letters 1873–1883, I.–II., University of New Mexico Press, Albuquerque 1940.

Wilkins, Thurman: «Clarence King», Macmillan Comp., New York 1958.

Willey, Gordon R.: «New World Archaeology in 1965», Proceedings of the American Philosophical Society, Vol. 110, No. 2, Philadelphia 1966.

* –, «An Introduction to American Archaeology», Vol. I., North and Middle America, Prentice-Hall, Englewood Cliffs, New Jersey 1966.

* *Willey/Phillips, Gordon R. und Philip:* «Method and Theory in American Archaeology», The University of Chicago Press, Chicago und London 1965.

* *Wilmsen, Edwin N.:* «An Outline of Early Man Studies in the United States», American Antiquity, Vol. 31, No. 2, Part 1, Okt. 1965.

Woolley, Sir Leonard: «Digging up the Past», Penguin Books, London 1952.

* *Wormington, H. M.:* «Ancient Man in North America», The Denver Museum of Natural History, Popular Series No. 4, Denver 1964.

–, «When did Man come to North America?» in *James S. Copley (Herausgeber):* «Ancient Hunters of the Far West», The Union-Tribune Publishing Comp., San Diego 1966.

Zeuner, Frederick E.: «Dating the Past», An Introduction to Geochronology, London 1952.

Bildquellenverzeichnis

Farbtafeln

Tafelbilder, schwarz-weiß

Strichzeichnungen

199   New York Public Library, Rare Book Division
203   University of Illinois Press
209   Mound und Beil: gezeichnet nach E. G. Squier und E. H. Davis, *Ancient Monuments of the Mississippi Valley*, 1848
      Hopewell-Standesperson: gezeichnet nach James B. Griffin, *Archaeology of Eastern United States*, University of Chicago Press, copyright 1952
216   Smithsonian Institution
217   Museum of the American Indian
218   Smithsonian Institution
232   Smithsonian Institution
234   nach *The Mound Builders* von H. C. Shetrone, copyright 1928, erneuert 1956 by H. C. Shetrone
236   nach *The Mound Builders* von H. C. Shetrone, copyright 1928, erneuert 1956 by H. C. Shetrone
239   nach *Mound Builders of Ancient America* von Robert Silverberg, New York Graphic Society
240   Ohio Historical Society
240   Milwaukee State Museum
243   gezeichnet nach James B. Griffin, *Archaeology of Eastern United States*, University of Chicago Press, copyright 1952
245   nach James B. Griffin, *Archaeology of Eastern United States*, University of Chicago Press, copyright 1952
246   nach *The Mound Builders* von H. C. Shetrone, copyright 1928, erneuert 1956 by H. C. Shetrone.
248   gezeichnet nach J. W. Powell, *Second Annual Report of the Bureau of Ethnology*, Government Printing Office, 1883
250   Museum of the American Indian
268   nach *Smithsonian Miscellaneous Collections*, Vol. 99, No. 23, Smithsonian Institution
276   gezeichnet nach C. V. Haynes, Science, Vol. 159, pp. 186–187, copyright 1968 by The American Association for the Advancement of Science
289   Field Museum of Natural History
291   nach *Elephant Hunting in North America* von C. Vance Haynes, Jr., copyright © 1966 by Scientific American, Inc.

Zitat- und Bildquellennachweis

WIR DANKEN FOLGENDEN STELLEN FÜR DIE ERLAUBNIS, AUSZÜGE NACHZUDRUCKEN: American Philosophical Society, «New World Archaeology in 1965», *Proceedings*, von Gordon R. Willey; George Braziller, Inc., *The Golden Age of American Archaeology* von Margaret Mead und Ruth L. Bunzel, copyright © 1960 by Margaret Mead und Ruth L. Bunzel; Dodd, Mead & Company, *The Delight Makers* von Adolph Bandelier; Doubleday & Company, Inc., *Digging in the Southwest* von Ann Axtell Morris; *El Palacio* Magazine, Museum of New Mexico, «Sylvanus Griswold Morley, 1883–1948» von Alfred V. Kidder; Field Museum of Natural History, *Digging into History* von Paul S. Martin; Funk & Wagnalls, *The Pueblo Indians* von Richard Erdoes, copyright © 1967 by Richard Erdoes, alle Rechte vorbehalten; Kennikat Press, *The Mound Builders* von H. C. Shetrone; National Geographic Society, «First Masters of the American Desert: The Hohokam» von Emil W. Haury; Oxford University Press, *The North Atlantic Saga* von Gwyn Jones; A. D. Peters & Company, *Journey Down a Rainbow* von J. B. Priestley; The Regents of the University of California, *Coronado's Quest* von A. Grove Day, und *Ishi in Two Worlds* von Theodora Kroeber, Erstveröffentlichung University of California Press; The Saturday Evening Post Company, «We Found the Home of the First American» und «The Mystery of the Stone Towers» von Frank C. Hibben; Scott Meredith Literary Agency, *Mound Builders of Ancient America* von Robert Silverberg, copyright © 1969 by Robert Silverberg, nachgedruckt mit Genehmigung des Autors und seiner Agenten, Scott Meredith Literary Agency, Inc., New York; Smithsonian Institution Press, «Evidences of Early Occupation in Sandia Cave, New Mexico, and Other Sites in the Sandia-Manzano Region», *Smithsonian Miscellaneous Collections*, von Frank C. Hibben; Thames and Hudson Ltd., Science in Archaeology von Don Brothwell und Eric Higgs; United States Department of the Interior, National Park Service, *Aztec Ruins* von John M. Corbett; Yale University Press, *An Introduction to the Study of Southwestern Archaeology* von Alfred V. Kidder.

Bildquellennachweis: Seite 126, James B. Griffin, *Archaeology of Eastern United States*, University of Chicago Press, copyright 1952; Seite 128, W. R. Wedel, *Science*, Vol. 160, pp. 184–186, 12. April 1968, copyright 1968 by The American Association for the Advancement of Science; Seite 149, James Deetz, *Invitation to Archaeology*, mit Illustrationen von Eric Engstrom, copyright © 1967 by James Deetz, Reproduktion mit Genehmigung von Doubleday & Company, Inc.; Seite 234, H. C. Shetrone, *The Mound Builders*, copyright 1928, erneuert 1956 by H. C. Shetrone; Seite 236, H. C. Shetrone, *The Mound Builders*, copyright 1928, erneuert 1956 by H. C. Shetrone; Seite 243, James B. Griffin, *Archaeology of Eastern United States*, University of Chicago Press, copyright 1952; Seite 245, James B. Griffin, *Archaeology of Eastern United States*, University of Chicago Press, copyright 1952; Seite 246, H. C. Shetrone, *The Mound Builders*, copyright 1928, erneuert 1956 by H. C. Shetrone; Seite 276, C. V. Haynes, *Science*, Vol. 159, pp. 186–187, copyright 1968 by The American Association for the Advancement of Science; Seite 291, C. Vance Haynes, Jr., *Elephant Hunting in North America*, copyright © 1966 by Scientific American, Inc.

Register

Pizarro, Francisco 48, 51
Platon 225–26, 227
Pleistozän 290
Pompeji 22
Pond, Alonzo W. 285
Pope, Saxton 322, 323, 324; *zit.* 324–25
Popé 74, 90, 171
Postl, Karl 79
Poverty Points, Louisiana, Mounds in 212
Powdermaker, Hortense 120
Powell, John W. 79, 81
Pratt, Harry N. *zit.* 52
Pre-Columbian Crusade to America, A (Holand) 37
Prescott, William 95
Priestley, J. B. 174
Promontory Cave 282
Prudden, Mitchell 180
Pueblos 28, 53, 71–72, 78, 81, 123, *149*, 158, 159–62, *166*, 170–75; Cibola 66–67, 69, 70; Pecos 70, 81, 89–*90*, 91–93, 162; Bonito 73, 147, 150, 152, 153, 162, 170; Aztec 93, 94–98, 99–105, 111, 147, 152. *Siehe auch* einzelne Pueblos
Pueblos aus der Vogelschau (Stubbs) 171
Pueblos (Indianer) 71–72, 83–84, 95, 112, 113, 121, 123, 152, 164, 252, 282, 284, 300; Aussehen 73; Kleidung 73, 90, 162; Rolle der Frau 72; Korbflechterei und Keramik 73, 160, 161, 266; Ackerbau 72, 73; Bewässerungsanlagen 73, 89; Jagd 73; Kivas 71–72; Religion 72, 162, 172; Tänze 72–73; Sand-Malerei 73; Niveau der Kultur 173–74; Gesellschaftsstruktur 160, 171, 172–73, 244; Bevölkerungszahlen 167; Berührung mit den Spaniern 73–74, 89–90, 157; von Pecos 89–92; Chronologie 92–93, 157; Pueblo I 92, 157, 160; Pueblo II 92, 157, 160; Pueblo III 92, 157, 161, 176; Pueblo IV 92, 157, 158; Pueblo V 92, 157, 162. *Siehe auch* einzelne Stämme
Putnam, F. W. 232
Putnam, Rufus 215
Pyramiden *siehe* Ägypten; Mounds

Quimby, George 123
Quitoks (Indianer) 61

Radiocarbon Dates Inc. 143
Radiocarbon-Datierung (C[14]-Methode) 136–*37*, 138–44, 145, 153, 207, 242, 291; Meßinstrumente 139; Laboratorien 141, 149, 166, 279, Probleme 141–43; Vinlands 42;

der Hohokam 185; der Mounds 237–38; der Frühen Jäger 273, 277, 279–80, 281; der Höhlen 282, 284; des Laguna-Schädels 306–10
Rainey, Froelich 139; *zit.* 135
Raven Cave 282
Reisner, George A. 87
Relación (de Vaca) 60, 61
Religion, der präkolumbischen Indianer 108; der Pueblo-Indianer 72, 162, 172; in Kivas 72, 100, 104; der Tempel-Mound-Builders 247–48; Konfrontation mit dem Christentum 57–58
Rheinland, Baumring-Datierung im 154
Richard Wetherill: Anasazi (McNitt) 177–78
Richert, Roland 101
Rio de la Plata-Region 62
Rio Grande River 70, 77, 104, 162, 171
Rivers, Pitt 128
Roaring Springs Cave 282
Robbins, Roland Wells 27
Roberts, Frank H. H. 92, 262, 275, 276; *zit.* 262–63
Rogers, D. B. 305
Roosevelt, Theodore 170
Rosenberg, Alfred 229
Ross County, Ohio, Mounds in 211
Rousseau, Jean-Jacques 112, 249

Sackett, J. R. 307
Saga von Erik dem Roten 38, 45
Sagas 35, 37–38, 39, 40, 41, 42, 46. *Siehe auch Saga von Erik dem Roten; Grönland-Saga*
Salado-Volk 195
San Juan-Tal 92, 105, 131, 171
Sandalen *159*; der Frühen Jäger *159*, 283; der Korbflechter 158; der Gallina-Menschen 299
Sandia, New Mexiko 265–73; Sandia-Mensch 266, 269–70, 271–73, 274, 294; Sandia-Spitzen 269, 270, 273; Ausgrabungen 266–72; Datierung 271–73, 278
Sandia-Höhle, New Mexico 98, 265–73; Datierung 266, 267, 271–73; Querschnitt *268*
Santa Fé, New Mexico 82, 89, 171, 295
Santa Rosa Island, Kalifornien 281
Saturday Evening Post, The 265, 294
Sayles, E. B. 127, 188
Schiller, Friedrich *zit.* 119
Schlangen-Mound (Great Serpent Mound), Ohio 231–32, 233
Schliemann, Heinrich 117, 127, 226, 317